dictionnaire des
grands
musiciens

sous la direction de
Marc Vignal

2

RÉFÉRENCES Larousse

17, RUE DU MONTPARNASSE - 75298 PARIS CEDEX 06

Conçue et entreprise
sous la responsabilité
d'Antoine Goléa († 1980),
la rédaction de cet ouvrage
a été dirigée par
Marc Vignal

Secrétariat de rédaction
Alain Melchior-Bonnet
Annie Perrier-Robert
assistés de Joëlle Narjollet

Correction-révision
Bernard Dauphin et Louis Petithory
Marie-Pierre Gachet, Jackie Ratsietison
Martine Rousseau

Maquette de
Serge Lebrun

Cet ouvrage est extrait du Larousse de la Musique
(2 vol.) 1982, 2ᵉ édition

Le présent volume appartient à la dernière édition (revue et corrigée) de cet ouvrage.

ISBN 2-03-720009-9

Photocomposition M.C.P.
Achevé d'imprimer le 01-03-1991 par New Interlitho pour la Librairie Larousse
Nᵒ d'éditeur 15963. Dépôt légal : Mars 1991. Imprimé en Italie.

Ph. Gras

Paul Méfano.

MÉFANO *(Paul)*, compositeur français *(Bassora, Irak, 1937).* Il a fait ses études d'abord à l'École normale de musique de Paris dans la classe d'Andrée Vaurabourg-Honegger, puis au Conservatoire de Paris, notamment avec Darius Milhaud (composition) et Olivier Messiaen (analyse), de 1960 à 1964. Il a aussi suivi l'enseignement de Pierre Boulez à l'Académie de musique de Bâle (composition, analyse et direction d'orchestre), de Karlheinz Stockhausen et de Henri Pousseur. Ses premières œuvres témoignent d'une assimilation en profondeur de l'esthétique de Pierre Boulez. Ce sont *Incidences* pour orchestre et piano (1960 ; rév., 1966, création à Paris, 1967) ; *Quadrature* pour chœurs et orchestre (1960-61) ; *Madrigal* pour 3 voix de femmes et petit ensemble, d'après Paul Eluard (1962, création à Royan, 1972) ; *Mélodies* pour soprano et divers ensembles de chambre (1962-63, création à Royan, 1974) ; et *Paraboles* pour soprano dramatique et ensemble de chambre, d'après Yves Bonnefoy (1964, création à Paris, 1965). Suivirent *Interférences* pour cor principal, piano et ensemble de chambre, ouvrage dédié à Olivier Messiaen (1966, création à Royan la même année) ; *Aurelia* pour 70 amateurs (1970), et *Lignes* pour voix de basse noble, cuivres, percussions, basson et contrebasse amplifiée, sur un texte du compositeur (1968, création la même année à Royan).

De 1966 à 1968, Méfano fut artiste en résidence aux États-Unis, ce qui lui permit d'étudier la musique javanaise et balinaise à l'université de Californie (Los Angeles), et, en 1968-69, il séjourna à Berlin. Revenu en France, il composa *la Cérémonie* pour haute-contre, baryton, soprano, 3 groupes d'orchestre et chœurs parlés (1970, création à Royan la même année). Suivirent *Old Œdip*, œuvre théâtrale pour 2 récitants et bande magnétique (1970), *Intersection*, musique électronique à 6 pistes (1970, création aux Semaines de musique contemporaine d'Orléans, 1971), *Bi-Function* pour 2 musiciens, appareillage électroacoustique, bande magnétique et modulateur à anneaux (1971), *la Messe des voleurs... les voleurs de messe* pour 4 voix solistes, 3 cuivres, 3 bois, 3 cordes, 3 percussions, orgue Hammond, magnétophone à 6 pistes, appareillage électroacoustique et modulateur à anneaux (1972, création à Royan la même année), *Would you like it* pour 12 instrumentistes (1972), et *Signes/Oubli* pour 20 musiciens (1972, création à Metz la même année).

En 1971, Méfano participa à la création du Collectif musical international e2m, ce qui lui a permis de mener depuis, en tant qu'animateur, professeur et chef d'orchestre, de multiples actions en faveur de la musique contemporaine, notamment à Champigny. À la tête de cet ensemble, il a joué un rôle essentiel pour imposer à Paris et à l'étranger de jeunes compositeurs qui avaient été révélés au festival de Royan à partir de 1973, comme Brian Ferneyhough, Giuseppe Sinopoli, Hugues Dufourt ou Philippe Manoury. Parallèlement, il a poursuivi ses activités de créateur avec, entre autres, *N* pour flûte seule, appareillage électroacoustique et modulateurs à anneaux (1973, création la même année à Champigny), *They* pour un chanteur (enregistrement d'une voix seule superposée en 12 pistes magnétiques, 1974), *Ondes/Espaces mouvants* pour 10 instrumentistes (1975, création à Metz la même année ; rév., 1976), *Éventails* pour flûte basse amplifiée (1976), *Mouvement calme* pour quatuor à cordes (1976), *Placebo Domino in regione vivorum,* motet à 6 voix (1976), *À Bruno*

Maderna pour cordes et bandes magnétiques (1974 ; création 1977), *Périples,* pour
saxophone(s), œuvre écrite pour les soixante-dix ans d'Olivier Messiaen (1978),
Gradiva, pour flûte octobasse et bande
magnétique (1978), *Micromégas,* opéra
de chambre (1979, créé à Avignon en 1988),
et *Traits suspendus,* pour flûte contrebasse
amplifiée (1980).

MÉHUL *(Étienne-Nicolas),* compositeur
français *(Givet 1763 - Paris 1817).* Dès
l'âge de dix ans, il fut organiste suppléant
aux orgues de l'église des franciscains de
Givet, puis, en 1776, à celles du couvent
de Laval-Dieu, où il fut élève de Wilhelm
Hanser. En 1778, il se rendit à Paris, où,
soigneusement recommandé, il put trouver des places de maître de musique. Son
Ode sacrée, exécutée au Concert spirituel
en 1782, attira l'attention sur lui. Il fut
présenté à Gluck, qui décela ses talents
dramatiques, le fit travailler et l'orienta
vers le théâtre. En 1790, l'Opéra-Comique
représenta son *Euphrosine,* dont la vigueur

Larousse

Portrait d'Étienne-Nicolas **Méhul** *par Z. Belliard.*
Affiche de Don Sanche *de* **Méhul** *(1825).*

dramatique lui valut un franc succès, qui se renouvela l'année suivante à l'Opéra avec *Alonzo et Cora,* composé depuis 1785. Dès lors, Méhul se consacra essentiellement à l'opéra, à l'opéra-comique et au ballet. Lors de la Révolution française, bien que moins engagé que Gossec, il apporta sa contribution aux fêtes patriotiques avec quelques œuvres pleines de feu comme le célèbre *Chant du départ,* entendu le 4 juillet 1794, ou le *Chant du 25 Messidor,* exécuté le 14 juillet 1800 aux Invalides et utilisant 3 chœurs, 2 orchestres et 1 chœur de femmes accompagné de harpes. Il fut l'un des quatre inspecteurs du Conservatoire, lors de sa fondation en 1795. En 1795, il fut le premier musicien à entrer à l'Institut. Malgré toutes ces activités, il ne cessait de composer, avec des succès inégaux. *Le Jeune Henri,* représenté en 1797, vit son ouverture bissée dans l'enthousiasme, et le premier acte sifflé dans la colère, car le héros de l'ouvrage est un roi. *Ariodant* et *Adrien,* en 1799, furent deux grands succès. En revanche, *Joseph,* en 1807, fut accueilli assez froidement, et ne connut la faveur qu'après s'être imposé en Allemagne. Primé par Napoléon comme le meilleur ouvrage lyrique de l'année, *Joseph* resta l'œuvre maîtresse de Méhul, avec l'*Irato* (1801), cette étourdissante bouffonnerie présentée comme un pastiche de Paisiello. Tous les ouvrages de Méhul, dont aussi *Uthal* (1806), font preuve de sa science de l'instrumentation, de son sens d'un romantisme naissant et de son invention mélodique. Cependant, son étoile pâlit face aux succès de Spontini. Atteint de phtisie, il se rendit à Hyères, espérant y guérir, mais mourut peu après son retour à Paris, laissant à son neveu Daussoigne le soin de terminer *Valentine de Milan,* que l'Opéra-Comique représenta en 1822. Ses symphonies en *sol* mineur (1809) et en *ré* majeur (1809) sont de remarquables spécimens du genre. Deux autres existent (*mi* majeur, *ut* majeur).

*É.-N. **Méhul.** Dessin de A. Guilleminot.*

MENDELSSOHN (*Félix, Jakob, Ludwig,* ou MENDELSSOHN-BARTHOLDY), compositeur, chef d'orchestre et pianiste allemand (*Hambourg 1809 - Leipzig 1847*). Il était le deuxième enfant d'une famille bourgeoise, riche et de grande culture, d'origine juive. Son père Abraham, fils du célèbre philosophe Moses Mendelssohn («le Platon moderne») et banquier fort avisé, se plaisait à dire : «Avant j'étais le fils de mon père, maintenant je suis le père de mon fils.» Il décida de faire baptiser à leur naissance ses 4 enfants (Fanny, Félix, Rebecca, Paul) dans la religion luthérienne et d'ajouter à son patronyme le nom de Bartholdy, d'après une terre appartenant au frère de sa femme Léa, née Salomon. Après s'être installés à Berlin (1813), lui-même et Léa se convertirent en 1822. Ils donnèrent à leurs enfants, outre un foyer uni et chaleureux, une éducation stricte, mais propre à épanouir leurs dons précoces.

Une éducation intelligente. Quoiqu'il fût sensible aux arts, Abraham n'était pas musicien, et c'est sans doute à Léa et à son ascendance (sa tante Sara Lévy avait été l'élève favorite de Wilhelm Friedmann Bach) que les enfants Mendelssohn durent leur fibre musicale : Fanny fut une excellente pianiste (avec des dons de composition certains, écrasés par ceux de Félix), Rebecca chantait et Paul jouait remarquablement du violoncelle. Leur mère fut le premier professeur de Fanny et de Félix,

*Félix **Mendelssohn**.*

mar par Zelter qui le présenta à Goethe. Deuxième visite au poète l'année suivante, au cours d'un voyage en Suisse avec toute sa famille. Le rythme des compositions s'accéléra (symphonies, motets, études pour piano, lieder, etc.) que Félix eut la chance de pouvoir entendre et diriger lors des concerts du dimanche donnés chez ses parents, où chacun participait, et qui attiraient tous les artistes résidents ou de passage.

Les débuts d'une brillante production. De 1824 date sa *13ᵉ Symphonie* (connue comme sa *1ʳᵉ Symphonie*). Zelter le considéra comme arrivé à maturité et fit copier pour lui la *Passion selon saint Matthieu* de Bach. Mendelssohn rencontra le jeune et déjà célèbre pianiste Moscheles (avec qui il travailla et qui devint un de ses plus fidèles amis) et Spohr, avant un nouveau séjour à Paris en 1825 (excellent contact avec le peu indulgent Cherubini) et une troisième visite à Goethe sur le chemin du retour à Berlin — où ses parents venaient

*Le Songe d'une nuit d'été
par le ballet de Hambourg
au théâtre de la Ville (Paris, mai 1979).*

qu'une profonde tendresse unit toute leur vie. Emmenés par leur père à Paris en 1816, Fanny (onze ans) et Félix (sept ans) y prirent des leçons de piano avec Marie Bigot, interprète préférée de Beethoven.

Après leur retour à Berlin, leur éducation fut confiée à des hommes de premier plan, tant pour la culture générale (Heyse) et le grec que pour la musique (Henning, puis Rietz, violon ; L. Berger, piano ; Zelter, harmonie et composition) et que pour le dessin (Rösel), où Félix excellait (il a laissé de nombreux paysages et dessins charmants réalisés au cours de ses multiples voyages). Le 28 octobre 1818, Félix Mendelssohn participa, au piano, à un premier concert public, et entra en 1819 à la Singakademie.

Les premières compositions. Elles datent de 1820. En 1821, après une rencontre marquante avec Weber, il fut emmené à Wei-

d'acquérir une vaste demeure avec une grande salle de musique. Avec son *Octuor* en *mi* bémol majeur pour cordes op. 20, dédié à Rietz en octobre 1825, commença sa véritable production, ce que confirme l'éblouissante musique pour le *Songe d'une nuit d'été* d'après Shakespeare, composée en quelques semaines l'été suivant (première exécution publique de l'ouverture à Stettin, 20 février 1827). De 1826 à 1828, Mendelssohn était à l'université (parmi ses maîtres, Hegel et C. Ritter), où il brilla dans toutes les disciplines (littérature ; poésie ; langues : italien, français, anglais ; etc.), sauf les mathématiques et la physique. Très sportif (gymnastique, équitation, natation), danseur excellent, il menait une vie brillante, à la fois studieuse et mondaine ; ce fut la naissance de nombreuses amitiés essentielles (E. Magnus, peintre, K. Klingemann, poète et diplomate, A. B. Marx, musicologue, E. Devrient, chanteur, etc.).

À sa sortie de l'université, son père accepta qu'il consacrât sa vie à la musique ; après des mois de répétitions, et malgré l'hostilité des musiciens de Berlin (Zelter compris), Mendelssohn monta et dirigea, avec un succès imprévisible, le 11 mars 1829, la *Passion selon saint Matthieu,* qui n'avait plus été jouée depuis la mort de Bach en 1750. Puis trois ans de voyages à travers l'Europe encouragés (et financés) par son père pour élargir sa culture : premier séjour en Angleterre en avril 1829. Il dirigea et joua à Londres avec un immense succès (il fut élu membre de la Société philharmonique le 29 novembre 1829), visita l'Écosse et l'Irlande avant de rentrer à Berlin — où il refusa et fit attribuer à Marx la classe de musique qui venait d'être créée à son intention — et de repartir en mai 1830, via Weimar (quatrième et dernier séjour près de Goethe), pour Munich, Vienne et l'Italie. Venise, Bologne, Florence, Rome (1er novembre 1830 - 10 avril 1831), Naples, Milan, Genève, Lucerne, Interlaken et retour à Munich

*Félix **Mendelssohn** par A. Herrmann.*

(septembre 1831) : approfondissement enthousiaste de la peinture et de la musique italiennes, travail personnel intense (« un producteur infatigable », selon Berlioz qu'il rencontra, ainsi que de nombreux autres artistes). Fin 1831, nouveau séjour à Paris, où il se lia avec Chopin, Meyerbeer, Liszt ; mais le refus par la Société des concerts de sa symphonie *Réformation* et une épidémie de choléra lui firent quitter Paris sans regrets pour Londres (23 avril 1832). Son séjour a été en outre attristé par les nouvelles successives de la mort de Rietz (23 janvier 1832), de Goethe (22 mars 1832) et de Zelter (15 mai 1832), qui l'affectèrent profondément. Rentré à Berlin en juillet, il fut évincé (15 janvier 1833) de la succession de Zelter à la Singakademie, ce qui acheva de le détacher de cette ville. Après un premier contact prometteur avec l'orchestre du Gewandhaus de Leipzig (février-mars 1833), il accepta la direction du festival des pays du Bas-Rhin, puis, après un troisième séjour à Londres (première de la *Symphonie italienne* le 13 mai 1833), signa un contrat de trois ans pour diriger la musique à Düsseldorf (où son oratorio *Paulus* fut créé le 22 mai 1836). Mais, à l'automne 1835, il prit la direction du Gewandhaus de Leipzig ; il y reçut Chopin,

rencontra Clara Wieck et se lia d'amitié, à vie, avec Schumann. Au hasard de concerts à Francfort (où la direction du Cäcilien-Verein lui a été confiée), il rencontra la jeune Cécile Jeanrenaud (d'ascendance huguenote française) qu'il épousa le 28 mars 1837, qui lui donna 5 enfants, et qu'il aima profondément jusqu'à ses derniers jours. Puis ce fut la création anglaise de *Paulus* à Birmingham au cours de son cinquième séjour en Angleterre (août 1837).

Une vie active, un travail fécond. Composition, concerts, comme chef ou comme soliste (piano et orgue), voyages, réceptions, correspondance, etc., la vie de Mendelssohn était alors débordante d'activité et heureuse (naissance de son premier fils Carl Wolfgang Paul, 7 février 1838 ; puis de Marie, 2 octobre 1839). En septembre 1840, sixième séjour en Angleterre, avant de devoir déférer au vœu du nouveau roi de Prusse, Frédéric-Guillaume IV, qui entendait s'attacher le compositeur à Berlin : réticent mais respectueux, Mendelssohn devint en 1841 maître de chapelle du roi de Prusse, puis, l'année suivante, directeur général de la musique à Berlin. Après un septième séjour en Angleterre avec sa femme (ils furent reçus à deux reprises par la reine Victoria), retour à Leipzig où le conservatoire, dont il était le maître d'œuvre, fut inauguré au début de 1843 : il y enseigna la composition (Schumann également) et le piano, d'où d'incessants va-et-vient avec Berlin. Le 18 octobre 1843, première de la musique intégrale du *Songe d'une nuit d'été*, à Potsdam. En 1844, il obtint enfin du roi de Prusse la réduction de sa charge et surtout le libre choix de sa résidence : à Francfort (où il décida de se reposer pendant un an), il acheva le *Concerto pour violon* op. 64 — mais sa santé l'empêcha d'assister à la première audition le 13 mars 1845 (par F. David, à qui il était dédié) à Leipzig, où Mendelssohn se fit seconder par le compositeur danois Niels Gade. Période cependant féconde : 6 sonates pour orgue, trio en *ut* mineur, quintette en *si* majeur, 6e livre de *Lieder ohne Worte,* et, en 1846, l'oratorio *Elias* (première à Birmingham, 26 août 1846). En avril 1847, dixième et dernier séjour en Angleterre : il y dirigea plusieurs fois *Elias* et joua superbement le *4e Concerto* de Beethoven (« Mon vieux cheval de bataille », disait-il en français). Après avoir assisté aux débuts, à Londres, de la

*Une page du quatuor en mi b. majeur op. 12 de F. **Mendelssohn**,
composé à Londres en 1829. Manuscrit autographe. (Bibl. du Conservatoire, Paris.)*

jeune cantatrice suédoise Jenny Lind (avec qui il s'était lié à Berlin en 1844), il rentra à Francfort pour apprendre la mort brutale de sa sœur Fanny : sous l'empire de la douleur et de la révolte, il composa le *Quatuor à cordes* en *fa* mineur op. 80, puis, un peu plus tard, le superbe *Nachtlied* et encore quelques fragments d'un nouvel oratorio, *Christus.* Il voyagea, dessina, peignit, toucha encore de temps à autre le clavier, mais sa santé déclinait, il eut de longues périodes d'apathie. Rentré à Leipzig, il entendit son concerto pour violon splendidement joué le 3 octobre 1847 par le jeune Joachim (l'un des premiers élèves, à douze ans, de son conservatoire) et y mourut le 4 novembre 1847.

À tous égards, un musicien à part.
L'homme, exceptionnellement doué, d'une mémoire remarquable, hypersensible, brillant, charmeur, aimant la vie, d'une vaste culture et travailleur acharné, a toujours su allier son goût de la fantaisie et de la liberté avec des règles de vie bourgeoise

*Félix **Mendelssohn**,*
aquarelle de J. W. Childe. Londres, 1829.

qui ne semblaient pas lui peser. On le découvre grâce au volumineux courrier échangé avec ses amis (Magnus, Klingemann, Moscheles, etc.) et bien que sa femme Cécile, avant de mourir en 1853, détruisît leur correspondance intime. S'il a fui autant qu'il a pu l'atmosphère empoisonnée du Berlin musical de l'époque et si Paris l'a déçu, il fut partout adulé de son temps, comme compositeur, comme chef d'orchestre, comme pianiste. Ses interprétations des concertos de Beethoven et surtout de Bach et de Mozart ont suscité des commentaires qui sont venus jusqu'à nous. Au pupitre, il électrisait les musiciens d'orchestre auxquels il communiquait l'amour d'œuvres de ses contemporains, mais aussi du passé, oubliées ou méconnues : ce fut à lui essentiellement que l'Allemagne devait de redécouvrir J.-S. Bach, dont il fit revivre l'œuvre. Mais

il créa aussi des œuvres nouvelles de ses amis, notamment de Schumann — grâce à qui il put donner, après la mort du compositeur, la première audition de la *9e Symphonie* de Schubert (22 mars 1839). Cette curiosité, cette ouverture d'esprit alliées à l'amour du passé, au goût du classicisme et du travail bien fait, se retrouvent dans sa propre musique, que son insatisfaction lui faisait éternellement remettre sur le métier ; dans ses vingt années de production on trouve à tout moment la marque du génie à côté d'œuvres médiocres, au demeurant souvent de circonstance. Sa réputation en a injustement souffert : il est encore courant de considérer Mendelssohn comme un musicien mineur, à qui on ne pardonne peut-être pas la facilité matérielle de son existence à toutes les époques. La discutable appellation française des *Lieder ohne Worte* (« romances sans paroles ») traduit bien la mièvrerie prêtée du même coup à toute sa musique. Pourtant, à côté d'œuvres aussi connues que le *Songe d'une nuit d'été,* le *Concerto pour violon* en *mi* mineur ou ses *Symphonies italienne* (1833) *et écossaise* (1842), bien d'autres pages sont du plus haut niveau. Nul doute que le temps viendra où des œuvres comme l'*Octuor* op. 20, les *Quatuors* op. 12, 13, 40, 80, le *Quintette* op. 87, les *Variations concertantes pour violoncelle et piano* op. 17, une vingtaine de lieder, etc., retrouveront la place qu'elles méritent dans la faveur du public. L'inspiration profondément originale, l'aisance de la technique, le raffinement de l'écriture (et de l'orchestration), la variété de la production font incontestablement de Mendelssohn l'un des grands compositeurs romantiques, dont la culture germanique a su puiser en Italie et surtout en Angleterre (sa seconde patrie) des adjuvants précieux.

MENOTTI *(Gian Carlo),* compositeur, librettiste, metteur en scène italien *(Cadegliano 1911).* Il commence ses études au conservatoire Verdi de Milan, et, à dix-sept ans, sur les conseils de Toscanini, il quitte l'Italie pour s'inscrire au Curtis Institute of Music de Philadelphie, dont il sort diplômé en 1933. Il reviendra dans cet établissement au cours des années 40-50 pour y enseigner la composition.

En 1937, Menotti donne à Philadelphie un opéra bouffe en 1 acte, *Amelia al Ballo* (« Amélie va au bal »), repris dès l'année suivante au Metropolitan Opera de New York. Cette réussite lui vaut la commande, par la chaîne NBC, du premier ouvrage lyrique spécialement destiné à la radio : *The Old Maid and the Thief* (« la vieille fille et le voleur », 1939). C'est encore un succès, mais, trois ans plus tard, le compositeur connaît l'échec avec *The Island God* (« le dieu de l'île »), qui disparaît de l'affiche du Metropolitan après deux représentations. Menotti se détourne alors, pour un temps, du théâtre lyrique. Il y revient avec *The Médium,* drame musical en 2 actes, qui marque dans sa carrière une date capitale. S'il avait, jusqu'alors, écrit lui-même ses propres livrets, à partir du *Médium,* il se fait aussi metteur en scène et sera désormais le maître d'œuvre absolu, à la fois concepteur et réalisateur, de tous ses opéras. De plus, *le Médium,* créé le 8 mai 1946 à l'université Columbia, va être exploité d'une façon inhabituelle : à partir de l'année suivante, on le joue tous les soirs dans un théâtre de Broadway, comme une pièce de boulevard. Il va ainsi toucher directement le grand public et (accompagné par *The Telephone,* 1947, un lever de rideau que Menotti a composé pour la circonstance) il connaîtra 211 représentations consécutives. En 1950, *The Consul,* drame musical en 3 actes, exploité selon la même formule, tient l'affiche neuf mois à New York, puis, traduit en une quinzaine de langues, est joué dans le monde entier. Menotti devient alors une vedette internationale et connaît pendant une dizaine d'années une destinée assez semblable à celle des compositeurs lyriques à succès de la première moitié du XIXᵉ siècle. Au cours de cette riche période, il donne successivement (pour nous borner ici à l'œuvre lyrique) : le 24 décembre 1951, *Amahl and the Night Visitors* (« Amahl et les visiteurs de la nuit », premier opéra commandé pour la télévision, et qui demeure longtemps un classique des programmes de Noël des chaînes américaines) ; en 1954, *The Saint of Bleecker Street* (« la Sainte de Bleecker Street », trois mois de représentations à Broadway, première européenne à la Scala de Milan) ; en 1956, *The Unicorn, the Gorgon and the Manticore* (« la licorne, la gorgone et la manticore », une fable-madrigal pour chœur, 10 danseurs et 9 instruments) ; enfin, dans le cadre de l'Exposition universelle de Bruxelles, en 1958, *Maria Golovin,* opéra en 3 actes.

Cette même année, Menotti fonde à Spoleto le festival des Deux-Mondes, et son existence prend un tour nouveau. De cette petite ville d'Ombrie, il a décidé de faire un carrefour où se rencontreront, célèbres ou débutants, des musiciens, des peintres, des metteurs en scène et des chorégraphes de tous les pays. Il déploie dans cette tâche une activité considérable et tout à fait fructueuse, au détriment sans doute de son œuvre de création proprement dite. Sa production demeure abondante, mais, à l'exception de *Help! Help! the Globolinks!* (« Au secours, les Globolinks! », Hambourg, 1968), ses nouveaux opéras — *The Labyrinth,* ouvrage destiné à la télévision (1963), *le Dernier Sauvage,* opéra bouffe en 3 actes commandé par l'Opéra de Paris (Opéra-Comique, 21 octobre 1963), *Martin's Lie* (« le mensonge de Martin », 1964), *The Most Important Man* (« l'homme le plus important », 1971), *Tamu-Tamu* (1973), *The Hero* (1976) et

Gian Carlo Menotti.

The Egg («l'Oeuf», 1976) et *Goya* (1986) — reçoivent un accueil mitigé, ou sont déchiré par la critique. Celle-ci, à vrai dire, a toujours été partagé à l'égard de Menotti, compositeur dont on ne peut dire qu'il soit féru de modernité.

S'il est surtout connu comme compositeur d'opéras, Menotti a également produit une œuvre orchestrale et instrumentale, qui comprend notamment 2 ballets, 1 concerto pour piano, 1 concerto pour violon, 1 *Triplo concerto a tre,* 1 suite d'orchestre *(Apocalypse),* la *1re Symphonie,* 2 cantates, 1 cycle de mélodies, etc. Il est aussi l'auteur du livret de l'opéra de Samuel Barber *Vanessa,* ainsi que de 2 pièces de théâtre, et poursuit aujourd'hui une carrière internationale de metteur en scène lyrique.

En 1974, il a abandonné les États-Unis, où il résidait depuis les années 30, pour s'installer dans le domaine de Yester House, à Gilford (Écosse).

MERCADANTE *(Saverio),* compositeur italien *(Altamura, prov. de Bari, 1795-Naples 1870).* Élève de Zingarelli, pour la composition, à Naples, où il fut le condisciple de Bellini, il apprit en outre le violon et la flûte et acquit un solide métier qui lui permit de percevoir les courants nouveaux du romantisme naissant, tout en restant fidèle aux principes essentiels et aux schémas de la vieille école. C'est ainsi qu'il sut mêler une écriture vocale encore belcantiste aux nécessités d'une instrumentation où le choix des timbres acquérait une fonction dramatique.

C'est à Naples qu'il donna son premier opéra, *L'Apoteosi d'Ercole* (1819), avant de se faire connaître à Rome dès 1820, puis à Bologne et enfin à Milan, où, en 1821, triompha *Elisa e Claudio,* une de ses œuvres maîtresses. Turin, Vienne, Madrid, Lisbonne accueillirent ensuite ses opéras nouveaux avec des fortunes diverses, et, en 1833, Mercadante succéda à Generali comme maître de chapelle à Novarre. Après avoir dirigé ses *Briganti* à Paris en 1836, il retrouva Naples, au sommet de sa maturité, et y donna successivement *Il Giuramento* (1837), qui, en moins de vingt ans, fut joué de Russie en Amérique, puis *Le Due Illustri Rivali* (1838), et *Il Bravo* en 1839, cependant qu'il succédait à Zingarelli à la tête du conservatoire, triomphant ainsi de son rival Donizetti. Il n'en poursuivit pas moins une féconde activité créatrice que marquèrent *La Vestale* (1840), *Il*

Saverio **Mercadante.**

Larousse

Reggente (1843), *Pelagio* (1857) et, malgré une cécité devenue totale dès 1862, *Virginia* (1866).

Sa longue carrière fit de Mercadante le contemporain de Rossini et de Bellini, dont il subit l'influence, puis de Donizetti et de Verdi, qui, à son tour, s'inspira de certains de ses procédés. Écrasé par ce redoutable voisinage, Mercadante n'en demeure pas moins plus qu'un compositeur «élégant»; il fut l'un des rares auteurs italiens qui sut assumer une difficile transition entre l'héritage rossinien (et prérossinien) et l'esprit nouveau qui imprima à son œuvre une force dramatique inconnue; d'autre part, resté à l'écart des aspirations du Risorgimento et fidèle au public napolitain, il persévéra à traiter la voix en héritier du bel canto, fidélité qui lui vaut actuellement un regain de faveur.

MERIKANTO, famille de compositeurs finlandais. — 1. **Oskar** *(Helsinki 1868 - Oitti 1924).* Auteur de 3 opéras *(Pohjan neiti,* 1899; *Elinan surma,* 1910; *Regina von Emmeritz,* 1920), de 150 mélodies, 55 chœurs, 60 pièces pour piano, 100 chorals pour orgue. Dans l'ombre de Sibelius, O. Merikanto, mélodiste imaginatif, sut construire un œuvre, qui, pour appartenir, à l'origine, surtout, à la musique de salon, n'en devint pas moins une part importante du patrimoine vivant de son pays. Ses mélodies sont aujourd'hui populaires, connues, appréciées et chantées dans tous les milieux.

— 2. **Aarre,** fils du précédent *(Helsinki 1893 - id. 1958).* Il étudie à Helsinki, Leipzig et Moscou. Pionnier de la musique contemporaine finlandaise, il s'oppose radicalement à son père ; moderniste, ouvert aux mouvements musicaux européens de son temps, il se heurte à l'établissement musical qui refuse de diffuser ses œuvres les plus originales (il n'entendit jamais son opéra *Juha,* aujourd'hui considéré comme l'opéra national finlandais). Après avoir subi les influences de Reger, dont il possède la solidité formelle, de R. Strauss et de Scriabine pour l'orchestration et parfois l'harmonie, il côtoie l'impressionnisme et admire l'exemple viennois *(Concert pour 9 instruments).* Malgré sa remarquable technique, il est probable que les contraintes sociales n'ont pas permis à ses dons évidents de s'épanouir pleinement, et qu'elles furent l'une des causes de l'échec de l'évolution de son esthétique.

MERILÄINEN *(Usko),* compositeur, pianiste et chef d'orchestre finlandais *(Tampere 1930).* Élève de A. Merikanto et L. Funtek à Helsinki et V. Vogel en Suisse, il se fait connaître par un concert de ses œuvres à Helsinki en 1957. Symphoniste, il adopte tout d'abord le langage dodécaphonique tout en restant, de tempérament, un néoclassique *(Epyllion,* pour orchestre, 1963). On peut considérer qu'il atteint la pleine possession de son langage en 1964 avec sa *2e Symphonie* et qu'il l'affirme encore avec sa *2e Sonate* pour piano (1966). Depuis cette œuvre, le style de Meriläinen n'a pas cessé d'évoluer, et ses œuvres les plus importantes sont le *2e Concerto pour piano* (1969), la *3e Symphonie* (1971) et *The Avril* (1975) qu'il dénomme *Symphonie électronique.*

MERULO *(Claudio),* organiste et compositeur italien *(Correggio 1533 - Parme 1604).* Ses activités dans le domaine musical furent très diverses. Organiste, il exerça à la cathédrale de Brescia (1556), à Saint-Marc de Venise (1557), puis à Mantoue (1584) et à Parme (1586), où il fut organiste de la cathédrale et de la chapelle ducale.

Expert en facture d'orgues, on lui doit un positif construit par lui-même. Il fut également éditeur de musique à Venise, en collaboration avec Betanio (1566-1571). En tant que compositeur, on lui doit 4 *Livres de madrigaux* (à 5 voix en 1566 et 1604, à 4 voix en 1579, à 3 voix en 1580), 7 volumes de *Motets* et de *Sacrae cantiones,* de 4 à 12 voix, plusieurs *Messes,* des *Litanies de la Vierge* avec orgue (1609). Pour l'orgue, il a écrit des *Ricercari* (1567), 1 *Messe* (1568), 3 livres de *Canzoni fatte alla francese* et 2 livres de *Toccate* (1598 et 1604), où s'opposent des passages de style improvisé, propres à la toccata, et des segments fugués à la manière du ricercare. Il a également écrit 3 livres de *Ricercari da cantare a 4 voci,* pour groupes instrumentaux. Il composa encore des intermèdes et des musiques de scène, mais ses partitions sont pour la plupart perdues. Merulo édita lui-même une partie de ses œuvres. D'autres pièces figurent dans des recueils collectifs ou ont été éditées par son arrière-petit-neveu **Giacinto** *(Parme 1595 - id. v. 1650),* lui-même organiste et compositeur.

MESSAGER *(André),* compositeur et chef d'orchestre français *(Montluçon 1853-*

André Messager.

Coll. Sirot

451

Affiche dessinée par J. Chéret pour les Deux Pigeons, *ballet d'André* **Messager**.

Paris 1929). Il fit ses études classiques tout en travaillant le piano depuis l'âge de sept ans. À seize ans, il vint à Paris étudier la musique à l'école Niedermeyer dans les classes de Loret (orgue) et de Gigout (harmonie). Il s'y lia avec Saint-Saëns et Fauré. Il succéda à ce dernier à l'orgue de chœur de Saint-Sulpice, dès sa sortie de l'école en 1874. L'année suivante, sa *Symphonie en «la»* reçut le prix de la Société des compositeurs. En 1876, il obtint le prix de la Ville de Paris pour sa scène drama-

tique *Prométhée enchaîné.* Il fut successivement chef d'orchestre aux Folies-Bergère (1878), à l'Éden-Théâtre de Bruxelles (1880), mais il revint bientôt à Paris pour occuper les postes d'organiste à l'église Saint-Paul - Saint-Louis (1881) et de maître de chapelle à l'église Sainte-Marie des Batignolles (1882). En 1883, à la demande de l'éditeur Énoch, il termina une opérette inachevée de Firmin Bernicat, *François les Bas-bleus.* Son succès amena Messager à s'intéresser au répertoire lyrique. En 1885, il fit représenter à Paris *la Fauvette du temple,* et, en 1886, le ballet *les Deux Pigeons,* premiers ouvrages d'une longue série qui devait connaître certains succès comme *la Basoche* (1890), *les P'tites Michu* (1897), *Véronique* (1898), restée la plus populaire de nos jours, ou *Fortunio* (1907), partitions claires, élégantes, et possédant un charme réel. Parallèlement à son activité créatrice, il poursuivit sa carrière d'interprète. Il fut directeur de la musique à l'Opéra-Comique (1898-1904), puis à Covent Garden de Londres, avant de prendre, à Paris, la direction de la Société des concerts du Conservatoire (1908), puis celle de l'Opéra, en association avec Broussan. Il y dirigea les représentations du *Crépuscule des dieux,* de *Salomé* et de *Parsifal.* En 1919, il revint, pour deux saisons, salle Favart pour y créer *la Rôtisserie de la reine Pédauque* de Lévadé. Comme chef d'orchestre, il possédait les qualités précieuses pour le théâtre : la

*André **Messager** au piano.*

netteté, la sûreté et le souci de l'accompagnement nuancé. Il collabora avec Sacha Guitry pour l'opéra *l'Amour masqué* (1923) et écrivit la musique de scène pour sa pièce *Debureau* (1926).

MESSIAEN *(Olivier),* compositeur français *(Avignon 1908).* Il naît dans un milieu cultivé, fils d'un professeur d'anglais, traducteur éminent de Shakespeare, et de la poétesse Cécile Sauvage. Sa mère, enceinte de lui, avait écrit, sous le titre *l'Âme en bourgeon,* d'étonnants poèmes d'amour maternel prémonitoires de la destinée de son fils, et qui devaient marquer ce dernier.

Les parents d'Olivier Messiaen s'installent en 1914 à Grenoble, dans le Dauphiné, qui restera son domaine d'élection, où il se retire pour écrire presque toutes ses œuvres. Élevé par sa mère et sa grand-mère pendant la guerre de 1914-1918 (le père étant mobilisé), il commence à étudier le piano avec Mlle Chardon, et se montre très précocement intéressé par la lecture des grandes partitions classiques (il compose déjà, en 1914, une petite pièce pour piano). Pour son dixième anniversaire, son premier professeur d'harmonie, Jehan de Gibon, lui offre en cadeau la partition d'orchestre de *Pelléas et Mélisande,* qui est pour lui une révélation. Puis la famille s'installe à Paris, et Olivier Messiaen est inscrit au Conservatoire de Paris, où il étudiera pendant onze ans, avec Noël et Jean Gallon (harmonie), Maurice Emmanuel (qui lui révèle la richesse de modalité et la métrique grecque), Paul Dukas, A. Estyle, Marcel Dupré (orgue) et Falkenberg (piano). Sa première page pour orgue, publiée en 1928, *le Banquet céleste,* adaptation d'une pièce pour orchestre, contient déjà certains de ses procédés d'écriture favoris, entre autres l'emploi d'un mode qui devait devenir son deuxième « mode à transpositions limitées ». Il s'agit de modes où la succession des intervalles est telle, par sa régularité, qu'en les transposant sur d'autres degrés, on retrouve rapidement les mêmes notes que dans la forme originale. C'est ce que Messiaen appelle le « charme des impossibilités ». Le sensualisme exacerbé de l'harmonie, l'étirement de la courbe mélodique et le sujet directement religieux (car Messiaen est un catholique fervent) sont des traits « messiaenesques » que l'on trouve aussi, d'emblée, dans ce premier opus publié.

MESSIAEN

Les *Préludes* pour piano (1929) valent à Messiaen un second prix de composition, et, malgré leurs titres «postdebussystes» *(Cloches d'angoisse, les Sons impalpables du rêve),* ils annoncent son écriture par «pans» très découpés, où les motifs sont *juxtaposés* verticalement ou dans le temps, au lieu de s'enchevêtrer (au contraire d'un Richard Strauss), ainsi que son utilisation de l'accord comme «touche de couleur». L'audition colorée des sons, en couleurs rutilantes de vitrail, ne procède pas chez lui d'une image poétique, ou d'une correspondance diffuse : c'est «à la lettre», qu'il déclare voir les sons en couleurs, c'est un phénomène que l'on appelle «synopsie» et dont la médecine reconnaît l'existence. Ses compositions suivantes, *3 Mélodies* pour soprano et piano, *la Mort du nombre* pour soprano, ténor, violon et piano, *Diptyque,* 1930, pour orgue, emportent un premier prix. Après un échec au prix de Rome, il est nommé titulaire des grandes orgues de l'église de la Trinité, à Paris, en 1930, à vingt-deux ans. C'est là — à cette tribune qu'il va tenir pendant plus de trente ans — qu'il a certainement développé, dans l'improvisation à l'orgue, une grande partie de ses trouvailles. Avec ses couleurs qui se juxtaposent, ses oppositions de masse, ses changements abrupts de registre et l'ampleur de sa ligne sonore, le grand orgue est un modèle sous-jacent dans son écriture orchestrale ; de même, cet instrument offre un «banc d'essai» pour ses recherches d'expression, de modalité, d'harmonie, de rythme, étant le dernier instrument de la musique occidentale «sérieuse» à perpétuer la tradition des compositeurs-improvisateurs.

En 1931, le triptyque symphonique des *Offrandes oubliées* lui vaut un certain succès. Passionné d'étude, il continue, sorti du Conservatoire, à apprendre à toutes les sources. Il étudie ainsi l'accentuation chez Mozart, le rythme chez les modernes, Debussy, Stravinski (dont il analyse *le Sacre du printemps* sous un angle rythmique qui est une révélation pour beaucoup de ses élèves) ; il recherche, avec le peintre suisse Blanc-Gatti, des rapports précis entre la couleur et le son ; enfin, et surtout, il étudie la métrique grecque, les neumes grégoriens et le système rythmique hindou (les *deci-tâlas,* qu'il est le premier à adapter dans la musique occidentale ; il s'agit de périodes rythmiques complexes). Dans ces études, il approfondit sa plus origi-

*Olivier **Messiaen** à l'époque où il est nommé titulaire des grandes orgues de l'église de la Trinité, à Paris (1930).*

nale préoccupation : celle d'une nouvelle «durée». Si, en effet, son harmonie et son système modal sont déjà personnels et tout de suite identifiables, ils n'en procèdent pas moins directement d'une tradition française (Fauré, Franck, Debussy) ; mais son sens particulier du rythme, comme le contraire d'une pulsation régulière, lui appartient complètement, et c'est bien dans un grand *Traité du rythme,* commencé depuis longtemps et pas encore achevé en 1981, qu'il compte tracer le bilan de sa recherche. Ainsi son style se cristallise-t-il assez rapidement, dans des œuvres comme *Apparition de l'Église éternelle* (1932) pour orgue et la suite symphonique de l'*Ascension* (1932) en quatre méditations, adaptée pour l'orgue en 1933. Olivier Messiaen, à une ou deux exceptions près, a toujours refusé de couler son inspiration religieuse dans le moule des genres liturgiques traditionnels : messes chantées, requiems, cantates, motets, etc. De même, s'il emprunte à tous les genres (concerto, symphonie, sonate), il n'en adopte jamais le cadre tout préparé. Chaque œuvre est unique, et il évite instinctivement tout cycle, renouvelant le même effectif instrumental (quatuor, trio, etc.). Il compose son premier cycle d'orgue important, en 1935, *la Nativité du Seigneur,* qui systématise l'emploi des modes à transpositions limitées (qu'il a très vite répertoriés et classés), des rythmes inspirés des *tâlas* hindous et des «valeurs rythmiques ajoutées», qui, comme le dit Alain Périer, «prolongent dans le temps ce que la note ajoutée à un accord prolonge dans l'espace (des hauteurs)». Ces innovations n'empêchent pas ces pièces d'offrir un «plaisir d'écoute», et ce sera une des originalités de Messiaen que d'avoir su «séduire» des auditeurs de tous bords, en faisant cohabiter la recherche formelle et l'hédonisme musical, en dépassant l'antinomie qui, à ce moment-là, divisait en France les compositeurs en «sensualistes» et en «spéculateurs». Aussi, avec son exigence musicale, il est bien placé, en cette année 1936, pour former, avec André Jolivet, Daniel-Lesur et Yves Baudrier (l'instigateur de cette réunion), le

Page du manuscrit de Chronochronie *d'Olivier Messiaen.*

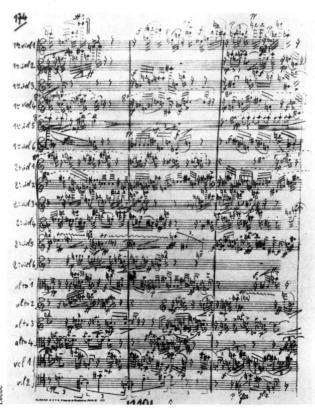

*Olivier **Messiaen** au piano.*

groupe Jeune France, dont le programme est de contribuer à «régénérer» spirituellement et esthétiquement la musique française, qui oscille souvent entre la facilité paresseuse, le néoclassicisme exsangue et la cérébralité. La guerre séparera ce groupe, après qu'il eut délivré son message par des concerts en commun accueillis avec faveur. La même année, 1936, Messiaen est nommé professeur à l'École normale de musique et se marie avec la violoniste Claire Delbos, dont il aura un fils, Pascal, né en 1937. Sous le surnom de «Mi», son épouse lui inspirera plusieurs pièces, dont les *Poèmes pour Mi* (1936) pour soprano et piano, où le sentiment religieux cherche à épouser l'amour humain — de même que plus tard, dans son cycle «tristanesque» *(Harawi, Turangalîla-Symphonie, 5 Rechants),* il cherchera à sauver cet amour humain de la malédiction.

La *Fête des belles eaux,* pour ondes Martenot, commandée pour l'Exposition universelle de 1937, lui donne l'occasion d'expérimenter pour la première fois un instrument dont il a su s'approprier la beauté presque vulgaire de timbre, en l'utilisant dans une fonction délibérément «décorative». La naissance de son fils Pascal lui inspire un autre cycle mélodique pour soprano et piano, les *Chants de terre et de ciel* (1938), dont il écrit le texte, comme pour répondre à ces poèmes que sa mère lui dédiait quand il était encore dans son ventre. Ce cycle peu connu révèle une face rarement soulignée de Messiaen : le doute. C'est qu'il n'est pas si facile, si l'on est exigeant envers ses croyances, de «dédramatiser» l'état d'enfance et de rédimer l'amour humain. Ici, comme dans les *Poèmes pour Mi,* comme plus tard dans les *5 Rechants,* les *Petites Liturgies, Harawi,* Messiaen ne laisse à personne d'autre le soin d'écrire le texte ; un texte où l'on retrouve les mêmes procédés que dans sa musique, de juxtaposition d'éléments hétérogènes : onomatopées (en référence au babil enfantin), interrogations religieuses, images «surréalistes» (ces «oiseaux buvant du bleu», qui, curieusement, indisposaient si fort, au début, des gens avisés comme le critique Claude Rostand). Mais le texte, ici, n'a d'autre prétention que de donner matière au chant ; un chant destiné à la *voix de femme,* comme toujours chez lui, ou presque.

Quand la Seconde Guerre mondiale éclate, Messiaen achève un de ses plus beaux cycles d'orgue, les *Corps glorieux* (créés après la guerre), qui utilisent souvent une écriture monodique. Mobilisé, il est capturé par les Allemands, déporté au camp de Görlitz en Silésie. C'est là que, dans des conditions de vie extrêmes, dans la faim et le froid qui lui donnent des hallucinations «synoptiques» d'auditions colorées, il écrit, pour le jouer avec trois compagnons de captivité, l'étonnant *Quatuor pour la fin du temps* (1941) pour piano, violon, violoncelle et clarinette. La «fin du temps» telle que l'annonce l'*Apocalypse,* texte inspirateur de cette œuvre magique, est représentée ici par l'emploi de rythmes non rétrogradables, assimilant le temps à un espace, puisqu'ils forment la même figure qu'on les lise dans un sens ou dans l'autre, en remontant le temps. Le premier mouvement notamment, *Liturgie de cristal,* avec ses superpositions de parties instrumentales tournant chacune indépendamment dans son aire, illustre génialement cette véritable «suspension du temps », cette giration complexe qui pourrait se prolonger dans l'éternité — étant conçue comme une combinaison d'ostinatos portant indépendamment sur l'harmonie, la mélodie et le rythme —, de telle façon que l'on perçoive une périodicité, mais insaisissable. On y rencontre aussi, pour une des premières fois, clairement désignés comme tels, mais non encore transcrits d'après nature, les *chants d'oiseaux* qui domineront une partie de son œuvre future. L'œuvre est créée au stalag dans ces extraordinaires circonstances, le 15 janvier 1941. Mais l'auteur est

accords avec notes ajoutées, emploi de rythmes avec valeurs ajoutées, ou « non rétrogradables », structures rythmiques empruntées à la Grèce ancienne, ou à la musique indienne, ainsi qu'aux neumes du plain-chant — une des sources les plus importantes dans son inspiration. Chez Guy-Bernard Delapierre, il donne un cours de composition non officiel, dont les premiers élèves — qui adoptent comme nom de tribu « les Flèches » — se nomment Pierre Boulez, Serge Nigg, Yvonne Loriod, Jean-Louis Martinet, Maurice Le Roux. En 1943-44, il écrit coup sur coup deux de ses

B. Perrine

La musique de **Messiaen,** *« un arc-en-ciel théologique »,*
une musique « son-couleur », selon son auteur.

rapatrié en 1942 à Paris. Là, Claude Delvincourt le fait nommer professeur d'harmonie au Conservatoire de Paris.

Ses *Visions de l'amen* pour deux pianos, créées par Yvonne Loriod et lui-même en 1943, marquent sa rentrée dans la vie musicale « normale ». Et, en 1944, il se sent assez sûr de son langage pour publier un des plus étranges recueils que compositeur ait jamais publié : sa *Technique de mon langage musical,* qui est un inventaire, avec des exemples musicaux à l'appui, de tous les procédés qu'il utilise librement, modes à transposition limitée,

œuvres les plus importantes, qui deviendront parmi les plus populaires et les plus souvent jouées ; leur style est devenu plus rapidement classique, plus immédiatement saisissable que celui de ses œuvres ultérieures : il s'agit de ses *Trois Petites Liturgies de la présence divine* (1944) pour chœur féminin, piano, ondes Martenot et orchestre, et des *Vingt Regards sur l'Enfant Jésus* (1944), vaste cycle pour piano solo. Cette dernière œuvre, dynamique et massive, colorée, orchestrale, s'appuie sur des leitmotive brefs et caractérisés. Une fois de plus, on y trouve la référence à l'« enfant merveilleux » qu'il fut lui-même pour sa mère, qui écrivait avant sa naissance : « Je souffre d'un lointain musical que j'ignore. » Quant aux *Trois Petites Liturgies,* dont il écrit lui-même le texte jubilatoire, si elles apparaissent aujourd'hui comme du pur Messiaen « tel qu'en lui-même », quelles discussions, quelles colères n'ont-elles pas déclenchées après leur création le 21 avril 1945 à Paris, lors de leur création aux concerts de la Pléiade, devant un public prestigieux ! Comme dans beaucoup d'autres « scandales » musicaux, ici la contestation n'attaque pas de front la musique, mais un élément secondaire : le texte et sa sensualité religieuse, son prétendu « charabia ». Devant l'incompréhensible violence de certaines attaques, on peut penser pourtant que la *musique* aussi, et surtout, était en cause, parce qu'elle gênait par son insolite fusion de la sensualité et du mysticisme, de l'hédonisme et de l'abstraction, comme un défi aux catégories communes, et, enfin, par son affirmation totale d'un tempérament unique et « violent » (la violence est, en effet, un des aspects les moins soulignés et pourtant les plus sensibles de l'art de Messiaen).

C'est après cette consécration doublée d'une contestation agressive, après cette reconnaissance de son œuvre dans toutes ses dimensions que Messiaen aborde directement le thème de l'amour humain asocial, non conjugal, à travers le mythe de Tristan et d'Isolde. Il s'agit de « sauver » Tristan et de conjurer, de toute la force d'une foi, la présence de l'instinct de mort inscrit au cœur de la plus grande histoire d'amour — de proclamer que cette mort qui est, apparemment, l'issue fatale du désir est, en fait, la porte d'une renaissance vers un amour plus élevé. Pour illustrer ce thème, il y met les grands moyens : un grand cycle de mélodies pour soprano et piano, *Harawi, chant d'amour et de mort* (1945), une gigantesque symphonie en 10 mouvements pour grand orchestre avec piano solo et ondes Martenot, la *Turangalîla-Symphonie* (1946-1948), commande de Serge Koussevitski, et les *5 Rechants* (1948), pour ensemble vocal mixte à 12 voix réelles — cette dernière œuvre se référant à la polyphonie française (Claude Le Jeune en particulier), dont elle retrouve avec succès la fraîcheur et la vie. Trois œuvres on ne peut plus différentes de proportions malgré quelques

traits communs (référence à la langue « quechua » dans *Harawi* et les *Rechants;* mélange singulier de luxuriance et de simplicité absolue). Il est indiscutable que, après cet énorme triptyque, Messiaen meurt et renaît, qu'il laisse derrière lui, tel le serpent, une de ses peaux successives, et qu'il fera son deuil d'une certaine immédiateté hyperexpressive, dont la *Turangalîla* jette les derniers feux. Il entre, dès lors, à quarante ans passés, dans une période de recherches techniques, où certains voient la partie la plus aride de sa production. Quand il dira, plus tard, que la nature et les oiseaux, ces « petits serviteurs de l'immatérielle joie », l'ont ressourcé, l'ont sauvé de la stérilité artistique, on doit le prendre au sérieux et cesser de croire qu'il a pu créer ce qu'il a créé avec une tranquille assurance protégée du doute.

1947 : une date importante. N'ayant pu être nommé professeur de composition au Conservatoire de Paris, par refus du ministère, Messiaen obtient de Claude Delvincourt une classe « spéciale » créée à son intention, baptisée « classe d'analyse » ou d'« esthétique », et où passeront certains des plus grands noms de la jeune musique internationale : Pierre Boulez, Yannis Xenakis, Jean-Pierre Guézec, Jacques Charpentier, Pierre Henry, Karlheinz Stockhausen, et, aussi, plus tard, Tristan Murail, N'guyen Tien Dao, Paul Méfano, Michèle Reverdy, etc. Le plus grand hommage que lui aient jamais rendu ses élèves, ce fut de dire qu'il avait su, tout en analysant avec passion et acuité Mozart, Stravinski, Berlioz, Webern, etc., révéler chaque personnalité à elle-même et faire éclore en chacun ce qu'il avait à dire — si bien que si l'on a fait du simili-Messiaen, ce fut temporairement et par admiration. C'est la même année qu'il commence son *Traité du rythme* et qu'il commence à être accueilli à l'étranger pour donner des cours qui marqueront cette période de recherche et de rénovation intense de la musique d'après-guerre : à Darmstadt, Sarrebrück, Tanglewood, etc. Peut-être ces rencontres avec les compositions nouvelles, fort préoccupées d'abstraction, ont-elles contribué à la naissance de pages comme les *Quatre Études de rythme* (1949-50) pour piano (dont le très célèbre *Modes de valeur et d'intensité,* par ses recherches d'une détermination intégrale des paramètres du son, a tant fait fantasmer ses jeunes élèves

*Messiaen dira que la nature et les oiseaux, ces «petits serviteurs de l'immatérielle joie»
l'ont ressourcé, l'ont sauvé de la stérilité artistique.*

sur une «maîtrise totale» de la composition). Sa *Messe de la Pentecôte* (1950) pour orgue et son *Livre d'orgue* (1951) marquent un retour à l'instrument de ses premières œuvres. Mais une étape est franchie, depuis les cycles très «sensuels» de l'avant-guerre : le travail rythmique est tendu, serré, la ligne plus abstraite.

Peu après, en 1952, Messiaen tente un unique essai dans le domaine de la musique concrète, *Timbres-Durées*, «modeste étude de rythme» qu'il estime être un échec. C'est alors que, en pleine efflorescence de recherches abstraites et techniques, il trouve le modèle, la source qui va lui inspirer une nouvelle série d'œuvres : le chant des oiseaux. Il les étudie systématiquement, se postant dans la nature, avec son papier à musique et son crayon, et, armé de connaissances en ornithologie, il s'immerge dans ce monde immense que la musique avant lui n'ignorait pas, mais qu'elle abordait d'une manière stylisée et simplifiée. Au contraire, il cherche à transcrire ces chants d'oiseaux le plus exactement, le plus «objectivement» possible,

pour en faire la matière d'œuvres descriptives dotées seulement d'évocations imitatives des bruits de la nature. Rarement, on aura poussé aussi loin une esthétique de «mimesis», et il y a quelque chose d'émouvant à cet acharnement d'un compositeur, maître de son expression, à s'effacer derrière le «rendu» d'une réalité du monde sonore. Et ce sont des partitions naturalistes comme *le Merle noir* (1951) pour flûte et piano, le *Réveil des oiseaux* (1953) pour piano et orchestre (sous-titré *Poème symphonique*), les *Oiseaux exotiques* (1955-56) pour piano, 2 clarinettes, percussions et orchestre à vent, et la vaste suite pour piano solo du *Catalogue d'oiseaux* (1956-1958). C'est naturellement Yvonne Loriod qui tient le piano dans ces œuvres très difficiles d'exécution, à la sonorité piquante et précise — aussi éloignées que possible du «flou artistique» où se tiennent souvent les évocations naturelles. Cet homme qui avait su, avec une apparente facilité, faire de la musique à la «première personne», et qu'on pourrait croire si sûr de sa manière, ne dissimule pas que les oiseaux lui ont rendu un « chemin perdu », lui « ont redonné le droit d'être musicien » — aveu grave et courageux d'une période de désarroi et de passage à vide. Même une œuvre comme *Chronochromie* (1960) pour orchestre (« couleur du temps »), si elle pousse à l'extrême le travail abstrait sur les durées, intègre dans son tissu musical un grand nombre de chants d'oiseaux. Certains y voient une tentative inquiète de concurrencer le travail de la jeune génération sérielle montante. Cette même année 1960, sa première femme, Claire Delbos, meurt après une longue maladie. Invité au Japon en 1962, avec Yvonne Loriod qu'il vient d'épouser, il y trouve l'inspiration de ses *Sept Haï-Kaï*, esquisses japonaises pour ensemble instrumental et piano solo. Mais c'est en 1963 qu'il renoue avec la série abandonnée des œuvres théologiques, à l'occasion d'une commande d'Heinrich Strobel : ce sont les *Couleurs de la cité céleste*. Dès lors, l'inspiration naturelle et l'inspiration religieuse semblent se réconcilier ; son style devient plus massif, plus épuré, plus simple — comme dans *Et exspecto resurrectionem mortuorum* créé au Domaine musical (1965), nouvelle commande, pour une cérémonie à la mémoire des victimes de la guerre. Une œuvre qui évoque Berlioz, quand celui-ci se fait direct, évident, dépouillé.

En même temps, des honneurs divers ne cessent de couronner Messiaen : festivals, prix, fondation d'un concours de piano qui porte son nom au festival de Royan, poste enfin concédé de professeur de composition au Conservatoire de Paris, nomination à l'Institut en 1967, etc. La fondation Gulbenkian lui commande un colossal ensemble orchestral et choral sur la *Transfiguration de Notre-Seigneur Jésus-Christ* (1965-1969), sorte de grande tapisserie qui est l'apothéose de sa dernière manière. Ses *Méditations sur le mystère de la Sainte-Trinité* (1969, créées à Washington, 1972) pour orgue renouent dans certaines parties avec le vieux rêve d'une « langue musicale », par un système de transcription en notes et en durées des lettres de l'alphabet et des catégories grammaticales. Il s'agit d'une des œuvres les plus directement théologiques de Messiaen, autour d'un sujet qui est un des mystères les plus secrets du dogme catholique. Enfin, après un appendice au *Catalogue d'oiseaux*, la *Fauvette des jardins*

(1970), il s'acquitte d'une nouvelle commande, pendant monumental aux *Sept Haï-Kaï* précieux et ouvragés inspirés par le Japon. Ici, ce sont les paysages des États-Unis qui l'inspirent aux dimensions d'une vaste symphonie, plus berliozienne que jamais, quoique pénétrée de sentiment religieux : *Des canyons aux étoiles* (1970-1974), œuvre apaisée aux admirables paysages. En 1983 est créé à l'Opéra de Paris *Saint François d'Assise*, opéra en 3 actes et 8 tableaux, en 1986, à Detroit, un nouveau cycle pour orgue, le *Livre du Saint Sacrement*, en 1987, à Paris, *Six petites esquisses d'oiseaux* pour piano, et en 1989 à Paris *la Ville d'en haut*.

Si, pour parler de la musique de Messiaen, on reprend souvent les termes de son auteur (« un arc-en-ciel théologique », une musique du « son-couleur »), on a tendance à la considérer comme un bloc, sans la moindre faille. C'est tout à fait le contraire, et les différentes couleurs de cet arc-en-ciel ont été réunies à travers une certaine somme de doutes, de choix, de renoncements. Dans cette recherche, le problème de la « durée » tient une place centrale. Dès le début, ses recherches ont assez vite « saturé » les domaines de l'harmonie et de la modalité — parce que, avant lui, la musique occidentale avait déjà beaucoup exploré ces dimensions.

Du côté des durées, en revanche (par opposition au rythme pulsé, régulier, mesuré, qui est pour lui le contraire du rythme), il n'a cessé d'explorer, d'essayer. Quant à la « couleur », si importante dans son œuvre, elle n'est pas, comme chez d'autres, créée par des alliages raffinés et insaisissables, c'est une véritable couleur franche, qui peut être créée par des « accords » aussi bien que par des timbres bruts d'instruments. La « durée » et la « couleur » sont les dimensions les plus secrètes de la musique occidentale.

Pour caractériser son esthétique, on peut reprendre une notion qu'il utilise souvent quand il parle de sa technique : celle de « valeur ajoutée ». Ce musicien, qui prend partout son bien, n'a garde de fondre tous ses procédés dans un creuset d'où ils ressortiraient complètement agglomérés, fusionnés, indistincts. Là où d'autres confondent et mélangent, il « ajoute », ostensiblement : chez lui, le « décoratif », en tant que procédé qui consiste à « ajouter », devient un principe esthétique, qui cesse d'être antinomique avec le « structurel ». Messiaen assume pleinement les guirlandes saint-sulpiciennes des ondes Martenot, le brillant pailleté de l'aigu du piano, la virtuosité instrumentale dans ce qu'elle a de plus ostensible, l'effet de « richesse » accumulative des notes ajoutées dans l'harmonie — d'où le rapprochement malintentionné fait par certains entre son esthétique et celle d'un Gershwin. Combien il a raison pourtant de suivre ici son goût — car il a toujours su s'exprimer en vrai et grand musicien avec les moyens qui lui convenaient, et que d'autres pouvaient mépriser. Ce n'est d'ailleurs pas sans avoir essuyé l'ironie, le mépris ou le refus, qu'il est devenu un musicien universellement estimé.

MEYERBEER (Jakob Liebmann Beer, dit *Giacomo*), compositeur allemand *(Vogelsdorf, près de Berlin, 1791-Paris 1864).* Issu d'un milieu cultivé, il étudia le piano avec Franz Lauska, qui fut l'élève de Clementi, et révéla des dons précoces de pianiste virtuose : il donna son premier récital à l'âge de neuf ans. Zelter, puis B. A. Weber lui enseignèrent la composition, puis il se rendit à Darmstadt pour travailler avec l'abbé Vogler. Il y resta de 1810 à 1812 et out pour compagnon d'études Carl Maria von Weber, dont les conceptions théâtrales allaient s'opposer aux siennes par la suite. Pendant ces deux années, Meyerbeer écrivit la première de ses œuvres qui fut représentée, *Der Fischer und das Milchmädchen,* divertissement sur un sujet de Lauchery, le maître de ballet de l'Opéra royal, donné à Berlin en 1810, ainsi que 2 opéras, *Der Admiral* et *Jephtas Gelübde ;* seul le second fut joué, sans aucun succès, à Munich en 1812. Grâce à l'appui de son ancien maître, le jeune compositeur fut nommé à la cour du grand-duc de Hesse au début de 1813. Toutefois, malgré ses échecs à l'Opéra et tandis que sa renommée de pianiste continue à croître, il fut toujours attiré par une carrière de compositeur dramatique, dont il savait qu'elle ne pouvait être couronnée qu'à Paris. C'était dans l'espoir de réaliser ce projet qu'il suivit les conseils de Salieri, rencontré à Vienne, et décida de poursuivre ses études en Italie.

Il s'y rendit en 1816 et obtint, dès 1817, avec *Romilda e Costanza,* ses premiers succès au théâtre. Le public italien l'acclama à chaque nouvelle œuvre et le triomphe remporté par *Il Crociato in Egitto,*

*Giacomo **Meyerbeer**.*
Lithographie d'après un dessin de Maurin.

l'opéra qui avait clos son séjour en Italie en 1824, le décida à tenter sa chance à Paris. Il s'y installa en 1825 et commença à discuter du livret de *Robert le Diable* avec Scribe, en 1827. Mais il persistait à penser que le remaniement de ses partitions italiennes allait assurer son succès parisien. Puis il décida de changer la forme de *Robert le Diable* et d'en faire un grand opéra plutôt qu'un opéra-comique. La première représentation eut lieu le 21 novembre 1831 et sa réussite fit de Meyerbeer une personnalité capitale tout en scellant le début de sa collaboration avec Scribe.

Le style des opéras français de Meyerbeer est désormais fixé, mélange habile d'innovations et de conventions (structure en · 5 actes avec un ballet, types d'airs convenus, répartition des voix selon le caractère auquel se rattache chaque rôle), que l'on retrouvera encore plus accentué dans *les Huguenots.* Avec cette dernière

461

Projet de Sanquirico pour Il Crociató in Egitto
de **Meyerbeer,** *«l'arrivée des Croisés».*

œuvre, dont la représentation eut lieu le 29 février 1836, l'Opéra de Paris a vécu l'un des plus brillants succès de son histoire. Le public apprécia manifestement sans réserve la recherche du détail réaliste ou historique autant que le «monumentalisme expressif», selon l'expression de Baker, obtenu tant par les trouvailles d'orchestration que par les mouvements imposants des masses chorales ou le traitement des voix; celui-ci est typique en ce qu'il met en avant soit les caractères vocaux les plus immédiatement et brutalement expressifs, soit les immenses prouesses techniques dont sont capables les chanteurs. Le décor, nettement réaliste lui aussi, et les machineries participent de plein droit à ce parti pris de grandiose d'où le sentimentalisme n'est cependant pas exclu. Ce sont, en effet, les bons sentiments que Scribe et Meyerbeer exaltent dans les

livrets qu'ils élaborent, et, notamment, le sentiment religieux très souvent présent, s'adressant par là, manifestement, à la haute société habituée des spectacles de l'Opéra.

Parmi les traits dominants du grand opéra conçu par Meyerbeer, le plus remarquable est sans doute la place faite aux interprètes. Dans toute son œuvre, le choix de ces derniers est capital et même déterminant pour l'élaboration du livret. Le compositeur consacrait la plupart de ses voyages à l'audition de nouveaux chanteurs et si l'un de ceux qu'il avait engagés rompait son contrat, il n'hésitait pas à remanier le rôle concerné pour l'adapter au nouvel interprète, voire à interrompre son travail sur un opéra si aucun acteur ne lui paraissait convenir. Ainsi en fut-il, par exemple, pour *le Prophète* et pour *l'Africaine*. C'est peut-être cette extrême dépendance de la dramaturgie et du chant qui rend si problématique aujourd'hui toute représentation des opéras de Meyerbeer; nombreux furent, en tout cas, les grands chanteurs dont le talent fut associé à la carrière du compositeur, tels Adolphe Nourrit, Cornélie Falcon, la basse Levasseur, Gilbert Duprez, Jenny Lind, Pauline Viardot, Tichatchek, Julie Dorus Gras.

Ayant acquis une stature internationale, Meyerbeer fut nommé directeur général de la musique à Berlin après le départ de Spontini, en 1842, à la mort de Friedrich Wilhelm III. Il ne garda ce poste que jusqu'en 1848, mais demeura compositeur de la cour royale jusqu'à sa mort. À ce titre, il composa des œuvres de commande pour la famille royale, parmi lesquelles un singspiel, *Ein Feldlager in Schlesien,* en 1844 (repr. Vienne, 1847, dans une forme remaniée, sous le titre de *Vielka*), qui était

Costume pour les Croisés en Égypte *de* **Meyerbeer** *dans une représentation à l'Opéra de Paris. (Bibl. de l'Opéra.)*

Giacomo **Meyerbeer.**

destiné à marquer la réouverture de l'Opéra de Berlin. Meyerbeer n'oubliait pas pour autant que ses plus fervents admirateurs étaient à Paris bien plus qu'en Allemagne, et, après avoir écrit la musique de scène d'une pièce de théâtre, *Struensee*, dont l'auteur était son propre frère, Michael Beer, il se remit à travailler sérieusement sur *le Prophète* (projet qu'il avait envisagé avec Scribe depuis 1836), encouragé par la découverte de la chanteuse Pauline Viardot-García. La première représentation eut lieu le 16 avril 1849 et valut une nouvelle fois au compositeur les louanges de la presse, notamment celles de Berlioz et de Théophile Gautier, ainsi que la décoration de commandeur de la Légion d'honneur.

Jusqu'à la fin de sa vie, Meyerbeer connut le succès et la célébrité; sollicité par de nombreux projets et attaché à

L'orchestre, pendant la représentation de Robert le Diable *de* **Meyerbeer.**
Tableau de Degas. (Victoria and Albert Museum, Londres.)

maintenir sa réputation, il fit alterner les contrats rompus et les œuvres accomplies. En 1854, l'Opéra-Comique présente *l'Étoile du Nord,* sur un livret de Scribe, qui reprenait en partie la partition d'*Ein Feldlager in Schlesien,* puis *le Pardon de Ploërmel,* en 1859, sur un livret de Barbier et Carré. Enfin, en 1860, il décida d'achever *l'Africaine,* qu'il avait entreprise avec la collaboration de Scribe en 1837 ; mais la mort de celui-ci en 1861, ainsi qu'une surcharge de travail et sa propre maladie l'empêchèrent de terminer ce dernier opéra avant avril 1864, c'est-à-dire peu de jours avant sa mort. Fétis fut finalement chargé des révisions finales de l'œuvre pour sa création à l'Opéra le 28 avril 1865.

L'importance du succès de Meyerbeer et l'influence qu'il eut pendant plusieurs années à l'opéra n'étaient pas dues au hasard ou au seul effet d'une mode passagère. Dans son œuvre apparaît une conception soigneusement élaborée d'un type d'opéra particulièrement grandiose dans lequel tous les rapports d'équilibre sont savamment pesés.

MIASKOVSKI *(Nikolaï),* compositeur et pédagogue soviétique *(Novoguéorguievsk 1881 - Moscou 1950).* Fils d'un ingénieur du génie, destiné primitivement à la carrière militaire, il étudia la musique avec Glière et Kryzanovski (1902-1904) avant de devenir l'élève de Liadov, de Rimski-Korsakov et de Vitol au conservatoire de Saint-Pétersbourg (1906-1911). Il fut nommé en 1921 professeur de composition au conservatoire de Moscou. Kabalevski, Khatchaturian, Chébaline, Mouradeli comptèrent parmi ses élèves.

Essentiellement ancré dans le classicisme russe, influencé par Tchaïkovski, Miaskovski s'est très tôt déterminé comme symphoniste. Avant sa mobilisation en 1914, il avait déjà écrit 3 symphonies et d'autres œuvres pour orchestre, comme les poèmes *Silence* (1909-10) d'après E. Poe et *Alastor* (1912-13) d'après Shelley, pages dont il attribuait le pessimisme à sa fréquentation des cénacles symbolistes. Il ne fut néanmoins reconnu comme un compositeur majeur que dans les années 20, après la création de sa *5e Symphonie.* Un nouvel état d'esprit s'y manifeste, fait de sérénité sinon d'optimisme, où le style populaire joue un certain rôle, ainsi que les images inspirées par la terre natale et la révolution. La *6e Symphonie,* quant à elle, est directement tournée vers le thème de la révolution et traite de l'itinéraire spirituel des intellectuels qui y sont indirectement liés. Dans le finale, Miaskovski emploie, avec le thème du *Dies irae* et un vieux chant russe sur la séparation de l'âme et du corps, deux chants révolutionnaires, la *Carmagnole* et *Ça ira,* qui introduisent l'image du peuple.

Surnommé « la conscience musicale de Moscou », Miaskovski allait être pendant trente ans l'une des personnalités les plus importantes de la vie musicale moscovite. Nombre de ses œuvres sont étroitement liées à l'histoire et à la littérature russes : la *8e Symphonie* est inspirée de Stenka Razine, la *10e* par le trouble intérieur d'Eugène, le héros du *Cavalier de bronze* de Pouchkine. D'autres fois, il écrivit de la musique sur des thèmes de l'actualité : par exemple, sa *12e Symphonie, Kolkhoze,* ou sa *16e Symphonie, Aviation,* lors do la perte de l'avion géant *Gorki* (1931). La *13e Symphonie,* en un seul mouvement, représente un essai d'atonalisme. Néanmoins, Miaskovski a toujours recherché un langage accessible, ce qui explique le succès de sa *18e Symphonie,* composée pour le vingtième anniversaire de la Révolution, et popularisée par une transcription pour orchestre militaire. La *21e Symphonie,* l'une des plus mûres, fut commandée par l'Orchestre symphonique de Chicago, dont le chef, F. Stock, fut un défenseur infatigable de Miaskovski. La *22e Symphonie (Symphonie-ballade)* est inspirée par la guerre (1942). La *23e Symphonie* est écrite sur des danses caucasiennes, la *26e* sur d'anciens thèmes populaires russes (1948).

Néanmoins, la purge antiformaliste de 1948 n'a pas épargné Miaskovski. Sa réhabilitation n'intervint qu'après la création posthume de sa *27e Symphonie,* consacrée au thème de la vie et de la mort et s'achevant sur une note débordante d'optimisme par un cortège du peuple et le chant *Gloire.* Une de ses œuvres les plus populaires reste son *Concerto pour violoncelle* (1944).

MÍČA, famille de musiciens tchèques.
— 1. **František Václav,** chanteur et compositeur *(Třebíč 1694 - Jaroměřice 1744).* Cinquième fils de l'organiste Mikuláš Míča, František Václav fut à partir de 1722 le maître de chapelle du comte Jean Adam Questenberk au château de Jaroměřice en Moravie (1717-1744). Les récents travaux du professeur Helfert ont redonné à Míča la paternité de deux manuscrits d'opéras, *L'Origine di Jaromeritz in Moravia* (1730) et *Operosa terni Colossi Moles* (1735). Mais la magnifique symphonie en *ré* majeur publiée à Prague sous son nom en 1946, et devenue célèbre à cause de ses traits considérés à tort ou à raison comme d'avantgarde, est on toute probabilité de son neveu, et donc plus tardive qu'on no l'avait cru.
— 2. **František Adam Jan,** compositeur tchèque, neveu du précédent *(Jaroměřice 1746 - Lwów 1811).* Il fit des études de droit à Vienne, s'ouvrant ainsi une carrière dans l'administration impériale autrichienne, il écrivit de nombreuses œuvres de chambre. Secrétaire de province à Graz, il devint un des compositeurs favoris de l'empereur Joseph II, pour lequel il composa de nombreux quatuors à cordes (14 manuscrits actuellement retrouvés). Il fit la connaissance de Mozart à Vienne, lequel appréciait fort ses compositions. Sa modestie semble avoir été la cause de l'absence de toute édition, de son vivant, d'un catalogue non négligeable. Il termina sa vie en Pologne dans un relatif isolement.

MICHNA D'OSTRADOVICE *(Adam Václav),* connu également sous le nom d'ADAMUS WENCESLAUS MICHNA DE OTTRADOWICZ, poète et compositeur tchèque *(Jindřichuv Hradec, Neuhaus en allemand, v. 1600 - id. 1676).* Il est le fils de l'organiste d'une petite ville de Bohême du Sud, Jindřichuv Hradec ; il y passa toute sa vie, d'abord misérable, puis progressivement aisée, en tant qu'aubergiste et organiste. Il fut le plus brillant représentant de l'école baroque tchèque resté au pays. Il fit imprimer un recueil de chants religieux, *la Musique mariale tchèque* (1647), un répertoire, *le Luth tchèque* (1653), puis *Musique de l'année sainte* (1661). Il avait le don de pédagogie et créa de nombreuses chorales dans sa région. Son œuvre tient compte de cette activité et se répartit en deux groupes distincts : chansons populaires, faciles à chanter, en langue tchèque (berceuses, danses, chansons à boire...), qui font partie du répertoire bohémien depuis trois siècles ; musique sacrée sur des textes latins.

MIEREANU *(Costin),* compositeur français d'origine roumaine *(Bucarest 1943).* Il a fait des études de piano (1954-1960) et de composition (1960-1966) à Bucarest, suivi les cours de Darmstadt avec Stockhausen, Ligeti et Karkoschka (1967-1969), participant notamment sous la direction de Stockhausen à l'œuvre collective *Musik für ein Haus,* et arrive à Paris en 1968. Il a travaillé à la Schola cantorum et avec Jean-Étienne Marie (1969-70), et, depuis 1973, enseigne au département de musique de l'université de Paris-VIII (transformations de la notation musicale actuelle, rapports entre image et son, organologie des timbres, analyse, composition). Professeur à l'École nationale supérieure des arts décoratifs (1977-78), il obtenu successivement un doctorat de 3e cycle sur la sémiologie musicale et un doctorat ès lettres et sciences humaines (1979). Il recherche des formes polyartistiques unissant son, geste et image, et fait souvent appel dans ses œuvres à l'électroacoustique. On lui doit notamment *Couleur du temps* (1966-1968), première version orchestre à cordes, deuxième version quatuor à cordes et bande magnétique, troisième version double quatuor à cordes et contrebasse ; *Espaces II* pour orchestre à cordes, piano et bande magnétique (1967-1969) ; *Night Music* pour une ou plusieurs bandes magnétiques (1968-1970) ; *Rosario* pour grand orchestre et 2 chefs (1973-1976) ; *Luna Cinese* pour un ou plusieurs électrophones, un exécutant et un récitant (1975) ; *Planetarium* pour piano, 2 flûtes, un trombone, un vibraphone (1975) ; *Musique tétanique* pour un ou plusieurs claviers acoustiques ou électroniques (1977) ; *Musique climatique* pour 2 actants, un commentateur polyartistique, claviers acoustiques et/ou électroniques, bande magnétique et film 16 mm *ad libitum* (1979) ; *Musique climatique no 2* (1980) ; *L'avenir est dans les œufs,* opéra pour 9 chanteurs, 15 instruments et bande magnétique d'après E. Ionesco (1980), et *Rosenzeit* pour orchestre (Metz, 1982). Il est également l'auteur de plusieurs écrits, dont *De la Textkomposition au Poly-Art. Sémiotique de la partition,* thèse de doctorat ès lettres (Paris, 1979). Il est directeur artistique des éditions Salabert.

MIGOT *(Georges),* compositeur français *(Paris 1891 - Levallois 1976).* D'ascendances franc-comtoises, ouvert à toutes les formes de la culture, il s'éveilla très tôt à la musique, composant un *Noël* à quinze ans. Admis au Conservatoire en 1909 dans la classe de composition de C. M. Widor, il assista en auditeur à toutes les classes instrumentales et suivit les cours d'histoire de la musique de M. Emmanuel.

Mobilisé en 1914, il fut grièvement blessé dès le mois d'août et, après une longue convalescence, reprit ses études que vinrent couronner les prix Lily-Boulanger (1918), Lepaulle (1919) et Halphen (1920). Enfin, en 1921, le prix de la fondation Blumenthal pour la Pensée et l'Art français lui fut décerné pour l'ensemble de son œuvre, qui comprenait déjà quelques-unes de ses partitions les plus importantes de musique de chambre *(Trio, Quintette)* et de musique symphonique *(les Agrestides).* Son ballet *Hagoromo* fut créé à l'Opéra de Monte-Carlo (1922). Ses *Deux Stèles,* sur des poèmes de Segalen (1925), confirmèrent l'intérêt qu'il portait alors aux arts de l'Extrême-Orient. Mais la tradition française demeura pour lui essentielle, et il l'affirma non seulement en écrivant un livre sur *Jean-Philippe Rameau* (1930), mais en composant son *Livre des danceries* pour orchestre (1929). L'œuvre de Georges Migot atteignit sa pleine maturité avec le *Zodiaque,* 12 études de concert pour piano (1931-32), les 17 *Poèmes de Brugnon,* du poète Klingsor, pour chant et piano (1933) et le *Trio pour violon, violoncelle et piano* (1935). La musique religieuse prit ensuite chez lui une place prépondérante : en témoignent *le Sermon sur la montagne* (1936), *la Passion* (1941-42) et *Saint-Germain d'Auxerre,* oratorio a cappella pour solos et 3 chœurs mixtes (1947). Suivirent le *Petit Évangéliaire* (1952), le *Psaume 118*

(1952) et le *Requiem* (1953). Son langage ne cessa de tendre vers une écriture plus souple, plus transparente, plus dépouillée et plus libre à la fois.

L'art de Georges Migot est celui d'un humaniste qui n'a jamais dissocié la pensée de la technique. Le langage personnel qu'il s'est forgé en usant de modes mélodiques libres et d'harmonies qui recherchent l'apaisement plus que la tension, la couleur instrumentale qu'il emploie avec le souci de l'unité de ton (au sens pictural du terme), le recours à des formes musicales qui excluent les contrastes trop affirmés, tout cela s'inscrit dans une vision religieuse, sereine et sensible de l'univers. Il y a aussi, chez lui, le poète : sa musique possède une délicatesse de touche, une grâce souriante qui la situent dans la meilleure tradition française.

MIHALOVICI *(Marcel),* compositeur français d'origine roumaine *(Bucarest 1898-Paris 1985).* Il a étudié à Bucarest, de 1908 à 1919, avec Fr. Fischer et B. Bernfeld (violon), D. Cuclin (harmonie) et R. Cremer

Marcel Mihalovici.

(contrepoint), puis à la Schola cantorum de Paris, de 1919 à 1925, avec V. d'Indy (composition, direction d'orchestre), Saint-Réquier (harmonie), A. Gastoué (chant grégorien) et N. Lejeune (violon). En 1928, Mihalovici, Martinů, C. Beck et T. Harsanyi, rejoints par N. Tcherepnine, décidèrent de donner un concert de leurs œuvres : les critiques regroupèrent sous le nom d'école de Paris ces compositeurs d'origine étrangère, résidant en France, mais aux esthétiques très différentes. De 1959 à 1962, Mihalovici enseigna à la Schola cantorum. Il a le goût des structures solides, allié à une influence des modes et de la rythmique du folklore roumain. On lui doit notamment l'opéra *Phèdre,* d'après Racine (1949), le ballet *Thésée au labyrinthe* (1956) et de nombreuses pages instrumentales et vocales.

MILHAUD *(Darius),* compositeur français *(Aix-en-Provence 1892-Genève 1974).* Né le 4 septembre 1892 à Aix-en-Provence, où son père dirigeait une maison de commerce et était administrateur de la synagogue, le musicien s'est défini dans ses *Mémoires, Notes sans musique,* comme un « Français de Provence, de religion israélite ». Ses ancêtres paternels étaient, en effet, originaires du comtat Venaissin, où ils s'étaient fixés depuis des siècles. Du côté maternel, ses parents descendaient de juifs séfardim établis de longue date en Italie. Sa mère était née à Marseille. Les dons de Darius Milhaud se manifestent dès sa troisième année : il reproduit au piano un air entendu dans la rue. Passionné de musique, amateur de talent, son père en est ravi. Bientôt il fait donner des leçons de violon à son fils. À dix ans, Darius Milhaud entre au lycée, mais il poursuit l'étude du violon, et, sous la direction de son professeur, Léo Bruguier, s'initie à la musique de chambre. Il découvre en 1905 le *Quatuor* de Claude Debussy, qui est pour lui une révélation. Il étudie l'harmonie avec un chef de musique militaire dont l'enseignement le rebute et, par réaction, compose des œuvres assez peu orthodoxes. Pressé d'obtenir son baccalauréat, clé de sa liberté, il travaille avec acharnement et termine en 1909 ses études secondaires.

Au lycée d'Aix-en-Provence, il s'est lié avec Armand Lunel, qui deviendra un de ses librettistes, et avec Léo Latil, poète sensible, délicat, qui admire Maurice de

Le groupe des six :
*Darius **Milhaud**,*
Arthur Honegger,
Louis Durrey,
Germaine Tailleferre,
Francis Poulenc
et Georges Auric.
Au fond,
Jean Cocteau.
Tableau
de J. E. Blanche.
(Musée de Rouen.)

Guérin et Francis Jammes. Il est admis au Conservatoire de Paris, où il a pour professeurs Berthelier (violon), Xavier Leroux (harmonie), Gédalge (contrepoint), Dukas (orchestre). Il se lie avec Jacques Ibert, Henri Cliquet, Arthur Honegger, Jean Wiener. Entre 1910 et 1912, il compose des mélodies sur des poèmes de Jammes, une *Sonate pour piano et violon,* qu'il reniera, et son premier quatuor à cordes. Il obtient de Francis Jammes l'autorisation de mettre en musique *la Brebis égarée,* et, au cours de l'été 1912, se rend à Orthez, avec Léo Latil, pour rencontrer le poète. Il montre à Jammes des mélodies qu'il vient d'écrire sur des poèmes de Claudel. Et c'est Claudel lui-même qui, à l'automne, vient voir le musicien : l'entente entre eux est immédiate et totale. En 1913, Claudel fait venir Milhaud à Hellerau, où l'on joue *l'Annonce faite à Marie,* lui demande d'écrire la musique d'*Agamemnon* et lui fait lire *Protée,* dont la bouffonnerie poétique excite la verve du compositeur. Cette même année, Milhaud écrit une œuvre pour piano et chant, *Alissa,* sur un texte extrait de *la*

Porte étroite d'André Gide. Le langage violent d'*Agamemnon* et la subtilité, la tendresse d'*Alissa* définissent déjà les deux pôles du lyrisme de Darius Milhaud. Dès 1913 — il a vingt et un ans —, sa personnalité s'est entièrement forgée. En 1914, sa mauvaise santé l'ayant dispensé d'être appelé sous les drapeaux, le musicien s'emploie à secourir les réfugiés dont s'occupe le foyer Franco-Belge. Il continue à suivre les cours du Conservatoire, dans les classes de Gédalge et de Widor.

Il étudie systématiquement le problème de la polytonalité, et applique ses recherches à la composition des *Choéphores* (1915). Il écrit en 1916 un de ses plus beaux recueils de mélodies, les *Poèmes juifs,* et un *Quatuor à cordes* avec chant, le troisième, à la mémoire de son ami Léo Latil, tué sur le front l'année précédente. Et voici que s'annonce un tournant décisif dans sa vie et dans son œuvre : en novembre 1916, Claudel, qui vient d'être nommé ambassadeur de France à Rio de Janeiro, demande à Milhaud de l'accompagner en qualité de secrétaire. Claudel et Milhaud arrivent au Brésil le 1er février 1917. Ils y resteront jusqu'à la fin de la guerre, et, après un détour par la Martinique et New York, le musicien ne reviendra en France qu'au début de 1919. Milhaud reconnaîtra que les tropiques l'ont marqué profondément : « Les deux ans passés à Rio de Janeiro ont exalté en moi toute ma latinité naturelle, et cela jusqu'au paroxysme. » C'est au Brésil qu'il a trouvé définitivement son langage, son style, et qu'il a poussé jusqu'à leurs conséquences extrêmes les principes de la polytonalité, composant la cantate *le Retour de l'enfant prodigue,* le ballet *l'Homme et son désir,* la *Sonate pour piano, flûte, clarinette et hautbois* et son *Quatrième Quatuor à cordes.* Il y a entrepris la série des *Petites Symphonies* pour orchestre de chambre et mis sur le chantier *les Euménides,* un immense opéra

Darius Milhaud et sa famille.
Dessin de Pruma en 1933.

Bulloz

d'après Eschyle dans la traduction de Claudel. Revenu à Paris, Milhaud participe aux activités du groupe des Six. Les titres de ses œuvres, *le Bœuf sur le toit* (1919), *Machines agricoles* (1919), *Catalogue de fleurs* (1920), égarent les esprits superficiels. On n'y voit que provocation, modernisme, humour : alors que ces œuvres, simplement, répondent à sa nature profonde, gaieté, lyrisme, amour de la nature. Le Milhaud du groupe des Six n'est pas un autre Milhaud. Avec ses *Cinq Études* pour piano et orchestre (1920), il poursuit ses recherches dans le domaine de la polytonalité et achève, en 1922, les *Euménides.* Les *Choéphores* sont jouées aux concerts Delgrange en 1919. La première audition de la suite symphonique de *Protée* provoque un scandale aux concerts Colonne en 1920. *L'Homme et son désir* est créé par les Ballets suédois en 1921. Contesté par certains, honni par Saint-Saëns, Milhaud est devenu célèbre. En 1922, il se rend à Vienne avec Francis Poulenc et la cantatrice Marya Freund. Il rencontre Alban Berg, Anton Webern et Arnold Schönberg, dont il vient de diriger aux concerts Wiener le *Pierrot lunaire* (première exécution à Paris). La même année, il donne des concerts aux États-Unis, et, pendant son séjour à New York, découvre le jazz dans sa pure tradition de La Nouvelle-Orléans. Des bruits de la forêt vierge était né *l'Homme et son désir,* des rythmes brésiliens *le Bœuf sur le toit ;* et dans la *Création du monde,* ballet sur un argument de Blaise Cendrars créé en 1923 par les Ballets suédois, dans les décors de Fernand Léger, le jazz est source d'inspiration, le jazz, ou plutôt l'esprit du jazz.

En 1924, Milhaud écrit deux ballets, *Salade, le Train bleu,* et un ouvrage lyrique qui renoue avec la tradition de l'opéra de chambre, *les Malheurs d'Orphée.* L'année 1925 est celle de son mariage avec sa cousine Madeleine Milhaud et d'un grand voyage autour de la Méditerranée. Voyages et compositions se poursuivent. Le musicien se rend en Russie et, de nouveau, aux États-Unis. Il écrit en 1926, sur un livret de Jean Cocteau, *le Pauvre Matelot.* Quelques mois après la naissance de son fils Daniel, *Christophe Colomb,* un grand opéra dont le livret a été établi par Claudel, est créé à l'Opéra de Berlin (5 mai 1930). Le succès est très vif. Milhaud est un musicien comblé. Malheureusement, sa santé s'est altérée. Les crises de rhuma-

*Darius **Milhaud**, chez lui, en 1963.*

tismes qui l'affectent sont douloureuses. Désormais, elles ne lui laisseront guère de répit. Surmontant ce handicap, le musicien ne renoncera ni aux voyages ni à aucune de ses activités. L'hostilité que rencontre *Maximilien,* créé en 1932 à l'Opéra de Paris, ne le décourage pas ; entre 1933 et 1938, Milhaud compose de nombreuses musiques de scène. Deux de ses œuvres les plus populaires, la *Suite provençale* (1936) et *Scaramouche* (1937) en sont issues. Les *Quatrains valaisans* (1939), le *Voyage d'été* (1940), *la Cheminée du roi René* (1939) sont des musiques de paix et de bonheur. Mais la guerre vient interrompre les représentations de *Médée* à l'Opéra, où l'ouvrage, joué d'abord à Anvers, venait d'être créé le 8 mai 1940. Après l'armistice, Milhaud s'embarque pour les États-Unis, où on lui offre une chaire de composition à Mill's College, en Californie. Il ne revient en France qu'à la fin de 1947, ayant, pendant ces sept années, composé un nombre impressionnant d'œuvres, parmi lesquelles figurent

Bolivar, la *Suite française,* le *Service sacré.* Nommé professeur de composition au Conservatoire de Paris, mais conservant sa chaire de Mill's College, de 1947 à 1971, le musicien partage sa vie entre la France et les États-Unis, où il donne également des cours d'été, à Aspen, dans le Colorado. Entre 1952 et 1962, il écrit 68 œuvres, dont quelques-unes, et ce ne sont pas les moins significatives, sont des musiques de circonstance, *le Château de feu,* à la mémoire des déportés, la *Cantate de la croix de charité,* pour célébrer le centenaire de la fondation de la Croix-Rouge. Munich, Berlin, Bruxelles et Paris fêtent son soixante-dixième anniversaire. L'Opéra de Berlin met pour la première fois en scène la trilogie de l'*Orestie.* En 1967, une plaque est posée sur sa maison natale à Aix-en-Provence. En 1971, le ministère des Affaires culturelles lui décerne le grand prix national de la musique. L'année suivante, il est reçu à l'Académie des beaux-arts. Milhaud peut désormais jeter un regard en arrière sur sa vie, une vie extraordinairement remplie par son activité créatrice et par les contacts humains qu'il a multipliés à travers les continents. *Ma vie heureuse :* tel est le titre qu'il choisit pour la nouvelle édition de ses *Notes sans musique.* Il s'éteint paisiblement à Genève, à l'âge de quatre-vingt-un ans, durant l'été de 1974, et il est inhumé à Aix-en-Provence sa ville natale, celle dont il a dit qu'elle représentait pour lui « l'essentiel de sa source et de son cœur ».

Les œuvres les plus fréquemment jouées de Darius Milhaud, *le Bœuf sur le toit,* la *Création du monde,* les *Saudades do Brazil,* la *Suite provençale, Scaramouche,* proposent l'image d'une musique mordante, trépidante, ensoleillée, empreinte d'un charme très particulier qui est fait de naturel, d'abandon, de gaieté et de tendresse. Mais c'est loin d'être là tout Milhaud. Il y a le Milhaud âpre et tragique de l'*Orestie.* Il y a le musicien de *Christophe Colomb,* dont le langage traduit l'immensité de l'océan, l'amertume des querelles humaines et la lumière surnaturelle du paradis. Il y a aussi le novateur, qui, dans l'*Homme et son désir,* ajoute à la polytonalité la polyrythmie et l'indépendance des groupes instrumentaux. Mais le novateur est motivé par son lyrisme. La polytonalité est, en effet, pour lui le langage qui correspond à son désir de traduire la pluralité des impressions qu'il reçoit du monde extérieur. L'ouverture sur tous les êtres, sur toutes les choses, devient chez lui, selon l'expression de Claudel dans son *Art poétique,* « co-naissance » du monde. La polytonalité est l'instrument privilégié de cette « co-naissance ». Mais elle permet aussi à sa musique de nouer les gerbes de mélodies qui fusent en elle. Lyrique, le génie de Milhaud est essentiellement mélodique. Des cantates aux opéras, des quatuors aux symphonies, c'est là une constante qu'aucun exemple ne vient démentir. Milhaud a abordé tous les genres. Son œuvre est immense, très riche, très variée, elle parcourt une gamme infinie d'émotions, et s'il fallait la définir d'un seul mot, ce serait par celui d'universalité.

MIROGLIO *(Francis),* compositeur français *(Marseille 1924).* Il a fait ses études au conservatoire de Marseille, puis à celui de Paris avec Darius Milhaud (composition), et participé aux cours de Darmstadt. Il a passé une année à Berlin comme boursier de la fondation Ford (1967), et fondé le festival de musique et d'art contemporain « Nuits de la fondation Maeght » (1965), dont il a été directeur artistique jusqu'en 1971. Depuis 1976, il est directeur artistique des Semaines musicales internationales d'Orléans. De tendance postsérielle, il s'est orienté vers la forme ouverte et vers l'aléatoire, et, en collaboration avec des plasticiens comme Calder ou Miro, a élaboré des œuvres intégrant des composantes sonores et visuelles. On lui doit notamment *Pierres noires* pour ondes Martenot et 2 percussions (1958), *Espaces I* à *V* pour diverses formations (1961-62), *Projections* pour quatuor à cordes avec diapositives de peintures de Joan Miro *ad libitum* (1966-67), *Tremplins* pour orchestre et voix (formations variables de 15 à 32 musiciens) sur un texte de Jacques Dupin (1968-69), *Insertions* pour clavecin (1969), *Extensions* pour 6 percussions et grand orchestre (1970-1972), *Extensions 2* pour 6 percussions (1970), *Extensions 3* pour grand orchestre (1972), *Il faut rêver dit Lénine,* spectacle musical sur un texte

Francis Miroglio.

de Roger Pillaudin (1972), *Éclipses* pour 12 cordes et clavecin *ad libitum* (1972), *Strates éclatées* pour orchestre (1973), *Reflex*, œuvre de théâtre musical (1973-74), *Fusions* pour grand orchestre (1974), *Gravités* pour orgue (1975), *Brisures* pour flûte solo (1977), *Horizons courbes* pour ensemble instrumental variable (1977-78), *Rumeurs* pour harpe celtique ou harpe diatonique (1978), *Magnétiques* pour violon solo, violon et piano, violon et ensemble instrumental, ou violon et grand orchestre (1978-79), *Triade*, musique pédagogique pour 1, 2 ou 3 violons (1980), *Trip through Trinity* pour percussion solo (1981), *Inferno di gelo*, œuvre de théâtre musical d'après Dante (1981-82), *Deltas* pour orchestre (Metz, 1987). Pour lui, la démarche aléatoire doit rester sous le strict contrôle du compositeur.

MOMPOU *(Federico)*, compositeur espagnol *(Barcelone 1893 - id. 1987)*. Encouragé dans sa vocation dès son enfance, il suivit les leçons du fameux Liceo de sa ville natale avant de se rendre à Paris (1911), où il paracheva sa formation de pianiste et de compositeur (notamment auprès de Marcel Samuel-Rousseau). Rentré à Barcelone durant la Première Guerre mondiale, il revint à Paris en 1921 ayant surtout composé pour le piano selon une devise annonçant bien quelle sera la rareté de l'œuvre : «Recommencer». De ces années passées en Espagne datent donc les *Impressions intimes* (1911-1914), les *Scènes d'enfants* (1915-1918), les *Crèches* (1914-1917), *Suburbis* (1916-17), les *Cantos mágicos* (1917-1919), les *Fêtes lointaines* (1920), *Charmes* (d'après Valéry, 1920-21), enfin les *Trois variations* (1921), ainsi que les trois premiers éléments du cycle *Cançó i dansa* (I-IV, 1921-1928). Le critique Émile Vuillermoz, découvrant cet ensemble exceptionnel, proclama le génie de Mompou et imposa son nom aux curieux des «années folles». Mompou ne rentra en Espagne (mais définitivement) qu'en 1941. Une bonne part de sa musique naquit donc à Paris, dans l'orbite d'Erik Satie puis du groupe des Six.

Après son retour à Barcelone, Mompou confia encore au piano huit *Cançó i dansa*, trois *Paisajes* (1942-1960), *Cançón de cuna* (berceuse, 1951), *Dix Préludes* (1927-1951), auxquels devait s'ajouter un onzième (1960), enfin quatre cahiers de quelque vingt pièces chacun de *Música*

callada («Musiques du silence», 1959-1974). Il écrivit, en outre, *Cinq Chansons sur des textes de Paul Valéry* (1973) ainsi que plusieurs œuvres chorales (dont un oratorio, *Improperios*), tendant à renouer avec la tradition grégorienne.

Cette attitude est caractéristique de l'esthétique de Mompou, soucieux de s'exprimer dans un langage hors du temps et des modes, selon la «simplicité» qui apparut comme un idéal à nombre d'artistes au lendemain du symbolisme. Mompou put se dire «primitivista», mais au sens où Gauguin aussi se voulut «primitif» : avec tout l'acquis de la culture occidentale, seule susceptible de nous faire complices de tous les vertiges et de toutes les magies. Une bonne part de l'art de Mompou a été confiée au piano dans ce but : l'instrument familier devait sonner chez lui comme nulle part ailleurs, et faire preuve de délicatesses, de nuances inouïes. Mompou supprima la barre de mesure pour donner à son mélodisme une ductilité absolue et harmonisa la ligne très pure de ses mélodies (pratiquement aucun «ibérisme» en sa musique) avec une générosité toujours naturelle mais cependant surprenante, son souci primordial restant la sonorité, enrichie notamment par des phénomènes de résonance, à la fois sollicités et dominés.

MONDONVILLE *(Jean-Joseph Cassanéa de)*, violoniste et compositeur français *(Narbonne 1711 - Belleville, près de Paris, 1772)*. On suppose qu'il fut formé par son père, organiste de la cathédrale de Narbonne. Venu à Paris, il y publia en 1733-34 ses premières œuvres instrumentales (sonates pour violon et basse continue op. 1, sonates en trio op. 2, pièces de clavecin en sonates op. 3). Il fit un bref séjour à Lille, où il composa ses premiers motets, puis revint à Paris. À partir de 1734, il apparut au Concert spirituel, où il joua un rôle de plus en plus important, d'abord comme violoniste, puis comme compositeur. Ses motets, exécutés à partir de 1739, assurèrent sa réputation : *Dominus regnavit*, *Jubilate Deo*, *Lauda Jerusalem*, *Venite exultemus*, etc. Mais il continua à se produire comme violoniste, souvent en duo avec le flûtiste Blavet, le violoniste Guignon, la soprano Marie Fel. Le *Mercure de France* publia sur lui des comptes rendus élogieux. En 1752, lors de la Querelle des bouffons, il prit vigoureusement parti pour la musique française

PIÈCES
DE CLAVECIN
Avec Voix ou Violon
DEDIEES
A Son Excellence
Monseigneur
L'Evesque de Rennes
PAR M.ᴿ MONDONVILLE
Maître de Musique de la Chapelle du Roy
ŒUVRE V.
Prix en blanc huit livres. AVEC PRIVILEGE DU ROY

Page de couverture pour les Pièces de clavecin
de Jean-Joseph Cassanéa de **Mondonville.** *Bibl. du conservatoire de Paris.*

et représenta le « coin du roi ». De 1755 à 1762, il fut le directeur du Concert spirituel.

En même temps que compositeur religieux, il se révéla comme compositeur d'opéras et de ballets, et obtint deux succès importants avec le ballet héroïque *le Carnaval de Parnasse* (1749) et surtout avec l'opéra *Titon et l'Aurore* (1753), par lequel il affirma, aux côtés de Rameau, les traditions de la tragédie lyrique française.

Toutefois son *Thésée* (1765) fut un échec : on lui reprocha d'avoir utilisé le livret de Quinault déjà mis en musique par Lully. Il composa également trois oratorios : *les Israélites au mont Horeb* (1758), *les Fureurs de Saül* et *les Titans.*

Dans le domaine instrumental, Mondonville réalisa d'intéressantes expériences tendant à élaborer un traitement instrumental de la voix (*Concert de violon avec voix* sur des textes de Psaumes, 1747).

473

Ses œuvres instrumentales continuent à être jouées de nos jours, mais c'est surtout grâce à ses motets, qui poursuivent la tradition versaillaise de Delalande, que Mondonville est passé à la postérité.

MONIUSZKO *(Stanisław),* compositeur polonais *(Ubiel, Biélorussie, 1819 - Varsovie 1872).* Il fait ses études d'harmonie et de composition au conservatoire de Varsovie et à Berlin, puis s'installe à Vilno et y enseigne la composition. En 1858, au moment du succès de son opéra *Halka,* il se rend à Varsovie où il séjournera jusqu'à la fin de sa vie. Il est nommé directeur de l'opéra de cette ville. Il est incontestablement considéré comme le plus grand compositeur polonais d'opéras et de mélodies. *Halka,* le premier opéra national polonais, le rendit célèbre, et synthétise en quelque sorte les intentions esthétiques et les moyens techniques que des compositeurs comme Elsner, Stefani ou Kamienski avaient commencé à explorer, en particulier dans leurs œuvres basées sur des livrets en langue polonaise.

Plus globalement, Moniuszko n'a cessé de s'adresser, à travers son œuvre, au tempérament musical polonais, notamment dans ses mélodies (12 fascicules d'environ 400 chants qui connurent un vif succès auprès des couches moyennes de la société polonaise). Tandis que Chopin dépasse toute spécificité nationale, Moniuszko peut prétendre représenter, au cœur même de son pays, la Pologne du XIXe siècle. Sa popularité fut telle que soixante-six mille personnes assistèrent à ses funérailles.

MONN (à l'origine MANN), famille de musiciens autrichiens. — 1. **Matthias Georg,** organiste et compositeur *(Vienne 1717 - id. 1750).* Il s'appelait Johann Georg Matthias, mais changea son prénom pour éviter toute confusion avec son frère. Organiste à la Karlskirche à partir de 1738, il fut avec Wagenseil le principal représentant de l'école préclassique viennoise. Il est l'auteur de la plus ancienne symphonie connue en quatre mouvements avec menuet en troisième position (1740), mais cette œuvre constitue dans sa production un cas isolé : toutes ses autres symphonies sont en trois mouvements. On lui doit aussi de la musique de chambre dont six quatuors à cordes faits chacun d'un mouvement lent et d'une fugue, des pages religieuses, et des concertos dont sept pour clavecin (l'un d'eux fut « recomposé » par Schönberg en 1932 pour violoncelle et orchestre) et un pour violoncelle (édité par Schönberg en 1911-12). — 2. **Johann Christoph,** pianiste et compositeur, frère du précédent *(Vienne 1726 - id. 1782).* Il fut surtout connu en son temps pour ses œuvres pour clavier. Des symphonies publiées en 1912 sous le nom de Monn dans la série *Denkmäler der Tonkunst in Oesterreich* avec une attribution globale à Matthias Georg, certaines sont en réalité de lui.

MONNET *(Marc),* compositeur français *(Paris 1947).* Après des études au Conservatoire de Paris, il a travaillé à l'École supérieure de musique de Cologne avec Mauricio Kagel et a suivi les cours d'été de Darmstadt (avec Stockhausen, Ligeti, Xenakis, Kagel) ; il a été pensionnaire de la Villa Médicis à Rome (1976-1979). Son écriture se caractérise par l'emploi, pour chaque partition, de systèmes originaux poussés à l'extrême et se traduisant parfois par une rugosité de la matière sonore.

*Stanislaw **Moniuszko**. Bibl. polonaise.*

Larousse

Par leur rejet de l'idée de développement, certaines partitions *(Musiques en boîte)* créent une forte obsession auditive, alors que d'autres *(Fantasia Semplice)* sont d'une écriture plus subtile et éphémère. Globalement, il fait montre d'un tempérament inventif et ne craignant pas la contradiction. On lui doit notamment : *Pour six pianistes* (1974) ; *Dialectique,* pour guitare (1976) ; *Pour bouche et quelques objets,* pour un acteur et quelques objets (1976) ; *Eros Machina,* pour 2 guitares électriques et bande (1978) ; *Musiques en boîte,* ensemble de trois partitions formé de *Boîtes en boîte à musique à système,* pour 2 pianos (1977), de *Musique(s) en boîte(s) à retour à* (1977) et de *Succédané spéculatif de boîte,* pour clavecin (1978) ; *Du bas et du haut ou du haut et du bas,* pour 13 instruments (1978-79) ; *Fantasia semplice,* pour violoncelle solo (1980) ; *Membra disjecta* (1978-1980), ensemble de six partitions comprenant *Solos de trios,* pour 3 percussionnistes, *les Accrocs devant les accords,* pour luth, *Du soleil et de la lune,* pour soprano, lecteur, piano et petit ensemble, *la Joie du gaz devant les croisées,* pour piano, *Noue lubrique,* pour monocorde de Poussot, et *Livre fragile,* pour 16 voix solistes (les quatre premières ont été créées à Metz en 1980) ; *la Scène,* pour 16 musiciens (1981-82) ; *Magari !* pour trio à cordes (1983), *Patatras !* pour 8 instruments (1984), *Chant* pour violoncelle (1984), *les Ténèbres de Marc Monet* pour quatuor à cordes (1985), *Rigodon* pour 4 cors (1985).

MONSIGNY *(Pierre Alexandre),* compositeur français *(Fauquembergues 1729- Paris 1817).* Des circonstances matérielles difficiles ne permirent pas à Monsigny d'exercer le seul métier de musicien. Après des études au collège jésuite de Saint-Omer, il prit en 1749 un emploi chez M. de Saint-Julien, receveur général du clergé en France. On ne sait rien de sa formation musicale, sinon qu'il fut quelques mois l'élève de Gianotti, contrebassiste à l'Opéra et au Concert spirituel. Plus déterminante pour son développement artistique fut la bienveillance du duc d'Orléans, chez qui Monsigny put s'ouvrir aux courants musicaux et dramatiques les plus récents. Son premier opéra, *les Aveux indiscrets* (1759), le plaça d'emblée au même niveau que Duni et Philidor — ce dernier représenta la même année son *Blaise le savetier.*

Larousse

*Portrait de Pierre Alexandre **Monsigny,** gravé par Quenedey. (Bibl. de l'Opéra. Paris.)*

Monsigny fut cependant moins prolifique que ses pairs, et ne fit jouer que douze opéras comiques et un ballet héroïque, *Aline reine de Golconde* (Académie royale de musique, 1766). Il est encore plus remarquable de le voir abandonner la composition à quarante-huit ans, après *Félix ou l'Enfant trouvé* (1777), sans doute en raison d'une cécité croissante. Après avoir exercé la charge de maître d'hôtel du duc d'Orléans, Monsigny devint en 1785 inspecteur des canaux d'Orléans. La Révolution lui fit perdre ses revenus fixes et il connut la pauvreté.

Dans la veine de l'opéra-comique traditionnel, son principal succès fut *Rose et Colas* (1764), sur un livret de Sedaine ; le naturel des lignes vocales y est relevé par un recours occasionnel à une écriture plus complexe (trio fugué « Mais ils sont en courroux », quintette « Ceci me paraît fort »). Mais l'originalité de Monsigny apparaît surtout dans ses œuvres à caractère sentimental, qui contribuèrent à l'évolution de l'opéra-comique français : *le Roi et le Fermier* (1762), *le Déserteur* (1769), *la Belle Arsène* (1773), *Félix* (1777), tous sur des textes de Sedaine.

Une collaboration étroite avec son poète permit à Monsigny de réaliser des expériences d'une grande nouveauté, en particulier dans le domaine de la continuité musicale. Le duo entre Jenny et Richard (*le Roi et le Fermier,* acte I, sc. 10) est interrompu par des bruits d'orage, se prolonge par un entracte descriptif, lequel introduit à son tour le duo de Rustaut et de Charlot, au début de l'acte II. Le procédé est poussé beaucoup plus loin à la fin du *Déserteur* (acte III, sc. 11 à 15), où la musique nous fait passer de la prison d'Alexis à une place publique, et emporte dans un même mouvement la catastrophe et le dénouement de la pièce.

MONTE *(Philippe de),* compositeur flamand *(Malines 1521 - Prague 1603).* Nous ignorons tout de sa vie avant 1542, date à laquelle il est au service de Cosme Pinelli à Naples. Après ses années de formation et de jeunesse en Italie, il entre (1554-55) dans la Chapelle anglaise de Philippe II d'Espagne (qui avait épousé Marie Tudor) à Londres, s'y liant d'amitié avec William

*Philippe de **Monte**. Gravure flamande du XVIIe siècle. (Coll. particulière.)*

*Cernimus excelsum mente, arte, et nomine MONTEM,
Quo Musæ, et Charites constituère domum.*

Page de titre du premier livre de Madrigaux spirituels *de Philippe de **Monte**, Venise, 1581.*

Byrd. Puis il passe trente-cinq ans (1568-1603) à Vienne ou à Prague comme maître de chapelle de la cour impériale sous Maximilien II et Rodolphe II. Il maintient néanmoins des rapports suivis avec son pays où il recrute des musiciens, est nommé trésorier (1572) puis chanoine de la cathédrale de Cambrai (1577).

On a souvent comparé Monte et Lassus : tous deux ont la même formation nordique et italienne, la même destinée (Lassus restera trente-huit ans à la cour de Munich); tous deux maîtrisent à merveille cette technique contrapuntique de la tradition franco-flamande et ont subi l'influence du madrigal. Mais Monte est peu attiré par l'expression symbolique, la peinture du détail et le chromatisme. Plus de 1 000 madrigaux témoignent de son goût de la clarté et d'une émotion retenue. Notons, d'autre part, la publication en 1575 d'un livre des *Sonnets* de Ronsard, bien éloigné des chansons du style nouveau et des tentatives humanistes. L'importance de ses œuvres et de ses apports personnels, mais aussi l'habileté avec laquelle il sait tirer parti des modèles traditionnels, notamment dans le genre du motet et de la messe*-parodie, à laquelle il donne une nouvelle dimension, lui confèrent une place de choix aux côtés de Palestrina et de Lassus.

MONTÉCLAIR *(Michel Pignolet de)*, compositeur français *(Andelot, Haute-Marne, 1667 - Paris 1737)*. Il reçoit sa première formation auprès de Jean-Baptiste Moreau à la cathédrale de Langres, où il est chantre dans la maîtrise. En 1687, il s'installe à Paris et entre au service du prince de Vaudémont. Il séjourne ensuite en Italie en compagnie de son maître pendant plusieurs années. Il en profite pour étudier la contrebasse, encore absente de l'orchestre de l'Opéra en France. De retour à Paris vers 1700, il devient maître de musique et trouve un emploi comme « basse du petit chœur de l'Orchestre de l'Opéra». Il y joue de la contrebasse dans la célèbre «Tempête» de l'acte IV d'*Alcyone* de Marin Marais, et y fait représenter deux ouvrages de sa composition : le ballet *les Fêtes de l'été* (1716) et la tragédie biblique *Jephté* (1732). Cet opéra, outre ses grandes qualités musicales, marque une date importante dans l'histoire. Écrit sur un livret de l'abbé Pellegrin, il est à l'origine de la décision de Rameau de s'engager à son

tour dans la voie de compositeur lyrique, d'abord en 1733 avec *Hippolyte et Aricie* et avec le même librettiste. Après le *David et Jonathas* (1688) de Marc Antoine Charpentier, composé pour le collège des jésuites, *Jephté* est en outre le second opéra sur un sujet tiré de l'Écriture sainte à nous être parvenu.

Les autres œuvres de Montéclair sont de dimensions plus réduites : concerts pour divers instruments (flûte, hautbois, violon) et, surtout, de remarquables cantates françaises.

MONTEMEZZI *(Italo)*, compositeur italien *(Vigasio, province de Vérone, 1875-Vérone 1952)*. Élève de Saladino et de Ferroni à Milan, il obtint son diplôme avec *Bianca*, opéra en un acte qui le situa aussitôt dans un courant postérieur au vérisme, dont il retint néanmoins la force, subissant par ailleurs l'influence de l'harmonie wagnérienne assortie d'une orchestration et d'une conscience dramatique dignes de celles de Puccini. Turin accueillit favorablement *Giovanni Gallurese* (1905), mais son chef-d'œuvre, *L'Amore dei tre re*, déconcerta le public de la Scala de Milan (1913). Cette œuvre puissante, où passont trop d'échos de *Tristan* de Wagner, mais qui contient de merveilleux caractères (notamment celui, fascinant, du vieux roi aveugle Archibaldo), connut une meilleure fortune aux États-Unis où l'auteur se fixa en 1939.

MONTEVERDI *(Claudio)*, compositeur italien *(Crémone 1567 - Venise 1643)*. Fils d'un médecin crémonais, Monteverdi est initié à la musique, ainsi d'ailleurs que son frère cadet Giulio-Cesare, dès son plus jeune âge, puis reçoit l'enseignement d'un maître réputé, Marcantonio Ingegneri, l'un des premiers polyphonistes de son temps. Remarquable pédagogue, Ingegneri sait donner une formation complète à l'adolescent, au point que, en 1582, Monteverdi publie son premier opus, un recueil de vingt motets à trois voix, les *Sacrae Cantiunculae*, suivi des *Madrigali spirituali* à quatre voix (1583) et des *Canzonette d'amore a tre voci* (1584).

En 1587, le *Premier Livre de madrigaux à cinq voix* marque le véritable début de la carrière publique du musicien, s'agissant de la première œuvre qui ne se ressent plus de l'influence d'Ingegneri, mais laisse parler un style personnel.

Trois ans plus tard, le *Deuxième Livre de madrigaux* apporte au musicien un début de notoriété. Grâce à la protection d'un noble milanais, le seigneur Ricciardi, Monteverdi peut obtenir un poste de joueur de viole à la cour du duc de Mantoue, Vincenzo Gonzague. Il trouve là un maître exigeant et imprévisible, mais aussi un milieu très favorable à la musique. Malgré un maigre salaire, il participe activement au travail de la chapelle ducale et s'y fait un noyau d'amis sincères comme le conseiller Striggio (qui sera le librettiste de son *Orfeo*).

En 1592, nouveau succès avec le *Troisième Livre de madrigaux*. Troublée par un intermède militaire durant lequel il accompagne son maître parti servir l'empereur Rodolphe II contre l'envahisseur turc puis par un voyage en Flandre, son existence à Mantoue le met en contact avec les premiers musiciens de l'époque et, en particulier, avec le mouvement des *Cameratas* florentines, d'où naîtra l'opéra.

À la mort du Flamand Jacques de Werth, c'est le médiocre Pallavicino qui est nommé maître de la chapelle ducale : en fait, la direction en est assumée par Monteverdi. Marié à Claudia Cattaneo, fille d'un musicien du duc, le compositeur mène une vie rendue difficile par les soucis matériels et les besoins d'argent.

En 1600, il assiste à la création de l'*Euridice* de Peri, premier mélodrame connu, et doit soutenir une polémique avec le chanoine Artusi qui critiquait âprement les

Larousse

*Claudio **Monteverdi**.
Portrait
par Bernardo Strozzi.
(Ferdinandeum Museum,
Innsbruck.)*

*Une page musicale
de l'Orfeo
de Claudio **Monteverdi**,
acte II.*

modernismes de son style de madrigaliste. À la mort de Pallavicino, il est enfin nommé maître de la chapelle ducale et publie en 1603 son *Quatrième Livre de madrigaux à cinq voix* où, pour la première fois, il propose aux interprètes l'accompagnement d'une *basse continue.* Le succès rencontré par ce recueil est grand, mais sa situation matérielle demeure mauvaise et sa femme ne se remet pas de la naissance d'un second enfant. En 1605, la publication du *Cinquième Livre de madrigaux* est accompagnée d'une préface qui répond d'une manière définitive aux attaques d'Artusi et précise l'esthétique de la «seconde pratique», fondement de ce que doit être la musique nouvelle.

Puis, à la demande du duc Vincenzo, il écrit son premier drame lyrique, *Orfeo,* représenté en février 1607 à Mantoue. L'ouvrage remporte un succès retentissant et du même coup impose Monteverdi comme le premier musicien dramatique de son temps. Malgré la mort de Claudia, survenue en septembre 1607, Monteverdi entreprend, toujours à la demande de son maître, la composition d'un nouvel opéra (ou plutôt d'un *dramma per musica,* comme on disait alors) : *Arianna* qui est représentée, en mai 1608, au mariage du fils aîné du duc, Francesco Gonzague.

Complétée par deux autres ouvrages lyriques (*Il Ballo delle ingrate* et *L'Idropica*), *Arianna* confirme le succès d'*Orfeo* et la maîtrise de Monteverdi dans l'utilisation du *stile nuovo,* c'est-à-dire du récitatif et de la déclamation accompagnée.

Pourtant, l'avarice du duc n'apporte toujours pas l'aisance matérielle au musicien. Soucieux d'assurer son avenir, Monteverdi écrit une *Messe* et des *Vêpres de la Sainte Vierge,* qu'il offre lui-même, dans l'espoir d'une charge, au pape Paul V, en 1610. Déçu, là aussi, dans ses espoirs, il retourne résigné à Mantoue, jusqu'à la mort du duc Vincenzo, survenue en février 1612, mais ne peut s'entendre avec son successeur, le duc Francesco, brutal et emporté, qui licencie sa chapelle quelques mois plus tard.

Revenu dans sa ville natale avec, pour tout bagage, «vingt écus après vingt et un ans de service», Monteverdi ne tarde pas à briguer la charge, glorieuse entre toutes et laissée vacante à la mort de Martinengo, de maître de chapelle à Saint-Marc de Venise. Désigné par les Seigneurs Procurateurs en août 1613, il entre en fonctions presque immédiatement, heureux de connaître enfin, à quarante-six ans, l'aisance matérielle avec la célébrité.

À Saint-Marc, il commande à une maîtrise très importante (l'une des premières d'Europe), mais est également sollicité par de nombreux services et commandes privés. Témoins de ces années fécondes : le *Sixième Livre de madrigaux,* publié en 1614, mais, en fait, écrit tout à la fin du séjour à Mantoue, et le *Septième Livre* de 1619, un recueil essentiel où le musicien abandonne la stricte écriture madrigalesque pour se faire le champion de la monodie expressive (*La Lettera amorosa*) et du style concertant. Puis, toute une série d'ouvrages malheureusement perdus, comme le *Requiem* de 1621 qui semble avoir impressionné les contemporains.

MONTEVERDI

En 1624, nouveau chef-d'œuvre : *le Combat de Tancrède et Clorinde,* que Monteverdi écrit pour le chevalier Mocenigo, noble vénitien, « comme passe-temps en veillée de Carnaval ». Le musicien est à présent célèbre jusqu'en Allemagne, et en 1628 c'est à lui que s'adresse Heinrich Schütz, soucieux de se familiariser avec le nouveau style vocal et dramatique de l'école italienne.

Les soucis et les deuils l'éprouvent pourtant à nouveau dans sa vie familiale. Il doit ainsi tirer son fils Massimiliano, compromis dans une affaire de sciences occultes, des prisons du Saint-Office. Puis, en 1631, lors de la grande épidémie de peste qui ravage Venise, il a la douleur de perdre son fils Francesco, qui appartenait à la chapelle de Saint-Marc. Et sans doute, ces chagrins ne sont pas étrangers à sa décision d'entrer dans les ordres en 1632. De grandes œuvres témoignent cependant dans le même temps de la constance de son inspiration. Outre une *Proserpina rapita* écrite à nouveau pour le seigneur Mocenigo en 1630, il compose à la fin de l'épidémie de 1631 une *Messe* d'action de grâces dont l'admirable *Gloria à sept voix* nous a été conservé. Puis, en 1632, il publie un recueil de *Scherzi musicali* dans le style récitatif et, six ans plus tard, le *Huitième Livre de madrigaux guerriers et amoureux,* parfaite synthèse de musique profane où polyphonie, déclamation lyrique et langage concertant se fondent en une suite de pages superbes qui sont autant de scènes d'opéra.

Précisément, c'est le théâtre lyrique qui reste la grande préoccupation du vieux maître, jusqu'à sa mort survenue à soixante-seize ans. Et *le Retour d'Ulysse dans sa patrie* (1640) comme *le Couronnement de Poppée* (1642) témoignent génialement de cet intérêt persistant, *le Couronnement de Poppée* surtout, modèle d'opéra historique et réaliste où drame et humour interfèrent dans une ambiance quasi shakespearienne. Monteverdi y atteint à une perfection expressive et formelle qui n'a jamais été surpassée depuis. Tout comme d'ailleurs dans ses dernières œuvres religieuses (le monumental recueil de *la Selva morale e spirituale* de 1641, puis l'édition posthume de la *Messa a quattro voci e Salmi,* en 1650) qui « ne cessent de parler à l'homme, tout en s'adressant à Dieu ».

« Ariane m'émouvait parce que c'était

*Page de titre de l'*Orfeo *de C.* **Monteverdi,** *imprimé à Venise en 1615.*

une femme, et Orphée m'incitait à pleurer parce que c'était un homme et non pas le vent. » Cet aveu de Monteverdi, clé de sa poétique musicale, indique que, chez lui, l'émotion commande toujours à l'imagination (à ceci près qu'elle ne cesse d'être contrôlée par une esthétique exigeante).

L'autre composante du musicien est sa *modernité,* trait que lui reconnaissaient déjà ses contemporains et dont témoigne la théâtralité d'une œuvre qui invite toujours l'auditeur à suivre le cours de quelque représentation scénique, ne serait-ce que par la pensée, et qui fait passer le souffle de la vie avec la vérité des sentiments (« car », précise-t-il dans sa fameuse réponse à Artusi, « le compositeur moderne bâtit ses œuvres en les fondant sur le vrai »).

Compositeur moderne, expressif et réaliste, Monteverdi l'est donc à chaque étape de sa production et dans tous les genres qu'il a abordés, du madrigal au drame lyrique.

La madrigaliste d'abord, qui se libère progressivement des strictes règles d'écriture pour annexer, à partir du *Cinquième Livre*, toutes les conquêtes de la « seconde pratique » (sans verser cependant dans les *stravaganze* harmoniques chères à Gesualdo). Et qui œuvre ainsi au mariage de toutes les techniques de chant connues, de la polyphonie à l'opéra, dans le jaillissement exemplaire du *Huitième Livre*, triomphe du genre « représentatif » et miroir profond des passions humaines, où théâtre et musique s'interpénètrent continuellement.

Le musicien religieux ensuite, qui suit pratiquement le même parcours, partant des modes ecclésiastiques et du style *osservato* pour devenir le champion de la nouvelle manière dans la fastueuse liturgie du *Vespro*, qui fait voler en éclats le cadre de la tradition et où passe souvent le souvenir d'*Orfeo* avec son riche orchestre.

Le musicien lyrique enfin, qui n'a pas créé l'opéra à partir de rien (comme on a pu l'écrire trop souvent, dans le passé), mais qui, au contraire, a su profiter au maximum des essais des mélodramatistes — qui pensaient retrouver les secrets de la tragédie grecque par la monodie — pour atteindre d'emblée, avec *Orfeo*, à un équilibre miraculeux entre la magie du chant et les nécessités du verbe. Dans les trois cas, Monteverdi apparaît comme l'un des génies les plus inventifs de l'histoire musicale, comme l'un des plus actuels et *présents* à notre époque, et aussi comme un grand humaniste, épris de dignité et de liberté, le premier sans doute à avoir compris que pour être investie d'un pouvoir dramatique exemplaire, la musique devait être totalement rendue au monde des sentiments et se faire la servante inconditionnelle de la parole.

MORALES *(Cristobal de)*, compositeur espagnol *(Séville v. 1500 - Málaga* ou *Marchena 1553)*. Il fit ses études à Séville (Escobar, Fernandez de Castilleja, Peñalosa, Guerrero) et fut enfant de chœur à la cathédrale. Il fut maître de chapelle à Ávila (1526-1528), puis à Plasencia et Salamanque. Admis comme chanteur à la chapelle pontificale à Rome (1535) et protégé du pape Paul III, il composa des messes et des motets qui lui assurèrent rapidement la célébrité et que les éditeurs se partagèrent entre Venise, Milan, Rome, Anvers, Nuremberg, Augsbourg, Wittenberg et Lyon. Sa cantate *Jubilate Deo omnis terra*, commande de Paul III pour la trêve conclue entre Charles Quint et François Ier, fut chantée à Nice en 1538, et il écrivit un motet pour le cardinalat d'Hippolyte d'Este, à Rome en 1539. De retour en Espagne (1545), il fut nommé maître de chapelle de la cathédrale de Tolède (1545), puis du duc d'Arcos (1548) et de la cathédrale de Málaga (1551). Cette brillante carrière qui lui avait valu une renommée internationale devait s'achever dans la tristesse des humiliations et de la misère, alors que sa gloire ne cessait de s'étendre jusqu'au Nouveau Monde (une messe de Morales fut la première polyphonie imprimée).

Chef de l'école andalouse, humaniste distingué et le plus grand maître de la musique sacrée précédant la génération de Victoria, Morales unit la richesse d'une écriture polyphonique digne de Palestrina à la justesse de l'expression, dans un esprit profondément religieux, même si les thèmes de ses messes sont empruntés à des mélodies profanes *(l'Homme armé)* et si les textes de ses motets sont d'un ton dramatique dont il peut accuser le relief par des effets harmoniques particulièrement audacieux.

MOREAU *(Jean-Baptiste)*, compositeur français *(Angers 1656 - Paris 1733)*. Il fit ses études musicales à la maîtrise d'Angers. En 1682-83 il fut maître de chapelle à la cathédrale de Langres (où il eut comme élève Michel Pignolet de Montéclair), puis à Dijon (1683-1686). En 1686, il fut introduit à la cour par la dauphine Victoire de Bavière, et attaché à la musique personnelle de Louis XIV. À cette date, il avait déjà composé des motets, des psaumes, un requiem et une *Idylle sur la naissance de Notre-Seigneur*. En 1687, à la commande du roi, il écrivit un divertissement de cour, *les Bergers de Marly*. Le succès lui valut d'être nommé professeur de musique à l'école de Saint-Cyr, que dirigeait Mme de Maintenon. Il y fit la connaissance de Racine, à qui son nom reste associé comme ceux de Lully et de Charpentier à Molière. Il mit en musique trois *Cantiques* de Racine, avant d'écrire les chœurs de la tragédie *Esther*, qui fut créée à Saint-Cyr en 1689 en présence du roi. Racine écrivit que « ces chants ont fait l'un des plus grands agréments de la pièce ». Il commanda ensuite à Moreau les chœurs d'*Athalie* (1691), qui n'atteignent toutefois pas à la qualité de ceux d'*Esther*.

CHŒURS
DE LA
TRAGEDIE
D'ESTHER,
AVEC LA MUSIQUE.

Composée par J. B. MOREAU, Maistre de Musique du Roy.

A PARIS,

Chez { DENYS THIERRY, ruë saint Jacques.
CLAUDE BARBIN, au Palais.
ET
CHRISTOPHLE BALLARD, ruë S. Jean de Beauvais.

M. DC. LXXXIX.
AVEC PRIVILEGE DU ROY.

Page de titre des Chœurs d'Esther de Jean-Baptiste Moreau.

Moreau écrivit encore les chœurs de deux tragédies de l'abbé Boyer, *Jephté* (1692) et *Judith* (perdu, 1695), avant de partir comme intendant de la musique des États du Languedoc. Revenu à Saint-Cyr, il écrivit les musiques de scène de trois tragédies de Duché de Vancy : *Jonathas* (1700, perdu), *Absalon* (1702) et *Debora* (1706). Il fut à partir de 1700 un professeur de composition et de chant fort réputé, et eut parmi ses élèves Jean-François Dandrieu et Clérambault.

MORIN *(Jean-Baptiste)*, compositeur français *(Orléans 1677 - Paris 1745)*. Il fit ses études musicales à Orléans, à la maîtrise de l'église Saint-Aignan où il fut un temps organiste. Puis il entra dans la musique de Philippe d'Orléans et, en 1715, fut nommé maître de chapelle de l'abbesse de Chelles, fille du régent de France. Il écrivit des *Motets* à une et deux voix et basse continue, publiés en deux livres (1704, 1709). Il fut le premier en France à écrire un grand nombre de cantates, les premiers exemples du premier livre (1706) étant très inspirés de l'art italien. Il jeta ensuite les bases de la cantate typiquement française, élégante et dépourvue de sentiments violents, une forme mineure certes, mais qui offrait aux compositeurs un terrain d'essai où ils pouvaient s'exprimer plus librement tout en s'efforçant de réunir les deux goûts. Deux autres livres de cantates françaises, à une ou deux voix et avec ou sans symphonie, parurent en 1707 et 1712. Son œuvre la plus célèbre est restée *la Chasse du cerf*, divertissement créé à Fontainebleau en 1709.

MORLEY *(Thomas)*, compositeur anglais *(Norwich 1557 ou 1558 - Londres 1602)*. Également théoricien et éditeur, il fut le plus influent, et le plus marqué par l'Italie, de tous les madrigalistes anglais de la fin du XVIᵉ siècle et du début du XVIIᵉ. Choriste à Norwich, élève de William Byrd, diplômé d'Oxford (1588), il devint (sans doute en 1591) organiste à Saint-Paul de Londres, et en 1592 fut fait gentilhomme de la chapelle royale. En 1598, il obtint le monopole de l'édition musicale. Ses œuvres les plus anciennes (1576) sont deux motets, *Domine, Dominus noster* et *Domine, non exaltatum cor meum*. Il écrivit aussi de la musique religieuse anglicane et de la musique pour clavier influencée par Byrd, mais c'est comme madrigaliste qu'il atteignit le tout premier rang.

Musicien brillant, il ne parvint jamais à la profondeur d'un Byrd, ni à la mélancolie d'un Weelkes, mais resta sans rival dans le madrigal léger. Il introduisit le style italien en Angleterre non seulement comme compositeur, mais comme traducteur, comme arrangeur, et même comme propagandiste. Il édita par exemple deux anthologies de musique italienne (1597 et 1598), ainsi que des arrangements de *Canzonette* de Felice Anerio et de *Balletti* de Giovanni Gastoldi. De même, *A Plaine and Easie Introduction to Practicall Musicke* (1597) apparaît à la fois comme l'un des plus importants ouvrages de théorie musicale en langue anglaise et comme une œuvre de propagande en faveur de la musique italienne.

Sans doute Morley connut-il Shakespeare, car deux de ses *Ayres* font appel à des textes du dramaturge : *O Mistress mine (Twelfth Night)* et *It was a Lover and his Lass (As you like it)*. De 1593 à 1601 parurent de lui onze publications parmi lesquelles *Canzonets to 3 Voices* (1593), *Canzonets to 2 Voices* (1595), *Madrigals to 4 Voices* (1595), première publication anglaise à porter explicitement le titre de « madrigaux », *Canzonets to 5 and 6 Voices* (1597), et *Ballets to 5 Voices* (1600). Citons

également *The First Book of Ayres* (1600), avec luth et basse de viole et dont les 21 pièces sont suivies d'une pavane et d'une gaillarde, et *The First Book of Consort Lessons* (1599), magnifique recueil de 23 pièces (toutes ne sont pas de lui) pour luth, guitare basse, cistre, flûte à bec basse et dessus et basse de viole. Morley fut également à l'origine de *The Triumphes of Oriana* (1601), recueil de madrigaux (dont deux de lui) de 23 compositeurs différents destiné à honorer aussi bien la reine Élisabeth que le genre musical dont il s'était fait le champion.

MOSCHELES *(Ignaz)*, pianiste, compositeur et chef d'orchestre allemand *(Prague 1794 - Leipzig 1870)*. Élève à Prague de Dionys Weber, puis à Vienne d'Albrechtsberger et de Salieri, il résida surtout dans cette ville de 1808 à 1820, réussissant finalement à approcher Beethoven, qui en 1814 le chargea de réduire pour piano la version définitive de *Fidelio*. Après avoir fait à Berlin, lors d'une de ses tournées comme pianiste, la connaissance de Mendelssohn (1824), il vécut à Londres pendant vingt ans (1826-1846), y jouant un grand rôle comme professeur et comme organisateur de concerts. C'est à lui que le 10 mars 1827, une semaine avant sa mort et en remerciement d'une aide financière venue de la Société philharmonique de Londres, Beethoven adressa sa dernière lettre. Il termina sa vie à Leipzig, où Mendelssohn l'appela en 1846 pour diriger l'enseignement du piano au conservatoire.

Son vaste catalogue (environ 150 numéros d'opus) est dominé par le piano mais non limité à lui. L'époque anglaise est surtout celle des concertos pour piano (huit de 1819 à 1838), des études pour piano et de diverses pages d'orchestre dont une symphonie en *ut* (1829). De la période de Leipzig datent presque tous les lieder. Certaines *Études* rejoignent curieusement Schumann (opus 95 nᵒˢ 4 et 6) et même Brahms (opus 70 nᵒ 5). Il fut considéré par le critique Hanslick à la fois comme « un des derniers représentants de l'ancienne virtuosité » et comme « le début d'une nouvelle époque », et par Schumann comme se situant « au premier rang des compositeurs contemporains pour piano ».

MOSSOLOV *(Alexandre Vassilievitch)*, compositeur soviétique *(Kiev 1900 - Mos-*

cou 1973). Étudiant au conservatoire de Moscou (1921-1925), il fut l'élève de Glière et Miaskovski pour la composition. Ses premières œuvres sont marquées par un certain avant-gardisme occidental (essentiellement celui d'Hindemith et de Prokofiev) qui lui assure la célébrité en 1927 avec *la Fonderie d'acier* (ou *Zavod*), épisode symphonique tiré d'un projet de ballet. Il écrit là *(cf.* Honegger en 1923 avec *Pacific 231),* sur le plan sonore et rythmique, un véritable hymne à la machine et en fait le symbole de l'industrialisation soviétique du premier plan quinquennal. Mossolov est alors reconnu comme l'un des meilleurs représentants de la nouvelle Russie, et deux de ses œuvres sont programmées aux festivals de la S. I. M. C. : un *Quatuor à cordes* (Francfort, 1927), *la Fonderie d'acier* (Liège, 1930). En 1936, il est accusé de formalisme et exclu de l'Union des compositeurs, qu'il réintègre par la suite sans jamais retrouver une place significative.

MOULINIÉ *(Étienne),* chanteur et compositeur français *(Languedoc v. 1600 - id. apr. 1669).* Il est d'abord enfant de chœur à la cathédrale de Narbonne, puis, en 1624, rejoint son frère aîné à Paris. En 1628, il obtient le poste de « maître de la musique » de Gaston d'Orléans, frère du roi Louis XIII, qu'il conserve jusqu'à la mort de son maître (1660). Il est en outre, de 1634 à 1649, maître de musique de sa fille, Mlle de Montpensier. Enfin, il est nommé en 1661 « maître de musique des Estats du Languedoc », position qu'il occupera jusqu'à sa mort. Ces différents postes ne l'empêchent pas de mener une vie très active, enseignant, voyageant, dirigeant et composant beaucoup. Il est l'auteur d'un grand nombre d'airs de cour (cinq livres avec tablature de luth et cinq livres à 4 et 5 parties), parmi lesquels se trouve sa musique de ballet *(Ballet du monde renversé, Ballet de Mademoiselle : les Quatre Monarchies chrétiennes,...)* d'une *Missa pro defunctis* à 5 voix et de

Page musicale extraite des Meslanges de sujets chrétiens, cantiques, litanies et motets *d'Étienne Moulinié. (Bibl. sainte-Geneviève, Paris.)*

Larousse

pièces sacrées contenues dans les *Meslanges de sujets chrétiens, cantiques, litanies et motets,* de 2 à 5 voix avec basse continue.

Ses airs sont traditionnels, le plus souvent assez simples et syllabiques, mais parfois d'une grande richesse mélodique et rythmique, en particulier ses airs espagnols et italiens. Ils eurent un immense succès à l'époque et subirent différentes adaptations, y compris à l'étranger. Ils servirent même de matériel thématique à quelques chants sacrés (dans la *Despouille d'Égypte,* 1629, et *la Philomèle séraphique,* 1632). Son style est assez différent dans sa musique sacrée. Alors que sa *Missa pro defunctis* est plutôt sobre et d'une facture archaïque typique des messes du xviie siècle, ses motets utilisent le style concertant et la basse continue.

MOURET *(Jean-Joseph),* compositeur français *(Avignon 1682 - Charenton 1738).* Son père était violoniste amateur. Mouret fit ses études musicales à la maîtrise de Notre-Dame-des-Doms à Avignon, où Rameau fut organiste pendant quelques mois en 1702. Arrivé à Paris en 1707, Mouret devint maître de la musique chez le maréchal de Noailles, et bientôt surintendant de la musique à la cour de Sceaux, chez Mme du Maine. Il participa aux divertissements musicaux des Nuits de Sceaux avec Marchand, Bernier et Clin de Blamont (1714-15). En 1714, son opéra *les Festes ou le Triomphe de Thalie* fut représenté à l'Opéra avec succès. La même année, Mouret y fut nommé chef d'orchestre, poste qu'il occupa jusqu'en 1718. Il devint en 1716 directeur de la musique au Théâtre-Italien, qui venait de rouvrir ses portes. En 1720, il entra comme chantre à la Chambre du roi. En 1722, il fut chargé d'organiser les fêtes musicales pour le couronnement de Louis XV. De 1728 à 1731, il fut directeur du Concert spirituel des Tuileries. Malgré cette carrière bien remplie, Mouret mourut dans la misère et la folie chez les pères de la Charité à Charenton.

Ses œuvres, de tradition française, ont connu des fortunes diverses : échec pour la tragédie *Ariane* et le ballet *les Grâces;* succès pour *les Festes* et pour les ballets *les Amours des dieux* et *le Triomphe des sens.* Surnommé le « musicien des grâces », Mouret représente, entre Lully et Rameau, une musique plus divertissante,

marquée par une recherche de la synthèse entre les goûts français et italien, qui s'exprime en particulier dans ses nombreux *Divertissements pour le Théâtre-Italien.* Il excella dans les *Airs sérieux et à boire,* ainsi que dans les cantates et les cantatilles, à l'instar de son contemporain Campra.

MOUSSORGSKI *(Modeste),* compositeur russe *(Karevo 1839 - Saint-Pétersbourg 1881).* Il naît dans une « bonne famille » de petits propriétaires terriens (sa grand-mère était serve). Sa mère, musicienne, lui donne ses premières leçons de piano (qu'il continuera d'apprendre à Saint-Pétersbourg avec Anton Herke), et sa nourrice le berce de contes populaires. Ainsi boit-il d'emblée à deux sources : celle de la culture musicale occidentale, et celle du génie populaire russe.

À neuf ans, il est assez bon pianiste pour jouer en public un concerto de Field. Élevé « à l'européenne » dans une école de Saint-Pétersbourg dirigée par des Allemands, il entre ensuite à l'école militaire, dont il sort lieutenant en 1856 pour être incorporé à la garde de Preobrajenski. La mort de son père en 1853 l'a rapproché de sa mère. Malgré de grandes ambitions musicales et l'étude des grands compositeurs classiques, il compose encore peu (quelques pièces de « musique pure », transcriptions de Berlioz, mélodies). Mais il fait la connaissance de César Cui, de Balakirev et de Vladimir Stassov, journaliste-animateur, qui donnera au futur groupe des Cinq son impulsion et son inspiration progressiste. Moussorgski est alors un « petit lieutenant », beau, mondain, élégant et affecté, recherché dans les salons pour jouer du piano. L'année 1857 est celle de sa première mélodie marquante, la *Petite Étoile,* qui contribue à l'orienter vers la musique vocale et dramatique. Mais, l'été de cette même année, il subit une première « crise » décisive, dont on ne sait si elle fut de dépression, d'alcoolisme ou d'épilepsie.

Une vie consacrée à la musique. En 1859, il quitte l'armée et décide de consacrer sa vie à la musique, projetant un opéra d'après *la Nuit de la Saint-Jean* de Gogol, étudiant les classiques allemands et passant par des phases de dépression et de mysticisme. Ces « crises », mal connues, ont certainement contribué à dégager de la chrysalide mondaine du « petit lieutenant » européanisé le Moussorgski tourmenté que nous connaissons. Amours de jeunesse dont la rupture l'a laissé brisé ? Mort d'une femme aimée ? Épilepsie ? Tendances homosexuelles ? Sublimation d'une impuissance sexuelle en vocation de chasteté créatrice ? Toujours est-il qu'il se détermine alors comme un homme qui a tiré un trait sur la vie « normale ». Il étudie beaucoup, en autodidacte méticuleux, la musique occidentale (Schumann, notamment), les penseurs, les philosophes. L'abolition du servage en 1861 par Alexandre II le plonge dans des affaires de famille qui l'occupent deux ans et l'amènent à chercher un emploi pour vivre. C'est l'époque où se forme le groupe des Cinq, avec Balakirev, César Cui, Borodine, Rimski-Korsakov et lui-même, avec le concours de Stassov. Le groupe publie, sous la plume de César Cui, un manifeste dramatique, ouvre une école musicale contre le conservatoire officiel et répand ses conceptions généreuses. Moussorgski s'installe avec des amis et entre à l'Office des ingénieurs des ponts et chaussées (dont il sera congédié en 1867, pour entrer l'année suivante comme fonctionnaire dans l'administration des Eaux et Forêts).

Il commence à travailler à un opéra, *Salammbô,* d'après Flaubert, qui ne sera pas achevé, mais dont les matériaux seront reversés dans des œuvres futures telles que *Boris Godounov.* Sa doctrine esthétique — traduire la « vérité fût-elle amère » dans une langue musicale « hardie et sincère » — se forme alors. Il produit des mélodies pour chant et piano, dont, souvent, il écrit lui-même le texte et dans lesquelles il emploie un style de chant inspiré des inflexions du parlé, mais qui n'a rien à voir avec le *Sprechgesang* allemand et qui est plutôt une musicalisation très franche des intonations de la parole. Ce « récitatif », qui est beaucoup plus mélodique que ce que l'on entend d'habitude par ce terme, c'est-à-dire avec des intervalles plus grands et une courbe plus ample, peut lui avoir été inspiré par les tentatives dans ce sens de Dargomyjski, dont il a fréquenté le salon. Mais c'est Moussorgski qui l'impose, et qui réussit à « incorporer le récitatif dans la mélodie », effaçant en même temps les barrières qui les séparent.

Une œuvre de grande envergure. À la mort de sa mère, en 1865, Moussorgski est dépossédé de ses biens familiaux, et il

*Modeste **Moussorgski.** Portrait par Répine, 1881. (Galerie Tretiakov, Moscou.)*

entre plus avant dans une vie presque solitaire. En 1868, Vladimir Nikolski lui suggère de tirer un opéra du *Boris Godounov* de Pouchkine : pour la première fois, tout en continuant de produire des mélodies et après une nouvelle tentative inachevée d'opéra sur le *Mariage* de Gogol, il va mener à bien une œuvre de grande envergure. Dans cette féconde période, de 1868 à 1870, il utilise aussi son élan créateur pour ébaucher en même temps un autre opéra, *Bobyl,* et écrire le cycle mélodique des *Enfantines,* qui est sa première œuvre dont la réputation franchit les frontières, suscitant notamment l'admiration de Liszt. Moussorgski, qui a une grande admiration pour ce dernier, se voit offrir en 1873 par Stassov l'occasion de faire un voyage pour rencontrer Liszt en Europe, mais il décline l'offre, peut-être par timidité. En 1870, le théâtre Marie de Saint-Pétersbourg refuse de monter *Boris Godounov,* dont une première version lui a été soumise, en alléguant l'absence d'un rôle féminin important et le style trop « moderne » de la musique. Le groupe des Cinq commence à se défaire : les uns se marient, les autres changent de vie, Rimski-Korsakov (avec lequel Moussorgski partage une chambre meublée en 1871) s'« académise » et Moussorgski s'enfonce dans l'alcoolisme et la solitude, retravaillant *Boris* dans le temps que lui laisse son travail de bureau : il ajoute le personnage de Marina et l'« acte polonais ». Plusieurs fois remanié, bousculé, *Boris* est joué par extraits, puis dans sa totalité, dans des auditions privées. Après un deuxième refus, il sera finalement accepté par le théâtre Marie, par l'entremise d'un mécène haut placé. *Boris Godounov* est finalement créé le 8 février 1874, avec un certain succès public, notamment, comme le remarque Rimski-Korsakov, auprès des gens simples, mais la critique s'en prend parfois aux « défauts » de l'ouvrage, à sa trahison envers Pouchkine.

Moussorgski, sujet à des crises d'éthylisme, passe de plus en plus pour un illuminé, dont les dons musicaux, incontestés, s'égarent dans des constructions incohérentes. Entre-temps, il s'est attelé à un autre gigantesque projet d'opéra à sujet politique, *la Khovanchtchina,* sur un canevas donné par Stassov : l'histoire complexe d'une conspiration, d'une lutte de clans. Cette œuvre, dont il semble que Moussorgski lui-même n'ait jamais voulu avoir une vision nette et globale, sera interminablement remaniée, réorchestrée, pour être « terminée » en 1879, à l'aide de coupures et de renoncements. Moussorgski s'est lié, en 1873, avec le poète Arsène Golenischev-Koutouzov, partageant avec lui sa vie et s'enthousiasmant pour sa sincérité et son authenticité. C'est sur des textes de ce poète qu'il compose deux cycles pessimistes de mélodies, ses deux *Voyages d'hiver : Sans soleil* (1874), accueilli par l'incompréhension de ses confrères pour sa « discontinuité », et *Chants et Danses de la mort* (1875-1877). Le départ précipité de Golenischev-Koutouzov le laisse seul. Résolu de plus en plus à abandonner la corvée du travail de bureau et à gagner sa vie comme pianiste

de concert et accompagnateur, il finit par démissionner en 1879, sans réussir à se créer une carrière musicale glorieuse et lucrative. En fait, il devra surtout donner des cours dans l'école de chant de la cantatrice Daria Leonova, qui devient sa « protectrice ». En 1874, il a commencé un opéra populaire d'après Gogol, *la Foire de Sorotchinski,* une nouvelle fois destiné à l'inachèvement (il veut y intégrer, moyennant certains remaniements, une pièce d'interlude qui deviendra, dans l'adaptation de Rimski-Korsakov, *Une nuit sur le mont Chauve).* Au début de 1881, des attaques cardiaques l'obligent à se faire admettre dans un hôpital militaire, où ses amis viennent le visiter. Il commence à se rétablir, mais, ayant bu de l'alcool en cachette dans l'hôpital en croyant fêter son anniversaire — qui, en réalité, a eu lieu une semaine plus tôt, — il meurt d'un arrêt du cœur le 16 mars 1881. Sa mort laisse inachevée, pour une grande part, une série d'œuvres que Rimski-Korsakov va orchestrer, adapter, avec beaucoup de conscience ; sans lui, Moussorgski aurait pu rester très longtemps dans la pénombre et le succès d'estime.

Une carrière singulière. Il est peu de musiciens qui ont été autant imités ponctuellement. Chacun a trouvé son compte et de quoi alimenter sa propre esthétique dans les œuvres de ce compositeur, de Debussy à Janáček, de Berg à Poulenc. Et un grand nombre de musiciens se sont également dévoués pour arranger ces œuvres, pour les rendre « présentables » à l'orchestre : à commencer par Rimski-Korsakov qui a consacré beaucoup de temps à en faire briller la musique sombre et sourde, à la parer, à lui donner l'orthodoxie d'écriture et les séductions orchestrales qui la rendraient plus assimilable. En même temps, les œuvres ainsi « dénaturées », repeintes, restent cohérentes, émouvantes, plausibles. Comme si ce côté brillant qu'ont donné un Ravel et un Rimski-Korsakov à la musique de Moussorgski était enfermé en elle comme une potentialité. Mais cette sonorité sombre, pauvre, sans harmoniques a été incontestablement voulue et choisie, et l'on ne peut plus parler d'incapacité à faire sonner la musique. L'accompagnement souvent décharné, dur, des mélodies pour piano est là pour le prouver. Il n'eût pas fallu beaucoup de savoir-faire au pianiste expérimenté qu'était Moussorgski pour rendre

Costumes de Fedorowsky pour Khovantchina *de* **Moussorgski.** *Bibl. de l'Opéra.*

tout cela « joli » et brillant. S'il écrit les *Tableaux d'une exposition* apparemment « contre » le piano, c'est par fidélité avec ce qu'il « entend ». Son esthétique, il l'a souvent rappelé, n'est pas le « beau » en soi, encore moins l'« habile », mais le « vrai ». Il renoue avec la vieille ambition platonicienne et montéverdienne de la *mimesis,* de l'imitation, mais d'après nature, sans recourir au répertoire codé des formules musicales « expressives ». Comme Flaubert fuyait la phrase toute faite, il ne se permet pas un cliché musical. Obsédé par le projet de traduire musicalement la vérité du parlé, il dit ne plus pouvoir entendre un discours sans le transcrire dans sa tête en notes : non pas en quelque *parlando* languide, mais en des mélodies fermes, diatoniques, dont se dégage, épurée, stylisée, la vérité d'un mouvement de l'âme. Son harmonie, critiquée pour l'« illogisme » de ses enchaînements, est une harmonie d'intonation : elle donne une certaine intonation à la note chantée qu'elle soutient. Car la voix est le centre de sa musique, et le piano, ou l'orchestre, accompagnateur en est entièrement solidaire ; ils ne tissent pas une symphonie parallèle, ils ne courent pas la poste indépendamment de la voix, comme dans les lieder de Schubert, ils n'assurent même pas un mouvement perpétuel servant d'assise, mais ils soulignent et ponctuent.

Épileptique, alcoolique et sujet à des crises nerveuses, Moussorgski avait de bonnes dispositions à l'hallucination — l'hallucination la plus forte étant celle qui naît du réel vu autrement, l'inquiétante étrangeté du familier. Ainsi, Moussorgski est le musicien du réalisme halluciné ; chacun de ses personnages — même, dans les *Enfantines*, l'enfant qui minaude et dont les intonations sont transcrites avec vérité — semble vu à travers le prisme d'une espèce de transe hallucinée. Comme certains peintres tendus vers le réel, il fait passer son regard avec sa vision. Comme Flaubert, toujours, il s'est réfugié dans le réalisme par réaction contre une propension naturelle à se perdre corps et âme dans des visions mystiques, mais ce regard fou reporté sur le réel donne au réalisme plus de force encore et de vérité.

Moussorgski, musicien sauvage ? On parle un peu trop de son génie comme d'un phénomène de génération spontanée à partir de la seule influence de la musique populaire russe, comme s'il avait été un analphabète inspiré. Or, s'il n'avait pas de formation académique très poussée — il avait reçu quelques leçons de Balakirev —, il avait fréquenté et assimilé profondément le répertoire européen, dont celui de Schumann, et l'avait dans le sang. C'est un homme très cultivé, occidentalisé, plus intellectuel que bien des musiciens académiques. Cette culture, il a su l'utiliser, non pas comme système repris globalement, mais par des références ponctuelles, comme amenées par un besoin d'expression. En ce sens, il semble manier le langage musical, qu'il utilise hardiment, comme il manierait une arme : c'est-à-dire, en définitive, comme un instrument. Il ne pense pas dans son système : il empoigne la musique telle qu'il la connaît, il en fait quelque chose de fort et de nouveau.

On reconnaît aussi la musique de Moussorgski, dans ses pages les plus personnelles, à son débit : ce n'est pas le flux régulier de la poésie ; c'est celui, brisé, discontinu (on le lui a beaucoup reproché) d'une « prose ». De la « musique en prose », c'était rare et ce n'est toujours pas très courant. Mais, comme par compensation, il est très courant dans sa musique qu'une phrase musicale soit redoublée immédiatement après avoir été énoncée. La répétition, qui n'affecte pas la forme d'ensemble, apparaît dans le fil du discours, dans son présent, à travers ces « redoublements », dont Debussy, après lui, systématisa l'emploi (mais César Cui reprochait déjà ce procédé à la musique de Rimski-Korsakov — ce qui laisse penser qu'un tel procédé était dans l'air, autour de Moussorgski). Ainsi, cette musique semble avancer vers l'inconnu en s'assurant à chaque

fois du pas qu'elle vient de faire, un pas ferme, large, mais en même temps risqué, nouveau. Si on ne doit à Moussorgski aucune de ces « innovations » précises, dénommables que l'histoire de la musique, comptable ordonnée, aime enregistrer au crédit de chaque « grand musicien », on lui doit peut-être bien plus : une aventure, une échappée, dont il a payé le prix lourdement, et dont des musiciens rangés et sérieux ont, après lui, largement profité. Il est un de ces courageux qui, à certaines époques, assument cette tâche nécessaire : renouveler l'alliance de la musique avec le vrai.

MOUTON *(Jean de Hollingue),* compositeur franco-flamand *(Haut-Wignes, Hollingue, près de Samer, 1459 ou plus tôt-Saint-Quentin 1522).* D'après Ronsard, il aurait été élève de Josquin Des Prés. Il fut enfant de chœur à Notre-Dame de Nesle (1477-1483), maître de chapelle à Nesle (1483), maître des enfants à la cathédrale d'Amiens (1500) et à Saint-André de Grenoble (1501-1502), avant d'entrer à la chapelle d'Anne de Bretagne (1509) ; il composa un motet pour la mort de cette dernière en 1514. Il servit ensuite Louis XII et François Ier, pour le sacre duquel il composa un *Domine salvum fac regem* et un *Exalta regina Galliæ* pour la victoire de Marignan. À la fin de sa vie, il fut chanoine du Thérouanne et de Saint-Quentin. Il fut le maître de Willaert à Paris et l'ami de Févin, dont il écrivit la déploration *Qui ne regretterait le gentil Févin.* Glaréan, qui l'a rencontré à la cour entre 1517 et 1522, a vanté le caractère coulant de son chant. L'essentiel des compositions de Mouton est constitué d'œuvres religieuses : 120 motets environ, qui ont été au cours du XVIe siècle fréquemment transcrits pour luth ou orgue ; 10 magnificat ; 15 messes à 4 ou 5 voix basées la plupart sur un cantus firmus, traité en *parodia.* Si quelques motets gardent encore la vieille tradition isorythmique héritée du XIVe siècle *(Missus est Gabriel),* Mouton adopte plus volontiers un traitement canonique de toutes les voix. Il sait faire un emploi judicieux des silences (motet *Nesciens mater).* Parfois il laisse éclater une joie sans réserve *(Gaude, virgo Katherina).* Dans ses motets sur des psaumes, il serre de près le texte dans son articulation comme dans son contenu, tout en conservant une ligne mélodique nette et concise.

MOZART

MOZART *(Leopold),* compositeur, théoricien et pédagogue allemand *(Augsbourg 1719 - Salzbourg 1787).* Passé à la postérité essentiellement comme père de Wolfgang Amadeus, il reçut au collège des jésuites de sa ville natale une solide formation humaniste et, sur le plan musical, de violoniste, d'organiste et de théoricien. Entré au service du comte de Thurn et Taxis (1740), il devint grâce à lui, à Salzbourg, quatrième violon de la chapelle du prince-archevêque (1743), compositeur de la cour et de la Chambre (1757), et, enfin, vice-maître de chapelle (1763). Ayant reconnu vers 1760 le talent, voire le génie, de son jeune fils, il consacra à sa formation, jusque vers 1773, le meilleur de son temps. Sa femme, qu'il avait épousée en 1747, étant morte à Paris en 1778, et son fils s'étant installé à Vienne en 1781, il passa ses dernières années à Salzbourg dans un relatif isolement. Il se consacra entièrement à ses charges dans cette ville, sans jamais accéder aux toutes premières, et mourut quelque peu aigri. On lui doit une grande quantité de musique instrumentale et vocale, dont certaines, de caractère pittoresque, ont acquis de nos jours une nouvelle célébrité : *Musikalische Schlittenfahrt* (« Promenade en traîneau », 1755), *Die Bauernhochzeit* (« Noces paysannes », 1755), *Divertimento militare* (v. 1765). La *Symphonie des jouets* longtemps attribuée à J. Haydn est de lui (3 mouvements tirés d'une œuvre plus vaste). Il est surtout l'auteur d'une méthode de violon (*Versuch einer gründlichen Violinschule,* 1756, rééd. 1976), comptant parmi les écrits théoriques de base de l'époque. Fortement influencée par les traités rédigés respectivement par Quantz (1752) et par Carl Philipp Emanuel Bach (1753) pour la flûte et le clavier, cette méthode transmit aux Allemands les principes artistiques de virtuoses italiens comme Tartini ou Locatelli tout en témoignant, de la part de son auteur, d'une connaissance surprenante de théoriciens des alentours de l'an 1500.

MOZART *(Wolfgang Amadeus),* compositeur allemand *(Salzbourg 1756 - Vienne 1791).* Fils de Leopold Mozart *(1719-1787)* et de Anna Maria Pertl *(1720-1778),* il fut baptisé Johannes Chrysostomus Wolfgang Theophilus, mais ce dernier prénom fut rapidement transformé en Gottlieb, son équivalent allemand, puis en Amadeus, traduction italienne de Gottlieb. Par son

père, violoniste dans l'orchestre du prince-archevêque de Salzbourg, Mozart descendait d'un relieur d'Augsbourg, Johann Georg Mozart (1679-1736). Du côté maternel, il était petit-fils d'un fonctionnaire, Wolfgang Nicolaus Pertl († 1724), ancien étudiant en droit de l'université de Salzbourg, qui appréciait la musique et avait même été professeur de chant et choriste.

Des sept enfants de Leopold Mozart et Anna Maria Pertl nés entre 1749 et 1756, cinq moururent en bas âge. Seuls survécurent une fille, prénommée Maria Anna Walburga Ignatia (1751-1829), et Wolfgang Amadeus, qui était le dernier. Dès l'âge de trois ans, celui-ci manifesta une attirance et des dons exceptionnels pour la musique. Il en avait quatre lorsque son père lui donna ses premières leçons de clavecin. **Les voyages de l'enfant prodige.** En 1762, Leopold inaugura par un premier voyage à Munich l'invraisemblable série de tournées européennes qu'il allait effectuer, pendant plusieurs années, avec ses enfants. Au cours de ce séjour à Munich — pendant le carnaval —, le frère et la sœur se produisirent devant Maximilien III, Électeur de Bavière. À cette époque, Wolfgang composait déjà de petits morceaux (*Menuets* K.2, 4 et 5 ; *Allégro* K.3) que son père transcrivait sur le papier. Le 18 septembre 1762, la famille au complet se mit en route pour Vienne, où elle arriva le 6 octobre — lendemain de la « première » de *l'Orfeo* de Gluck — et elle y demeura jusqu'au 10 décembre. Wolfgang et sa sœur Nannerl (ainsi appelait-on la petite fille) furent reçus par la comtesse de Thun, par l'ambassadeur de France et, à Schönbrunn, par l'impératrice Marie-Thérèse.

Au début de 1763, Sigismond von Schrattenbach, prince-archevêque de Salzbourg, s'occupa de la réorganisation de sa chapelle. Il nomma Giuseppe-Francesco Lolli Kapellmeister en remplacement de Johann-Ernst Eberlin, décédé le 21 juin 1762, et confia le poste de vice-Kapellmeister à Leopold Mozart. Celui-ci, qui avait espéré mieux, sollicita un congé que son employeur accorda ; ce qui lui permit d'entreprendre, avec sa femme et ses enfants, une longue tournée de trois ans dans plusieurs pays européens. Partie de Salzbourg le 9 juin 1763, la famille passa par Munich, où elle fit la connaissance de Luigi Tomasini, ami de Joseph Haydn, et Konzertmeister, à Eisenstadt, de Nicolas

Mozart enfant, dans la loge des musiciens. Détail d'un tableau de Martin Van Mytens, commémorant le mariage de Joseph II et d'Isabelle de Parme (Château de Schönbrunn).

Esterházy; par Augsbourg, où les enfants donnèrent 3 concerts et que la famille quitta le 6 juillet; par Schweitzingen, non loin de Mannheim, où Wolfgang eut un premier contact avec le célèbre orchestre de l'Électeur palatin Karl Theodor; par Francfort, où eut lieu l'unique rencontre entre Goethe et Mozart; par Bruxelles enfin, ville atteinte le 4 octobre et qui était alors, sous le gouvernement de Charles de Lorraine, frère de l'empereur François Ier, capitale des Pays-Bas autrichiens.

Le 18 novembre 1763, les Mozart arrivèrent à Paris, où ils restèrent pendant cinq mois, et où, grâce aux talents de claveciniste de Nannerl et — surtout — au côté « enfant prodige » de Wolfgang, ils suscitèrent la curiosité, puis l'engouement. Il est vrai qu'à leur propos, Friedrich Melchior Grimm, qui résidait dans la capitale française depuis 1748 et qui assurait les fonctions de secrétaire du duc d'Orléans, allait, par un article publié dans sa *Correspondance littéraire* (1er décembre 1763), se livrer à ce qu'on appellerait maintenant une efficace opération publicitaire. À Paris, les

MOZART

Mozart furent reçus, fêtés par les notabilités : entre autres, par le comte Van Eyck, ambassadeur de Bavière, chez qui ils demeurèrent, et par Mme de Pompadour. Ils eurent même l'honneur d'être invités à Versailles, où l'on exhiba le très jeune Wolfgang, comme on l'aurait fait d'un aimable singe savant. Tout cela eût été de peu de poids pour la formation artistique du futur auteur de *Don Giovanni* s'il n'y avait eu, durant ce séjour parisien, la rencontre avec des musiciens tels que Eckard, Le Grand, Hochbrucker et, surtout, Schobert, claveciniste et compositeur du prince de Conti. De cette époque datent les 2 *Sonates pour clavecin avec accompagnement de violon* K.6 et 7 dédiées à Mme Victoire de France, fille de Louis XV, ainsi que les 2 *Sonates* K.8 et 9 — pour la même formation — dédiées à Mme de Thésé.

Le 10 avril 1764, la famille Mozart partit, via Calais, pour Londres, où elle arriva le 23 avril, et où elle fut reçue, dès le 27, par le roi et la reine à Saint James Park. Elle y resta pendant seize mois et Wolfgang s'y fit un ami et un conseiller en la personne de Johann Christian Bach, dernier fils du cantor de Leipzig et fondateur, avec Karl Friedrich Abel, des célèbres concerts Bach-Abel. Il s'y exerça dans le genre, nouveau pour lui, de la symphonie, avec une œuvre en *si* bémol majeur K.17, dont Abel était le véritable auteur et qu'il se contenta de recopier, puis avec la partition en *mi* bémol majeur K.16, portant le numéro 1 dans la liste officielle de ses propres symphonies. Il participa aux concerts, par souscription, de Johann Christian Bach et rédigea, en novembre 1764, les six *Sonates* K.10 à 15 pour clavecin et violon ou flûte traversière, dédiées à la reine Charlotte.

Le 24 juillet 1765, les Mozart quittèrent Londres pour la Hollande. Ils passèrent par Douvres, Calais, Lille, Gand, Rotterdam, et arrivèrent le 11 septembre à La Haye, où, après Nannerl, Wolfgang tomba très sérieusement malade. L'espèce de fièvre cérébrale dont il fut atteint et dont il ne se remit que fin 1765- début 1766, résultait vraisemblablement, pour une large part, du surmenage insensé imposé, pour des raisons nettement mercantiles, à un enfant de moins de dix ans. Leopold, dont les dons de pédagogue ne sauraient être mis en doute, n'était sans doute pas l'être obtus et étriqué que fustigent les biographes. Mais il eut certainement une impor-

Portrait de Wolfgang Amadeus **Mozart** *enfant. (Mozart-Geburthaus.)*

tante part de responsabilité dans la disparition prématurée de son fils. À peine rétabli, en tout cas, celui-ci dut se remettre en route. Toujours accompagné de sa famille, il revint à Paris, où il arriva le 10 mai 1766, il y assista aux réceptions organisées par le prince de Conti, et chez qui il fit la connaissance de Philidor et de musiciens allemands comme Raupach, Honnauer, Becke et Cannabich. De ce deuxième séjour parisien, qui dura jusqu'au 9 juillet, date le *Kyrie en fa majeur* K.33 (12 juin 1766). Ce fut ensuite le retour à Salzbourg par Dijon, où l'on rencontra le président de Brosses, par Lyon, Genève, Lausanne, Berne, Zurich, Winterthur, Ulm, Dillingen et Augsbourg. Dans la ville du prince-archevêque, les Mozart ne demeurèrent que neuf mois. Wolfgang en profita pour étudier Fux, Eberlin, pour composer l'« opérette spirituelle » *Die Schudilgkeit des ersten Gebotes* K.35 *(le Devoir du premier Commandement)*, la comédie latine *Apollo et Hya-*

cinthus seu Hyacinthi Metamorphosis K.38 (la Métamorphose de Hyacinthe), ainsi que les quatre Concertos pour clavecin K.37, 39, 40 et 41 tirés d'œuvres de Carl Philipp Emanuel Bach, Raupach, Schobert, Honnauer, Eckard.

L'année 1768 fut, à compter du 10 janvier, celle du second séjour à Vienne. Ce fut également celle de La Finta Semplice K.51, opera buffa en 3 actes sur un livret de Marco Coltellini (auteur italien dont Joseph Haydn allait, cinq ans plus tard, mettre L'Infedeltà delusa en musique) et de Bastien und Bastienne K.50, singspiel en 1 acte commandé par le docteur Anton Messmer et monté, chez ce dernier, le 1er octobre. Par suite d'intrigues diverses et malgré les démarches de Leopold Mozart, La Finta Semplice ne fut pas représentée à Vienne, mais à Salzbourg le 1er mai de l'année suivante. Le 5 janvier 1769, les Mozart rejoignirent une fois de plus la ville archi-épiscopale. Wolfgang y écrivit plusieurs œuvres instrumentales relevant du genre divertimento (Cassations nos 1 et 2 K.63 et 99; Sérénade en ré majeur K.100), la Messe en ut majeur K.66. le Te Deum K.141.

Le périple en Italie. Ayant obtenu un nouveau congé du bienveillant Schrattenbach, Leopold décida de partir avec son fils pour l'Italie. Ce périple, qui débuta le 11 décembre 1769, dura une quinzaine de mois et fournit à Wolfgang l'occasion de fréquenter des représentants essentiels du monde musical. Parmi ceux-ci : Giambattista Sammartini, que les deux Mozart rencontrèrent à Milan chez le comte Firmian et, surtout, le Padre Martini, dont ils firent la connaissance à Bologne, fin mars 1770. Le voyage se poursuivit par Florence, Rome, Naples, Rome de nouveau,

*Nannerl, Wolfgang et Léopold **Mozart**; Anna Maria, la mère, est morte; au mur, son portrait. Tableau de Johann Nepomuk della Croce (Musée Mozart, Salzbourg).*

Erich Lessing Magnum

où, le 8 juillet, Leopold et Wolfgang furent reçus par le pape Clément XIV ; par Bologne encore, où le jeune compositeur se vit proposer le livret, dû à Vittorio Cigna-Santi, de *Mitridate, re di Ponto* K.87. Après Bologne, où ils eurent aussi la possibilité de connaître l'excellent compositeur Joseph Myslivecek, Mozart père et fils se rendirent à Milan pour la création de *Mitridate*. L'événement se produisit le 26 décembre 1770 et suscita, selon Leopold (lettre du 2 janvier 1771 au Padre Martini), un « accueil des plus favorables ». En février 1771, les voyageurs atteignirent Milan. En mars ils étaient à Padoue, où Wolfgang se vit confier la commande de *La Betulia liberata,* oratorio en 2 parties, qui allait représenter son unique contribution dans un genre si magnifiquement exploité par Haendel et Haydn.

Par Vicence et Vérone, Leopold et Wolfgang regagnèrent Salzbourg, où ils arri-

*Portrait de **Mozart,***
par le peintre tchèque Karel Svolinsky.

Agence Intercontinentale

vèrent le 28 mars 1771 et d'où ils repartirent le 13 août pour un deuxième voyage en Italie qui n'allait durer que quatre mois. À Milan, où ils séjournèrent, fut donnée, pour le mariage de l'archiduc Ferdinand (fils de Marie-Thérèse) et de la princesse Marie-Béatrice de Modène, la « première » de la sérénade théâtrale *Ascanio in Alba* K.111. Les Mozart se retrouvèrent à Salzbourg le 16 décembre, jour de la mort de Sigismond von Schrattenbach. Élu le 14 mars 1772, solennellement intronisé le 14 avril, Hieronymus Colloredo *(1732-1812),* le nouveau prince-archevêque, allait se montrer, vis-à-vis de ses employés, beaucoup moins compréhensif et beaucoup moins facile à vivre que son prédécesseur. Il nomma Domenico Fischietti au poste de Kapellmeister que Leopold briguait en vain depuis longtemps. Le 15 août, Wolfgang devint Konzertmeister titulaire, avec des honoraires de 150 florins. Cette année-là, qui vit naître la *Symphonie no 15* K.124, la *no 16* K.128, la *no 17* K.129, la *no 18* K.130, la *no19* K.132, la *no 20* K.133 et la *no21* K.134, fut celle du troisième et dernier voyage en Italie, lequel eut lieu du 24 octobre 1772 au 13 mars 1773. Ce fut aussi celle de l'opera seria *Lucio Silla* K.135, créé à Milan le 28 décembre 1772.

Mozart à Salzbourg. Se limiter aux faits strictement matériels de la biographie de Mozart, c'est un peu, comme dans le cas de Brahms, énumérer une interminable suite de voyages. Il y eut pourtant, de 1773 à 1777, une relative accalmie. Avec, néanmoins, deux nouvelles « excursions » : l'une à Vienne, de juillet à fin septembre 1773 ; l'autre à Munich, de décembre 1774 à mars 1775. Lors du séjour dans la capitale autrichienne, Mozart composa l'importante *Sérénade* K.185 pour les noces du fils d'Ernst Andretter, lequel était, à Salzbourg, conseiller aulique pour la guerre, et, surtout, les six *Quatuors à cordes* K.168 à 173 (nos 8 à 13 de la classification habituelle), dits *Quatuors viennois* et manifestement influencés par le nouveau style instrumental de Joseph Haydn. À cette époque, le Kapellmeister d'Esterháza — qui avait écrit les deux magnifiques séries de quatuors op. 17 (1771) et op. 20 (1772) — situait la majorité de ses créations dans la perspective passionnée, mélancolique et formellement insolite du Sturm und Drang. Chez Mozart les caractéristiques essentielles de cette esthétique préromantique allaient se retrouver dans la *Symphonie n° 25* K.183 en *sol* mineur de décembre 1773.

De la production de l'année 1774, il convient d'isoler, en priorité, la très importante *Symphonie n° 29 en la majeur* K.201, le *Concerto pour basson en si bémol majeur* K.291, la *Sérénade en ré majeur* K.203 et les cinq premières *Sonates pour piano* K.279 à 283. Toujours accompagné de son père, Wolfgang se rendit à Munich, où, le 13 janvier 1775, eut lieu la «première» de *La Finta Giardiniera*. Le 6 mars, il reprit la route de Salzbourg, où il demeura jusqu'en septembre 1777. Pour la visite de l'archiduc Maximilien-Franz, dernier fils de Marie-Thérèse et futur patron de Beethoven, Colloredo lui commanda la festa teatrale *Il Re pastore* (livret de Métastase), qui ne fut représentée qu'une fois, le 23 avril 1775.

Au catalogue mozartien de cette année 1775, il convient d'inscrire, outre *Il Re pastore*, plusieurs chefs-d'œuvre : la *Sonate pour piano n° 6* K. 284, dite *Sonate Durnitz ;* la *Sérénade en ré majeur* K.204 ; et les cinq *Concertos pour violon et orchestre* K.207, 211, 216, 218 et 219 composés d'avril à décembre. L'année 1776, que Wolfgang vécut tout entière à Salzbourg, fut celle de plusieurs divortissements et sérénades (dont la délicieuse *Serenata notturna* K.239 et l'imposante *Sérénade Haffner* K.250), des *Concertos pour piano n° 6* K.238, *n° 7* K.242 (3 pianos) et *n° 8* K.246, de la *Missa longa* K.262, de la vigoureuse *Messe du Credo* K.257 et de la *Messe de Spaur* K.258. Jusqu'alors, le genre concerto pour piano, que Mozart allait mener à son plus haut point de perfection, n'avait pas inspiré au compositeur de pages véritablement «définitives». Tout changea avec l'extraordinaire *Concerto n° 9 en mi bémol majeur* K.271 terminé en janvier 1777, pour l'auteur lui-même, ou, plus probablement, pour Mlle Jeunehomme, pianiste française de passage à Salzbourg. Dans l'histoire de la musique instrumentale, cet ouvrage prémonitoire occupe une position charnière aussi «fondamentale» que les *Quatuors* op. 20 de Haydn et la *Symphonie héroïque* de Beethoven. Avec lui, s'ouvrait, quant au contenu affectif et aux relations entre le soliste et l'orchestre, l'ère du grand concerto «moderne», tel que nous le concevons encore de nos jours.

Mannheim et Paris. En mars 1777, Leopold sollicita, pour son fils et lui-même, un

*Portrait de **Mozart**, par Joseph Lange. (Musée Mozart, Salzbourg.)*

congé que Colloredo refusa. Le 1er août, Wolfgang envoyait une lettre de démission. Exaspéré, le prince-archevêque fit répondre par son secrétaire que le père et le fils pouvaient aller chercher fortune ailleurs. Leopold se soumit et resta. Mais Wolfgang profita de la liberté qui lui était brutalement accordée pour quitter Salzbourg le 23 septembre et pour entreprendre, en compagnie de sa mère, un voyage qui allait le mener à Munich, Augsbourg, Mannheim et Paris. Chez l'Électeur de Bavière, où il aurait aimé se fixer, il n'y avait pas de poste vacant. Du moins se dispensa-t-on de lui en proposer un. À Augsbourg, où, le 22 octobre, il donna un unique concert (avec, notamment, le *Concerto pour trois pianos* et la *Sonate Durnitz*), il rencontra le facteur d'orgues et de pianos Johann-Andreas Stein, qu'il avait déjà vu en 1763. Le 30 octobre, il arriva à Mannheim et y resta jusqu'au 14 mars 1778, avec, cependant, un bref séjour à Kircheim-Boland (janvier 1778) chez la princesse d'Orange. Ce fut à cette époque qu'il fit la connaissance de la jeune cantatrice Aloysia Weber, dont il tomba amoureux et dont, renouvelant l'erreur commise par Joseph Haydn, il épousa la sœur quelques années plus tard.

Le 23 mars 1778, après douze ans d'absence, Mozart foulait de nouveau le pavé parisien. Mis en rapport, par Grimm en particulier, avec Jean Le Gros, directeur du Concert spirituel et avec Jean-Georges Noverre, maître des ballet de l'Opéra, il écrivit, pour le premier, la *Symphonie n° 31* K.297 et la *Symphonie concertante* K.297b ; pour le deuxième, le ballet des *Petits Riens* K.299b. Parmi les principales compositions mozartiennes rédigées à Paris, figurent également le *Concerto pour flûte et harpe* K.299 commandé par le duc de Guisnes, et la pathétique *Sonate pour piano en la mineur* K.310 (une des plus denses et des plus poignantes). Les quatre *Sonates* K.330-333 ne sont pas de 1778, comme on le crut longtemps, mais de 1783.

Anna Maria Mozart mourut le 3 juillet 1778. Seul, désormais, pour poursuivre son voyage, Mozart quitta, le 26 septembre, un Paris qu'il n'aimait décidément pas. Le retour à Salzbourg s'effectua par Nancy et par Strasbourg, où le jeune compositeur s'arrêta près d'un mois et où il put rencontrer Franz-Xaver Richter, l'un des principaux représentants de l'école de Mannheim.

Dans la chronologie de la vie de Mozart, il faut maintenant évoquer, parmi les faits méritant d'être cités, la nomination du compositeur (17 janvier 1779) au poste d'organiste de la cour. Wolfgang reprenait donc du service auprès d'un maître copieusement détesté — non sans raisons —, et avec lequel, de toute façon, la rupture définitive ne pouvait qu'intervenir un jour ou l'autre. Colloredo n'avait sans doute

Lauros Giraudon

Mozart en chevalier de l'ordre de l'Éperon d'or. Peinture d'après un original de l'école italienne (perdu).

pas tous les défauts que lui prêtent les biographes. Mais il était sûrement moins intelligent, cultivé et diplomate qu'un Nicolas Esterházy, chez lequel Joseph Haydn allait, sans trop de problèmes, vivre quelque trente ans.

La rupture avec Colloredo. À la fin de l'été 1780, Mozart reçut du prince-électeur Karl Theodor la commande d'un opera seria pour le carnaval de Munich. Telle fut l'origine de *Idomeneo, re di Creta* K.366, représenté pour la première fois le 29 janvier 1781. À cette occasion, le compositeur dut naturellement entreprendre de nouveau un voyage à Munich. Il s'y rendit dès novembre 1780 et en repartit en mars 1781 pour rejoindre, sur ordre, Colloredo à Vienne. En mai et juin, divers incidents se produisirent, qui envenimèrent les rapports déjà fort tendus entre l'employeur et l'employé. Mozart quitta alors définitivement le service de Colloredo et choisit de rester à Vienne comme musicien indépendant. Chez la veuve Weber, où il s'installa, il y avait la sœur cadette de cette Aloysia — qui avait mis un terme à ses projets matrimoniaux en épousant l'acteur Joseph Lange —, Constance; il ne tarda pas à s'enflammer pour elle et l'épousa le 4 août 1782. Constance devait être une bonne fille... Mais pas très futée, dépensière, et qui aurait eu besoin d'être gentiment, mais

*Constance Weber, la femme de **Mozart**.
(Musée Mozart, Salzbourg.)*

fermement, dirigée par un mari doté, pour les questions financières et administratives, d'un solide sens pratique. Ces qualités, Mozart ne les possédait pas, contrairement à Georg Nikolaus Nissen, lequel, dix-huit ans après la mort du compositeur, allait officialiser ses relations avec Constance et faire de celle-ci une épouse modèle.

De 1781 datent le *Rondo pour violon et orchestre* K.373 (probablement composé pour le violoniste Brunetti); 4 *Sonates pour piano et violon* K.176 à 179; l'ample *Sonate en ré majeur* K.448 pour deux pianos. Au second semestre de cette année se rattachent les premiers travaux sur *Die Entführung aus dem Serail* K.384 *(l'Enlèvement au sérail)*, opéra allemand commandé par l'empereur Joseph II et dont le livret était dû à Gottlieb Stephanie, dit Stephanie le Jeune.

La première de *l'Enlèvement* eut lieu, le 16 juillet 1782, au Burgtheater et suscita des réactions assez contradictoires. Joseph II reprocha-t-il vraiment à Mozart d'avoir mis trop de notes dans sa partition? Pour le *Magazine de la musique de* Cramer, en tout cas, l'œuvre regorgeait de beautés (ce qui était strictement vrai), tandis que pour le comte Karl Zinzendorf, c'était tout simplement «un ramassis de choses volées»!

Les succès à Vienne. En 1782, Mozart commença de fréquenter, à Vienne, la maison du baron Van Swieten, futur librettiste des deux derniers oratorios de Haydn *(la Création* et *les Saisons),* et qui, contrairement à la quasi-totalité de ses contemporains, se passionnait pour Bach et pour Haendel. Chez lui, Wolfgang découvrit les fugues des Bach, «aussi bien de Sébastien que d'Emanuel et de Friedemann». C'est précisément au début de cette année 1782 que se rattache, chronologiquement, le *Prélude et fugue pour piano en ut mineur* K.394. C'est le 31 décembre que fut achevé, avec son merveilleux finale en fugato, le premier des six *Quatuors à cordes en sol majeur* K.387, dédiés à Joseph Haydn. Avec, entre ces deux œuvres capitales, des pages aussi importantes que la *Sérénade en ut mineur* K.388, la *Symphonie n° 35 «Haffner»*, les *Concertos pour piano nos 11, 12* et *13* K.413, 414 et 415.

Il y a lieu d'évoquer, ici, les relations privilégiées, qui, dans les années 1780, s'établirent entre Joseph Haydn et Mozart.

Ci-dessus et page suivante. Décors pour la Flûte enchantée *de **Mozart**.*

On ne connaît pas la date précise à laquelle ces deux génies, foncièrement différents, mais d'égales statures, se virent pour la première fois. Ce qu'on sait, en revanche, c'est que l'amitié sans arrière-pensées et l'admiration qu'ils éprouvèrent l'un pour l'autre — sans rien abdiquer de leur propre personnalité — constituent l'un des chapitres les plus sympathiques et les plus « exemplaires » de l'histoire de la musique. Mozart avait été vivement impressionné par la « densité expressive » des *Quatuors* op. 20 du Kapellmeister d'Esterháza. Il le fut tout autant, sinon davantage, par la modernité des *Quatuors* op. 33 de 1781. Et l'hommage somptueux qu'il offrit à son

aîné par la dédicace des 6 *Quatuors* K.387, 421, 428, 458, 464 et 465 représente à la fois un témoignage d'estime respectueuse et une réponse au « défi artistique » qui lui avait été lancé. Ces quatuors furent longuement élaborés. Avant leur achèvement, plus de deux années s'écoulèrent, qui, dans la vie de Mozart, correspondent à la naissance de chefs-d'œuvre : *Messe en ut mineur* K.427, *Symphonie nᵒ 36 « Linz »*, *Fugue pour deux pianos* K.426 (1783); *Concertos pour piano nᵒ 14* K.449, *nᵒ 15* K.450, *nᵒ 16* K.451, *nᵒ 17* K.453, *nᵒ 18* K.456, *nᵒ 19* K.459, *Sonate pour piano et violon* K.454, *Sonate pour piano nᵒ 14* K.475 (1784).

Gravures coloriées de Joseph et Peter Schaffer (Musée Mozart, Salzbourg).

Pour assurer sa vie matérielle et celle de sa famille, Mozart n'avait d'autres possibilités que de donner des leçons et des concerts (qu'on appelait alors des « académies »). D'élèves et, par conséquent, de leçons, il n'y eut jamais pléthore. Trois noms pour janvier 1782 : la comtesse Rumbeck, Mme von Trattner, la comtesse Zichy. Inaugurées le 23 mars 1783 par un concert dont on a conservé le copieux programme (10 numéros, dont la nouvelle *Symphonie pour Haffner*, 2 concertos pour piano, des extraits de la *Posthorn-Serenade !*), les académies furent, au début, plus rentables. Pour s'y produire comme virtuose du clavier (aspect de son talent

que les Viennois appréciaient le plus), le compositeur rédigea, de février 1784 à décembre 1786, l'admirable série des 12 *Concertos pour piano* numérotée 14 à 25 dans la classification couramment adoptée. Le *Concerto n° 14* K.449 est d'ailleurs la première partition inscrite — à la date du 9 février 1784 — dans le catalogue que Mozart allait tenir de ses œuvres, jusqu'au 15 novembre 1791.

Il y avait aussi, avec les amis, des séances privées de musique de chambre. Au cours de l'une d'elles on exécuta — avec Dittersdorf au premier violon, Joseph Haydn au second, Mozart à l'alto et Vanhal au violoncelle — trois des nouveaux quatuors dédiés à Haydn. Leopold Mozart, qui, en février 1785, rendit visite à son fils et eut la chance d'assister à l'événement, fut tout fier de rapporter à Nannerl (lettre du 14 févr.) les paroles élogieuses de Haydn sur Wolfgang : « Le samedi soir Joseph Haydn et les deux barons Tindi sont venus chez nous ; on a joué les nouveaux quatuors, mais seulement les trois nouveaux que Wolfgang a ajoutés aux trois autres que nous avons déjà. Ils sont un peu plus faciles mais remarquablement composés. M. Haydn m'a dit : Je vous le dis devant Dieu, en honnête homme, votre fils est le plus grand compositeur que je connaisse, en personne ou de nom. Il a du goût et, en outre, la plus grande science de la composition. »

Comme le Kapellmeister d'Esterháza — et comme beaucoup d'esprits cultivés de l'époque —, Mozart adhéra à la franc-maçonnerie. Il le fit en 1785, année où il écrivit la *Maurische Trauermusik* K.477 *(Musique maçonnique funèbre),* laquelle fait partie des nombreuses compositions de premier plan nées d'un choix philosophique beaucoup plus important pour lui que pour Haydn.

Mozart travaillait aux *Noces de Figaro* (sur un livret de Lorenzo da Ponte tiré du *Mariage de Figaro* de Beaumarchais), lorsque, début 1786, il reçut de Joseph II la commande d'un singspiel en 1 acte destiné à être donné dans le cadre des festivités en l'honneur d'Albert de Saxe, gouverneur des Pays-Bas. Ce *Schauspieldirektor* K.486 *(le Directeur de théâtre),* dont Stephanie le Jeune avait rédigé le livret, fut représenté à l'Orangerie du palais de Schönbrunn, le 7 février 1786.

Moins de trois mois plus tard, le 1er mai, eut lieu, au Burgtheater, la « première »

Cérémonie dans une loge maçonnique à Vienne. Œuvre de Ignaz Unterberger vers 1784. (Historisches Museum der Stadt, Vienne.)

Erich Lessing-Magnum

*Symphonie nº 31
en ré majeur
de W. A. Mozart.
Autographe,
début
du premier mouvement.*

(Staatsbibliothek, Preussischer Kulturbesitz, Berlin.)

des *Noces de Figaro*. Relativement bien accueilli, représenté neuf fois à vienne en 1786, ce chef-d'œuvre fut repris l'année suivante, à Prague, avec un succès beaucoup plus affirmé. Ce fut justement pour Prague que Mozart écrivit ce qu'on peut, à bon droit, considérer (sans rien ôter à *Tristan*, à *Pelléas*, à *la Flûte enchantée*) comme l'opéra des opéras : l'immortel *Don Giovanni*.

À Prague, où il avait été invité dès la fin de 1786 et où il arriva le 11 janvier 1787, Mozart assista, le 17 janvier, à la reprise des *Noces*. De retour à Vienne le 10 février, il se consacra à la composition de *Don Giovanni*, travail qui l'occupa presque entièrement durant les mois de juillet et août. Entre-temps, le 28 mai, Leopold Mozart était mort presque subitement à Salzbourg à l'âge de soixante-huit ans.

Contemporaine de *Don Giovanni* — lequel fut créé à Prague le 29 octobre 1787, et pour cette circonstance, Mozart avait de nouveau effectué le voyage —, la célèbre *Kleine Nachtmusik* K.525 *(Petite Musique de nuit)* est, dans le catalogue du compositeur, répertoriée à la date du 10 août. Neuf mois plus tôt (déc. 1786), Mozart avait offert aux mélomanes de Prague la primeur de sa monumentale *Symphonie nº 38* K.504. Avec la *Symphonie nº 86* de Haydn (écrite la même année), cet ouvrage marquait l'un des sommets de l'art symphonique, non seulement avant Beethoven, mais de tous les temps. À 1787 encore, se rattachent le *Quintette à cordes en ut majeur* K.515, le *Quintette en sol mineur* K.516, la *Sonate pour piano à quatre mains* K.521 (dernière du genre chez Mozart), la *Sonate pour piano et violon nº 42* K.526.

Des années difficiles. Mozart revint à Vienne à la mi-novembre 1787. Le 7 décembre, Joseph II lui conféra, assorti d'un traitement de 800 florins, le titre de « compositeur de la chambre impériale et royale ». Pour le même emploi Gluck en avait eu 2 000. De plus en plus incompris des Vien-

Page autographe de la Flûte enchantée *de W. A.* **Mozart.** *(Berlin, Staatsbibliothek.)*

nois, de plus en plus assailli par des problèmes d'argent, Mozart vécut dans la capitale autrichienne la totalité de l'année 1788. Pour survivre, il dut se livrer à des travaux alimentaires : réorchestration, pour le baron Van Swieten, d'*Acis et Galatée* et du *Messie* de Haendel (tâche achevée en mars 1789 pour ce qui concernait ce dernier oratorio). En juin, juillet et août, il composa — apparemment sans espoir véritable de les faire exécuter — ses trois ultimes symphonies : n° 39 K.543, n° 40 K.550, n° 41 *Jupiter* K.551. C'est un des épisodes les plus tristes, mais aussi les plus significatifs de l'histoire de la musique que cette mise à l'écart, par une société frivole, d'un génie de première grandeur, qui, sur le plan de l'esprit, est pourtant l'une des gloires de son siècle. Joseph Haydn s'indignait à juste titre lorsque, répondant à Franz Roth qui lui demandait un opéra (lettre de décembre 1787), il formula l'avis très net selon lequel c'était à Mozart et non à lui-même qu'il fallait s'adresser. « Si seulement, écrivit-il, je pouvais graver dans l'esprit de tout ami de la musique, mais surtout dans l'esprit des princes de cette terre, les inimitables travaux de Mozart, les leur faire entendre avec la compréhension musicale et l'émotion que j'y apporte moi-même, par Dieu, les nations rivaliseraient pour avoir ce joyau chez elles... Je m'étonne que Mozart, cet être unique, ne soit pas encore appointé dans une cour royale ou impériale. Pardonnez-moi si je m'échauffe : c'est que j'aime tant cet homme ! »

Le 8 avril 1789, Mozart entreprit, dans la voiture de son élève le prince Karl von Lichnowski, un nouveau voyage qui le mena à Prague, Dresde, Leipzig, Potsdam. À Leipzig, ou Jean-Sébastien Bach avait vécu pendant de nombreuses années, il « se fit entendre gratuitement sur l'orgue de la Thomaskirche » et joua « une heure entière devant un nombreux auditoire d'une manière pleine de bonté et d'art » (déclaration d'un contemporain citée par Reichardt). À Potsdam, il fut reçu par Frédéric-Guillaume II, bon violoncel-

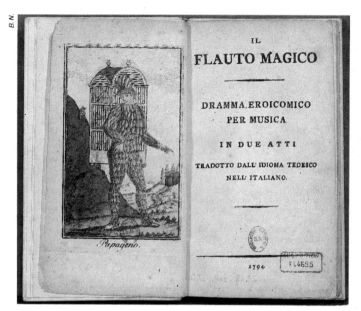

IL

FLAUTO MAGICO

DRAMMA EROICOMICO
PER MUSICA

IN DUE ATTI

TRADOTTO DALL' IDIOMA TEDESCO
NELL' ITALIANO.

1794.

Papageno.

Livret de la Flûte enchantée. *Traduction italienne (Bibliothèque de l'Opéra, Paris).*

liste amateur pour lequel il écrivit, en juin 1789, mai et juin 1790, les trois *Quatuors à cordes* K.575, 589 et 590 (pour le roi de Prusse, Haydn avait composé ses *Quatuors* op. 50).

Après son retour à Vienne, le 4 juin 1789, Mozart reçut, de la cour impériale, la commande d'un nouvel opéra pour le prochain carnaval. À l'époque, il affrontait les pires difficultés matérielles, ainsi qu'en témoigne la poignante lettre du 12 juillet adressée à Michaël Puchberg : « Me voici dans une situation telle que je ne peux la souhaiter même à mon pire ennemi ! Et si vous, mon excellent ami et frère, vous m'abandonnez, je suis « aussi malheureusement qu'innocemment » perdu, moi, ma pauvre femme malade et mon enfant. » On imagine ce que, d'un tel désarroi moral, un compositeur romantique eût tiré d'exhibitionnisme complaisant... Chez Mozart, comme chez tout « honnête homme » de la fin du XVIIIe siècle, il n'était pas question d'exposer ses problèmes personnels sur la place publique. C'est pourquoi il composa

un *Così fan tutte* plein de fraîcheur, de tendresse et dont les aspects tragiques (car, dans l'argument bâti par Da Ponte, il y en a !) ne nous sont jamais violemment présentés. La première répétition avec orchestre de *Così fan tutte* eut lieu le 21 janvier 1790 en présence de Puchberg et de Joseph Haydn. Donnée, cinq jours plus tard, en « première mondiale », l'œuvre obtint un succès correct, sans plus... Cette fois-ci, le comte Zinzendorf, qui, sept ans et demi auparavant, n'avait pas apprécié *l'Enlèvement au sérail*, alla jusqu'à noter dans son journal que « la musique (était) charmante et le sujet fort amusant ».

La fin. Nous en arrivons à cette année 1791 au cours de laquelle Mozart écrivit tant de chefs-d'œuvre — comme si des forces nouvelles et inépuisables lui avaient été accordées — et dont, pourtant, il ne vécut pas les derniers jours. Le *Concerto pour piano et orchestre* K.595, le *Quintette à cordes en si bémol majeur* K.614, l'*Ave verum* K.619, *la Clémence de Titus, la Flûte enchantée,* le *Concerto pour clari-*

nette K. 622, le *Requiem inachevé* K.626 : tel est, réduit à ses composantes essentielles, le bilan de cette étape ultime sur le chemin de la beauté et de la vérité. Au printemps, Mozart commença à travailler à *la Flûte enchantée (Die Zauberflöte),* dont le livret avait été rédigé par Emmanuel Schikaneder, directeur du théâtre *Auf der Wieden, im Freihaus.* Début août, le Théâtre national de Prague lui commanda, sur le sujet imposé de *La Clemenza di Tito* (livret de Métastase), un opera seria pour les fêtes du couronnement de Léopold II comme roi de Bohême. La « première » devant avoir lieu le 6 septembre et, par conséquent, disposant d'un très court délai, il se fit aider, dans la rédaction des récitatifs, par son élève Franz Xaver Süssmayer. C'est avec ce dernier, qui, quelques mois plus tard, allait terminer le *Requiem,* qu'il se rendit à Prague, où il resta peu de temps. L'histoire anecdotique veut que, au moment du départ pour Prague, certain inconnu l'ait abordé pour lui demander où en était la messe de requiem qu'il lui avait récemment demandée. On sait maintenant — depuis pas mal de temps, d'ailleurs — que les histoires mystérieuses sur l'origine du *Requiem* relèvent de la légende et que la commande de l'œuvre en question (laquelle émanait du comte Walsegg) fit l'objet d'un contrat en bonne et due forme passé par-devant notaire.

Le 30 septembre 1791, *la Flûte enchantée* était représentée pour la première fois à Vienne avec, notamment, Schikaneder dans le rôle de Papageno. Le premier acte déconcerta les auditeurs, mais la suite déchaîna les applaudissements. Et pourtant, selon le *Berliner Musikalische Zeitung* (1793) : « L'admirable musique de Mozart fut massacrée à tel point qu'elle vous aurait fait fuir de dégoût. On ne pouvait y entendre ni un seul chanteur ni une seule chanteuse qui sorte seulement de la médiocrité. » Ces déplorables conditions d'exécution — à supposer qu'elles fussent aussi mauvaises ! — n'influèrent pas négativement, semble-t-il, sur un succès qui, au contraire, se confirma les jours suivants.

Mais de ce succès, qui aurait pu relancer sa carrière, Mozart ne profita pas beaucoup. Car, le 5 décembre 1791, à minuit cinquante-cinq, il avait cessé de vivre. L'événement fit peu de bruit, l'enterrement fut des plus modestes, les quelques amis qui suivaient le corbillard n'al-

lèrent pas jusqu'au cimetière et l'on égara, dans l'anonymat de la fosse commune, le corps de cet homme exceptionnel. Haydn était à Londres lorsqu'il apprit la nouvelle. Il mesura aussitôt, lui, la perte irréparable que l'humanité venait de subir. « Pendant quelque temps, écrivit-il en janvier 1792 à Michaël Puchberg, je fus hors de moi à cause de sa mort. Je ne pouvais croire que la Providence eût si tôt repris la vie d'un homme aussi indispensable. Par-dessus tout, je regrette qu'avant sa mort il n'ait pu convaincre les Anglais, qui marchent dans les ténèbres à ce propos, de ce que je leur prêche jour après jour... Soyez assez aimable, mon cher ami, pour m'envoyer une liste de ses œuvres encore inconnues ici : je consacrerai tous mes efforts à les promouvoir au bénéfice de sa veuve. J'ai écrit, il y a trois semaines, à la pauvre femme et lui ai dit que lorsque son fils préféré atteindrait l'âge nécessaire, je consacrerais toutes mes forces à lui donner des leçons de composition, gratuitement, de telle sorte qu'il puisse, d'une certaine manière, remplacer son père. »

De Constance Weber, Mozart avait eu six enfants, quatre garçons et deux filles. Quatre d'entre eux, Raymond-Leopold, Thomas Johann-Thomas-Leopold, Thérèse, Anna-Maria, étaient morts en bas âge, ce qui n'avait rien d'étonnant compte tenu de l'effroyable mortalité infantile de l'époque. Après la disparition de Wolfgang, Constance se retrouva avec un fils de sept ans, Karl Thomas, et un tout petit Franz Xaver né le 26 juillet 1791. Par la suite, le premier devint fonctionnaire à Milan, où il mourut en 1858. Quant au second (c'est probablement à lui que Joseph Haydn fait allusion dans sa lettre à Puchberg), il eut des maîtres tels que Neukomm, Hummel (ancien élève de son père), Albrechtsberger, Vogler, Salieri, vécut comme musicien professionnel — pianiste et compositeur — et termina sa vie à Karlsbad, le 29 juillet 1844. Ce fut, semble-t-il, un créateur estimable, que la postérité eût peut-être mieux traité si le génie paternel ne l'avait doté d'un terrible handicap.

Dans sa musique, Mozart n'a rien d'un révolutionnaire comme Schönberg ou d'un expérimentateur comme Haydn. À l'instar de Schubert, quelques années plus tard, il se satisfait des formes et des structures établies par ses devanciers ou par ses contemporains. Mais, par la perfection de son écriture, la richesse, l'originalité, le renouvellement quasi permanent de son inspiration, l'acuité d'une sensibilité toujours en éveil, il «transcende» tous les schémas, toutes les organisations à l'intérieur desquels il se meut. Contrairement à Joseph Haydn, grand magicien de la musique instrumentale, il trouve dans le théâtre chanté l'expression la plus directe, la plus pure de son génie dramatique. Mais il partage aussi, avec Jean-Sébastien Bach, le privilège de réussir souverainement dans tous les genres qu'il aborde. La symphonie, par exemple, n'est pas vraiment au centre de ses préoccupations principales. Mais il écrit des symphonies sublimes qui, pour l'époque, sont les seules qu'on puisse mettre en parallèle avec celles du Kapellmeister d'Esterháza.

De Haydn, dont la pensée discursive et poétique tout à la fois le remplit d'admiration, il apprend l'art du développement thématique, des enchaînements logiques et irréfutables. Mais, plus que Haydn qui, pour échafauder une construction grandiose, se contente souvent d'un thème, voire d'un motif banal, Mozart compte aussi sur le pouvoir expressif, sur la puissance de séduction du beau chant, du cantabile souple, généreux, tel qu'il l'a découvert en Italie. C'est pourquoi, sans doute, il a tant d'estime pour Johann Christian Bach (le Bach de Londres) et pour sa délicieuse musique «galante». L'inconvénient avec lui — si l'on peut dire ! — c'est qu'il n'a pas de véritable descendance. Sans Joseph Haydn et sa prodigieuse évolution esthétique, Beethoven et — quoi qu'on en ait dit — une bonne part du romantisme sont inexplicables, impensables. Mozart, auquel d'aucuns se sont longtemps référés pour évoquer les notions restrictives de grâce, de raffinement, de «joliesse», demeure unique, inclassable. Est-ce cela qui nous le rend si précieux ?

MUFFAT, famille de musiciens autrichiens. — 1. **Georg,** organiste et compositeur *(Megève 1653 - Passau 1704).* D'origine française, il travailla à Paris avant de se rendre en Autriche, à Ingolstadt et à Vienne, puis en Bohême, à Prague. Nommé organiste de l'archevêque-électeur de Salzbourg en 1678, il devint maître de chapelle du prince-évêque de Passau en 1690 et le resta jusqu'à la fin de sa vie. En 1682, il était allé à Rome, travailler auprès de Corelli et de Pasquini. Ainsi fut-il mar-

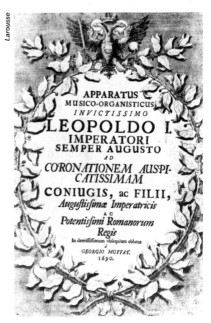

*Page de titre
de l'*Apparetus Musico-Organisticus
de Georg Muffat (Salzbourg, 1690).

qué par les grands styles européens de son temps, français, italien et autrichien, ce que reflète une importante musique instrumentale qui devait à son tour influencer J.-S. Bach. Son œuvre majeure est l'*Apparatus musico-organisticus* (1690), recueil d'œuvres pour orgue consistant principalement en 12 toccatas. Pour ensemble orchestral, il a laissé notamment *Armonico tributo cioè sonate di camera* (1682) et deux livres intitulés *Suavioris instrumentalis hyporchematicae* (1695, 1698), dans lesquels Haendel a puisé plusieurs thèmes de ses *Concertos grossos.* — 2. **Gottlieb,** organiste et compositeur, fils du précédent *(Passau 1690 - Vienne 1770).* Élève de Fux, organiste de la chapelle impériale, il fut le professeur de musique de Marie-Thérèse et de François Ier d'Autriche. Il a laissé une abondante production d'œuvres pour

505

l'orgue et pour le clavecin, et principalement *72 Versetlsammt 12 Toccaten* (1726) et *Componimenti musicali per il cembalo* (v. 1739).

MURAIL *(Tristan),* compositeur français *(Le Havre 1947).* Il a fait à Paris des études universitaires (licence ès sciences économiques, Institut d'études politiques, École nationale des langues orientales) et musicales, travaillant les ondes Martenot avec Jeanne Loriod et Maurice Martenot, et entrant en 1967 dans la classe de composition d'Olivier Messiaen (premier prix en 1971). Pensionnaire à l'Académie de France à la villa Médicis, à Rome, de 1971 à 1973, il participa en 1973 à la fondation de *l'Itinéraire**, dont il est toujours l'un des responsables, et en 1977 à celle du Collectif de recherche instrumentale et de synthèse sonore. Dès ses premières œuvres, il s'opposa radicalement au sérialisme postwebérnien, ce qui se traduisit par un style parfois proche de celui de Ligeti et qui devait s'accuser par la suite. Récusant toute analyse «hors temps» de la musique ainsi que la découpe en «paramètres» de ses éléments, il affirme une conception unitaire et continue du phénomène sonore, et s'efforce de travailler le «son-durée» de l'intérieur, dans le contexte d'un temps uniforme et linéaire excluant toute discontinuité du discours. D'où des ouvrages où les événements apparaissent et se transforment progressivement, sans césures ni silences, et dont les processus formels s'inspirent souvent des manipulations électroacoustiques (échos, bandes de réinjections, distorsions).

On lui doit notamment : *Couleur de mer* pour 15 instruments (1969), *Antigravité* pour 10 instruments (1969), *Altitude 8000* pour petit orchestre (1970), *Mach 2,5* pour 2 ondes Martenot (1971), *Lovecraft* pour bande magnétique (1972), *Au-delà du mur du son* pour grand orchestre (1972 ; créé à Rome la même année), *l'Attente* pour 7 instruments (1972), *les Nuages de Magellan* pour 2 ondes Martenot, guitare électrique et percussion (1973), *Cosmos privé* pour grand orchestre (1973 ; créé à Rome la même année), *la Dérive des continents* pour alto solo et 12 cordes (1973 ; créé à

Royan, 1974), *Sables* pour grand orchestre (1974-75 ; créé à Royan, 1975), *Emeth* pour viole d'amour et dispositif électroacoustique (1975), *Mémoire/Érosion* pour cor solo et 9 instruments (1975), *Échos/Mémoire* pour alto et piano, plus violon et violoncelle *ad libitum* (1976), *Territoires de l'oubli* pour piano solo (1976-77), *Tellur* pour guitare solo (1977), *Éthers* pour 6 instruments plus continuo de maracas (1978), *Treize Couleurs du soleil couchant* pour 5 instruments et dispositif électroacoustique *ad libitum* (1979), *les Courants de l'espace* pour ondes Martenot, synthétiseur et petit orchestre (1979), *les 7 Paroles du Christ en croix* pour chœur et orchestre (1980), *Gondwana* pour orchestre (1980), *Désintégrations* pour 17 instruments et bande synthétisée (1982), *Time and again* pour orchestre (Metz, 1986), *Vues aériennes* pour cor, violon, violoncelle et piano (Londres, 1988), *les Sept Paroles du Christ en Croix* pour chœur et orchestre (Londres, 1989), *Allégories* pour ensemble de chambre (Paris, 1990).

MYSLIVECEK *(Josef),* compositeur tchèque *(Horni Sarka, près de Prague, 1737-Rome 1781).* Fils d'un meunier, il étudia l'orgue et le contrepoint avec Frantisek Habermann et Josef Seeger. Il fit paraître 6 symphonies sans nom d'auteur (1760), et décida de se consacrer entièrement à la musique (1762). Il se rendit à Venise (1763) et son premier opéra, *Medea,* fut donné à Parme (1764). Dès lors, il vécut principalement en Italie, séjournant cependant à Vienne et à Munich (1772), puis de nouveau à Munich (1777). Sa vie dissolue hâta sans doute sa fin. Mozart, qui le rencontra à Bologne en 1770 et à Munich en 1777, l'appréciait fort. On lui doit de la musique de chambre souvent teintée de folklore tchèque, des pièces pour instruments à vent, des oratorios, dont l'un, *Isacco figura del Redentore* (Florence, 1776 ; donné à Munich, 1777, avec comme titre *Abramo ed Isacco),* fut attribué à Mozart, et surtout des opéras, parmi lesquels *Il Bellerofonte* (Naples, 1767), *Il Demofoonte* (Venise, 1769), *Erifile* (Munich, 1773), *Armida* (Milan, 1779), et *Antigono* (Rome, 1780).

N

*Pietro **Nardini**.*
(Bibl. du Conservatoire de musique, Paris.)

NARDINI *(Pietro)*, violoniste et compositeur italien *(Livourne 1722 - Florence 1793)*.
Élève de Tartini, avec lequel il travailla six
ans à Padoue, il visita Vienne et diverses villes d'Allemagne (1760-1766), puis
retourna dans sa ville natale. Après avoir
assisté Tartini durant sa dernière maladie
(1769-70), il devint directeur musical de la
cour de Florence, poste qu'il devait occuper jusqu'à sa mort. Comme violoniste, il
excella surtout dans les mouvements lents,

moins dans la virtuosité : d'où la relative
facilité technique de ses concertos, qui
comme ceux de Tartini adoptent souvent
la coupe lent-vif-lent. Ses 6 concertos
op. 1 parurent à Amsterdam vers 1765. On
lui doit aussi des sonates pour violon
(op. 2, op. 5), des sonates pour violon et
flûte, des quatuors à cordes.

NEEFE *(Christian Gottlob)*, compositeur
allemand *(Chemnitz 1748 - Dessau 1798)*. Il
étudia à Leipzig le droit à l'université et la
musique avec J. A. Hiller, et, vers 1780,

*Portrait de Christian **Neefe**, non signé.*
(Maison de Beethoven, Bonn.)

s'établit à Bonn, où il devint organiste de la cour (1782) et eut comme élève Beethoven (piano, orgue, basse continue, composition). Il perdit ses postes lors de l'occupation française (1794), mais, en 1796, fut nommé directeur musical du théâtre de Dessau. Bon pédagogue, il s'illustra, surtout, comme compositeur, dans le domaine du lied et dans celui du singspiel. Il collabora avec Hiller pour *Der Dorfbarbier* (1771) et écrivit lui-même, entre autres, *Die Apotheke* (1771, d'après Goldoni), *Die Zigeuner* (1777) et, surtout, *Adelheit von Veltheim* (1780), au sujet proche de celui de *l'Enlèvement au sérail* de Mozart. Ses lieder et ses odes d'après Klopstock ont souvent un ton de ballade. On lui doit aussi le monodrame *Sophonisbe* (1778).

Silhouette de Christian Neefe par G. G. Endner, graveur allemand.

NEUSIDLER, famille de luthistes et de compositeurs allemands.
— 1. **Hans** *(Presbourg v. 1508-1509- Nuremberg 1563).* Arrivé à Nuremberg en 1530, il en devint citoyen l'année suivante, et, entre 1536 et 1549, y publia 8 livres de luth, qui rassemblent l'essentiel du répertoire des luthistes allemands de cette époque. Les plus difficiles des pièces témoignent d'un art exceptionnel de l'ornementation, proche de celui des organistes. L'introduction du premier livre est une sorte de méthode, qui, par ses indications de doigté, éclaire l'agencement polyphonique des pièces. Avec Hans Judenkönig et Hans Gerle, Hans Neusidler fut le principal représentant en Allemagne de la musique pour luth en ses débuts.
— 2. **Melchior,** fils du précédent *(Nuremberg 1531-Augsbourg 1590).* Il s'installa en 1551 à Augsbourg, où il fut en relation avec la famille Fugger. Ses trois livres, publiés pour les deux premiers à Venise (1566), pour le troisième à Strasbourg (1574), traduisent l'influence des luthistes italiens et contribuèrent à la diffusion de la fantaisie pour luth.
— 3. **Conrad,** frère du précédent *(Nuremberg 1541-Augsbourg 1604 ou après).* Il s'installa à Augsbourg en 1562 et n'a laissé comme musique que quelques danses contenues dans un même manuscrit.

NICOLAI *(Otto),* compositeur et chef d'orchestre allemand *(Königsberg 1810- Berlin 1849).* Fuyant l'éducation tyrannique de son père, il travailla à Berlin avec Zelter, puis devint en 1833 organiste à l'ambassade de Prusse à Rome, ce qui lui permit de se familiariser avec la musique italienne ancienne. Après un court séjour à Vienne, il fit représenter en Italie plusieurs opéras. De retour à Vienne en 1841, il y devint premier chef d'orchestre de l'Opéra impérial (poste qu'il devait occuper jusqu'en 1847) et y fonda les Concerts philharmoniques. N'ayant pu faire représenter son opéra d'après Shakespeare, *les Joyeuses Commères de Windsor,* il démissionna de son poste à l'Opéra impérial. La création de cette œuvre humoristique et très gaie, qui, seule, devait sauver son nom de l'oubli, eut lieu à Berlin (où il venait d'être nommé maître de chapelle à l'Opéra) le 9 mars 1849, deux mois avant sa mort. En dépit de l'écrasante concurrence du *Falstaff* de Shakespeare, cette œuvre s'est maintenue jusqu'à nos jours au répertoire des théâtres allemands. Il s'agit d'un des meilleurs ouvrages bouffes qu'ait produit l'Allemagne au XIXe siècle. On doit aussi à Nicolai de la musique d'église, des chœurs, des lieder et quelques pages instrumentales, dont 2 symphonies.

NICOLO *(Nicolas* ISOUARD, dit NICOLO DE MALTE), compositeur français *(Malte 1775-*

Larousse

Portrait de Nicolo, par Quenedey

Doué d'une prodigieuse fécondité, il a signé quantité d'opéras-comiques, dont plusieurs, il est vrai, en collaboration avec Kreutzer, Boieldieu ou Cherubini. Signalons au moins *Michel-Ange* (1802), *les Rendez-Vous bourgeois* (1807), *Cendrillon* (1810), *Lully et Quinault* (1812), *Jeannot et Colin* (1814).

NIEDERMEYER *(Louis)*, compositeur et pédagogue français d'origine suisse *(Nyon 1802 - Paris 1861)*. Élève à Vienne de Moscheles (piano) et de E. A. Förster, puis en Italie de Fiovaranti et de Zingarelli, il donna dans ce pays son premier opéra, *Il Reo per amore* (Naples, 1820). À Paris, où il se fixa en 1823, ses ouvrages dramatiques n'obtinrent qu'un succès limité. Il se tourna alors vers la musique d'église, fit revivre l'institut de musique religieuse fondé en 1818 par Choron, et lui donna le nom d'école Niedermeyer. Elle se développa rapidement. Devaient en sortir, entre autres, Eugène Gigout, Gabriel Fauré et André Messager. Parmi les professeurs, Camille Saint-Saëns. En collaboration avec Joseph d'Ortigues, Niedermeyer rédigea un *Traité théorique et pratique de l'accompagnement du plain-chant* (Paris, 1857), qui fit époque malgré ses lacunes, et fonda *la Maîtrise*, journal de musique religieuse avec suppléments musicaux qui parut de 1857 à 1861. Comme compositeur, Niedermeyer s'illustra particulièrement dans le domaine de la mélodie.

NIELSEN *(Carl)*, compositeur danois *(Nørre Lyndelse, île de Fionie, 1865-Copenhague 1931)*. Il étudie le violon à Copenhague entre 1884 et 1887, puis effectue plusieurs voyages en Allemagne, Autriche, France et Italie. Violoniste au Théâtre royal de 1889 à 1905, puis chef d'orchestre au même théâtre de 1908 à 1914 et au Musikforeningen de 1915 à 1927, il est nommé professeur au Conservatoire royal en 1915 et en devient le directeur en 1931. Sa carrière et sa vie ressemblent à son œuvre, dominé par les sens du réel, par une grande logique de pensée, par une intuition remarquable de l'équilibre des formes, de l'organisation des plans sonores et de la dynamique.

Nielsen commence à composer en 1888 (*Petite Suite pour cordes* op. 1), à une époque où la vie musicale danoise est étouffée par le conservatisme de Niels Gade. Ce point de départ et le refus de la

Paris 1818). Fils d'un homme de finance, il voyagea très tôt pour s'initier à cette spécialité, mais en profita surtout pour étudier la musique avec Azzopardi, Amendola, Guglielmi et Sala. Il avait dix-neuf ans quand son premier opéra, *Avviso ai maritati*, fut joué à Florence, à la suite d'un concert qu'il avait brillamment dirigé au pied levé. De retour à Malte, il fut nommé organiste de Saint-Jean-de-Jérusalem, puis maître de chapelle de l'ordre de Saint-Jean-de-Malte, mais la dissolution de cet ordre, à la suite de l'occupation française, le priva de son emploi et il se tourna vers le théâtre, faisant représenter à l'opéra de La Valette de petits ouvrages de son cru. En 1799, il suit à Paris le général Vaubois et, patronné par Rodolphe Kreutzer, débute dès l'année suivante au théâtre Feydeau avec *le Petit Page*. Curieusement, il a attendu d'être fixé en France pour italianiser son prénom et c'est sous le pseudonyme de Nicolo, ou Nicolo de Malte, qu'il sera jusqu'à sa mort prématurée l'un des principaux fournisseurs de l'Opéra-Comique, qui faisait alors une énorme consommation de nouveautés.

décadence postromantique, qui triomphe alors en Allemagne, vont lui permettre de construire un œuvre parfaitement original qui, toutefois, en fait un solitaire dont l'apport ne sera compris que lorsque se sera retirée la vague postsérielle née après la Seconde Guerre mondiale. Aujourd'hui, il est possible d'évaluer plus justement les apports respectifs de compositeurs qui, tels Sibelius ou Nielsen, ont ouvert des voies, longtemps méconnues, notamment par leurs principes de composition.

Carl Nielsen.

L'évolution de Nielsen peut se suivre dans les 6 symphonies, créées parallèlement aux 7 de J. Sibelius. Les deux premières (1890-1892 et 1901-1902) comportent déjà les caractéristiques rythmiques élémentaires qui domineront l'ensemble de ses créations ; influencées par J. Svendsen et N. Gade, elles sont d'un formalisme qui disparaît pratiquement avec la 3ᵉ Symphonie, *Espansiva* (1910-11). Le dynamisme des rythmes caractérise la 4ᵉ, *l'Inextinguible* (1914-1916) ; tandis que la 5ᵉ Symphonie (1921-22), peut-être la plus riche,

est l'aboutissement des recherches que le compositeur avait commencées avec la 2ᵉ Symphonie y établissant ses principes de composition organique, avec tonalité-pivot et développement cellulaire. La 6ᵉ Symphonie (1924-25), enfin, se caractérise par son expression contemplative et son refus de l'effet.

Mais, à côté des symphonies, il est absolument nécessaire de connaître les pièces instrumentales et concertantes, qui, surtout dans les ouvrages pour le piano et pour le violon, comptent quelques-uns des chefs-d'œuvre de la littérature musicale du xxᵉ siècle : d'une part, la *Chaconne*, le *Thème et variations* et la *Suite* pour piano ; et, d'autre part, la *Sonate* op. 35 et le *Prélude et thème avec variations* pour violon et piano. Citons également, parmi ses œuvres les plus marquantes, outre les concertos pour divers instruments (violon, 1911 ; flûte, 1926 ; clarinette, 1928) et le poème symphonique *Saga Drœm* (1907-1908), les deux opéras *Saul et David* (1898-1901) et *Maskarade* (1904-1906) et le très exceptionnel *Quintette* pour vents, de nombreuses pièces pour petits ensembles qui ne sont pas sans évoquer la démarche de Leoš Janáček, les recueils vocaux *En Snes danske Viser* destinés au chant scolaire et les pièces pour orgue comme l'étonnant *Commotio* (1931).

Jusqu'à sa mort, Nielsen domine la vie musicale danoise, mais à l'inverse de Gade il ne l'étouffe pas et facilite au contraire la remarquable éclosion de compositeurs à laquelle on assiste aujourd'hui dans ce pays. Sans imposer une esthétique ni un formalisme desséchant, les principes techniques de Nielsen permettent, en effet, un renouvellement du langage, qui autorise l'épanouissement de la personnalité hors de tout système d'école.

NIGG *(Serge)*, compositeur français *(Paris 1924)*. Il étudie au Conservatoire de Paris, de 1941 à 1946, la composition et le piano dans les classes d'Olivier Messiaen et de Simone Plé-Caussade, et acquiert assez tôt une réputation prometteuse, avec des œuvres comme *Timour* pour orchestre (1944), et *Concerto pour cordes, piano et percussions* (1947). Après sa rencontre avec René Leibowitz en 1946, il étudie auprès de celui-ci (comme le firent Pierre Boulez et d'autres compositeurs) le système sériel schönbergien, qu'il cherche à appliquer avec rigueur dans des œuvres

Ambassade du Danemark

Serge Nigg : une musique « qui parle au peuple ».

comme *Variations pour piano et 10 instruments* (1947), et deux *Pièces pour piano* (1947).

Mais, en 1949, Nigg se détourne de l'abstraction en créant avec Louis Durey et Charles Kœchlin l'Association des musiciens progressistes, qui s'inspire des idées du *Manifeste de Prague* pour remettre en cause le formalisme et l'abstraction de l'« art bourgeois ». Ses premières œuvres dans cette tentative courageuse pour réaliser une musique de témoignage progressiste, qui « parle au peuple », sont la cantate *le Fusillé inconnu,* avec récitant, chœurs et orchestre (1949), et l'œuvre *Pour un poète captif* pour orchestre (1950), d'après des textes du poète turc communiste Nazim Hikmet, persécuté pour ses opinions. Mais ce mouvement « progressiste » est un feu de paille, et, après des œuvres de transition comme *Billard,* ballet (1951), et la *Petite Cantate des couleurs* pour chœur de femmes a cappella (1952), Nigg finit par se trouver dans un style qu'on a appelé « néoromantique », luxuriant, dense, expressionniste, mais d'une écriture finalement assez tendue et con-cise, comparable au Webern des *Pièces pour orchestre* op. 6. On citera dans la période dite de la « maturité » : *Concerto pour violon et orchestre* (1957), la *Musique funèbre* pour orchestre à cordes (1959), la *Jérôme Bosch symphonie* pour orchestre (1960), le *Concerto pour flûte et orchestre à cordes* (1961), le *Chant du dépossédé* pour orchestre, récitant et baryton (1964), sur des textes intimes de Mallarmé relatifs à la mort de son fils Anatole (également utilisés par André Boucourechliev dans son œuvre électroacoustique *Thrène,* 1974), puis les *Visages d'Axel* pour orchestre (1967), sorte de poème symphonique inspiré par la pièce *Axel* de Villiers de l'Isle-Adam, *Fulgur* pour orchestre (1968-69), *Deuxième Concerto pour piano et orchestre* (1970-71), *Fastes de l'imaginaire* (1974), pour orchestre, *Scènes concertantes* pour piano et orchestre (1975), etc.

NIKIPROWETZKI *(Tolia),* compositeur français *(Féodosia, Russie, 1916).* Il s'installa très tôt avec sa famille dans le sud de la France, et resta attiré par les contrées méditerranéennes. Il fit des études d'écriture traditionnelles, puis fut initié à la technique sérielle, à laquelle il a peu adhéré, car elle a, selon lui, engendré un nouvel académisme et repose, comme le système tonal, sur le tempérament égal. Il s'inspira davantage de Stravinski et de Bartók. Après cinq années au Maroc, où il exerça des fonctions à la radio, il rentra en France et devint chef de service à la Sorafom, appelée ensuite Ocora (Office de coopération radiophonique).

Nikiprowetzki a rempli plusieurs missions en tant qu'ethnomusicologue en Afrique noire, et cette expérience a été capitale pour lui : il a découvert une musique fondée sur des recherches de matière sonore, et sur des combinaisons de lignes, ce qui correspondait à sa propre recherche. Son œuvre s'oriente dans deux directions : vers des pièces instrumentales, *Quatuor à cordes* (1961), *Symphonie «Logos 5»* (1964), *Hommage à Gaudí* (1965), *Concerto pour piano* (1977), *Concerto pour violon et orchestre* (1980-81) ; vers des musiques vocales et théâtrales, *les Noces d'ombre* (1957), conte lyrique sur un livret de Serge Moreux, *la Fête et les Masques*, opéra (1973), *le Sourire de l'autre*, action lyrique (1979).

NILSSON *(Bo)*, compositeur suédois *(Skellefteå 1937).* Il s'est révélé très tôt à Darmstadt et à Cologne ; ses œuvres, géné-

ralement très brèves, possèdent une couleur très particulière due à l'emploi fréquent d'instruments à clavier. Parmi ses œuvres les plus marquantes, il faut retenir *Frequenzen* (1957), qui le fit connaître, *Quantitäten* (1958), *Brief an Gösta Oswald* (1959), *Szene 1-3* (1960-61), *Revue* (1967), *Déjà-vu* (1967), *Stenogram* (1959), *Déjà-connu* (1973) et *Déjà-vu, déjà-connu, déjà-entendu* (1976).

NIN (Y CASTILLANO, *Joaquin*), pianiste, compositeur et musicologue cubain, d'origine espagnole *(La Havane 1879 - id. 1949).* Élève de Carlos Vidiella à Barcelone, puis, à Paris, de Moskowski et de Vincent d'Indy, il fut professeur à la Schola cantorum de 1905 à 1908 et vécut ensuite à Bruxelles, puis à Paris, en marge de tournées qui le conduisirent en Europe et en Amérique latine. Son œuvre personnelle a beaucoup moins d'importance que les travaux de recherches et de publication de manuscrits oubliés, auxquels il a consacré la plus grande partie de sa carrière, interprétant en même temps les vieux maîtres espagnols, faisant des conférences et exposant ses principes artistiques dans des écrits et des articles de critique. Ses harmonisations de chants populaires anciens font également autorité.

Pour la voix, il a écrit notamment *20 cantos populares españoles* (1923), *Chant élé-*

The Swedish Institute

Bo Nilsson.

*Fête de Sᵗᵉ Scholastique, graduel bénédictin, collegé par G. G. **Nivers**. (Paris coll. part.)*

giaque (1929), *le Chant du veilleur* (1937) ; *Dansa ibérica,* pour piano (1926), *Mensaje a Claudio Debussy* (1929), « *1830* » *variaciones* (1930).

NIVERS *(Guillaume Gabriel),* organiste et compositeur français *(Paris 1632 - id. 1714).* Ancien élève de l'université de Paris et, pour la musique, de Chambonnières et de Du Mont, il fut organiste à Saint-Sulpice de 1654 à 1714, tout en occupant plusieurs charges officielles : organiste de la chapelle royale (1678), maître de musique de la reine (1682), organiste et maître

de chant de la Maison royale de Saint-Louis à Saint-Cyr (1686).

La publication de son *1er Livre d'orgue* (1665) marque le début de la période majeure de l'histoire de l'orgue français, durant laquelle l'instrument se dégage de la stricte polyphonie sacrée pour devenir concertant, faisant la part belle à la monodie accompagnée. Deux autres *Livres d'orgue* suivront, en 1667 et en 1675. Pour l'église, il publiera également de nombreuses pièces vocales et instrumentales, motets, chants d'église, *Lamentations de Jérémie*, pièces de circonstance, etc.

Il édita des livres liturgiques (graduel, antiphonaire), consacrant l'unification du chant grégorien en France, livres qui devaient rester en usage jusqu'à la Révolution. Il mit au point plusieurs ouvrages théoriques : *Traité de la composition de musique* (1667), *Méthode certaine pour apprendre le plain-chant de l'Église* (1699), *Dissertation sur le chant grégorien* (1683).

NONO *(Luigi),* compositeur italien *(Venise 1924* - id. *1990).* Il commença le piano dès l'âge de douze ans pour l'abandonner deux ans plus tard. Ce n'est qu'à dix-sept ans, grâce à sa rencontre avec Malipiero, que s'ouvrirent à lui «tous les horizons de la musique». Ses véritables études musicales débutèrent en 1941. Nono n'a guère gardé de souvenirs de son passage en «auditeur libre» au conservatoire Benedetto-Marcello de Venise. Cinq années passèrent avant sa rencontre décisive avec Bruno Maderna, avec qui il reprit ses études «depuis leurs débuts». En 1946, il obtint, en outre, ses diplômes de droit à l'université de Padoue.

Devenu élève de Scherchen à Zurich en 1948, Nono découvrit Schönberg et Webern, deux compositeurs qui exercèrent alors sur lui une grande influence. En témoigne sa première œuvre, les *Variations canoniques* sur la série de l'opus 41 *(Ode à Napoléon).* L'œuvre, créée en 1950 par Hermann Scherchen, fit scandale. Nono venait pourtant de signer là une page transparente et lumineuse, d'une expressivité toute méditerranéenne. Suivirent plusieurs œuvres se réclamant de ce style, tôt qualifié par la critique de pointillisme post-dodécaphonique : *Polifonica-monodica-ritmica* (1951), *Composizione per orchestra I* (1951), *España en el corazón,* pour soprano, baryton, petit chœur mixte et orchestre (1952), *Y su sangre ya viene cantando,* pour flûte, cordes et percussions (1952), *Romance de la guardia civil española,* pour récitant, chœur parlé et orchestre (1953), *Due espressioni per orchestra* (1953), *la Victoire de Guernica,* pour chœur mixte et orchestre (1954), *Canti,* pour 13 instruments (1955), *Incontri,* pour 24 instruments (1954). Autant d'œuvres usant d'une technique sérielle souple qui ne renonce jamais ni à l'expressivité ni au lyrisme lumineux et ensoleillé qui sont les marques stylistiques du langage de Nono. Déjà, on peut remarquer son intérêt pour l'instrument le plus humain, le

*Luigi **Nono**, pendant un séjour à Cuba.*

plus direct, le plus brut : la voix. Cette passion ne devait jamais le quitter. Toujours dans l'esprit de Webern, *Il Canto Sospeso* (1955) marqua cependant un tournant à la fois esthétique et idéologique dans la démarche de Nono, qui, désormais, allait plier son art aux exigences de son engagement social et politique comme membre du P. C. I.

En 1955, Nono épousa Nuria, fille d'Arnold Schönberg. Pendant deux années consécutives (1958 et 1959), il donna des cours à Darmstadt, puis, après 1959, à Darlington (Angleterre). En 1960 eut lieu la création d'*Intolleranza,* action scénique (opéra) en 2 actes et 11 tableaux ayant pour sujet l'histoire d'un émigrant, qui, aux prises avec l'oppression fasciste, découvre à la fois l'horreur et l'amour dans les camps de concentration. L'œuvre fut diversement accueillie.

Or, si Nono n'est ni «un compositeur à manifestes, ni un musicien politique» (Martine Cadieu), il se veut témoin, et témoin à charge, d'une société corrompue, injuste, violente et destructrice. Aussi s'insurgea-t-il aussi bien contre l'antisémitisme et les camps de la mort que contre les guerres d'Algérie, du Viêt-nam et contre les dictatures d'Amérique latine. Il fut actif aussi sur le terrain, apportant le concert dans les usines, la musique contemporaine dans les halls ou les grands magasins, et il lui arriva de refuser les circuits de diffusion officialisés (par ex. les festivals), ce qui, par exemple, le conduisit en 1968 à décliner l'invitation qui lui était faite de participer à la Biennale de Venise. Cette prise de position caractérisa surtout les années 60. C'est pourquoi Nono consacra alors une grande partie de son activité créatrice à la musique électroacoustique, celle-ci, une fois réalisée sur bande, étant facilement transportable dans la rue ou dans les usines. Nono n'en continua pas moins à pratiquer un art sans concessions.

D'où un hiatus, absurde mais logique, entre utopie et pratique concrète. Dans ce contexte idéologique se situent notamment *Un volto del mare*, pour 2 voix, chant et bande magnétique (1968), et *Non Consumio Marx*, montage de non-musique avec slogans et sons électroniques (1969), diptyque écrit contre la Biennale de Venise de 1968 à laquelle il avait refusé de participer.

En rapport avec ses conceptions politiques apparaît son traitement des masses chorales. Pour lui, un chœur n'est pas fait de musiciens réunis pour chanter «de concert», mais représente plutôt des individualités soudées en une équipe de travail et dont les différences font la richesse de l'expérience vécue par le collectif ainsi formé. Ainsi faut-il percevoir déjà *Cori di Didone*, pour chœur et percussion (1958). En 1964, Nono dédia sa *Fabricca* Illuminata* aux ouvriers en grève de l'Italsider de Gênes, affirmant par ce geste son désir de demeurer de plain-pied dans la vie sociale de son propre pays. Refusant l'élitisme, il tenta d'insérer sa musique dans le tissu social, dans les lieux non sacralisés par la notion de concert-spectacle. Dans *Ricordi*

Nono, «*envers et contre tous, un créateur puissant profondément humain et chaleureux*».

Bernand

cosa ti hanno fatto in Auschwitz, pour bande magnétique, il fit un usage poétique et lyrique d'un matériau ingrat préenregistré en studio. En 1966, A Floresta e Jovem e cheja de Vida, pour bande magnétique, voix, clarinette et percussion, fut dédié au Front national de libération du Viêt-nam, et, en 1971, Ein Gespenst geht um die Welt (Un fantôme rôde de par le monde), pour soprano, chœur et orchestre, le fut à Angela Davis.

Nono a ensuite donné une série de partitions de grande envergure, qui le font apparaître comme un créateur puissant. Citons Como Una Ola de Fuerza y Luz, pour soprano, piano, orchestre et bande magnétique (1972) ; Canto per il Viet-Nam, pour chœur mixte (1972) ; Al Gran Sole Carico d'Amore, action scénique (1975), Sofferte Onde Serene, pour piano « live » et enregistré (1976) ; Con Luigi Dallapiccola, pour percussion (1979) ; Fragmente Stille an Diotima, pour quatuor à cordes (1980) ; Das atmende Klarsein, pour flûte basse, petit chœur et live électronique (1981) ; Io, Frammento dal Prometeo, pour 3 sopranos, petit chœur, flûte basse, clarinette, contrebasse et live électronique (1981) ; Diarao Polacco n° 2 (1982), l'opéra Prometeo (1984), Découvrir la subversion, hommage à Edmond Jabès (1987).

NORDHEIM (Arne), compositeur norvégien (Larvik 1931). Il a étudié à Oslo, puis avec V. Holmboe à Copenhague avant d'effectuer un stage de musique électronique à Paris.

Ses premières œuvres importantes sont Aftonland (1957), puis Canzona, pour orchestre (1960), qui annonce une période créatrice extrêmement prolifique et riche. « Tout doit chanter » est la règle de conduite de ce compositeur, qui rejoint vite l'avant-garde musicale et se tourne de plus en plus vers les moyens électroniques : Katharsis, 1962 ; Epitaffio, 1963 ; Favola, 1965 ; Response I-III, 1966, musique électroacoustique ; Eco, 1967-68 ; Colorazione, Solitaire et Warszawa, 1968 ; musique pour le pavillon norvégien de l'exposition d'Osaka, 1970 ; Pace et Lux tenebrae, 1970. Depuis cette date, il combine une technique d'écriture orchestrale en larges clusters et des procédés contrapuntiques : Floating, 1970 ; Greening, 1973 ; puis les œuvres plus complexes : Forbindelser (Connexions, 1975), Doria et Spur (1975), Ariadne (1977).

NORDRAAK (Richard), compositeur norvégien (Oslo 1842-Berlin 1866). Il reste peu d'œuvres de ce compositeur, mort de la tuberculose à vingt-trois ans. On connaît une musique de scène pour la pièce Marie Stuart (1864-65) de son cousin B. Bjørnson, une autre pour Olav Trygvason (1865), des romances et quelques pièces pour piano. Mais son rôle aura été essentiel lors de sa brève rencontre en 1865 à Copenhague avec E. Grieg, car, à cette occasion, alors que Grieg était encore sous l'influence de l'enseignement de N. Gade, il lui communiqua sa foi en la possibilité de créer une musique nationale norvégienne (cf. le groupe Euterpe avec C. Horneman et G. Matthison-Hansen). Il est l'auteur de l'hymne national norvégien, Ja, vi elsker dette landet... (« Oui, nous aimons ce pays-ci... »).

NORGÅRD (Per), compositeur danois (Copenhague 1932). Après des études dirigées par V. Holmboe et F. Høffding à Copenhague puis par N. Boulanger à Paris, il fit, très tôt, preuve d'une incontestable personnalité et ses premières œuvres (Sonate pour piano n° 1, 1952, rév. 1956 ; Sinfonia austera, 1954 ; Triptychon, 1957 et surtout la 2e Sonate pour piano, 1957, et Constellations pour 12 cordes, 1958) se caractérisent par la densité de l'écriture et du rythme. Dans les années 60, son style s'épure et la canalisation de ses recherches et de ses idées produit des œuvres d'une grande intensité comme Fragment VI (1959-1961), l'oratorio Dommen (« Le jugement », 1962), l'opéra Labyrinten (1963) et le ballet Den unge mand skal giftes (1964). On peut considérer que Nørgård atteint une maîtrise totale de son système d'écriture à la fin des années 60 et presque toutes les œuvres qu'il écrit alors témoignent non seulement de la possession de son langage mais de la force de l'expression. En 1967 et 1968 il compose une trilogie orchestrale : Iris, Luna et Voyage à travers l'écran d'or qui établit la base de son langage, sans qu'il y ait d'ailleurs rupture avec ses œuvres précédentes. Viennent ensuite la 2e symphonie (1970), l'opéra-épopée Gilgamesh, en 6 jours et 7 nuits (1971), la 3e Symphonie (1973-1976), Nova Genitura (1975) et Seadrift (1978).

Per Nørgård s'est lui-même considéré, dans les années 50, comme un compositeur « nordique » ; il réunit, en fait, une double tendance non contradictoire : la

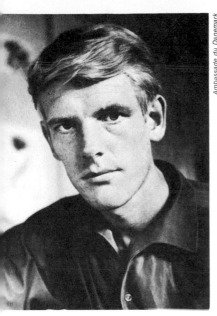

*Per Nørgård remporta en 1957
le prix « Lili Boulanger ».*

première est d'essence spirituelle et fait appel aux sources de l'existence, à l'appartenance de l'homme à un monde cosmique, à la spiritualité ; la seconde se réfère aux réalités mathématiques, au nombre d'or, aux séries numérales, à l'expérimentation sonore, à l'analyse des phénomènes naturels, physiques ou chimiques.

Il est la plus forte personnalité que le Danemark ait connue depuis C. Nielsen.

NOVÁK *(Vítězslav)* [*Viktor*], compositeur tchèque *(Kamenice 1870 - Skuteč 1949).* Fils d'un médecin de campagne, il décide sa mère, veuve depuis 1881, à venir s'installer à Prague pour qu'il puisse suivre simultanément les cours de l'université de droit et du conservatoire. Il y reçoit l'enseignement de K. Knittl, puis de Strecker, qui réussit à faire entrer Novák dans la classe de Dvořák. Ce dernier lui fait reprendre sept fois sa *Sonate pour violon et piano,* que Novák donne pour son concert de

sortie du conservatoire le 8 juillet 1892 avec K. Hoffmann au violon. De 1892 date également son ouverture *le Corsaire.* Jusqu'en 1896, Novák travaille le piano avec Josef Jiránek et la composition avec le successeur de Dvořák, K. Bendl. Parallèlement paraissent le *Trio en « sol » mineur* op. 1 et la *Sérénade en « fa » majeur* pour petit orchestre.

Puis Novák découvre pendant l'été 1896 la Valaquie morave, et discute folklore morave avec Janáček. La rencontre de ces deux tempéraments va conduire à l'essor de la musique tchèque et slovaque des vingt années à venir (1900-1920). Novák vit désormais à Brno et compose successivement divers tableaux de ces contrées dominées par le massif des Tatras : *Quintette avec piano* en *la* mineur op. 12 (1897), le *1er Quatuor à cordes* op. 22, le poème symphonique *Dans les Tatras* (*V Tatrách* op. 26), la *Sonate héroïque* op. 24, la *Sonatine des brigands* op. 54/55 pour piano, enfin la *Suite de Slovaquie morave* op. 32.

Mais cette intense activité créatrice ne l'empêche pas de sombrer dans des crises de dépression. Il nous conte ces moments de crise sentimentale et d'isolement baudelairien dans le *Trio quasi una ballata* op. 27 et dans le *2e Quatuor à cordes* en *ré* majeur op. 27, esquisse autobiographique très personnelle. Il s'affirme ensuite à l'orchestre avec le diptyque *Désir et Passion,* juxtaposant la poésie impressionniste d'Andersen *(l'Éternel Désir)* à l'expression d'une passion dévorante *(Toman et la Fée).*

Pour le 50e anniversaire de la fondation de la Société philharmonique de Brno, il écrit *la Tempête,* « fantaisie maritime » (première, Brno, 17 avr. 1910 par Rudolf Reissig), cantate étrange dont le flot mêle une suite de petits poèmes symphoniques à des scènes grandioses pour chœur et solistes. Puis vient *Pan,* poème pour piano, où il laisse éclater ses passions : la montagne, la mer, la forêt et la femme.

Novák revient fréquemment à Prague où il a succédé à Dvořák comme professeur de composition. Il écrit *Chemises de noce,* mais réussit mieux le conte lyrique *la Lanterne* (1923). Mais la scène musicale est occupée par Janáček, et Novák doit attendre la fin de la mode debussyste pour retrouver une certaine audience. Il écrit successivement sa *Symphonie d'automne* op. 62, comparable à l'*Épilogue* de Suk, la *Jihočeska suita* op. 64, enfin des œuvres patriotiques célébrant la mémoire des héros morts pendant la dernière guerre. Cette période d'occupation, de résistance, semble lui donner de nouvelles forces. Il écrit des *chansons* (op. 74/75), *légendes* (op. 76), *mélodies* (op. 77), *berceuses* (op. 78), des *chœurs (Domov, Pét smíšených sborů, Máj* [« Mai »], *Hvězdy* [« les Étoiles »])... Kubelik crée à Prague la *Symphonie de mai.* Désormais, Novák peut prendre une retraite remplie d'honneurs.

Sur le plan de l'harmonie, l'héritage laissé par Novák est essentiel pour l'école tchèque moderne. Sur le plan pédagogique, il a réussi la liaison entre les tendances occidentales (Suk, Martinů) et orientales (lui-même et A. Hába) de la musique tchèque du xxe siècle.

NUNES *(Emmanuel),* compositeur portugais *(Lisbonne 1941).* Il a fait ses études d'harmonie et de contrepoint à l'Académie de musique de sa ville natale, puis est venu s'établir à Paris en 1964, recevant au Conservatoire national l'enseignement de Marcel Beaufils (esthétique), et obtenant dans cette classe un premier prix. Entre 1963 et 1965, il a participé en outre aux cours d'été de Darmstadt, et, de 1965 à 1967, fréquenté les cours de la Rheinische Musikschule de Cologne, travaillant ainsi avec Stockhausen et Pousseur (composition), Jaap Spek (musique électronique) et Georg Heike (phonétique). Il s'impose une discipline très stricte au niveau de la forme.

Il a écrit notamment *Degrés,* pour trio à cordes (1965), *Seuils,* pour grand orchestre (1966-67, rév. 1977), *le Voile tangent,* pour quatuor à cordes (1967), *Litanies du feu et de la mer n° 1* (1969), et *n° 2* (1971), pour piano, *Omens,* pour 9 instruments (1972, rév. 1975), *Fermata,* pour orchestre et bande magnétique (1973), *Nachtmusik,* pour alto, violoncelle, clarinette basse, cor anglais, trombone et 3 synthétiseurs (1973-1977), *Ruf,* pour orchestre et bande magnétique (1974-1976, création à Royan en 1977), *Es webt,* pour 21 cordes et 13 vents avec 2 chefs (1973-1975), *Minnesang,* pour 12 voix mixtes (1976), *73 Oeldorf 75,* pour 3 bandes magnétiques et 2 orgues électriques (1975), *73 Oeldorf 75 II,* pour 6 groupes à 3 voix mixtes et 3 bandes magnétiques (1976), *Einspielung I,* pour violon seul (1979), *II,* pour violoncelle seul (1980) et *III,* pour alto seul (1981); *Nachtmusik II* pour orchestre (1982); *Stretti* pour 2 orchestres (1983), *Tif' Ereth* pour 6 groupes instrumentaux et 6 solistes (créé par Radio-France en 1985), *Duktus* pour 21 instruments (1987), *Clivages* pour 6 percussionistes (créé à Strasbourg en 1987).

OBRECHT *(Jakob)*, compositeur néerlandais *(Bergen op Zoom [?] v. 1450 - Ferrare 1505)*. Il fut maître de chœur vers 1476 à Utrecht, où il eut sans doute Érasme pour élève, puis à Sainte-Gertrude et à la confrérie de Notre-Dame de Bergen op Zoom (1479-1484), où il fut ordonné prêtre (1480). Après avoir été maître de chapelle à Cambrai (1484-85) — poste qu'il quitta pour mauvaise gestion et négligence —, il devint succentor à Saint-Donatien de Bruges (1487-1492). Une autorisation d'absence de six mois (1488) lui permit de séjourner chez le duc de Ferrare, Hercule Ier. De 1492 à 1496, il occupa les fonctions de maître de chant à Notre-Dame d'Anvers où il composa vraisemblablement les messes *Maria Zart, Sub tuum praesidium* et le *Salve Regina III.* Bruges l'accueillit à nouveau de 1498 à 1500, mais des raisons de santé l'amenèrent à se retirer à Berg op Zoom puis à Anvers avant d'entreprendre un second voyage à Ferrare (1504), où il mourut de la peste.

On possède actuellement de lui 88 œuvres, plus 11 douteuses. Exception faite de 28 courtes pièces profanes, pour la plupart des chansons (dont certaines publiées par O. Petrucci) sur des textes français et surtout néerlandais, et de 3 tablatures de luth, l'essentiel de son œuvre relève du domaine religieux : 29 messes, 28 motets. L'Italie n'ayant eu sur lui que des influences superficielles, Obrecht peut être considéré comme un solide représentant de la grande tradition polyphonique néerlandaise, basée sur la maîtrise de la technique du contrepoint avec un sens aigu de la conduite des lignes mélodiques des voix, toutes de valeur égale (cf. le *Pleni sunt caeli* de la messe *Salve Diva Parens*).

Ses grandes compositions religieuses sont fondées sur un cantus firmus, tantôt profane (ex. *Je ne demande* de Busnois, *Malheur me bat* d'Ockeghem), tantôt religieux (grégoriens pour *Beata viscera, Salve diva parens, Sicut spina, O quam suavis est, Subtuum praesidium),* utilisant les différentes voix en imitation. Il est vrai que Jakob Obrecht ne réserve plus le cantus firmus pour le seul « ténor », allant parfois jusqu'à la technique de la messe-parodie. Ainsi le cantus n'est plus un guide, mais un vrai réseau d'irrigation qui donne à l'œuvre une richesse et une souplesse toutes nouvelles. La séquence est le procédé de développement favori du compositeur, donnant à ses œuvres un caractère vivant. Mais il faut y ajouter l'ostinato (répétition très rapprochée d'un court motif), le plus souvent à la voix de basse, ce qui donne à l'ensemble une couleur très marquée ainsi qu'un emploi plus grand de la cadence reprise à Dufay.

On trouve aussi chez Obrecht un sens aigu de l'architecture qui repose sur des préoccupations mathématiques (cf. Marcus Van Crevel). Il va plus loin, en la matière, que Dunstable ou Ockeghem, et se montre vrai disciple des néopythagoriciens, dont les spéculations mathématiques l'ont influencé et conduit aux frontières de l'ésotérisme gnostique. La messe *Super Maria Zart* ne peut se comprendre sans cela.

Pourtant, Obrecht évite toute froideur et rigidité : il a en effet un sentiment fort de la tonalité et le goût de la clarté harmonique qui le font apparaître comme le protagoniste de la fusion de la polyphonie simultanée des Pays-Bas et de l'harmonie simultanée de l'Italie. L'évidente facilité d'Obrecht a permis à Glaréan d'affirmer que celui-ci pouvait composer une messe en une seule nuit mais, ajoute-t-il, « personne n'a dans ses chants si parfaitement exprimé les sentiments de l'âme humaine ».

OCKEGHEM *(Johannes)*, compositeur franco-flamand *(Hainant v. 1410-Tours 1497)*. Mentionné parmi les chantres de la cathédrale Notre-Dame d'Anvers (juin 1443-juin 1444), ce Flamand fit de la France sa terre d'élection. Juste retour des choses. D'abord au service du duc de Bourbon Charles Ier, qui avait établi sa cour à Moulins, de 1446 à 1448, il parvint au sommet de la réussite professionnelle dès son entrée (1452) à la chapelle royale de France, alors installée sur les bords de la Loire. Jusqu'à sa mort (1497), il devait y servir successivement Charles VII, Louis XI et Charles VIII, comme chantre (« maître de la chapelle du chant du roy »). L'estime en laquelle on le tint lui valut maintes prébendes, et notamment sa nomination comme trésorier de l'abbaye Saint-Martin de Tours (entre 1456 et 1459). À l'encontre de Dufay ou de Josquin, il ne fut pas un grand voyageur (même s'il se rendit en 1470 en Espagne et en 1484 en Flandre) ; surtout, il n'a jamais tenté l'aventure italienne, bien que ses œuvres aient souvent été reproduites dans des manuscrits italiens (*cf.* aussi son *Prendrez sur moi* reproduit dans la marqueterie du cabinet d'Isabelle d'Este).

C'est que sa réputation dépassa vite les limites du royaume, ce dont témoignent les compositions auxquelles ont donné lieu sa mort. « Acoutrez vous d'habitz de deuil : Josquin, Brumel, Pinchon, Compère... », c'est en ces termes que Guillaume Cretin invite dans sa *Déploration* ses confrères à manifester leur douleur de la mort de leur « maître et bon père ». Jean Molinet, écrivant deux épitaphes dont l'une devait être mise en musique par Josquin, l'appela *Sol lucens super omnes,* et Érasme lui dédia sa complainte *Ergo ne conti cuit* que Johannes Lupi devait mettre en musique. Mais de son vivant déjà, Binchois lui avait dédié son motet *In hydraulis,* Compère l'avait nommé dans son motet *Omnium bonorum plena,* et Tinctoris lui avait dédié son livre *De natura et proprietate tonorum* (1476), le qualifiant avec Busnois de « prestantissimi ac celebrissimi artis musicae professores ».

Ockeghem est sans doute l'un des premiers compositeurs à avoir traité dans un esprit différent musique profane et musique religieuse. Peut-être le cadre de la chanson fut-il trop étroit pour lui. Toujours est-il qu'il respecte dans ce domaine la tradition à 3 voix, évitant généralement les imitations, maintenant volontiers *(Petite Camusette)* le contraténor dans un rôle subalterne (à la différence de Busnois), ne réalisant l'équilibre des voix que dans *Prendrez sur moi votre exemple amoureux,* canon figuraliste. Mais c'est à la musique religieuse qu'il a réservé la première place, et là, ses œuvres dégagent une réelle impression de grandeur et de puissance. Son habileté contrapuntique y éclate : un *Deo gratias* à 36 voix (mais est-ce bien celui qui nous est parvenu, et qui se présente plutôt comme un quadruple canon à 9 voix ?) lui valut une extraordinaire réputation de sorcier du contrepoint, tout comme d'ailleurs la *Missa cujusvistoni,* qui, par changements de clefs appropriés, peut être transposée dans n'importe quel ton (d'où son nom) sans modification du texte musical. Un autre tour de force est constitué par la *Missa Prolationum,* où les 4 voix sont groupées 2 par 2 en 2 canons différents, la basse suivant le ténor en augmentations, l'alto le supérius.

Mais ces virtuosités techniques, cette mathématique transcendante ne sauraient gêner sa spontanéité et son goût de l'expression. L'intérêt intellectuel va de pair chez lui avec l'émotion immédiate. D'ailleurs, Ockeghem est un compositeur qui « n'a jamais de système » (Ch. Van den Borren), c'est ce qu'il veut exprimer qui conditionne le choix de ses moyens. Ainsi passe-t-il dans ses messes de l'usage du cantus firmus *(Missa Caput, l'Homme armé)* à la messe-parodie *(Fors seulement)* et à la composition libre *(Prolationum, Cujusuis toni, Missa Mi-mi).* Ainsi utilise-t-il la dissonance avec une hardiesse qui contraste avec sa condamnation par Tinctoris. Un des premiers, il chercha à établir un rapport étroit entre le texte et la musique. Krenek a relevé chez lui des exemples frappants de ce figuralisme dont Monteverdi ou Bach seront plus tard tributaires. Son œuvre religieuse progresse nettement dans le sens de l'équilibre des voix et de la souplesse des lignes ; il y a chez lui un idéal de clarté : s'il conserve la linéarité de la polyphonie, il sait tisser un réseau qui

*Johannes **Ockeghem.***
Détail d'une miniature flamande,
début du XVIe siècle (Bibl. Nat., Paris).

521

donne un sentiment de verticalité. C'est là une notion moderne.

On possède de lui 13 messes, un requiem (le plus ancien ayant survécu), un credo isolé, une dizaine de motets et une vingtaine de chansons, auxquels il faut ajouter quelques œuvres douteuses quant à leur signature.

OFFENBACH (*Jacques,* JACOB EBERST, dit), compositeur français d'origine allemande *(Cologne 1819 - Paris 1880)*. Connu comme le plus grand compositeur d'opérettes, le roi des divertissements du second Empire, le « Mozart des Champs-Élysées » (Wagner), il a été pour cela aussi fêté d'un côté que mésestimé de l'autre.

Jacob Eberst était le fils d'un cantor de la synagogue de Cologne, qui était originaire de la localité d'Offenbach-sur-le-Main. De là vient le pseudonyme qu'il prit par la suite. Il apprend le violon avec sa mère, ainsi que le violoncelle, instrument où il deviendra un virtuose. C'est par des récitals de violoncelle dans les salons qu'il commencera à entrer dans la carrière en 1834, avec un répertoire de pièces qu'il écrivit pour cet instrument (duos, romances, danses). En 1833, il est amené à Paris, et accepté, par Cherubini comme élève au Conservatoire de Paris.

Particulièrement indiscipliné, il n'y reste qu'un an, dans la classe de violoncelle de Veslin, et finit par être engagé comme violoncelliste de fosse dans des orchestres d'opéra-comique, d'abord à l'Ambigu-Comique, puis à l'Opéra-Comique, salle Favart. Il travaille la composition avec Jacques Fromental Halévy, oncle de Ludovic Halévy, qui devait collaborer avec lui comme librettiste. Sa première œuvre, *Pascal et Chambord*, est créée en 1839 sans succès. Pendant huit ans, il n'en compose pas d'autre, et gagne sa vie comme violoncelliste en tournée, en Allemagne, en Autriche, en Angleterre. Devenu chef d'orchestre à la Comédie-Française, il a sous sa baguette un petit ensemble qui joue pendant les entractes et accompagne d'éventuelles romances et chansons introduites dans l'action. Celle qu'il compose pour *le Chandelier* de Musset (la « Chanson de Fortunio ») ne peut être chantée par l'acteur Delaunay, trop inhabile au chant.

Devant la difficulté de faire jouer et réussir les opérettes qu'il se remet à écrire (comme *Pepito,* 1853 ; *Oyayaie ou la Reine des Îles,* 1855), il prend en 1855, l'année

*Portrait de Jacques **Offenbach** jeune, par A. Laemlein (1850).*

de l'Exposition, la gestion d'un minuscule théâtre situé aux Champs-Élysées et qu'il baptise Bouffes-Parisiens. C'est là que ses opérettes, encore de petite dimension (comme le règlement lui en faisait obligation pour son théâtre), commencent à obtenir un succès qui se répand à l'étranger. Il cumule les rôles de compositeur, directeur de troupe, répétiteur de l'orchestre, intervient dans la mise en scène, etc., manifestant son tempérament d'infatigable travailleur. Les Bouffes-Parisiens déménagent dans un théâtre plus grand, passage Choiseul. Ses librettistes sont de Forges et Riche, Jules Moineaux (*les Deux Aveugles,* 1855), Hector Crémieux (*Élodie,* 1856), Ludovic Halévy (à partir de *Ba-Ta-Clan,* 1855), Michel Carré (à partir de *la Rose de Saint-Flour,* 1856), Meilhac, Tréfeu, Scribe, etc.

Après une série de succès obtenus par des opéras bouffes en un acte, il fait donner ses pièces dans des théâtres plus importants, pour s'attaquer à des entreprises de plus grande dimension. *Orphée aux Enfers* (1858, livret de Crémieux et Halévy), avec ses deux actes, inaugure la série des grandes opérettes parodiques et frondeuses, et lui fait passer ce cap décisif. Suivent une multitude de créations, dont on retiendra *Monsieur Choufleuri restera chez lui le...* (1861, livret de Crémieux, Halévy, Lépine et du duc de Morny), *Barkouf* (1860, opéra-comique écrit par Scribe et Boisseau), *la Belle Hélène* (1864, livret de Meilhac et Halévy), *Barbe-Bleue* (1866), *la Vie parisienne* (1866), et *la Grande-Duchesse de Gerolstein* (1867), avec la même équipe, *Robinson Crusoë* (1867), opéra-comique où il prouve son art dans le style « sérieux », *la Périchole* (1868, livret de Meilhac et Halévy), etc.

Il devient la vedette du second Empire et de sa cour. Son interprète favorite, celle

*Caricature de J. **Offenbach** par Th. Thomas.*

*André Gill caricature Jacques **Offenbach**, peut-être pour son journal l'Éclipse.*

Affiche de Jules Chéret pour la Vie parisienne *opéra-bouffe de Meilhac et Halévy, musique de Jacques **Offenbach**.*

pour qui fut écrite *la Belle Hélène,* est Hortense Schneider. Il aime, tout en travaillant, vivre en société, s'occuper des autres, et sa réputation est immense. La guerre de 1870, avec la fin du second Empire, interrompt cette période heureuse, et l'expose à des attaques xénophobes, bien qu'il se soit fait naturaliser français en 1860. Il doit quitter Paris quelque temps, puis après les événements de 1870 et 1871, il tente de repartir avec *le Roi Carotte* (1872, livret de Sardou), *le Corsaire noir* (créé à Vienne, 1872, sur un livret de lui-

même) et *Fantasio,* d'après Musset (1872).

Il prend en 1872 la direction de la Gaîté-Lyrique, où il monte ses œuvres avec plus de fastes et de machineries (nouvelle version d'*Orphée* en 1874, *le Voyage dans la lune,* 1875, que suivirent *le Docteur Ox,* 1877, *Madame Favart,* 1878, *la Fille du tambour-major,* 1879). Mais cette entreprise le ruine, et, en 1876, il doit abandonner le théâtre, vendre une partie de ses biens et entreprendre une tournée (triomphale) aux États-Unis pour rétablir sa situation.

Tourmenté par la « goutte » (diathèse), il revient encore plus souffrant, mais toujours en activité, écrivant sur un livret des frères Barbier les *Contes d'Hoffmann*, vieux projet d'opéra-comique dans lequel il voulait mettre le meilleur de son inspiration fantasmagorique. Mais il meurt le 3 octobre 1880 avant de les avoir achevés. La première des *Contes d'Hoffmann*, orchestrés par Ernest Guiraud, a lieu le 10 février 1881, dans une atmosphère de consécration posthume.

Comme on l'a dit, Offenbach est un musicien dont la réputation a eu à souffrir de l'absurde hiérarchie des genres : souvent seul l'humour des paroles et des situations place ses opérettes sous le signe du divertissement sans prétention. La musique d'*Orphée aux Enfers*, ou de *la Belle Hélène* égale ou surpasse en invention, en qualité mélodique, en sens dramatique bien des opéras sérieux. S'il pastiche l'opéra, ce n'est pas pour singer un genre dont il ne posséderait pas l'étoffe ; c'est en grand musicien doué d'une certaine vertu d'intelligence, d'ironie et de goût pour l'humour, qui lui fait facilement voir toute

Nadar

*Jacques **Offenbach**, photographié (ci-dessus) et caricaturé (ci-dessous) par Nadar.*

*Jacques **Offenbach** écrivant, par Detaille.*

Giraudon

Hartingue

chose sous l'angle drôle. De surcroît, il travailla souvent avec des librettistes de grand talent, extrêmement efficaces dans un humour de parodie et de «nonsense». On a relevé cependant dans maint passage de son œuvre une mélancolie à peine cachée — non pas mélancolie romantique, «spleen» cultivé avec amour, mais mélancolie très humaine et sans pose. On peut le rapprocher de ces burlesques géniaux du cinéma muet (Chaplin, Langdon, Keaton), ou d'un Boris Vian dont on ne connaîtrait que le visage de l'amuseur.

OHANA *(Maurice),* compositeur français *(Casablanca 1914).* Sa famille était originaire d'Espagne — Ohana est le nom d'un village andalou. Initié par sa mère au cante jondo, il a, aussi, tout enfant, au Maroc, écouté les improvisations des musiciens berbères. Ce furent là ses premiers contacts avec la musique : il ne devait jamais les oublier.

Maurice Ohana.

A. Ferlin

De 1927 à 1931, il reçoit à Bayonne sa première formation musicale en même temps qu'il poursuit ses études secondaires. En 1932, il étudie l'architecture à Paris, travaille le piano sous la direction de Lazare Lévy, et, dès 1936, donne son premier récital. De 1937 à 1940, il est, à la Schola cantorum, l'élève de Daniel-Lesur, qui lui enseigne à la fois l'harmonie et le contrepoint, deux disciplines qui, selon son maître, ne doivent pas être séparées. L'art de Maurice Ohana devra beaucoup à cette méthode. En 1940, la guerre interrompt ses travaux. Maurice Ohana retrouve en 1944, à Rome, un milieu musical, celui de la jeune école italienne, groupée autour d'Alfredo Casella. Cette année-là, il compose ses premières œuvres pour piano, la *Sonatine monodique* (1945) et le premier des *3 Caprices* (1944-1948), *Enterrar y callar,* dont le titre est emprunté à Goya. Revenu à Paris en 1947, il fonde avec quelques amis, Stanislas Skrovatcheski, Sergio de Castro, Pierre de la Forest Divonne, Alain Bermat, le groupe du Zodiaque, qui se donne pour objectif de défendre la liberté du langage contre tous les esthétismes tyranniques.

À une époque où la musique sérielle a encore force de dogme, Maurice Ohana affirme son indépendance dans le *Llanto por Ignacio Sanchez Mejias,* qui est créé en 1950 sous la direction de Georges Delerue. On y reconnaît deux points d'ancrage : Manuel de Falla pour l'économie orchestrale, le cante jondo pour l'expressivité de la partie vocale ; mais Maurice Ohana, en communion étroite avec le poème de Federico García Lorca, découvre les éléments d'un langage personnel qu'il ne fera, dès lors, qu'approfondir, enrichir, diversifier. Il écrit en 1952, pour Maurice Béjart, son premier ballet, *les Représentations de Tanit* (créé en 1956), et sa première musique de scène pour *Monsieur Bob'le,* de Georges Schéade *(Suite pour un mimodrame).* Les *Cantigas* (1953-54) et les *Études chorégraphiques,* pour percussion (1955) confirment son attachement à la tradition espagnole la plus ancienne et aux rythmes africains, en même temps que son aversion pour un intellectualisme où la sensualité sonore et l'engagement corporel n'auraient pas de part. Dans une musique radiophonique pour *les Hommes et les autres* d'Elio Vittorini (1955), Maurice Ohana utilise pour la première fois les tiers et les quarts de ton, et, en illustrant *le*

*Maurice **Ohana** en 1981, année qu'illustre
une œuvre d'une vie poétique intense, le* Concerto pour piano et orchestre.

Guignol au gourdin (1956), une farce pour marionnettes de Federico García Lorca, il est un des premiers à découvrir la poétique de ce qu'on nommera bientôt le « théâtre musical ». Une autre étape est franchie avec *le Tombeau de Claude Debussy*, écrit en 1962, une œuvre où les micro-intervalles et les sonorités qui donnent à l'orchestre de Maurice Ohana sa couleur originale s'agencent et se fondent, définissant une écriture, un style.

Dans les *Cinq Séquences pour quatuor à cordes,* le compositeur poursuit, en 1963, son exploration de l'univers sonore compris entre les notes de la gamme tempérée, puis, utilisant une guitare à 10 cordes plus riche en sons harmoniques que la guitare classique, il écrit en 1964, à l'inten-

tion de Narciso Yepes, 1 suite de 5 pièces, dont le titre, *Si le jour paraît,* est, une nouvelle fois, emprunté à Goya. *Signes,* pour une petite formation instrumentale (1965), *Synaxis,* pour 2 pianos, percussion et orchestre (1966), le *Syllabaire pour Phèdre,* opéra de chambre (1967), s'inscrivent dans le même domaine de recherches. *Cris,* pour chœur a capella, inaugure, en 1968, une nouvelle étape créatrice à laquelle l'expérience de la musique électroacoustique n'est pas étrangère, étape marquée également par la marge de liberté laissée aux interprètes. *Autodafé,* créé en 1971 aux choralies de Vaison-la-Romaine et représenté l'année suivante à l'Opéra de Lyon, est une fresque historique, qui bouscule l'ordre chronologique et qui apparaît,

*Maurice **Ohana** en 1974.*

en définitive, comme un jeu où l'on brûlerait «tout ce qui contraint, menace et emprisonne, pour entrevoir un moment la vie telle qu'elle pourrait être». Tout bascule, tout sombre dans cet univers que surplombe une lumière très intense, mais cette vision tragique de la vie, à laquelle s'oppose un humour salubre, est tout le contraire d'un pessimisme morose. Hommage à Frédéric Chopin, les *Vingt-Quatre Préludes pour piano* apparurent, lors de leur création le 20 novembre 1973, par Jean-Claude Pennetier, comme une des œuvres majeures de Maurice Ohana, de même que, en 1976, l'*Anneau de Tamarit,* pour violoncelle et orchestre, inspiré par le dernier recueil de poèmes de Federico García Lorca, et le *Lys de madrigaux,* pour voix de femmes et ensemble instrumental. Créée à Avignon en 1977, la *Messe,* pour chœur, solistes et ensemble instrumental restitue, dans un langage de notre temps, l'esprit de la liturgie des premiers âges de la chrétienté. L'année suivante, les *Trois Contes de l'Honorable Fleur* témoignent de la liberté poétique du compositeur, plus que jamais à l'aise dans l'imaginaire ainsi que le confirme, en 1979, mais aux dimensions de grand orchestre, *le Livre des prodiges.* Et, c'est encore une œuvre d'une vitalité poétique intense, un *Concerto pour piano et orchestre,* qui illustre l'année 1981. En 1988 a été créé à Paris l'opéra *la Célestine.*

OLAH *(Tiberiu),* compositeur roumain *(Arpasel 1928).* Il étudia aux conservatoires de Cluj (1946-1949) et de Moscou (1949-1954), enseigna au conservatoire de Bucarest à partir de 1954, et suivit les cours de Darmstadt en 1968 et 1969. Il s'attacha d'abord à la musique vocale, puis se tourna vers le domaine instrumental et surtout vers la musique de film, domaine dans lequel il a acquis, dans son pays, une position prédominante. En ses débuts, il s'est montré influencé par Bartók, puis a donné libre cours à un généreux tempérament romantique. Il a écrit notamment un quatuor à cordes (1952), une symphonie (1956) et *Geamgii din Toledo*, opéra pour la télévision (1970).

ONSLOW *(Georges),* compositeur français d'origine anglaise *(Clermont-Ferrand 1784 - id. 1853).* C'est à Londres qu'il commence très jeune à étudier le piano, instrument pour lequel Hüllmandel, Dussek et Cramer seront ses maîtres, avant de retourner dans sa ville natale, où il se consacre comme violoncelliste à la musique de chambre. Il voyage en Allemagne et en Autriche, puis vient parfaire son éducation musicale avec Reicha, à Paris, en 1808. En 1842, il entre à l'Institut, dans la section « musique », où il succède à Cherubini, qui venait de mourir. Quelques pièces de musique de chambre sont encore jouées aujourd'hui parmi ses 10 trios avec piano, ses 34 quintettes à cordes, ses 36 quatuors, et on le considère comme un artisan de l'école française de musique de chambre.

ORDONEZ *(Carlo d'),* compositeur autrichien *(Vienne 1734 - id 1786).* Né sans doute d'une mère espagnole, il fut fonctionnaire du gouvernement de Basse-Autriche à Vienne. Ses premières œuvres furent diffusées dans les années 1750. Ce fut surtout un auteur de symphonies, genre dans lequel il précéda Haydn. Sous son nom en ont circulé au moins 78, dont 5 perdues et 6 au moins douteuses ou apocryphes, ce qui laisse un total de 67. L'une de ces 67, en *la* majeur (n° A8 du catalogue thématique publié en 1978 par A. Peter Brown), est la seule œuvre qu'au début des années 1950, avant la découverte de son véritable auteur, on fut sur le point d'ajouter à la liste des 104 symphonies de Haydn.

Parmi les autres ouvrages de Carlos d'Ordoñez, mentionnons une sérénade pour 31 instruments à vent (1779, perdue), 12 menuets pour orchestre, un concerto pour violon, 27 quatuors à cordes, 21 trios à cordes, un ballet, la cantate d'après G. Werner *Der alte wienerische Tandelmarkt* (1779, perdue), et deux opéras parodiques : *Alceste* (Esterháza, 1775, sous la direction de Haydn d'après le sujet traité par Gluck) et *Diesmal hat der Mann den Willen* (Vienne 1778, d'après *le Maître en droit* de Monsigny).

ORFF *(Carl),* compositeur allemand *(Munich 1895 - id. 1982).* D'abord chef d'orchestre à Munich, Mannheim et Darmstadt, il met un certain temps à trouver sa voie de compositeur. Entre 1920 et 1935, il compose des opéras, des poèmes symphoniques, des lieder, des cantates sur des textes de Franz Werfel et Bertolt Brecht. Dès les années 20, il met au point un système d'éducation musicale fondé sur le rythme, et, en 1925, fonde avec Dorothée Gunther la Guntherschule, école de gymnastique rythmique et de danse classique. Il conçoit pour les élèves un orchestre où dominent les petites percussions (xylophones, métallophones en réduction, accordés sur la gamme pentatonique), orchestre encore utilisé aujourd'hui dans l'éducation musicale, en liaison avec la méthode qu'il proposait dès 1933 dans son ouvrage *Schulwerk*. Si cette méthode est très critiquée aujourd'hui par certains, elle eut le mérite, avec la méthode Dalcroze, d'être

Carl Orff.

*Carl **Orff** dans sa bibliothèque.*

une des rares méthodes actives créées pour les enfants et offrant une alternative au solfège traditionnel. En même temps, dans les années 20 et 30, il se penche sur des musiques alors presque oubliées, Byrd, Lassus, Schütz, Monteverdi (dont il adapte l'*Orfeo*) et dégage sa conception personnelle d'une musique revenant à ses sources « primitives », liées au corps, à l'apprentissage de la maîtrise et de la coordination corporelle, mais aussi à une certaine idée de la musique comme rite. C'est en 1937 qu'il connaît, dans l'Allemagne du IIIᵉ Reich, son premier grand succès, dont le retentissement sera mondial : ce sont les *Carmina Burana*, cantate scénique d'esprit « païen » où il cherche à retrouver la force des genres dramatiques primitifs, avec leur écriture martelée et simplifiée. Dès lors, reniant et détruisant ses compositions antérieures, il ne va cesser de suivre cette voie où une « nouvelle simplicité » (répétition mécanique d'accords parfaits, déclamation souvent *recto tono,* réduction des éléments mélodiques et rythmiques à leur niveau minimum de complexité), se met au service d'une volonté d'envoûtement dramatique. Les *Catulli Carmina* (1943) et le *Trionfo di Afrodite* (1953) complètent ce triptyque païen des *Trionfi*, exaltation d'un Éros jeune, viril, fort et collectif. Dans les « mystères » *Der Mond* (1939), sur une légende bavaroise, *Die Kluge* (1943), *Die Bernauerin* (1947), en dialecte bavarois, il cherche une forme de théâtre musical populaire allemand. Mais à la fin du Reich, dont il a été un des musiciens officiels, il se tourne plutôt vers des thèmes grecs (*Antigonae,* 1949, et *Œdipus der Tyrann,* 1959, d'après Sophocle, dans la version allemande d'Hölderlin, et un *Prometheus,* 1966, en grec ancien) et chrétiens (*Comoedia de Christe resurrectione,* 1957 ; *Ludus de Nato Infante mirificus,* 1960 ; *De temporum fine comœdia,* 1973). Dans ces œuvres scéniques, les instruments à cordes sont réduits au minimum, au profit d'instruments plus utilisables dans un esprit « archaïsant » comme les vents, et, surtout, les percussions. Car cet archaïsme, chez lui, passe par un renoncement implacable à toute forme de nuance, d'écart, de fantaisie, hors des normes fixées au départ. Son succès s'explique facilement par cette recherche d'efficacité, mais aussi par le talent du compositeur à la mettre en œuvre.

ORTIZ *(Diego),* musicien, organiste et théoricien espagnol *(Tolède v. 1510-Naples ? v. 1750).* Il était à Naples dès 1553, et, en 1558, il était vice-maître de chapelle du duc d'Albe, vice-roi d'Espagne. La plupart de ses compositions sont demeurées en manuscrits, à l'exception d'un *Musices Liber I,* édité en 1565. Mais il est surtout connu comme théoricien, pour avoir publié un traité d'exécution sur les instruments à cordes et le clavecin, indiquant notamment la réduction de la polyphonie et la composition des *ricercari* et des *glosas* (variations).

OSTRČIL *(Otakar),* compositeur et chef d'orchestre tchèque *(Prague 1879 - id. 1935).* Il étudie au conservatoire de Prague, puis la composition avec Z. Fibich. Il enseigne à l'Académie de musique de 1906 à 1919. De cette date à sa mort, il est le directeur du Théâtre national de Prague, où il fait jouer Smetana, Fibich, Foerster, Janáček, Zich, Jeremias, ainsi que des œuvres lyriques de Berlioz, Weber, Mozart, Boieldieu, Rossini. Mais il est clair que Mahler le fascine. Il laisse une œuvre importante : 7 opéras achevés, des pièces symphoniques, dont il faut retenir la *Sinfonietta* op. 20 (1921), le poème symphonique *l'Été* (*Léto,* op. 23, 1925-26), qui retrouve l'humeur campagnarde des poèmes de Suk et Novák.

P

PABLO *(Luis de)*, compositeur espagnol *(Bilbao 1930)*. Installé à Madrid en 1939, il y mena de front des études musicales et de droit, mais, pour la composition, il se forma essentiellement en autodidacte, grâce notamment aux livres de René Leibowitz et d'Olivier Messiaen *(Technique de mon langage musical)* et au *Doktor Faustus* de Thomas Mann. Il fit jouer ses premières pièces en 1955, et, en 1957, participa à la fondation du *Grupo Nueva Música*. En 1958, il fut à l'origine de la série de concerts *Tiempo y música*, destinés à promouvoir la musique contemporaine, et la même année participa aux cours de Darmstadt. Président des Jeunesses musicales d'Espagne de 1960 à 1962, il séjourna au Mexique en 1963, devint directeur artistique de la Biennale de musique contemporaine de Madrid en 1964, et en 1965, remplaça les concerts *Tiempo y música* par ceux du groupe *Alea*, qu'il devait dissoudre en 1973, à peu près au moment de la disparition de ceux du Domaine musical à Paris. En 1965 également, il fonda à Madrid un petit studio électronique. Il a séjourné à Berlin en 1967, en Argentine en 1969, et a donné des cours d'analyse aux universités d'Ottawa et de Montréal en 1974.

Il a fait partie sur le plan européen de l'avant-garde sérielle et postsérielle. Préoccupé par les problèmes de la forme, il n'a jamais renoncé à l'écriture : sa musique n'est jamais aléatoire, mais « mobile » parfois : elle laisse alors aux interprètes, par exemple dans la série des *Modulos*, une certaine liberté de parcours. On lui doit notamment *Elegía* pour orchestre à cordes (1956), *Tombeau* pour orchestre (1963), *Modulos I* pour 11 instruments (1964), *IV* pour quatuor à cordes (1965), *II* pour 2 orchestres avec 2 chefs (1966), *III* pour 17 instruments (1967) et *V* pour orgue

(1967), *Iniciativas* pour orchestre (1966), *Imaginarios I* pour clavecin et 3 batteurs (1967) et *II* pour grand orchestre (1967-68), *Por diversos motivos*, action pour soprano, petit chœur, 3 pianos et acteurs (1969-70), *Je mange, tu manges* pour orchestre et bande avec synthétiseur (1972), *Éléphants ivres I-IV*, 4 sections pour diverses formations instrumentales jusqu'au grand orchestre (1972-73), *Affettuoso* pour piano

*Luis de **Pablo** en 1972.*

*Luis de **Pablo** chez lui, à Madrid, en 1968.*

(1973), *Masque,* ouvrage audiovisuel avec flûte, clarinette, percussion et piano (1973), *Very Gentle* pour soprano, contre-ténor, clavecin, célesta, orgue, violoncelle et tanpura (1973-74), *Berceuse,* ouvrage audiovisuel pour 3 flûtes, 2 percussionnistes, soprano et un chef-acteur (1973-74), *Vielleicht* pour 6 percussionnistes (1973), *A modo de concierto* pour percussion et instruments (1976), *Bajo el sol* pour 49 voix mixtes (1977), *Tiniebla del agua* (« Ténèbre de l'eau ») pour orchestre (1977-78), *Trio* pour violon, alto et violoncelle (1978), *Concerto* pour piano et orchestre (1978-79), *Concerto da camera* pour piano et 18 instruments (1979), *Retratos de la Conquista* pour 4 groupes choraux (1980), l'opéra *Kin* (Madrid, 1983).

PACHELBEL, famille d'organistes et compositeurs d'Allemagne centrale, des XVIIe et XVIIIe siècles. Le plus illustre représentant de la famille est **Johann** *(Nurem-*

berg 1653 - id. *1706).* Il fit ses études musicales dans sa ville natale auprès du compositeur Heinrich Schwemmer et sans doute aussi de l'organiste Georg Caspar Wecker, ainsi qu'à l'université d'Altdorf. Il étudia ensuite à Ratisbonne, au Gymnasium Poeticum. Il exerça toute sa vie comme organiste, d'abord à Altdorf (1669-70), puis à Vienne (cathédrale Saint-Étienne, 1673-1677), à la cour d'Eisenach (1677-78), à Erfurt (1678-1690), à Stuttgart (1690-1692), à Gotha (1692-1695), avant de revenir à Nuremberg en 1695, comme organiste de l'église Saint-Sebald. À côté de quelques pages de musique de chambre, ses œuvres sont principalement destinées au culte, avec 26 motets, 7 cantates, 13 magnificat, et surtout des pièces pour orgue consistant en chorals, variations, préludes et fugues, chaconnes, sonates en trio. En partie publiées, on les trouve dans ses principaux recueils, *Acht Choräle zum Prämbulieren* (« 8 Chorals pour préluder », Nuremberg, 1693) et l'*Hexachordum Apollinis* (Nuremberg, 1699). Une de ses œuvres instrumentales, le *Canon a 3 con suo Basso und Gigue*, connaît de nos jours une fortune posthume considérable, sous de multiples arrangements.

Mais c'est principalement comme précurseur de J.-S. Bach qu'il est connu des musiciens. Lui-même lié d'amitié avec Johann Ambrosius Bach, le père de Jean-Sébastien, lorsqu'il séjournait à Eisenach, il contribua à tempérer ce que l'art de Bach, marqué dans sa jeunesse par les maîtres du Nord, pouvait avoir de trop fougueux et d'insuffisamment structuré. C'est que, en effet, mettant à profit les déplacements que lui imposait la nécessité, il sut faire la synthèse des éléments stylistiques du centre avec ceux du sud de l'Allemagne, apportant dans une polyphonie assez claire des harmonies simples, « tombant » bien et soutenant efficacement le chant liturgique. C'est par ses chorals qu'il marqua Jean-Sébastien Bach, lui montrant comment orner le prélude de choral en restant fidèle à sa ligne mélodique.

*Ignace **Paderewski**.*

PADEREWSKI *(Ignacy Jan)*, pianiste et compositeur polonais *(Kuryłowka, Podolie, 1860 - New York 1941)*. Il manifeste des dons précoces qui le font admettre en 1872 au conservatoire de Varsovie. Il y étudie le piano avec Juliusz Janotha, Rudolf Strobl, Jan Sliwinski et Pavel Schlözer, la théorie musicale avec Karol Studzinski, l'harmonie et le contrepoint avec Gustaw Roguski. À peine diplômé, il enseigne lui-même à Vienne de 1878 à 1883, et à Strasbourg en 1885. Il poursuit ses études à Berlin, puis à Vienne avec Friedrich Kiel (1881), Heinrich Urban (1883) et surtout Leschetizky (1884), qui se montrent déjà effrayés par son style peu orthodoxe. Son premier récital important, donné à Paris salle Érard, le 3 mars 1883, marque le début d'une renommée, qui va se répandre dans toute l'Europe et bientôt en Amérique. Il crée aux États-Unis une fondation Paderewski (1896) pour venir en aide aux jeunes compositeurs, et, à Varsovie, deux concours de composition musicale et de théâtre (1898).

De 1889 à 1909, il compose durant les mois d'été la majeure partie de son œuvre, fortement inspirée par le folklore polonais, *Danses polonaises, Tatra Album, Fantaisie polonaise* pour piano et orchestre, l'opéra

Manru, pages d'obédience postromantique. Le virtuose défend un répertoire limité aux grands romantiques comme Chopin, dont il réalise une nouvelle édition, Liszt et Beethoven, préférant le récital au concert avec orchestre.

La prestance et l'allure aristocratique de Paderewski entraient pour beaucoup dans la fascination qu'il exerça sur les foules, au même titre que sa technique transcendante et que sa manière très personnelle de résoudre les problèmes de rubato et de pédale, avec comme but premier la fidélité à l'expression, sinon au texte lui-même. Homme d'engagement, il le fut également envers son pays, la Pologne, qu'il servit jusque dans son effondrement de la Seconde Guerre mondiale, jouant pour appeler à sa libération. Ambassadeur à Washington (1918), puis Premier ministre et ministre des Affaires étrangères (1919-20), il représenta son pays ressuscité à la signature du traité de Versailles. Il fut aussi, au début de la Seconde Guerre mondiale, président du gouvernement polonais en exil.

PAER *(Ferdinando)*, compositeur italien *(Parme 1771 - Paris 1839)*. Formé à Parme

Lissa

où il donna à vingt ans un *Orphée et Eurydice*, il devint maître de chapelle à Venise, puis en 1797 chef d'orchestre du théâtre de la Porte de Carinthie à Vienne; il occupa diverses responsabilités à Prague et à Dresde avant d'être appelé à Paris par Napoléon en 1807, succédant en 1811 à Spontini à la direction du Théâtre-Italien, poste qu'il dut, en 1826, céder à Rossini dont il avait, dit-on, mal défendu la cause. Décoré de la Légion d'honneur, il fut ensuite nommé directeur de la musique de la Chambre de Louis-Philippe. Alors que les premières œuvres de Paer se rapprochent de celles de Cimarosa, sa découverte des opéras de Mozart, à Vienne, modifia profondément son style (*Camilla, ossia Il Sotterraneo,* 1799). Sa *Leonora* (1804) précéda de peu le *Fidelio* de Beethoven.

Parmi les prédécesseurs de Rossini, Paer se distingue par son cosmopolitisme, son adroite fidélité au bel canto, assortie d'un goût mélodique rare et enrichie d'une

*Portrait au crayon d'Ignace **Paderewski**.*

*Page autographe de Ferdinand **Paer** pour l'album d'Alfred de Beauchesne (1835).*

harmonie originale et d'une instrumentation assez soignée, fait rare à l'époque parmi ses compatriotes, et dont il est certain qu'il trouva l'inspiration à Paris autant qu'à Vienne : c'est à Paris qu'il donna sa remarquable *Agnese* en 1809. Plus heureux dans le genre léger que dans le genre sérieux, Paer a néanmoins laissé une œuvre importante pour l'église, de la musique de chambre et des concertos pour piano, orgue, etc. Parmi ses cinquante opéras, on peut noter encore *Achille* (Vienne, 1801, joué dans toute l'Europe), et son aimable *Maître de chapelle* (Paris, 1821) dont un acte est demeuré au répertoire.

PAGANINI *(Niccolo)*, violoniste, altiste, guitariste et compositeur italien *(Gênes 1782 - Nice 1840)*. Il prit ses premières leçons de musique avec son père, mandoliniste amateur, puis étudia avec Servetto, violoniste dans l'orchestre du théâtre de Gênes et avec Costa, maître de chapelle de la cathédrale San Lorenzo. À neuf ans, il fit ses débuts à Gênes en jouant ses variations sur la *Carmagnole*. Il travailla quelques mois avec Rolla, puis avec Ghiretti, maître de Paer. En 1797, accompagné de son père, il fit une tournée de concerts en Lombardie. De 1801 à 1804, il se consacra à la guitare puis étudia les compositions de Locatelli. Sur quoi il devint à Lucques directeur de la musique de la princesse Bacciochi, sœur de Napoléon (1805-1813). Il rencontra Rossini à Bologne en 1813. De 1828 à 1834, il parcourut l'Europe, suscitant partout l'enthousiasme ; il se rendit successivement à Vienne, où l'empereur le nomma « virtuose de la cour », en Allemagne, Autriche, Bohême, Saxe, Pologne, Bavière, Prusse, et dans les provinces rhénanes. En 1831, il arriva à Paris, où il donna son premier concert à l'Opéra le 9 mars, et où il resta jusqu'en mai. Ayant fait ses débuts à Londres le 3 juin 1831, il resta en Angleterre jusqu'en juin 1832. En janvier 1834 il rencontra Berlioz à qui il demanda d'écrire un solo pour alto ; ainsi naquit *Harold en Italie* que Paganini cependant ne devait jamais jouer.

Bien que n'appartenant pas à leur génération, Paganini a fasciné les artistes romantiques, violonistes, pianistes, compositeurs, peintres ou écrivains : Chopin, Schumann, Liszt, Th. Gautier, Goethe, Heine. Sa silhouette méphistophélique, le halo de mystère qui entoure sa vie, la légende d'un pacte noué avec le diable et sa virtuosité spectaculaire rejoignent un des aspects de l'art romantique, qui veut surprendre. Les mots « prodigieux », « fantastique », « surnaturel » reviennent toujours à son propos sous la plume de ses contemporains. Fétis écrivit par exemple dans la *Revue musicale* du 12 mars 1831 : « Le violon entre les mains de Paganini n'est plus l'instrument de Tartini ou de Viotti ; c'est quelque chose à part qui a un autre but. » Personnage hoffmannesque, Paganini souleva par son jeu un enthousiasme proche de l'envoûtement. Après l'avoir entendu à Paris en 1832, Liszt se retira pour parfaire une technique pianistique pourtant déjà considérable. Plus d'un siècle après sa mort, il reste le symbole du violoniste virtuose.

En fait, il n'a pas inventé la technique

*Niccolo **Paganini**. Portrait anonyme.*

*Portrait de Niccolo **Paganini** par Ingres. Dessin au crayon, 1819 (coll. Bonnat).*

du violon mais, personnalité dotée d'un extraordinaire pouvoir de synthèse, il réunit en un tout artistique, convenant à la manière de penser et de sentir de la première moitié du XIXᵉ siècle, ce qui avant lui existait déjà dans cette technique. Il donna à celle-ci un nouvel élan, et lui apporta l'épanouissement grâce à son talent créateur formé en dehors de l'académisme des écoles. Il explora les virtualités acrobatiques du violon, exaltant l'instrument, mettant en valeur ses possibilités expressives et ses positions* les plus éle-

vées, et usant du démanché avec hardiesse, passant sans transition du registre grave au registre aigu et vice versa ; il fut le premier à utiliser au maximum les ressources de la 4ᵉ corde, à laquelle il destina de nombreuses compositions (sonates *Maria-Luisa, Napoléon, Militaire, Majestueuse Sonate sentimentale,* 3 thèmes variés) ; il pratiqua la scordatura, écrivit de longs passages en chromatisme. Grâce à une extensibilité exceptionnelle de la main, il se joua des extensions les plus périlleuses et donna les premiers exemples de

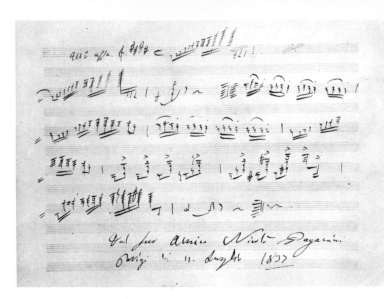

Ci-dessus : *autographe de **Paganini**, destiné à l'album d'Alfred de Beauchesne (1837).*
(Bibl. du Conservatoire National de musique, Paris.)
Ci-dessous : *concert donné par **Paganini** pour les paysans du Tyrol (coll. A. Meyer).*

trilles à l'octave et à l'unisson. Il utilisa avec audace le staccato jeté, les doubles, triples, quadruples cordes et les accords, dans des combinaisons réclamant souvent des doigtés délicats, des croisements de doigts ou extensions rendus plus difficiles encore par la rapidité du tempo. Il étendit l'emploi des sons harmoniques, inventa de nouvelles combinaisons, utilisa aux deux mains le pizzicato en traits rapides, en le mêlant aux sons coll'arco, comme accompagnement du chant joué avec l'archet.

Les difficultés techniques de ses œuvres, « point solsticial de la virtuosité » (selon Schumann), et notamment celles des *24 Caprices*, ont inspiré de nombreux compositeurs parmi lesquels Schumann, Liszt, Brahms, Rachmaninov, Casella, Castelnuovo-Tedesco, Lutoslawski et Dallapiccola. Paganini a composé uniquement de la musique instrumentale, destinée à ses instruments de prédilection : la guitare, l'alto et surtout le violon, auquel il destina notamment six concertos.

PAISIELLO *(Giovanni)*, compositeur italien *(Roccaforrata, près de Tarente, 1740-Naples 1816)*. Il fut l'élève de Durante, et se fit connaître comme auteur d'opéras-comiques ou sérieux, inspirés tant par Goldoni que par Métastase, avant de triompher véritablement à Naples, sa ville d'adoption, avec *L'Idolo cinese* (1767) et *Don Quichotte* (1769), œuvres révélatrices d'un frémissement encore inconnu chez Piccinni ou chez Anfossi. Après un très original *Socrate imaginaire* (1775), il fut appelé à succéder à Traetta comme maître de chapelle de Catherine II à Saint-Pétersbourg, où il donna notamment *I Nitetti*, d'après Métastase (1777) et *le Barbier de Séville* (1782). À son retour, il donna à Vienne *Il Re Teodoro in Venezia* (1784), drame héroïcomique, sur un poème de l'abbé Casti, œuvre dont les ensembles concertants firent une forte impression et qui demeura à l'affiche plus de cinquante ans, puis il rejoignit Naples, où il composa ses deux chefs-d'œuvre, *La Molinara* (1789) et *Nina ossia La Pazza per amore* (1789), écrits pour la célèbre Coltellini.

Il adopta par la suite des attitudes politiques souvent maladroites, prenant tour à tour parti pour les Bourbons ou pour Napoléon, qui l'appela à Paris, et pour lequel il écrivit un *Te Deum* et une *Messe du sacre*. Il fut ensuite honoré par le roi Joseph Bonaparte, à Naples, mais retomba en disgrâce lors du retour des Bourbons. En 1816, le succès du *Barbier de Séville* de Rossini et un grave affront que lui infligea Ferdinand IV hâtèrent sa fin. Comme Cimarosa, il se distingua également dans la musique sacrée *(Passion de Jésus-Christ, 1783 ; Requiem)*, dans la musique de chambre — on lui doit de remarquables quatuors — et surtout dans ses concertos pour clavecin et orchestre. Certaines scènes, comme celle de la folie de Nina, respirent une atmosphère préromantique. Paisiello témoigne aussi d'une belle originalité dans ses scènes d'ensemble, par l'importance qu'il attribue à l'orchestre, par son goût pour les onomatopées vocales *(Socrate imaginaire)*, ce qui annonce Rossini, et par le réalisme d'un langage dont on lui attribua à tort la paternité, mais dont il donna de magnifiques exemples.

PALESTRINA *(Giovanni* PIERLUIGI, *dit « da Palestrina »)*, compositeur italien *(Palestrina, ex-Préneste, v. 1525 - Rome 1594)*. Il

*Giovanni **Paisiello**. Gravure d'E. Beisson.*

est connu par le nom de sa ville natale, près de Rome. Quand meurt sa mère, en 1536, on le fait admettre comme enfant de chœur dans la maîtrise de Sainte-Marie-Majeure, à Rome. Sous la direction de plusieurs maîtres de chapelle, dont Firmin Lebel, il étudie les maîtres des écoles franco-flamande et italienne, Josquin Des Prés, Pierre de la Rue, Jean Mouton, etc. En 1544, il est reçu comme organiste et maître de chant de sa ville natale. Il épouse en 1547 Lucrezia Gori, dont il aura trois fils. Il a la chance de voir son cardinal-évêque, à Palestrina, être élu pape en 1551, sous le nom de Jules III, et celui-ci le fait venir à Rome comme « maître des enfants » de la basilique Saint-Pierre, puis comme chanteur de sa chapelle particulière. En 1555, le pape Paul IV (succédant à Marcel II, le pape de la fameuse *Missa papae Marcelli*, qui mourut vingt-deux jours après son élection), décide de rayer de sa chapelle tous les hommes qui sont mariés, ou qui ont écrit des œuvres profanes. Concerné à double titre par cette mesure, Palestrina doit se retirer, mais parvient à se faire nommer maître de chapelle à Saint-Jean-de-Latran, une des églises les plus importantes de Rome. Il y reste jusqu'en 1560, avant de devenir, en 1561, maître de chapelle à Sainte-Marie-Majeure, où il avait été enfant de chœur.

Parallèlement, il s'occupe de régler les divertissements musicaux du cardinal Hippolite d'Este à Tivoli (entre 1567 et 1571). Il dirige également l'enseignement musical au Séminaire romain fondé par Pie IV en 1563, après la clôture du concile de Trente, qui cherche à redéfinir le culte et le dogme, dans le mouvement de la Contre-Réforme. Palestrina aurait été chargé de la tâche d'épurer et de régénérer la musique liturgique (critiquée pour ses tendances à la complexité polyphonique et à la complaisance décorative), en rétablissant l'authenticité du chant grégorien d'origine. Il ne semble pas que cette tâche ait été menée

Giovanni Pierluigi, dit da Palestrina.

H. Roger-Viollet

à bien. En tout cas, il contribua à rendre à nouveau *intelligibles* les paroles latines dans la musique religieuse.

En 1571, il est réintégré comme maître de musique à Saint-Pierre de Rome, où il exercera sa fonction jusqu'à sa mort. Mais une épidémie de peste, à Rome, emporte sa femme, ses frères, et deux de ses trois fils entre 1572 et 1580. Après avoir envisagé de rentrer dans les ordres et en avoir obtenu l'autorisation, il se remarie finalement en 1581 avec Virginia Dormuli, la riche veuve d'un fourreur, dont il va gérer les affaires fructueuses. Dans les dernières années de sa vie, il obtient une grande réputation à l'échelle de l'Europe. Il est l'ami de Philippe Neri, le fondateur de la congrégation de l'Oratoire, qui sera plus tard canonisé. En 1590, il fonde une association corporatiste de musiciens, la *Vertuosa Compagnia dei musici,* dont sortira la congrégation de Sainte-Cécile, noyau primitif de l'académie Sainte-Cécile (actuel conservatoire de Rome). Quand il meurt en 1594, il est enterré solennellement dans la Cappella Nuova de la basilique Saint-Pierre — chapelle démolie plus tard, si bien que ses restes n'ont pas été retrouvés.

Après sa mort, Palestrina s'imposa dans la mémoire de la musique occidentale comme une sorte de « Père de la musique », garant de la tradition, synthétisant dans son œuvre, essentiellement vocale et religieuse, tout l'art contrapuntique du XVIe siècle, pour l'offrir en modèle et en repère aux générations futures. Son esthétique impavide et apollinienne (que l'on oppose souvent au dramatisme d'un Victoria) privilégie l'équilibre, la logique, la beauté des lignes. Il applique les consignes pontificales d'intelligibilité du texte, et de soumission de la musique au message liturgique. Une légende a longtemps couru sur sa *Messe du pape Marcel,* qui aurait « sauvé » la musique liturgique et l'art polyphonique de la proscription ecclésiastique qui les menaçait, en prouvant aux cardinaux et au Concile qu'elle pouvait être à la fois simple, respectueuse du texte, intelligemment figurative, et savamment composée.

Cette image d'un Palestrina « sauveur de la musique », et maître d'un style « antique » devenant la référence de toute musique liturgique « à l'ancienne », a parcouru les siècles jusqu'à l'époque romantique, alimentée par la biographie de Giuseppe Baini. En 1917, Hans Pfitzner créait son

Palestrina. Portrait anonyme (couvent des pères de l'Oratoire, Rome).

opéra *Palestrina*, écrit autour de ce thème (la musique sauvée devant l'Église par un homme de bien). Aujourd'hui, une connaissance plus large de la musique de son époque nous permet de resituer Palestrina dans son contexte, où il ne fut pas le seul, mais s'imposa comme un grand compositeur classique et solide — homme de synthèse plutôt que d'aventure.

Malgré une centaine de madrigaux profanes (1555-1594), dont certains ont été écrits pour les Anglais, la musique religieuse domine de loin dans l'abondante production de Palestrina. On citera d'abord quelque cent messes, de 4 à 8 voix, publiées entre 1554 et 1601 (*Messe du pape Marcel, Aeterna Christi, Lauda Sion, Assumpta est Maria, Iste Confessor, Ecce Sacerdos Magnus, Sine Nomine,* etc.). Un grand nombre de ces messes (quarante-trois) adoptent comme « cantus firmus », c'est-à-dire comme thème cyclique traité en imitations variées, un bref thème tiré du plain-chant. Une trentaine d'autres tirent leur cantus firmus d'un fragment de motet, et quatre seulement d'une chanson populaire, selon l'usage que justement le concile de Trente réprouvait et voulait extirper. C'est le cas de la *Messe du pape Marcel,* imprimée en 1567 et bâtie sur le

541

fameux thème de l'Homme armé (que Palestrina reprit plus tard, dans une autre messe, publiée en 1570 au sein d'un recueil dédié à Philippe II d'Espagne, explicitement titrée cette fois Messe de l'Homme armé). La chanson Je suis déshéritée devait également lui inspirer une messe. Ces messes adoptent un moule très stable (un Gloria souvent homorythmique, un Credo de style sévère et syllabique, un Benedictus plus transparent allégé des voix graves, etc.).

Ses motets (plusieurs centaines, de 4 à 12 voix) traitent le texte membre de phrase par membre de phrase, chacun étant l'occasion d'une phrase musicale, que les voix énoncent en entrées successives, pour la traiter en imitations (Sicut cervus desiderat, Super flumina Babylonis, un Stabat Mater à huit voix réparties en deux chœurs se répondant, un cycle du Cantique des Cantiques, etc.). On lui doit aussi 66 Offertoires à cinq voix, publiés en 1593, 8 litanies (trois à huit voix), 15 Lamentations de Jérémie à quatre voix (1588), 14 Psaumes et Cantiques (quatre à huit voix), 52 Hymnes à quatre voix (1589), 56 Madrigaux spirituels (1581-1594) et 9 Ricercari pour orgue.

Le « Palestrina-stil », comme disent les Allemands, dégagé à travers cette œuvre très homogène, et considéré comme le style de référence de la musique religieuse a cappella, fut consigné et codifié par Berardi (Arcani Musicali, 1690) et Johann Joseph Fux, dans son Gradus ad Parnassum (1725). Durant le XIXe siècle, on vit même un courant musical néo-palestrinien en Allemagne, sous l'impulsion d'un certain juriste de Heidelberg, nommé Thibaut, auteur d'un ouvrage Über Reinheit des Tonkunst (« sur la pureté de l'art des sons »), publié en 1825. Ainsi élue par la postérité comme parangon de l'art religieux polyphonique, l'œuvre de Palestrina reste une source de plénitude harmonieuse dans l'abstraction des lignes.

PANUFNIK (Andrzej), compositeur anglais d'origine polonaise (Varsovie 1914). Il a étudié la composition avec Sikorski au conservatoire de Varsovie (1932-1936) et la direction d'orchestre avec Félix Weingartner à Vienne (1937-38), puis travaillé à Paris et à Londres. Il rentra en Pologne à la veille de la guerre. Toutes ses œuvres furent détruites durant l'insurrection de Varsovie en 1944, mais il en reconstitua trois, dont l'Ouverture tragique, l'année suivante. Après avoir dirigé la Philharmonie de Cracovie (1945-46) puis celle de Varsovie (1946-47), il s'installa en Angleterre en 1954, et en devint citoyen en 1961. Il dirigea l'Orchestre symphonique de Birmingham (1957-1959), puis se consacra de plus en plus à la composition. Sa musique ne fut redonnée en Pologne qu'en 1977.

Ses deux principales périodes créatrices se situent avant 1948 et après 1960. Il a écrit notamment dix symphonies dont no 1 Sinfonia rustica (1948), no 2 Symphonie de la paix (1951, rév. Sinfonia elegiaca 1957, rév. 1966), no 3 Sinfonia sacra (1963, pour le millénaire de la Pologne), no 5 Sinfonia di sfere (1975), no 6 Sinfonia mistica (1977, basée sur les propriétés du nombre 6), no 8 Sinfonia votiva (1981-82, pour le centenaire de l'Orchestre symphonique de Boston), no 9 Sinfonia di Speranza (1987), no 10 (1990); un concerto pour piano (1962, rév. 1972), un pour violon (1971) et un pour basson (1985); deux quatuors à cordes (no 1 de 1976, no 2 Messages de 1980); Universal Prayer pour chœur et orchestre, d'après Pope (1968-69); Concerto festivo pour orchestre (1979); Concertino pour percussion et piano à quatre mains (1980).

PAPINEAU-COUTURE (Jean), compositeur canadien (Montréal 1916). Petit-fils de Guillaume Couture, qui, formé à l'école française, avait été l'un des pionniers de la musique au Québec, il travailla le piano et étudia plusieurs années (1940-1945) aux États-Unis, en particulier avec Nadia Boulanger, qui l'initia à Stravinski. De retour à Montréal, il se consacra à l'enseignement et à la composition, jouant un rôle actif dans la vie musicale de son pays comme président de l'Académie de musique de Québec (1961-1963), président du Conseil canadien de la musique (1967-68), président de la Ligue canadienne des compositeurs (1957-1959 et 1963-1966), membre fondateur et premier président de la Société de musique contemporaine du Québec (1966-1973), doyen de la faculté de musique de Montréal (1968-1973), ou encore comme vice-président du Conseil canadien sur les humanités (depuis 1976).

Dans un esprit néoclassique orienté à partir des années 60 vers les recherches de timbres, il a écrit notamment une Symphonie en do (1948, rév. 1956), un Concerto pour violon et orchestre de chambre

Jean Papineau-Couture (à gauche), avec Pierre Mercure et Wilfrid Pelletier.

(1951-52), *Psaume CL* (1954), *Contraste* pour voix et orchestre (1970), *Chanson do Rahit* pour voix, clarinette et piano (1972), *Slano* pour violon, alto et violoncelle (1976).

PARADIES (PARADISI, [*Pietro*] *Domenico*), compositeur et professeur italien *(Naples 1707 - Venise 1791)*. On sait peu de chose de ses années de formation et on le prétend élève de Porpora. Après avoir fait quelques tentatives malchanceuses dans le domaine lyrique en Italie (opéra *Alessandro in Persia* à Lucques en 1738 et serenata *Il Decreto del fato* à Venise en 1740), il part s'établir à Londres vers 1746-47. Sa première production dans cette ville est aussi un échec (*Fetonte*, 1747). De 1753 à 1756, il compose des airs pour les productions pastiches du King's Theatre au Haymarket, puis consacre la majeure partie de son séjour à Londres à l'enseignement du chant et du clavecin, ce qui assure sa célébrité. Il compte en particu-

lier parmi ses élèves Gertrude Schmeling, la future Mme Mara. Il rentrera en Italie à la fin de sa vie.

Il a composé, outre son œuvre pour la scène, des symphonies-ouvertures, un concerto pour orgue ou clavecin, assez typique du concerto pour orgue anglais, et 12 sonates pour clavecin.

PARKER *(Horatio)*, compositeur américain *(Auburndale, Massachussetts, 1863 - Cedarhurst, Long Island, 1919)*. Élève de Chadwick, puis de Rheinberger à Munich où il séjourna pendant trois ans, il fut ensuite organiste, professeur au conservatoire de New York et directeur musical de la Saint Paul School et, enfin, jusqu'à sa mort, professeur à l'université de Yale, où il eut comme élève Charles Ives. On le rattache généralement à l'école de Boston, bien qu'il n'ait pas été un élève de Paine et que son activité se soit principalement localisée à New York. Sa musique chorale demeure l'une des plus remarquables de toute la production américaine, et sa cantate *Hora novissima* lui valut le grade de « docteur honoris causa » de l'université de Cambridge. Outre ses cantates *(Wanderer's Psalm, Star Song, The Legend of St Christopher)*, il a écrit des pièces symphoniques et instrumentales ainsi que deux opéras *(Mona* et *Fairyland)*.

PARMEGIANI *(Bernard)*, compositeur français *(Paris 1927)*. D'abord ingénieur du son à la télévision française, il s'intègre en 1959 au Groupe de recherches musicales récemment fondé par Pierre Schaeffer au sein de la R. I. F. Il deviendra l'un des compositeurs les plus importants de ce groupe, consacrant l'essentiel de sa production à la musique électroacoustique, mais a d'abord travaillé comme assistant technique d'autres compositeurs (dont Xenakis), avant de réaliser lui-même des musiques, pour la radio, la télévision, le cinéma, etc., puis, tout en continuant de consacrer à la « musique appliquée » une grande partie de sa production (il a collaboré à des films de Pierre Kast, Peter Foldès, Valerian Borowcyk, Jacques Baratier, Robert Lapoujade, etc.), il commence à composer des œuvres de musique pure.

Sa première réalisation marquante dans ce domaine est *Violostries* (1964), pour violon et bande magnétique, une œuvre dont la partie instrumentale est due au soliste Devyh Erlih, qui l'a créée, et dont la bande fut réalisée à partir de quelques sons de violon que des manipulations successives et complexes agrandissent aux dimensions d'une véritable masse «orchestrale». Dans cette technique de composition (que reprendra *Outremer*, 1969, pour ondes Martenot et bande) et qui consiste à générer par les manipulations du studio des masses évoluantes et des lignes entrecroisées issues de quelques rares sons de base produits par une source définie, Parmegiani révèle son habileté et sa verve, de même que dans l'*Instant mobile* (1966), une des premières œuvres faites au G.R.M. à employer des sons électroniques, et surtout dans *Capture éphémère* (1967-68), peut-être son chef-d'œuvre, grande réussite de musique électroacoustique «en rond» (sur quatre pistes indépendantes), faisant vivre et vibrer l'espace sonore avec un dynamisme irrésistible. Les œuvres suivantes sont marquées par l'utilisation des nouveaux appareils de synthèse électronique dont vient de se doter le G.R.M., et, avec leurs cycles répétitifs, leurs pédales ronflantes et leur caractère volontiers consonant, elles l'amènent aux confins de la musique pop, avec laquelle il tient pourtant à garder ses distances : l'*Œil écoute* (1970), *la Roue Ferris* (1971), et enfin *Pour en finir avec le pouvoir d'Orphée* (1971-72), une somme qui, comme l'indique son titre, veut faire culminer et exorciser en même temps cette tendance à l'«envoûtement» de la répétition et de la continuité.

Parmegiani amorce ensuite un difficile virage, cherchant un style plus concentré, voire plus sévère. Son *Enfer* (1972-73), dont il existe plusieurs versions, avec ou sans texte, traduit plusieurs épisodes du poème de Dante avec une éloquence puissante et lourde. Il a été conçu pour former, avec un *Purgatoire* composé par François Bayle et un *Paradis* dû à la collaboration des deux compositeurs, une *Divine Comédie* suscitée par le danseur-chorégraphe Vittorio Biagi, qui en fit un spectacle. *De natura sonorum* (1974-75), suite en deux parties, et son «complément» *Dedans-Dehors* (1976), œuvre à base de sons «naturalistes» qu'elle cherche à transcender, manifestent une recherche acharnée d'«écriture sonore», où le ciseau intervient à tout moment pour casser la continuité, tordre son cou à l'éloquence du «pouvoir d'Orphée», et articuler le discours musical par un montage serré. Après

ces œuvres-bilan, la production récente de Parmegiani explore un certain nombre de directions depuis longtemps sous-jacentes chez lui : «théâtre musical» créant une dramatisation de la diffusion par haut-parleur (*Trio*, 1973 ; *Mess Media Sons*, 1978-79) ; rapports entre les sons et les images, avec des œuvres «vidéoacoustiques», dont il signe l'image aussi bien que la musique (l'*Écran transparent*, 1973 ; *Jeux d'artifice*, 1979, pièces qui utilisent des images manipulées électroniquement par les moyens vidéo) ; enfin, imbrication du texte et des sons, avec deux pièces dont le texte est conçu comme une «spirale» revenant sur elle-même et se retournant, à la manière paradoxale des figures du graveur Max Escher, une de ses sources d'inspiration favorites : *Des mots et des sons* (1977), et l'*Écho du miroir* (1981) — cette dernière œuvre renouant avec un certain lyrisme moins contraint.

PARRY (sir *Charles Hubert Hastings*), compositeur et musicologue britannique *(Bournemouth 1848 - Rustington, Oxfordshire, 1918)*. Il fut de ceux avec qui apparut une renaissance de la musique anglaise.

En 1861, à Eton, il s'acquit une renommée dans le collège comme baryton, compositeur de chansons, et pianiste. En 1867, à Oxford, la musique fut quelque peu reléguée pour les études générales et les sports, mais il reçut des leçons de composition de Sterndale Bennett et de Macfarren, avant de partir retrouver Pierson à Stuttgart. De retour à Londres, Parry eut la chance de trouver un ami et un conseiller en Edward Dannreuther, chez qui, lors de concerts privés, la musique de chambre du musicien était jouée sitôt composée. Malheureusement, beaucoup de ces ouvrages ont été perdus ou égarés. L'année 1880 marque le début d'une plus large renommée. Dannreuther joua un concerto pour piano à Crystal Palace, et la première œuvre chorale importante de Parry, *Scenes from Prometheus Unbound*, fut donnée au festival de Gloucester. D'autres suivirent désormais régulièrement. La première symphonie date de 1882, la deuxième de 1883, les troisième et quatrième de 1889 et la cinquième de 1912.

Ses chœurs marquent, eux, un nouveau type de composition, avec le maniement de grandes masses vocales avec une très grande simplicité dans les effets et dans l'utilisation des voix. Ils unissent une grandeur souvent appelée « haendelienne » à une grande délicatesse et à un grand raffinement dans l'expression. Chef des chœurs, en 1883, à l'université d'Oxford, il y succéda à Stainer comme professeur de musique, de 1900 à 1908. En 1894, il devint, après Grove, directeur du Royal College of Music, auquel il se consacra essentiellement durant les dernières années de sa vie.

PÄRT *(Arvo)*, compositeur estonien *(Paide, Estonie, U. R. S. S., 1935).* Travaillant d'abord comme ingénieur du son à la radio, entre 1957 et 1967, tout en étudiant au conservatoire de Tallin (notamment avec Heino Eller), il gagne un prix de composition en 1962 avec la cantate pour chœur d'enfants *Meie Aed* et l'oratorio *Maailma Samm,* de style encore traditionnel ; puis il passe par une période mathématique et sérielle *(Perpetuum Mobile,* 1963, pour orchestre ; *Diagrammid,* 1964, pour piano ; *Première Symphonie,* 1964), avant de commencer à réintégrer dans son écriture la tradition, d'abord par des techniques de « collage » *(Collage teemal Bach,* 1964, pour orchestre ; *Pro et Contra,* 1966, pour violoncelle et orchestre ; *Credo,* 1968, pour piano solo, chœur mixte et orchestre) pour finalement créer un style syncrétique, où l'ancienne polyphonie et les références grégoriennes s'associent à l'emploi de sonorités nouvelles (cantate *Laul armastatule,* « Chant pour les bien-aimés », 1973, texte de S. Rustaveli ; *Troisième Symphonie,* 1971).

Son évolution est caractéristique de ce besoin de renouer avec la tradition, dont témoigne la musique d'« avantgarde » dans la fin des années 60 et dans les années 70 (voir les évolutions parallèles de Penderecki, Ligeti, Berio, Stockhausen, etc.). Depuis 1980, Arvo Pärt a vécu à Vienne puis à Berlin-Ouest. Parmi ses dernières œuvres, un *Concerto de Noël,* pour violon, violoncelle et orchestre de chambre (1980) et une *Passion selon saint Jean,* pour 4 voix d'hommes, chœur et orgue (1982).

PARTCH *(Harry),* compositeur-interprète américain *(Oakland, Californie, 1901 - San Diego, Californie, 1976).* À tous égards, il est hors des sentiers battus : fils de missionnaires, élevé dans l'Arizona, il décide très jeune, après quelques essais classiques, de s'écarter de tous les modes conventionnels de production et d'écriture de la musique. Ainsi, entre 1923 et 1928, il conçoit une démarche entièrement personnelle, aussi bien dans son système de hauteurs et de rythmes — adoption d'une échelle non tempérée basée sur une division de l'octave en 43 parties égales ; polyrythmie basée sur les divisions rationnelles des durées — que dans la lutherie utilisée (il construit de nouveaux instruments accordés sur cette échelle et n'utilise qu'épisodiquement les instruments existants, européens ou « exotiques »). Sa conception des œuvres et de leur présentation est aussi originale (musiques autour de textes parlés, pour ensembles d'instruments Partch, dont l'aspect même, ainsi que les actions des exécutants, forment à eux seuls un spectacle).

Comme beaucoup d'autres « rénovateurs » occidentaux, Partch base sa théorie et sa pratique sur l'idée d'un « retour aux sources » de la musique (résonance et consonance naturelles, fonction rituelle et magique de la musique) et puise ses influences un peu partout (musiques de sorcières, berceuses, musiques des Indiens, des Orientaux, des Africains... et le *Boris Goudounov* de Moussorgski), mais il a l'audace et l'opiniâtreté de l'extrémiste dans sa recherche d'une « autre musique ». Créant un ensemble instrumental, le *Gate 5 Ensemble,* destiné à jouer sa production, il parvient à vivre de ses concerts, de « bourses » données par des fondations, et de postes de chercheurs dans des universités.

Les « instruments Partch », formant un orchestre où domine la sonorité des percussions et des cordes pincées, se divisent en 3 grandes familles : les *chordophones,* instruments à cordes pincées ou frappées avec des mailloches (par ex., « guitare adaptée », « blue rainbow », « Castor et Pollux », « crychord ») ; les *idiophones,* percussions accordées (« gourd tree », marimbas de verre, bois, métal, « cone gongs », « cloud chamber bowls » en verre) ; et les *aérophones* (dont un orgue accordé à la Partch, le « chromelodéon »). Parmi les œuvres du compositeur, on citera : *By the Rivers of Babylon* (1931) ; *Dark Brother* (1943) ; *US Highball,* œuvre dramatique avec chœur (1943) ; *2 Settings from Finnegans Wake* d'après Joyce (1944) ; *Œdipus,* œuvre dramatique d'après Sophocle (1951) ; *The Mock Turtle Song and Jab-*

berwocky d'après Lewis Carroll (1952) ; *The Bewitched,* œuvre dramatique (1955) ; et l'œuvre qui lui acquit une certaine réputation, *The Delusion of the Fury,* avec chanteurs solos et chœurs (1969).

Injouable, par définition, sur d'autres instruments que les siens, l'œuvre de Partch ne s'est répandue que par quelques enregistrements. Il en a exposé la théorie — impliquant une conception globalisante de la pratique musicale, qu'il appelle lui-même « corporéalisme » — dans son livre *Genesis of a Music by Harry Partch* (1949, rééd. 1974).

PASQUINI *(Bernardo),* claveciniste, organiste et compositeur italien *(Massa di Valdinievole 1637 - Rome 1710).* Après des études dans sa région natale, il s'installa définitivement à Rome avant 1650. Il y travailla sans doute avec Antonio Cesti et Loreto Vittori, et devint, vers 1663, organiste de Santa Maria Maggiore, puis, en 1664, de Santa Maria in Aracœli, poste qu'il devait occuper jusqu'à la fin de sa vie. Son immense talent au clavecin et à l'orgue lui valut les faveurs de nombreuses personnalités romaines (la reine Christine de Suède, le prince Colonna, les cardinaux Ottoboni et Pamphili) et plus particulièrement du prince Giambattista Borghese, qui l'hébergea à partir de 1670 environ.

La production de Pasquini, assez considérable, comprend de la musique vocale sacrée et profane et de la musique pour clavier. Il a composé une quinzaine d'opéras, à peu près autant d'oratorios, et de nombreux motets, arias et cantates qui trahissent l'héritage de Cesti. Il est, dans ce domaine, un représentant non négligeable de l'école romaine, faisant figure d'intermédiaire entre Cesti et son cadet et contemporain A. Scarlatti.

La partie la plus importante de l'œuvre de Pasquini est néanmoins celle consacrée au clavier (en particulier au clavecin), et a été conservée en quatre volumes manuscrits. Elle comprend des *toccatas* (appelées parfois *tastatas*), de nombreuses danses et suites de danses, des partitas, passacailles et variations, et des sonates (4 pour orgue, 14 pour clavecin, 14 pour deux clavecins). Ses toccatas, bien que souvent conventionnelles et dans la tradition de Frescobaldi, ont parfois tendance à contraster mouvements de toccata et mouvements fugués, annonçant ainsi les futures toccatas et fugues. Ses sonates,

écrites seulement en basse figurée, sont exceptionnelles en Italie à cette époque. Il semble être l'un des premiers Italiens à avoir écrit pour deux clavecins. Mais il est surtout remarquable dans ses suites de danses et ses variations. Là encore, il s'inspire de Frescobaldi et de ses danses groupées, mais il les organise en suites de même tonalité, comprenant de deux à cinq danses de forme binaire et dont la succession la plus courante est allemande-courante-gigue. Il est le premier Italien à avoir donné cette structure à la suite de clavier.

L'influence de la danse est également sensible dans ses variations et partitas *(Partite di bergamasca, Partite del saltarello, Partite diversi sopra alemanda),* et il fut particulièrement sensible, comme nombre de ses contemporains, au thème de la folia *(Partite diversi di folia, Variationi sopra la folia).* On lui doit aussi deux ouvrages théoriques : *Saggi di contrappunto* (1695) et *Regole per ben suonare il cembalo o organo* (1715, perdu).

PASSEREAU, compositeur français, actif de 1509 à 1547 environ. On le prétend prêtre et présent à Saint-Jacques de la Boucherie au début du siècle, mais aucun document ne permet de justifier cette affirmation. Il est chantre à la chapelle du duc d'Angoulême (futur François Ier) en 1509 et sans doute à la cathédrale de Cambrai de 1525 à 1530. Il a surtout composé des chansons (les dernières datent de 1547) et a été publié dans divers recueils anthologiques d'Attaingnant, dont un lui est exclusivement consacré ainsi qu'à Janequin.

Passereau fait partie de cette génération de compositeurs qui ont développé la chanson polyphonique parisienne, et son style est assez proche de celui de Janequin. Ses pièces sont en général descriptives ou grivoises, d'inspiration populaire et de style syllabique, et multiplient les rythmes animés et les imitations figuratives. La plus célèbre, *Il est bel et bon,* a subi de nombreuses adaptations et a été transcrite pour divers instruments un peu partout en Europe.

PAUMANN *(Conrad),* organiste, luthiste, compositeur et pédagogue allemand *(Nuremberg v. 1415 - Munich 1473).* Aveugle de naissance, il fit toute sa carrière comme organiste, à Nuremberg d'abord (1446-1450), puis à Munich, au service des ducs de Bavière. Considéré comme le plus fameux musicien allemand de son siècle, il connut une grande gloire ; ayant joué avec succès devant les grands de ce monde, plusieurs souverains cherchèrent à l'attirer à leur cour, mais il demeura en Bavière, qu'il ne quitta que pour un voyage en Italie qui le fit séjourner à Mantoue en 1470. Il a peu composé, et l'on ne connaît guère de lui que quelques pièces figurant dans le *Buxheimer Orgelbuch* (« Livre d'orgue de Buxheim »).

Mais c'est surtout par son enseignement et par sa théorie de la musique qu'il a exercé une influence profonde sur ses successeurs. On doit à la rédaction de l'un de ses élèves le *Fondamentum organisandi Magistri C. P. Ceci de Nuremberga* (« Bases de l'art de l'orgue, de Conrad Paumann l'aveugle de Nuremberg ; 1452). Paumann y montre les façons d'improviser à deux et à trois voix à partir d'un chant donné, et de l'orner de manières très variées. On lui doit aussi vraisemblablement l'invention de la tablature de luth allemande.

PEDRELL *(Felipe),* compositeur, folkloriste et musicologue espagnol *(Tortosa, Catalogne, 1841 - Barcelone 1922).* Presque autodidacte, il suivit les classes d'histoire et d'esthétique musicale au conservatoire de Madrid, et écrivit d'abord des opéras *(le Dernier des Abencérages, Quasimodo)* et des poèmes chantés *(le Chant de la montagne, Invocation à la nuit).* Dès 1891, son essai *Pour notre musique* attira l'attention des musiciens sur la haute tradition polyphonique de l'Espagne et l'immense richesse de ses chants populaires. La même année, il termina sa trilogie *les Pyrénées.* Plus qu'à la composition, c'est à son œuvre de folkloriste qu'il se consacra désormais, avec compétence et prosélytisme : en témoigne sa contribution à la résurrection de Tomas Luis de Vittoria, dont il édita les œuvres complètes (8 vol., Leipzig, 1902-1913).

Professeur d'esthétique musicale au conservatoire de Madrid, Pedrell enseigna également l'harmonie et la composition à Albéniz, Granados, Vivès et De Falla. Le *Cancionero popular español,* qu'il devait laisser inachevé, est la synthèse de toutes ses recherches. Cet important travail d'érudition et de réalisation de musique ancienne a mis au second plan l'œuvre de Pedrell comme compositeur. Il en conçut

Felipe **Pedrell.**

une grande amertume que l'enthousiasme de quelques admirateurs (dont De Falla) ne put dissiper.

Promoteur et chef de l'école moderne espagnole, Pedrell a réussi à l'intégrer dans le mouvement musical européen.

PENDERECKI *(Krzysztof),* compositeur polonais *(Debica 1933).* Il étudia la composition à l'École supérieure de musique de Cracovie avec Franticzek Skolyszewski, Artur Malawski et Stanislaw Wiechowicz, et, dès 1959, reçut de l'Union des compositeurs polonais un prix couronnant ses trois premières œuvres importantes : *Psaumes de David,* pour chœur mixte, cordes et percussions (1958) ; *Émanations,* pour 2 orchestres à cordes (1959) ; et *Strophes* pour soprano, récitant et 10 instruments (1959). Ces pièces contenaient déjà les futures caractéristiques du compositeur. Suivirent *Miniatures,* pour violon et piano (1959) ; *Anaklasis,* pour 42 instruments à cordes et groupes de percussion (1959-60), qui révéla Penderecki sur le plan international à Donaueschingen en 1960; *Dimensions du temps et du silence,* pour chœur mixte, cordes et percussions (1959-60; rév. 1961); *Threnos,* pour 52 cordes (1960); *Quatuor à cordes nº 1* (1960); *Fonogrammi,* pour flûte et orchestre de chambre (1961); *Psaume,* musique électronique (1961); *Polymorphie,* pour 48 cordes (1961); *Canon* pour orchestre à cordes et bande magnétique (1962); et *Fluorescences,* pour grand orchestre (1962).

Toutes ces œuvres témoignent de l'intérêt de Penderecki pour le timbre instrumental, et de son prolongement dans le traitement des voix. Cet intérêt se manifesta tout d'abord dans l'écriture des cordes : clusters, nuages de micro-intervalles, multiplication des parties solistes, importance donnée à la notion de densité, d'épaisseur, recherche de nouvelles sonorités grâce à des techniques inhabituelles de la corde et de l'archet. Ces éléments conduisirent le compositeur à concevoir une écriture schématique qui devint rapidement purement graphique. Cela sans oublier une exploration systématique de toutes les ressources instrumentales, du son au bruit (coups frappés sur la caisse de résonance des instruments à cordes). Cette démarche devait aboutir dans *Fluorescences* à l'intégration dans le discours musical d'éléments timbriques et bruitistes (sirènes d'alarme, machines à écrire, etc.).

Dans les *Psaumes de David* avait été tentée une première synthèse entre le sérialisme et la technique du chant grégorien. Cette voie fut poursuivie plus avant dans le *Stabat Mater,* pour 3 chœurs mixtes a cappella, plus tard intégré dans la *Passion selon saint Luc.* Suivirent *Todesbrigade,* musique électronique pour une pièce radiophonique (1963); la *Cantata in honorem Amae Matris universitatis Jagellonicae,* pour chœur et orchestre (1964); une *Sonate* pour violoncelle et orchestre (1964); un *Capriccio* pour hautbois et cordes (1965); la *Passion selon saint Luc* (1965-66); *De natura sonoris,* pour grand orchestre (1966); *Dies irae,* oratorio à la mémoire des victimes d'Auschwitz, pour chœur mixte et orchestre (1967); la *Pittsburgh Ouverture,* pour orchestre d'instruments à vent, percussion, harpe et piano (1967); le *Capriccio* pour violon et orchestre (1967); le *Capriccio per Siegfried Palm,* pour violoncelle seul (1968); le *Quatuor à cordes nº 2* (1968); et l'opéra en 3 actes *les Diables de Loudun* (1968-69).

*Krzysztof **Penderecki** en 1973.*

Dans les années 70, Penderecki continua à exploiter ses trouvailles sonores tout en évoluant dans une sorte de néoromantisme. Naquirent alors *Utrenja* (ou *Messe russe*), vaste fresque chantée en vieux slavon et en 2 parties; *la Mise au tombeau* (1969-70) et *la Résurrection* (1970-71); *De natura sonoris,* pour orchestre (1970); *Kosmogonia* pour solos, chœur mixte et orchestre (1970), commande de l'O.N.U. pour son vingt-cinquième anniversaire; *Prélude,* pour vents, percussion, instruments à clavier et contrebasses (1971); *Actions,* pour orchestre de jazz (1971); *Partita,* pour clavecin, guitare, guitare basse électrique, harpe, contrebasse et orchestre (1971-72); *Concerto,* pour violoncelle et orchestre (1972); *Ecloga VIII,* pour 6 voix d'hommes (1972); *Canticum canticorum Salomonis,* pour chœur mixte à 16 voix et orchestre (1970-1973); *Symphonie nº 1* (1972-73); *Intermezzo,* pour 24 cordes (1973); *Magnificat,* pour basse, 7 voix d'hommes, 2 chœurs mixtes, chœur d'enfants et orchestre (1973-74); *Quand Jacob s'est éveillé,* pour orchestre (1974); *Concerto pour violon et orchestre* (1976-77); *Paradise Lost,* opéra *(sacra rappresentazione)* en 2 actes (1976-1978); *Te Deum,* pour solos, chœur et orchestre (1979); *Capriccio per tuba* (1980); *Symphonie n° 2* (1979-80); un *Concerto pour violoncelle* (1982); un *Concerto pour alto* (1983) et l'opéra *le Masque noir* (Salzbourg, 1986).

Prix Arthur-Honegger en 1979, Penderecki a été fait docteur honoris causa par l'université de Rochester en 1972 et par celle de Bordeaux en 1979. Depuis 1972, il est recteur de l'École supérieure de musique de Cracovie.

PEPUSCH *(Johann Christian),* compositeur allemand *(Berlin 1667 - Londres 1752).*

D'abord employé à la cour de Prusse, il partit vers 1700 pour Londres, où il composa des masques *(Vénus et Adonis,* 1715) et devint directeur de la musique du futur duc de Chandos. Auteur de l'*Opéra du gueux* (*The Beggar's Opera,* 1728), dont deux siècles plus tard Weill et Brecht devaient tirer *l'Opéra de Quat'Sous,* il écrivit en outre plus de 100 sonates pour violon et de très nombreuses pour flûte, de la musique religieuse, des cantates profanes. Grand connaisseur de la musique ancienne, il laissa aussi un ouvrage théorique, *A Treatise on Harmony* (1730).

PERGOLESI *(Giovanni Battista,* ou GIAMBATTISTA DRAGHI, dit), compositeur italien *(Jesi 1710 - Pozzuoli, Naples, 1736).* Fils d'un expert agronome de Pergola, il révéla

Giovanni Battista **Pergolesi.**

Giraudon

Frontispice du Stabat Mater, *de* **Pergolèse**. *Édition posthume (Paris, Bayard, v. 1757).*

une intelligence précoce, apprit le violon dans sa ville natale, et sans doute, fin 1723, fut envoyé à Naples, où il fut élève aux Poveri de Gesù Cristo. On ne sait s'il bénéficia véritablement d'un mécénat, ou s'il put aussitôt subvenir à ses besoins grâce à son talent de violoniste, confirmé dès 1729. Élève de De Matteis et de Gaetano Greco, il semble avoir achevé ses études avec Vinci et avec Francesco Durante, et les avoir couronnées avec l'exécution d'un drame sacré (*La Conversione di San Guglielmo d'Aquitania,* contenant des scènes comiques) et avec l'oratorio *La Morte di San Giuseppe.* Il affronta sans succès le

véritable public au San Bartolomeo avec *Salustia* (1732), puis triompha la même année aux Fiorentini avec une comédie en 3 actes en dialecte napolitain due à G. A. Federico, *Lo Frate'nnamurato.* En 1733, l'*opera seria Il Prigoner superbo* contenait l'intermezzo *La Serva padrona* qui, repris isolément dès 1738, ne devait plus jamais quitter l'affiche. De même, *Livietta e Tracollo* fut détaché de l'*opera seria Adriano in Siria* (1734), sur un poème de Métastase. Ce dernier lui fournit encore une *Olimpiade,* donnée à Rome en 1735. Dès 1732, Pergolesi avait occupé des fonctions de maître de chapelle à Naples, cependant que Rome le réclamait souvent. En 1735 se situe la légende de son amour, partagé mais contrarié, avec Maria Spinelli, d'origine princière. Miné par une tuberculose déjà ancienne, il se retira au couvent des Capucins de Puozzoli, où il acheva son *Stabat Mater* et mourut à vingt-six ans.

La vie trop brève de Pergolèse est encore très mal connue, et la fortune extraordinaire de sa *Serva padrona*, qui, malgré sa valeur, n'est pas sa plus grande œuvre, devait conduire maints éditeurs à publier sous son nom d'innombrables ouvrages de Hasse, Vinci, Logroscino, etc. Des ariettes célèbres, comme *Se tu m'ami* et *Tre giorni son che Nina*, sont peut-être apocryphes, et il en va de même de la quasi-totalité de la musique instrumentale qui lui fut attribuée : on ne peut en retenir

*Page autographe de **Pergolèse,** fragment d'un* credo *(Bibl. du Conservatoire de musique, Paris).*

Larousse

*Profil de **Pergolèse** dans un médaillon à l'Opéra de Paris.*

avec certitude que 1 ou 2 concertos et moins de 10 sonates. Les 6 *Conoorti Armonici*, qui circulèrent sous son nom puis sous celui de Carlo Ricciotti, ont été attribués récemment (1980) à un mystérieux Hollandais, Unico Graf Van Wassenaer *(1692-1766)*. Une meilleure connaissance de Durante, de Leo et même de Hasse permettra un jour de mieux situer Pergolèse, dont la place apparaît néanmoins exceptionnelle en son temps. Il se montra traditionnel dans l'*opera seria,* où son écriture vocale reste surchargée de tournures baroques, déjà reniées par Alessandro Scarlatti, mais son orchestre y est riche et original. Plus heureux dans le domaine léger, il y fit preuve d'une inspiration mélodique expressive et tendre, due à la grâce inhabituelle de courtes formules peu développées. Ses succès posthumes en la matière (*La Serva padrona* fut à l'origine de la Querelle des bouffons) le firent passer à tort pour l'inventeur de l'*opera buffa* et de l'intermezzo. Mais c'est peut-être sa musique religieuse et ses cantates qui révèlent le mieux son génie. Les 2 ou 3 messes qui lui reviennent avec certitude, ses *Salve Regina* et surtout son *Stabat Mater* annoncent parfois Haydn, bien qu'antérieurs aux grandes partitions de Haendel (mais il ne faut pas oublier que Pergolèse était un contemporain de Gluck et de Carl Philipp Emanuel Bach). La mort prématurée de Pergolèse contribua à entretenir sa légende, mais il reste un des plus grands représentants de l'école napolitaine du XVIIIe siècle.

PERI *(Jacopo)*, chanteur et compositeur italien *(Rome 1561 - Florence 1633).* Venu très jeune à Florence, il étudie la musique avec Cristofano Malvezzi, puis commence une carrière d'organiste dès 1579 et de chanteur dès 1586. Il est sans doute, pendant cette période, en contact avec la Camarata du comte Bardi, bien qu'aucun document ne permette de l'attester. Il a déjà acquis, à cette époque, une certaine renommée pour ses qualités de chanteur, d'organiste et de compositeur. À partir de 1588, il est au service des Médicis et participe l'année suivante au divertissement de G. Bargagli *(La Pellegrina),* donné à l'occasion du mariage du duc Ferdinand et de Christine de Lorraine. Dans les années qui suivent, il appartient au cénacle de poètes et musiciens, dominé par E. de Cavalieri, qui se réunissent chez Jacopo Corsi et tentent d'établir un prototype de drame musical conforme à l'idéal antique des humanistes. Il y rencontre le poète Ottavio Rinuccini et de cette époque date une longue collaboration qui devait très tôt porter ses fruits. Leur première œuvre commune est la pastorale *Dafne* (1598), où Peri met pour la première fois en pratique sa conception du style récitatif. Deux ans plus tard, en 1600 donc, leurs efforts réunis aboutissent à *Euridice* (premier opéra complet de l'histoire de la musique), à laquelle G. Caccini apporte sa contribution musicale et qui est exécutée lors du mariage d'Henri IV et de Marie de Médicis.

Peri continue, par la suite, à travailler pour les Médicis, mais en tant que compositeur plus que chanteur. Il entretient également des relations étroites avec la cour de Mantoue et en particulier avec le prince Ferdinando de Gonzague. En 1618, il est nommé *camarlingo generale dell'Arte della Lana* à Florence. Il ne chante déjà plus, mais continue à composer, quoique modérément, jusqu'à la fin de sa vie. La majeure partie de son œuvre a été perdue, en particulier les nombreux ballets et intermèdes composés pour les cours de Florence et de Mantoue. Sa fréquente collaboration avec M. et G. B. da Gagliano et avec Francesca Caccini a fait croire qu'il était devenu le spécialiste du style récitatif et a éclipsé ses dons musicaux réels. S'il est vrai que son récitatif convient merveilleusement bien à sa fonction narrative, Peri a d'autre part opéré avec *Euridice* une réforme totale du drame musical, où la musique est subordonnée au texte. Ses mélodies sont très expressives, lyriques même parfois, il n'hésite pas à user du chromatisme et de l'ornementation pour souligner le sens de la phrase. Il donne enfin aux instruments un rôle de soutien, limité à une improvisation sur la basse continue. Peri développera d'ailleurs ce type d'écriture dans son recueil de chansons et madrigaux, *Le Varie Musiche* (1609) à 1, 2 et 3 voix avec basse continue. *Euridice* est l'aboutissement des années de recherche des cénacles florentins, et l'œuvre porte en elle le ferment du nouveau style *(stile moderno)* que Monteverdi allait porter à sa perfection.

PÉROTIN, dit **PÉROTIN LE GRAND** *(magister Perotinus,* PEROTINUS MAGNUS), le dernier et le plus célèbre des trois principaux déchanteurs qui illustrèrent, à la fin du XIIe siècle ou au début du XIIIe, l'école dite de Notre-Dame de Paris, les deux premiers étant maître Albert et maître Léonin. Les œuvres conservées de Pérotin, organa et conduits, parmi lesquelles les deux imposants « quadruples » *Viderunt omnes* et *Sederunt principes,* composés avant 1199, figurent à la place d'honneur dans les principaux manuscrits de l'école, mais le nom de leur auteur ne nous est connu que par un auteur anglais dit l'Anonyme IV de Coussemaker (nom du premier éditeur du texte) ; cet auteur écrivait au début du XIVe siècle et on en parle encore avec admiration. On a supposé qu'il pouvait s'agir d'un préchantre Pierre, mort en 1236, mais l'attribution reste hypothétique. Outre ces deux quadruples, l'Anonyme IV cite encore comme œuvres de Pérotin les conduits *Salvatoris hodie* et *Beata viscera,* des organa triples sur les alléluias *Nati-*

vitas (dont *Diffusa est* est une seconde version) et *Posui adjutorium.* Aucune des autres œuvres, parfois mises sous son nom, ne présente de garantie d'attribution. Outre ses œuvres propres, Pérotin avait également remanié plusieurs organa de son prédécesseur Léonin, dont il avait, selon l'Anonyme IV, rédigé une version abrégée.

PETRASSI *(Goffredo),* compositeur et pédagogue italien *(Zagarolo 1904).* Il fit ses premières études musicales à la Schola cantorum di San Salvatore de Lauro (1913-1919), puis étudia le piano avec A. Bustini, dont il devint en 1928 élève de composition au conservatoire Sainte-Cécile de Rome. Il y suivit également la classe d'orgue de F. Germani, puis la classe de direction d'orchestre de B. Molinari. De 1934 à 1936, il fut professeur d'écriture à l'académie Sainte-Cécile, puis de 1939 à 1959, professeur de composition au conservatoire de Rome. Il a également été professeur invité au Mozarteum de Salzbourg (1951) et à Tanglewood (1956). Trois années durant (1937-1940), il fut directeur du théâtre de la Fenice à Venise. En 1944, il fonda le groupe Musica Viva, consacré à la propagation du répertoire contemporain

L'œuvre multiforme de Petrassi l'a souvent fait comparer à Stravinski. Dès le début, il a manifesté son attachement à l'héritage de la Renaissance et du baroque *(Partita,* 1926 ; *Toccata,* 1930) ; mais son langage harmonique porte l'influence de Casella, dont il fut l'ami, et de Hindemith. Cette union de l'esprit du passé et de la technique du présent est particulièrement sensible dans le *Psaume IX* (1936), très apparenté à Stravinski, dans le *Magnificat* (1940), dans le madrigal *Coro di morti* (1941) et dans la *Sonata da camera* pour clavecin et dix instruments (1948). Ses ballets *La Follia di Orlando* (1943), *Il Ritratto di Don Chischiotte* (1945), son opéra *Il Cordovano* (1949) sont des regards personnels sur le néoclassicisme. La cantate *Noche oscura* (1951), sur un texte de saint Jean de la Croix, œuvre à la fois grave et sensuelle, contient en germe l'écriture sérielle, à laquelle Petrassi est arrivé avec quelques réticences, mais qu'il va désormais développer. Au centre de son œuvre instrumentale se trouvent les 8 concertos pour orchestre, échelonnés entre 1934 et 1972. Le genre fait évidemment référence à Bartók, et à une conception particulière

Ferrania

Goffredo Petrassi.

de l'écriture orchestrale. Toutefois, seul le 4e concerto, pour orchestre à cordes (1954), s'apparente réellement à Bartók. Dans l'ensemble, le langage des concertos marque une affirmation du dodécaphonisme, à partir du 3e (1951) et tout particulièrement dans le 6e (1957). L'étape suivante de Petrassi fut le renoncement au principe thématique, dans la *Sérénade* (1958) et le *Concerto pour flûte* (1960), où la dislocation du matériau musical et du rythme s'inscrit dans l'héritage webernien. Dans ses œuvres des années 1960-1970, (7e concerto pour orchestre, *Propos d'Alain,* pour voix et 12 instruments, *Estri, Octuor,* pour trompettes et trombones), il s'adonne surtout à une recherche de timbres et de registres. Le 8e concerto, *Orationes Christi,* pour chœur mixte, vents, altos et violoncelles (1974-75), *Poema,* pour cordes et 4 trompettes (1977-1980), marquent un certain assagissement et une tendance à renouer avec l'esthétique de *Coro di morti* et de *Noche oscura.* Petrassi est,

aux côtés de Dallapiccola, le compositeur
italien le plus marquant de sa génération.

PFITZNER *(Hans),* compositeur et chef
d'orchestre allemand *(Moscou 1869-
Salzbourg 1949).* Sa famille s'étant installée à Francfort en 1872, il fit ses études au
conservatoire de cette ville avec Knorr
(théorie) et Kwast (piano) entre 1886 et
1890, et s'y lia avec J. Grun, son futur
librettiste. Nommé professeur au conservatoire de Coblence (1892), puis chef d'orchestre au théâtre de Mayence (1894), il fit
représenter dans cette ville, en 1895, son
premier opéra, *Der arme Heinrich.* Il fut
ensuite professeur au conservatoire Stern
de Berlin, séjourna à Munich, puis se fixa
à Strasbourg en 1908, où il cumula les
postes de directeur du conservatoire, des
concerts symphoniques et de l'opéra. En
1917, son œuvre dramatique la plus importante, *Palestrina,* fut créée à Munich sous
la direction de Bruno Walter. Cette œuvre,
dans la tradition de l'opéra wagnérien en
même temps qu'hommage à la polyphonie
de la Renaissance et à l'un de ses plus
illustres représentants, Palestrina, est un
manifeste d'opposition aux recherches de
Schönberg et de Busoni. Le thème en est
la solitude morale et la lutte du compositeur défendant ses principes artistiques.
La même année, Pfitzner écrivit son pamphlet polémique *Futuristengefahr (le Danger futuriste),* dirigé contre Busoni. En
1919, il rédigea *Die neue Aesthetik der
musikalischen Impotenz,* s'opposant ainsi
aux idées exprimées par Paul Bekker dans
son *Beethoven.* De 1929 à 1934, il enseigna à l'Académie musicale de Munich,
puis effectua des tournées comme pianiste
et chef d'orchestre.

Homme d'opinions conservatrices, se
considérant « comme le dernier survivant
de la musique dans un monde devenu
fou » (C. Rostand), Pfitzner poursuivit la
tradition du romantisme allemand issue
de Schopenhauer, Schumann et Wagner.
Outre ses œuvres scéniques, parmi lesquelles *Die Rose vom Liebesgarten* (1901),
il a écrit notamment de la musique de
chambre, des œuvres symphoniques, des
concertos pour piano, pour violon et pour
violoncelle, la cantate *Von deutscher Seele*
(1921), et la fantaisie chorale *Das dunkle
Reich* (1929).

PHILIDOR *(François André* DANICAN*),* compositeur français *(Dreux 1726-Londres*

François André **Philidor.**

1795). Membre d'une célèbre dynastie de
musiciens dont le patronyme était Danican
et dont l'un des représentants, son demi-
frère Anne Danican Philidor *(1681-1728),*
avait fondé le Concert spirituel en 1725, il
bénéficia de l'instruction musicale la plus
sérieuse qui fût alors dispensée en France :
il entra comme enfant de chœur à la chapelle de Versailles, dès l'âge de six ans,
et y reçut jusqu'en 1740 l'enseignement de
Campra. Contrairement à la plupart de ses
contemporains, il mena une existence totalement indépendante : ses dons exceptionnels de joueur d'échecs lui permirent
de passer quelques années de bohème à
Paris, puis de séjourner longuement en
Allemagne et à Londres. Il mit à profit ces
neuf ans de vie cosmopolite pour acquérir
une expérience musicale bien plus riche
que ne le permettait à Paris la dictature du
style français. Ses contemporains ne s'y
étaient pas trompés, puisqu'on le considérait alors comme un compositeur italiani-
sant : compliment chez les uns, moyen de

l'éloigner des postes officiels pour les autres. Heureusement pour Philidor, son retour d'Angleterre, en 1754, le plonge dans un milieu musical en pleine révolution, à la suite notamment de la Querelle des bouffons. Après quelques expériences comme arrangeur dans les théâtres de la Foire, il fait représenter en 1759 son premier opéra-comique, *Blaise le savetier*, qui constitue, avec *les Aveux indiscrets* de Monsigny, la première grande œuvre du genre. L'opéra-comique est resté la forme de prédilection de Philidor : il en écrivit 19, de 1759 à 1788 ; les plus marquants sont, outre *Blaise*, *le Jardinier et son seigneur*,

également sur un texte de Sedaine (1761), *le Sorcier*, sur un argument original de Poinsinet (1764), et *Tom Jones* (1765), d'après le roman de Fielding. Philidor fut moins heureux dans la tragédie lyrique, et seule *Ernelinde* (remaniée plusieurs fois de 1767 à 1773) connut un véritable succès ; on commence aujourd'hui à apprécier la valeur de cette œuvre, qui représente, avec *Aline* de Monsigny, la première tentative de redonner vie à un genre alors totalement sclérosé. L'originalité de Philidor se manifesta également dans le domaine de l'oratorio : son *Carmen seculare* (1779), composé à l'instigation du milieu littéraire

Frontispice du Carmen Seculare *de **Philidor**, dédié à Catherine de Russie.*

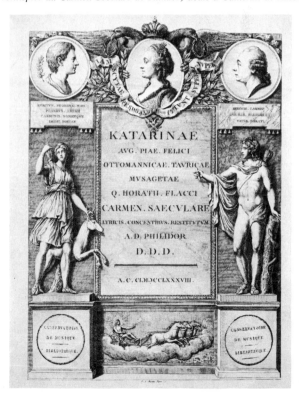

de Londres, constitue en France un essai qui préfigure les grandes fêtes néoclassiques de la Révolution.

PHILIPPE DE VITRY, théoricien français *(Vitry ? 1291 - Meaux 1361).* Fils d'un noble attaché à la maison du roi Philippe le Bel, il appartenait à l'état ecclésiastique, fut « chanoine en expectative », puis « clerc de notaire » auprès de Charles IV le Bel, membre du Conseil des réformateurs en 1357, après avoir été intronisé évêque de Meaux en 1351. Parallèlement à ces fonctions, il vécut surtout à Paris, dans l'entourage immédiat des Valois (Philippe VI et Jean II le Bon). En août 1350, à la mort de Philippe VI, il est en mission officielle en Avignon, auprès du pape Clément VI. Sous la régence du dauphin Charles, il paraît avoir milité dans les rangs du prévôt des marchands Étienne Marcel, car en 1357 il fait partie de la commission des neuf « généraux réformateurs » désignés par les états généraux. Humaniste réputé, il était lié à Pétrarque, entre autres, qu'il rencontra en Avignon, puis à Paris.

Comme compositeur, il a laissé une quinzaine de motets, mais c'est surtout comme réformateur de la notation musicale qu'il est resté célèbre. Dans son traité de l'*Ars nova* (v. 1320), le musicien champenois révise les principes de la notation dite franconienne, donne à la nouvelle valeur *minima* — introduite par Pierre de La Croix vers 1280 — son rôle et, alors que le rythme ternaire avait dominé tout au long du XIIIe siècle, « accorde au rythme binaire une égale importance et applique cette division binaire à toutes les notes dans les différentes mensurations, c'est-à-dire dans leurs rapports les unes avec les autres » (Paule Chaillon). Ainsi sont définis le *mode* ou division de la longue en brèves, le *temps* ou division de la brève en semi-brèves, la *prolation* ou division de la semi-brève en minimes. Par ailleurs, pour compléter le nouveau système de notation, Philippe de Vitry définit le rôle des « points » : le *punctum divisionis,* qui joue le rôle de barre de mesure, et le *punctum additionis,* semblable au point dans notre notation moderne. Pour rendre cette notation plus claire, il est recommandé, enfin, de joindre aux notes noires des notes rouges indiquant le passage temporaire d'une mensuration parfaite à une mensuration imparfaite. Les manuscrits de Guillaume de Machaut, conservés à la Bibliothèque nationale de Paris, font usage de ladite notation française.

Le succès des réformes proposées par Philippe de Vitry explique leur diffusion dans toute l'Europe du temps, à ceci près que, en Italie, l'école florentine des *caccie,* qui se développa à Florence aux environs de 1350 auprès de Francesco Landino, imagina un système mixte qui mariait quelques-uns des principes majeurs de la notation française au mode de notation, spécifiquement transalpin, et mieux adapté à une musique plus déclamatoire et plus ornée, de Marchettus de Padoue.

PHILIPPOT *(Michel Paul),* compositeur français *(Verzy 1925).* Ses études scientifiques ayant été interrompues en 1942 à la suite de son arrestation par la police de Vichy, il entreprit des études musicales au Conservatoire de Paris et avec R. Leibowitz. Sa double formation, musicale et scientifique, l'amena à exercer à l'O. R. T. F. les fonctions les plus variées, de celle

*Michel Paul **Philippot**.*

Roger Jean Ségalat

d'ingénieur du son à celle de conseiller scientifique. Il y fut aussi responsable de l'ensemble des services musicaux. Professeur de composition au Conservatoire de Paris depuis 1970, chargé de cours à l'université de Paris-IV, il a également une intense activité d'enseignement. Il est actuellement doyen de la faculté de musique de l'université d'État de São Paulo, au Brésil. Il est l'auteur d'un certain nombre de travaux scientifiques sur la cybernétique, et d'études sur l'acoustique et l'esthétique.

Venu de l'école sérielle, il s'efforce, comme compositeur, en s'aidant de sa culture scientifique, d'en découvrir la suite logique. Il a écrit des œuvres pour orchestre, pour piano, pour divers ensembles de chambre, ainsi que de la musique électroacoustique. Citons *Sonate pour piano no 1* (1947), *Étude de musique concrète no 1* (1952), *no 2* (1958) et *no 3* (1962), *Composition pour orchestre à cordes no 1* (1959), *Composition pour double orchestre* (1960), *Sonate pour orgue* (1971), *Sonate pour piano no 2* (1973), *Passacaille pour 12 instruments* (1973), *Pièce pour violon seul no 1* (1965), *no 2* (1975) et *no 3* (1976), *La, toute la, rien que la,* pour soprano, clarinette, percussions et bande magnétique (1976), *Quatuor a cordes* (1978), *Pièce pour alto et piano* (1978). Il a écrit un livre sur *Igor Stravinski* (1965) et *Diabolus in musica,* analyse des *Variations Diabelli* de Beethoven (1978).

PICCINNI *(Nicola),* compositeur italien *(Bari 1728 - Passy 1800).* Élève à Naples de Leo et de Durante, il donna dans cette ville son premier opéra, *Le Donne dispettose* (1754). Suivirent, à Rome, *Alessandro nell'Indie* (1758), de style « seria » et sur un livret de Métastase, et en 1760 *La Cecchina ossia La Buona figliuola,* sur un livret d'après Goldoni et consacrant la naissance du genre « semiseria ». Une cinquantaine d'opéras, dont *L'Olimpiade* (1761) et *La Molinarella* (1766), furent ensuite écrits en une dizaine d'années. La popularité de Piccinni pâtit de l'étoile naissante d'Anfossi, et, à l'invitation de Marie-Antoinette, il accepta de venir à Paris, où il arriva en 1776 et où il fit notamment jouer *Roland* (1778), sur un livret de Marmontel.

Gluck venait de donner son *Armide,* et bientôt se déclencha la fameuse Querelle des gluckistes et des piccinnistes, envenimée par les nombreux écrits des partisans

*Portrait de Nicola **Piccinni** par J. Robineau.*

respectifs des deux compositeurs, dont les relations personnelles restèrent toujours cordiales. Piccinni, qui représentait la musique italienne, se vit confier la direction d'une troupe transalpine. Deux ans après l'*Iphigénie en Tauride* de Gluck, il fit représenter son opéra du même nom (1781). On lui opposa alors un nouveau rival en la personne de Sacchini : ce dernier donna *Chimène* (1784), et Piccinni *Didon* (1783). Peu après, il prononça l'éloge de Sacchini devant sa tombe ouverte (1786), et, à la mort de Gluck (1787), il tenta en vain d'organiser à Paris des cérémonies commémoratives.

Au début de la Révolution, Piccinni retourna à Naples, puis se réfugia à Venise, où il écrivit *La Griselda* (1793). Accueilli de nouveau par la France en 1798, il fut nommé peu avant sa mort inspecteur de l'enseignement du Conservatoire. Maître incontesté de l'opéra « semiseria », dont les innovations devaient également porter leurs fruits dans l'opéra-comique français, il prodigua aussi son talent dans sa musique sacrée et sa musique instrumentale.

PICHL *(Vaclav),* compositeur et violoniste tchèque *(Bechyne, près de Tabor,*

1741 - Vienne 1805). Après des études en Bohême, il fut engagé par Dittersdorf comme violoniste à Grosswardein (1765-1769). En 1777, il partit pour l'Italie comme directeur de la musique de l'archiduc Ferdinand, gouverneur de la Lombardie et dont la résidence était Milan, et y resta jusqu'en 1796. L'archiduc ayant été cette année-là chassé de sa province par les Français, Pichl le suivit à Vienne, où il demeura à son service. Apprécié de Haydn, qui fit exécuter des quatuors de lui à Esterháza, il écrivit des symphonies et des concertos ainsi que de la musique de chambre, en particulier pour violon. Dans ses dernières années, il se consacra beaucoup à la musique religieuse.

PIERNÉ *(Gabriel),* compositeur et chef d'orchestre français *(Metz 1863 - Ploujean, Finistère, 1937).* Dès l'âge de cinq ans, il étudie le solfège au conservatoire de Metz. En 1871, il entre au Conservatoire de Paris dans les classes de Lavignac (solfège), Marmontel (piano), Durand (harmonie), Franck (orgue) et Massenet (composition). Il obtient de nombreuses récompenses, en attendant le grand prix de Rome en 1882. Auparavant, il a écrit plusieurs œuvres, dont la *Sérénade* pour piano, devenue célèbre. À Rome, il termine son premier opéra-comique, *le Chemin de l'amour,* et une légende dramatique pour chœur et orchestre, *les Elfes,* dont un des numéros, « Je maudis ma puissance », entrera au répertoire de nombreuses chorales françaises. Il compose des mélodies, des chœurs, des pages instrumentales ou symphoniques (*Fantaisie-ballet* pour piano et orchestre, 1885), des scènes lyriques. En 1891, il écrit *le Collier de saphir,* pantomime de Catulle Mendès. Successeur

*Gabriel **Pierné** chez lui.*

Sirot

*Gabriel **Pierné**.*

figurent rarement. Mais il ne cesse pas d'écrire : en témoignent le ballet *Cydalise** et le Chèvrepied* (1923), la comédie lyrique *Sophie Arnould* (1927), l'opérette *Fragonard* (1934), *Trois Pièces en trio* (1936). Dans ses œuvres scéniques, Pierné reflète l'influence de son maître Massenet. Parallèlement à ses activités de chef d'orchestre et de compositeur, Pierné s'est penché sur l'enseignement musical en France.

PIJPER *(Willem),* compositeur néerlandais *(Zeist 1894 - Leidschendam 1947).* Élève de Johan Wagenaar à Utrecht, il lui dédia sa première œuvre importante, le *Quatuor à cordes n° 1* (1914), assez influencé par Wagner et Brahms, mais utilisant déjà d'audacieuses superpositions polytonales. Dans le sillage de la musique française s'inscrivirent au contraire les *Fêtes galantes* pour mezzo-soprano et orchestre (1916), d'après Verlaine, et la *Romance sans paroles* pour soprano et orchestre (1918). L'influence de Mahler est sensible dans la *Symphonie n° 1* (1917), dédiée à Willem Mengelberg et d'une durée d'une quinzaine de minutes seulement. Celle de Debussy ne tarda pas à s'y superposer, et Pijper fut un des premiers, en Europe, à réaliser une harmonieuse synthèse de ces deux maîtres si dissemblables.

Cette synthèse se manifesta nettement vers 1920, et tout d'abord dans plusieurs ouvrages de musique de chambre : *Sonate pour violon n° 1* (1919), *Sonate pour violoncelle n° 1* (1919), *Septuor* pour 5 instruments à vent, contrebasse et piano (1920), *Quatuor à cordes n° 2* (1920), *Trio pour piano n° 2* (1921). Dans ces partitions, Pijper développa également une technique très personnelle de croissance organique à partir d'une brève cellule mélodico-harmonique. Depuis 1918, il avait exercé diverses activités d'enseignement et de critique qui devaient aboutir à sa nomination comme professeur de composition au conservatoire d'Amsterdam (1925-1930), puis comme directeur de celui de Rotterdam (1930-1947). Il forma ainsi beaucoup de compositeurs de la génération suivante, parmi lesquels Henk Badings et Kees Van Baaren, et exerça par ses écrits (plus de six cents dont beaucoup réunis en volumes) une forte influence sur la vie musicale de son pays.

En 1922 fut donnée, sous la direction de Mengelberg, la *Symphonie n° 2.* Suivirent

de Franck aux orgues de Sainte-Clotilde (1890), il occupe ce poste jusqu'en 1898.

Musicien aux abondantes trouvailles mélodiques, orchestrateur raffiné, Gabriel Pierné se fait apprécier pour ses musiques de scène (*la Samaritaine,* 1897), ses ouvrages lyriques ou dramatiques (*la Coupe enchantée,* 1895, création à Paris en 1905 ; *Vendée,* 1897). En 1905, les concerts Colonne présentent sa *Croisade des enfants,* oratorio utilisant à merveille les voix enfantines. *Les Enfants à Bethléem* (1907) et *Saint François d'Assise* (1912) expriment également sa foi lumineuse transmise par César Franck. En 1908, il écrit la musique de scène pour la pièce de P. Loti, *Ramuntcho,* créée au théâtre de l'Odéon. En 1910 il devient chef d'orchestre des concerts Colonne, en remplacement d'Édouard Colonne, qu'il secondait depuis 1903. Il met volontiers cette nouvelle activité au service de ses contemporains, et crée un grand nombre d'œuvres nouvelles, parmi lesquelles les siennes

Hans de Leeuw

*Willem **Pijper**.*

en exergue une phrase du 2e acte d'*Hamlet* de Shakespeare : *Since brevity is the soul of wit... I will be brief (La brièveté étant l'âme de l'esprit... je serai bref).*

Ensuite, Pijper se tourna de nouveau vers la musique de chambre : *Trio* pour flûte, clarinette et basson (1927), *Quatuor à cordes n° 4* (1928), *Quintette à vents* (1929), *Sonate* pour 2 pianos (1935). Il y eut également une musique de scène pour *la Tempête* de Shakespeare (1930), un concerto pour violoncelle (1936) et un pour violon (1939), les *Six Adagios* pour orchestre (1940), ainsi que deux opéras, *Halewijn* (1932-1934) et *Merlijn* (1939-1946). Le second de ces opéras et le *Quatuor à cordes n° 5* demeurèrent inachevés.

Après la tension des années 1920-1933, la musique des dernières années de Pijper devint plus lyrique, plus apaisée. Excellent pédagogue, critique avisé, harmoniste raffiné, esprit intéressé à tout, ce calviniste rigoureux reste le plus grand compositeur néerlandais de la première moitié du xxe siècle.

PISTON *(Walter),* compositeur américain *(Rockland, 1894 - Belmont, Massachusetts,*

*Walter **Piston**.*

la *Sonate pour violon n° 2* (1922), le *Sextuor* pour 5 instruments à vent et piano (1923), le *Quatuor à cordes n° 3* (1923), la *Sonate pour violoncelle n° 2* (1924), la *Sonate pour flûte* (1925) et les *Sonatines* pour piano. En 1926 fut composée la *Symphonie n° 3*, dédiée à Pierre Monteux, qui la créa la même année : œuvre encore plus concentrée, écrite pour un orchestre moins nombreux, que les deux symphonies précédentes. Elle n'a qu'un seul mouvement, subdivisé en 5 courtes sections dont la dernière porte en exergue l'inscription, tirée de Virgile : *Flectere si nequeo superos, Acheronta movebo (Si je ne puis fléchir les dieux, je mettrai en mouvement l'Achéron).* En 1927, Monteux créa aussi le *Concerto pour piano,* en sept brefs mouvements. En 1928, pour le 40e anniversaire de l'Orchestre du Concertgebouw fut donnée une autre partition essentielle, les *Six Épigrammes symphoniques,* d'une concision évoquant Webern et portant cette fois

PLANQUETTE

1976). Élève de l'université Harvard et, à Paris, de Nadia Boulanger, il écrivit dès son retour aux États-Unis, en 1926, quelques œuvres dans lesquelles sa curiosité des techniques modernes (contrepoint dissonant et dodécaphonisme) se mêla à des tentatives d'assimilation du jazz comme l'une des forces vives de l'expression de son temps. Mais, dès 1938, avec son ballet *The Incredible Flutist,* il affirma une position néoclassique et conservatrice tendant vers la simplicité, la clarté des thèmes et le style direct. Puis, toujours sous le signe de la sobriété et de la discrétion, un lyrisme plus chaud et plus coloré inspira une troisième manière, et ce dès la 2e symphonie (1943). Élégante synthèse de tout ce que la musique cosmopolite des années 20 et 30 pouvait offrir comme moyens d'expression, son œuvre rachète par la grâce de son écriture mélodique ce qu'une telle position pouvait avoir d'académique et d'impersonnel. Professeur à l'université Harvard (1926-1959), il fut, par son culte de la musique pure, le « Brahms américain » de sa génération. On lui doit notamment 8 symphonies (1937-1965), des concertos (piano, violon, alto, clarinette), des variations pour violoncelle et orchestre (1966), 5 quatuors à cordes (1933-1962), 2 quintettes, 1 trio, 1 sextuor, ainsi que des traités de contrepoint, d'harmonie et d'analyse.

PIZZETTI *(Ildebrando),* compositeur italien *(Parme 1880 - Rome 1968).* Issu d'une famille de musiciens, marqué par l'enseignement de Giovanni Tebaldini, attaché au chant grégorien et à la polyphonie médiévale, il remporta ses premiers succès de compositeur à dix-huit ans, mais fut surtout révélé par sa musique de scène pour *La Nave,* de D'Annunzio (1908), pour qui il composa encore *Fedra* (1912, créée en 1915). Professeur, puis directeur du conservatoire de Florence, il fut nommé directeur du conservatoire G.-Verdi de Milan en 1924, puis enseigna la composition à Rome de 1946 à 1958, année où il donna également *Meurtre dans la cathédrale.* Il a déployé, sa vie durant, une vaste activité de critique, de chef d'orchestre et de musicologue.

Cadet de Respighi, il constitua, avec Malipiero et Casella, cette « triade des années 1880 » qui œuvra pour la renaissance d'une musique nationale qui tournât le dos au vérisme et au romantisme.

Pizzetti apparaît plus orienté vers le théâtre que ses deux condisciples, mais on trouve également dans son importante production instrumentale et dans sa musique de chambre un refus du chromatisme germanique et une adhésion à un diatonisme ou un modalisme trahissant des préoccupations semblables à celles de ses contemporains Bartók, de Falla, et même Debussy.

Au théâtre, il écrivit lui-même ses poèmes, et usa d'un lyrisme dépouillé se combinant avec une orchestration de dérivation vériste. Outre son éloquente *Fedra* et *Meurtre dans la cathédrale,* on peut retenir *Debora a Jaele* (Milan, 1922), *Fra Gherardo* *(id.,* 1928), *Orsoleo* (Florence, 1935), *La Figlia di Jorio,* d'après D'Annunzio (1954), *Il Calzare d'argento* (1961) et *Clitennestra* (1965); parmi ses musiques de scène, outre *La Nave,* mentionnons *La Pisanella* (D'Annunzio, Paris, 1913), *la Représentation sacrée d'Abraham et Isaac* (1917), *Agamemnon* (1930), *les Trachiniennes* (1933), *Œdipe à Colone* (1936) et *Il Campiello* (1957).

PLANQUETTE *(Robert),* compositeur français *(Paris 1848 - id. 1903).* D'une famille de musiciens — sa mère chantait à

Robert Planquette.

561

*Robert **Planquette** sur son balcon.*

l'Opéra —, il entra au Conservatoire de Paris où il obtint les prix de solfège et de piano et travailla l'harmonie avec Duprato. Il débuta comme pianiste dans les cafés-concerts. Ses premières compositions ont été des transcriptions pour piano, des chansons, des marches et des chants militaires. Il est l'auteur du *Régiment de Sambre et Meuse* devenu célèbre. Le succès dans le domaine de l'opérette lui est venu soudainement avec *les Cloches de Corneville*, représenté au théâtre des Folies-Françaises le 19 avril 1877, et qui connut une vogue exceptionnelle. Planquette, qui partageait son activité entre Paris et Londrés, produisit par la suite une vingtaine d'autres ouvrages qui n'eurent cependant jamais la même notoriété, même si certains ont survécu jusqu'à nos jours : *Rip Van Winckle* (1882) et *Surcouf* (1887), tous deux représentés à Londres. Parmi les œuvres de ses dernières années, un titre est à retenir : *Mam'zelle Quat' Sous* (1897).

PLATTI *(Giovanni Benedetto)*, compositeur italien *(Venise v. 1700 - Würzburg 1763)*. On ne connaît rien sur le début de sa vie ni sur sa formation. En 1722, il est présent à la cour de Würzburg, où il était sans doute venu avec un groupe de musiciens vénitiens, et y travaille jusqu'en 1761 au moins. Engagé en qualité d'hautboïste, il fait également office de professeur de chant, ténor de chambre et violoniste, et, à l'occasion, de violoncelliste et claveciniste. Il a composé de la musique sacrée (six messes, *Requiem, Stabat Mater*), un opéra et quelques pièces vocales profanes, mais s'est surtout consacré à la musique instrumentale : deux recueils de six sonates pour clavecin op. 1 et 4 (1742 et 1745), six concertos pour clavecin et cordes op. 2 (1742), six sonates pour flûte avec violoncelle op. 3 (1743), ainsi qu'un certain nombre de sonates et pièces inédites pour clavecin, hautbois, violon et violoncelle. Bien que ses œuvres (surtout les premières) se rattachent encore, d'une certaine façon, à l'époque baroque par leur usage de divers procédés polyphoniques (en particulier celui du *fugato*), ses dernières sonates, où se fait sentir l'influence de C. Ph. E. Bach, permettent de le considérer comme un compositeur pré-classique.

PLEYEL *(Ignaz)*, compositeur, éditeur et facteur de pianos français d'origine autrichienne *(Ruppersthal, Basse-Autriche, 1757 - Paris 1831)*. D'abord élève de Vanhal, il fut envoyé par son protecteur, le comte Ladislas Erdödy, auprès de Haydn à Esterháza, et y resta de 1772 à 1777. Il fut ensuite maître de chapelle du comte Erdödy, puis voyagea en Italie, en particulier à Naples, où fut représenté en 1785 son opéra *Ifigenia in Aulide*. En 1783 ou 1784, il devint assistant de Franz Xaver Richter à la cathédrale de Strasbourg, lui succédant comme maître de chapelle en 1789. De décembre 1791 à mai 1792, il séjourna à Londres, appelé par le Professional Concert pour concurrencer son ancien maître Haydn. Les relations des deux compositeurs restèrent néanmoins très cordiales. De retour en Alsace, il échappa de peu à la guillotine, et, en 1795, il s'installa à Paris, où il fonda une maison d'édition qui devait poursuivre ses activités jusqu'en 1834, et en 1807 une fabrique de pianos qui devait fusionner en 1961 avec Gaveau-Érard, l'ensemble devant être racheté en 1976 par Schimmel, de Brunswick. Comme éditeur, Pleyel publia en 1801 la première collection complète des quatuors de Haydn, et en 1802 les premières partitions de poche, inaugurées avec quatre symphonies de Haydn. Comme compositeur, il écrivit assez peu de musique vocale (*Die Fee Urgele,* Esterháza, 1776), et cultiva essentiellement le domaine instrumental (symphonies, concertos, symphonies concertantes, œuvres de musique de chambre du duo au septuor). Ses symphonies et quatuors le firent souvent comparer à Haydn, dont il fut l'élève le plus célèbre, et Mozart, après avoir pris connaissance du deuxième opus paru de Pleyel, *Sei quartetti composti e dedicati al celeberrimo e stimatissimo fu suo Maestro il Signor Gius. Haydn in segno di perpetuo gratitudine,* alla jusqu'à écrire : « Il serait bon et heureux pour la musique que Pleyel puisse être en mesure, avec le temps, de nous remplacer Haydn » (24 avril 1784).

L'apogée de la carrière créatrice de Pleyel correspondit aux années de Strasbourg, ce dont témoigne notamment un contrat avantageux qu'il signa le 20 décembre 1786 avec l'éditeur parisien Imbault. À noter que deux de ses trios furent longtemps attribués à Haydn (Hob. XV. 3 et 4).

Manuel Ponce.

Ignaz Pleyel.

PONCE *(Manuel),* compositeur et pianiste mexicain *(Fresnillo, Zacatecas, 1882-Mexico 1948).* Il étudia au conservatoire de Mexico, puis à Bologne et à Berlin, où il donna un récital en 1906. Il devint professeur de piano au conservatoire de Mexico en 1909, vécut comme critique musical à La Havane, de 1915 à 1917, puis reprit son enseignement au conservatoire de Mexico. De 1925 à 1933, il vécut à Paris, où il travailla avec Paul Dukas. En 1934-35, il dirigea le conservatoire de Mexico, où il eut comme élève Carlos Chavez. Il essaya dès lors de concilier dans ses œuvres les techniques modernes et les éléments folkloriques.

Sa recherche d'un art authentiquement national l'amena à recueillir de nombreuses mélodies populaires. On lui doit notamment 1 concerto pour piano (1912), la *Balada mexicana* pour piano et orchestre (1914), *Chapultepec,* 3 esquisses symphoniques (1929 ; rév., 1934), *Poema elegiaco*

Rigal

pour orchestre de chambre (1935), *Concierto del Sur,* pour guitare et orchestre (1941), destiné à A. Segovia, et de nombreuses chansons.

Sa dernière grande œuvre, le *Concerto pour violon* (1943), contient en son deuxième mouvement des échos d'*Estrellita,* une chanson publiée par lui en 1914 et qui était devenue le plus grand succès d'Amérique latine.

PONCHIELLI *(Amilcare),* compositeur italien *(Paderno Fasolaro, Cremone 1834-Milan 1886).* Il entra à neuf ans au conservatoire de Milan (où il fut plus tard le professeur de Puccini et de Mascagni), se fit remarquer avec une opérette et de la musique de chambre, puis, en 1856, avec ses *Promessi Sposi* (rév. en 1872) et s'affirma avec *I Lituani* (Scala de Milan, 1874), d'après Praga, l'un des pionniers du vérisme littéraire. Boito lui fournit l'excellent livret de sa *Gioconda,* d'après *Angelo tyran de Padoue* de Hugo (1876).

Désormais célèbre, il put se consacrer à la musique instrumentale ou sacrée, revenant parfois au genre lyrique, avec notamment *le Fils prodigue* (1880), drame intérieur d'une belle sobriété, et *Marion Delorme* (1885), sorte de retour à un romantisme méditatif.

D'une personnalité discrète et trop modeste, Ponchielli a parfois plié son inspiration aux goûts du public, ce qui ne doit pas faire négliger son très réel talent dramatique ni son rôle efficace en cette période charnière entre le dernier Verdi et le vérisme naissant.

POOT *(Marcel),* compositeur belge *(Vilvorde, près de Bruxelles, 1901).* Il fit ses études aux conservatoires de Bruxelles (Lunssens, de Greef) et d'Anvers (Mortelmans), puis avec Paul Gilson et Paul Dukas. Professeur à l'Académie de musique de Vilvorde, puis au conservatoire de Bruxelles (contrepoint), il fonda avec Paul Gilson la *Revue musicale belge* en 1925, appartint au groupe des Synthétistes, et devint directeur du conservatoire de Bruxelles en 1949.

Son langage, traditionnel et généralement tonal, ignore les problèmes qui dépassent celui de la polytonalité, mais sert une expression toujours directe, vivante, souvent pleine d'humour et d'un lyrisme profondément humain. Son œuvre la plus célèbre est l'*Ouverture joyeuse* (1934).

Marcel Poot.

PORPORA *(Nicola),* compositeur et pédagogue italien *(Naples 1686 - id. 1768).* Entré en 1696 au Conservatorio dei Poveri di Gesù Cristo de Naples, il y resta environ dix ans, puis fit représenter dans la même ville ses opéras *Agrippina* (1708), *Flavio Anicio Olibrio* (1711) et *Basilio re d'oriente* (1713). Il fut, à cette époque, maître de chapelle de l'ambassadeur du Portugal et du prince de Hesse-Darmstadt, général de l'armée autrichienne qui occupait la ville. En 1714 fut donné à Vienne *Arianna e Teseo.* Porpora s'imposa alors comme un remarquable professeur de chant, n'ayant pas son pareil pour déceler les possibilités d'une voix et l'amener au plus haut degré de perfection. De 1715 à 1721, il enseigna cette matière au Conservatorio di S. Onofrio de Naples. Il compta alors parmi ses élèves les deux futurs castrats Farinelli et Caffarelli, ainsi que le compositeur Hasse. En 1733, après quelques années à Venise, il se rendit à Londres, où il dirigea l'Opera of the Nobility, qui s'opposait à l'influence de Haendel, et donna, notamment, *Arianna* *in Nasso* (1733). Il quitta l'Angleterre en 1736 pour Venise, puis Naples (1739). Il séjourna à Dresde de 1747 à 1751, puis de la fin de 1752 ou du début de 1753 à Vienne, où il eut comme élève le jeune Haydn. En 1760, il était de nouveau à Naples, où, après avoir repris quelque temps ses anciennes fonctions au Conservatorio di S. Maria di Loreto, il mourut dans la misère. Il écrivit quelques œuvres instrumentales, mais l'essentiel de sa production relève du domaine vocal (opéras, cantates profanes, oratorios, ouvrages sacrés divers). Beaucoup de ses œuvres ont disparu. Sa connaissance de la voix lui servit énormément dans ses opéras, mais ceux-ci, en contrepartie, mettent parfois l'accent sur la virtuosité au détriment de la substance musicale.

POULENC *(Francis),* compositeur français *(Paris 1899 -* id. *1963).* Aujourd'hui considéré comme un des plus grands compositeurs français de la première moitié du xxe siècle, il a débuté dans la musique comme petit pianiste prodige. Instruit sur cet instrument par sa mère, elle-même excellente pianiste, puis par Ricardo Vines (« Je lui dois tout », dira-t-il plus tard), il rencontre, grâce à lui, Erik Satie et Georges Auric, dont la culture le fascine et qui sera un de ses grands amis, et se trouve rapidement introduit dans les milieux parisiens de la création musicale. Sa *Rhapsodie nègre,* gentiment provocatrice et « fauviste », en 1917, fait beaucoup attendre de ses dons remarquables. Mobilisé lors de la Première Guerre mondiale, il compose peu pendant cette période militaire, sauf *le Bestiaire* (1918-19), sur des poèmes d'Apollinaire, mélodies qui sont sa première réussite d'un genre où il fut reconnu comme très grand — celui de la mélodie. Il consolide sa formation musicale d'autodidacte avec Charles Koechlin. Quand le critique Henri Collet baptise et consacre en 1920 le groupe des Six, réuni autour de Cocteau (comme le groupe des Cinq russes l'était autour de Stassov), Poulenc est naturellement l'un deux, un des plus jeunes, des plus brillants.

Pendant quinze ans, il va satisfaire à cette réputation d'artiste agréable, français, léger. Les influences perceptibles à l'époque dans son style, sont celles de Satie, Auric, Chabrier. La création de ses *Biches* en 1924, par les Ballets russes, scelle sa renommée ; on retrouve dans

cette partition la quintessence de l'esprit groupe des Six, clins d'œil, orchestre léger, thèmes d'allure « flon-flon », et savoir-faire. Des dates musicalement plus importantes sont celles de son *Concert champêtre* (1928), pour clavecin et orchestre, commandé par Wanda Landowska, et de son *Aubade* (1929), pour piano et 18 instruments, œuvres où se fait jour, derrière le badinage « galant », une certaine amertume et un certain sens du tragique. Le tournant décisif est amené par une œuvre modeste, sa première œuvre religieuse, les *Litanies de la Vierge Noire* (1936), où, tout d'un coup, il trouve sa dimension de grand musicien catholique. Il professe alors une espèce de « foi du charbonnier », qu'il se plaît à opposer à son côté « voyou » (Claude Rostand) et libertin. Toute sa carrière, désormais, surtout après la Seconde Guerre mondiale, va se structurer

*Francis **Poulenc** jeune.*

Meurisse

*Francis **Poulenc**.*

Opéra-Comique en 1947), œuvre dont le thème (un homme devenant femme, se ressentant femme) court en filigrane dans son œuvre. Sa foi catholique lui inspire un *Stabat mater* (1950), auquel fera écho le *Gloria* (1959), une de ses dernières œuvres, dont il s'estimait très satisfait, et dans laquelle il essaie d'exprimer un sentiment religieux tour à tour grave et gai. Ses *Dialogues des carmélites* sont une œuvre ambitieuse, hantée par la mort. Le rôle principal de Blanche de La Force (à laquelle il n'est pas exagéré de dire qu'il s'identifiait) triomphe dans l'interprétation de Denise Duval, grande soprano pour laquelle il écrira aussi *la Voix humaine* (1959), d'après Cocteau. Il effectue un voyage musical couronné de succès aux États-Unis. Si les tendances d'avant-garde le troublent parfois («Ma musique n'est tout de même pas si mal»), il les suit avec intérêt, et elles ne l'empêchent pas d'écrire selon son goût, naturellement éclectique (les *Dialogues* sont placés sous le signe de Moussorgski, Monteverdi, Debussy). Après 1945, il ne composera presque plus de «musique pure». Il n'est pas l'homme des grandes constructions abstraites, mais il aime destiner ses œuvres à ses amis interprètes, Denise Duval, le pianiste Jacques

Dernière page du manuscrit original du Bestiaire *de F.* **Poulenc**.

et se concentrer autour de la musique vocale et dramatique ; l'inspiration profane et l'inspiration religieuse assumées de manière parallèle se rejoindront dans une audacieuse tentative d'opéra moderne à sujet religieux (sans les séductions mythiques et fantastiques d'un sujet comme *Parsifal*), *Dialogues des carmélites* (1953-1956 ; créé à la Scala de Milan en 1957), d'après Bernanos. Même une œuvre de musique «pure», comme le *Concerto pour orgue et timbales* (1938), comporte des accents liturgiques.

Pendant la guerre, il a peu composé, sauf un ballet d'après La Fontaine, *les Animaux modèles* (1941) et la cantate *Figure humaine* (1943) sur un texte d'Eluard — un de ses auteurs favoris, auquel il a consacré plusieurs de ses cycles de mélodies. Son œuvre de rentrée est un essai dramatique burlesque sur la pièce d'Apollinaire *les Mamelles de Tiresias* (1944 ; 1re,

*Francis **Poulenc** chez lui.*

Février (avec lequel il joue en duo), le baryton Pierre Bernac (qu'il accompagne au piano).

Poulenc aime aussi voyager, enregistrer, se réfugier dans sa maison de Noizay en Touraine, dans une «solitude peuplée de visites d'amis». Célibataire jusqu'à sa mort, très discret dans sa vie privée, il saura toujours entretenir des liens profonds d'amitié. Peu de temps après avoir achevé ses *Répons sur les temps des ténèbres,* il meurt d'une attaque cardiaque, le 30 janvier 1963. Ses *Entretiens* avec Claude Rostand, publiés en volume, ont contribué à maintenir vivante sa figure, et il est l'un des rares compositeurs français de sa

génération (sinon le seul) à avoir évité le «purgatoire» et à être encore abondamment joué et repris vingt ans après sa mort.

Certes, il savait plaire d'instinct, et quels que soient les risques pris au niveau du sujet, garder son public avec lui. Il est vrai que, si ses œuvres symphoniques et lyriques sont souvent reprises, sa musique de piano et ses mélodies, réputées, restent dans l'ombre. On n'insistera pas sur ses qualités reconnues de «musicien français» : clarté, sens de la mesure, sensualité, humour, etc. Tout son problème fut peut-être d'échapper à ses dons et à sa facilité incontestable. Son anodine *Rhap-*

*Francis **Poulenc** (à gauche), avec Louis Beydts et Maurice Lehman.*

sodie nègre de 1917 montre déjà à dix-huit ans, au complet, sa musicalité, son art de faire de la musique avec rien et de se faire écouter, son sens exact des timbres. Le succès avec lequel elle fut accueillie avec ses pareilles, dans une époque où cette « esthétique d'agrément » battait son plein, exposait Poulenc à répéter indéfiniment la même inspiration gracieuse et un peu courte. Heureusement, il sut devenir plus que ce qu'il était au départ, plus qu'un musicien avec tous les dons, mais qui, ayant reçu les qualités mêmes de ceux qu'il adorait, n'en possédait aucune à un point vraiment important : moins acéré que Satie, moins vivant que Chabrier, moins profond que Debussy, moins pur que Mozart, moins orchestrateur que Ravel, bien qu'il tînt des uns et des autres. Il avait aussi — et ceci, seul, fit son succès — un sens inné de la mélodie comme totalité, comme courbe, dans ses proportions et son phrasé. Cela même quand l'inspiration en est plate — ce qui lui arrive souvent —, et on ne sait pas toujours quand c'est « voulu ».

Un rien de vulgarité bourgeoise, de laisser-aller, de complaisance se retrouve même dans la très belle mélodie initiale de sa *Sonate pour piano et flûte*. Avec cette façon un peu suffisante de retomber sur ses pieds dans la cadence (moment où Poulenc laisse souvent sentir la facilité), elle n'emporte pas vraiment l'émotion, sa beauté est comme un masque, une parade. L'élément de risque, de frémissement, qui manquait à ce style si coulant, fut trouvé par Poulenc dans le domaine religieux et dramatique. Il ne voyait pas pourquoi, musicalement, il se fût « refusé » quelque chose, voulait ignorer ce que cela signifie, mais c'est avec une sympathique franchise qu'il citait ou imitait Mozart, Moussorgski ou Chabrier. Il s'est donc rajeuni et a été « sauvé » par l'Église et par la scène, toutes deux associées dans le projet insolite de ces *Dialogues des carmélites,* qui l'occupa trois ans. Même ses mélodies, sur des poèmes de Paul Eluard, Apollinaire, Louise de Vilmorin, dont la production ponctue à peu près régulièrement sa carrière, et que les connaisseurs apprécient pour leur concentration et la qualité de leur prosodie, sont restées un peu confinées dans leur «succès d'estime» et n'auraient pas, à elles seules, suffi à sortir l'œuvre de Poulenc du cercle où elle s'était d'abord enfermée, avec quel talent cependant : car une des grandes qualités de la musique de Poulenc, sa *lisibilité,* distingue des œuvres comme *les Biches* ou le *Concert champêtre* de tant de «musiques d'agrément», qui ont mal vieilli et sont devenues, pour nos oreilles modernes, pâteuses et informes. Reconnaissons donc, à travers toute son œuvre, un certain génie de la clarté qui n'a pas été donné à beaucoup. Et qu'on n'aurait pu imiter, si ce compositeur, qui sut prendre son bien partout, avait eu des imitateurs. Au moins la seconde partie de sa carrière lui a-t-elle permis de conquérir sa solitude.

POUSSEUR *(Henri),* compositeur belge *(Malmédy 1929).* Il a fait ses études au conservatoire de Liège (1947-1952), où il obtint un premier prix d'harmonie et un second prix d'orgue, puis à celui de Bruxelles (1952-53), où il remporta un premier prix de fugue dans la classe de Jean Absil. À Liège, il se lia au groupe vocal Variations, organisé autour de Pierre Froidebise. Il rencontra Pierre Boulez dès 1951 et, en 1954, travailla au studio de musique électronique de Cologne. Il passa, en 1957, deux mois à celui de Milan et, en 1958, il fonda le Studio de musique électronique de Bruxelles.

Les premières œuvres de Pousseur témoignent de son admiration pour Webern : *Trois Chants sacrés,* pour soprano et trio à cordes (1951); *Symphonies à 15 solistes* (1954-55); *Quintette à la mémoire d'Anton Webern,* pour clarinette, clarinette basse, violon, violoncelle et piano (1955, joué à Donaueschingen la même année); *Mobile,* pour 2 pianos (1956-1958); *Madrigal I,* pour clarinette (1954). En 1954 fut réalisé à Cologne *Seismogrammes I* et *II,* pour bande à une piste, et en 1957, à Milan, *Scambi,* pour bande à 2 pistes. En 1960 suivit à Bruxelles le ballet électronique *Électre,* qui obtint la même année le prix Italia.

Pousseur travailla, de 1961 à 1963, au Studio de musique électronique de Monaco, et en 1962 il fonda le centre d'études Musiques nouvelles, dans le cadre duquel il organisa des séries de concerts avec l'Ensemble musiques nouvelles dirigé

par Pierre Bartholomée. Il enseigna, de 1962 à 1968, à l'École supérieure de musique de Cologne et, en 1963-64, à l'Académie de musique de Bâle. En 1965, il travailla au Studio de musique électronique de l'université de Gand. Cette même année ainsi qu'en 1967, il tint une série de séminaires au Centre de sociologie de la musique de l'université libre de Bruxelles et, en 1966-67, il fut invité à l'université de Buffalo. Entre 1957 et 1967, il enseigna à Darmstadt. Durant cette période, il s'intéressa de plus en plus aux matériaux extramusicaux, à l'aléatoire et aux multimedia. Il en résulta notamment *Rimes,* pour différentes sources sonores (1958-59 ; créé à Donaueschingen, 1959), *Ode,* pour quatuor à cordes (1960-61), *Madrigal II,* pour flûte, violon, viole de gambe et clavecin (1961), et *III,* pour clarinette, 2 percussions, piano, violon et violoncelle (1962), et *Trois Visages de Liège* (1961), œuvre pour bande à 2 pistes composée pour le spectacle Forme et Lumières de la ville de Liège.

En 1967, l'année de *Couleurs croisées,* pour orchestre, Pousseur acheva une de ses œuvres maîtresses, la fantaisie varia-

Henri Pousseur.

Amphion

*Henri **Pousseur**, qui obtint en 1960 le prix Italia pour son ballet électronique* Électre.

ble genre opéra *Votre Faust* (1960-1967), pour soprano, alto, ténor, basse, 5 acteurs, 12 instruments et bande en collaboration avec Michel Butor (création le 15 janvier 1969 à la Piccola Scala de Milan). Cet ouvrage, où le public a la possibilité d'intervenir et d'orienter l'action dans tel ou tel sens, fait du procédé de la citation littéraire et musicale un usage vaste et subtil et donna naissance à plusieurs « œuvres satellites » comme *Miroir de votre Faust* (1964-65), *Portail de votre Faust* (1960-1966), *Jeu de miroir de votre Faust* (1967), *Échos de votre Faust* (1967), *Ombres de votre Faust, Fresques de votre Faust.*

En 1970, Pousseur se réinstalla à Liège, où il fonda le Centre de recherches musicales de Wallonie, et fut d'abord chargé d'enseignement à l'université de cette ville. Au conservatoire de Liège, il fut chargé d'un séminaire de musique expérimentale, puis en 1971 de la classe de composition.

En 1975, il devint directeur de cet établissement et s'attacha principalement à une tâche de rénovation pédagogique tout en dirigeant également la Société des concerts du Conservatoire (avec comme instrument principal l'orchestre dirigé depuis 1977 par Pierre Bartholomée*). Parmi les principales œuvres de cette période, *les Éphémérides d'Icare II,* pour piano et instruments, page se référant notamment à Michel Butor et, à travers lui, à Charles Fourier ; *Crosses of Crossed Colors,* pour voix de femme amplifiée, piano et 6 sources sonores (1970) ; *Invitation à l'utopie* (1970-71, version amplifiée des *Éphémérides d'Icare II*), pour récitant, 2 voix de femmes, chœur à 4 voix, une soliste principale, un concertino et un concerto grosso ; *Midi-Minuit,* déroulement ininterrompu de musiques (1971) ; *Stravinski au futur,* composition collective (1971), *Ex-Dei in machina memoria,* pour un instrument mélodique et appareillage électroacoustique (1971) ; *l'Effacement du prince Igor*, pour grand orchestre (1971) ; *Vue sur les jardins interdits*, pour quatuor de saxophones (1973, version pour orgue parue la même année) ; *Schönbergs Gegenwart* ou *les Épreuves de Pierrot l'Hébreu*, pour acteurs, chanteurs et instruments (1974, pour le centenaire de Schönberg, version française *Procès du jeune chien*, 1978) ; *Liège à Paris*, œuvre électroacoustique pour l'ouverture de l'I. R. C. A. M. (1977) ; *Chevelure du temps*, oratorio populaire en collaboration avec Michel Butor (1979) ; *les Îles déchaînées* pour ensemble de jazz, ensemble expérimental et orchestre symphonique (1980) ; *la Seconde Apothéose de Rameau*, pour ensemble (1981 ; créée à Paris par l'Ensemble intercontemporain, novembre 1981) ; *Trajets dans les arpents du ciel* pour clarinette basse et orchestre (1983) ; *Nacht der Nächte*, créé à l'opéra de Hambourg en 1985.

On doit également à Henri Pousseur de nombreux écrits, dont *l'Apothéose de Rameau (essai sur la question harmonique)* [Paris, 1968], *Fragments théoriques I sur la musique expérimentale* (Bruxelles, 1970), *Stravinski selon Webern selon Stravinski* (Paris, 1971) et *Musique, sémantique, société* (Paris, 1972).

PRAETORIUS *(Michael)*, compositeur, organiste et théoricien allemand *(Creuzburg an der Werra v. 1571 - Wolfenbüttel 1621)*. Esprit encyclopédique, il étudia la musique, la philosophie et la théologie, principalement à Francfort-sur-l'Oder, où il fut organiste. On le retrouve ensuite à Gröningen et à Wolfenbüttel, où il se fixa dès 1593 et où il demeura jusqu'à sa mort, tout en remplissant diverses fonctions : maître de chapelle de la Cour à Wolfenbüttel, conseiller de la maison de Saxe et maître de chapelle (de 1613 à 1616) à Dresde, conseiller à Sandershausen, à Kassel, à Leipzig et à Nuremberg, sans jamais occuper de poste stable pendant longtemps.

Ses œuvres musicales sont très nombreuses et ont été presque toutes publiées de son vivant ; il en a donné lui-même la liste à la fin de son traité *Syntagma musicum*. Ce sont principalement, pour la musique religieuse, les motets, les hymnes et les psaumes contenus dans les 9 volumes des *Musae sioniæ* (de 2 à 12 voix ; 1605-1610), les *Motectae et psalmi* (de 4 à 16 voix ; 1607), la *Missodia sionia* (de 5 à

8 voix ; 1611), l'*Hymnodia sionia* (de 5 à 8 voix ; 1611), la *Kleine und Grosse Litaney* (de 5 à 8 voix ; 1613), la *Polyhymnia caduceatrix et panegyrica* (de 1 à 21 voix, avec basse continue ; 1619) et la *Polyhymnia exercicatrix* (de 2 à 8 voix, avec basse continue ; 1619) ; et, pour la musique profane, 9 volumes portant le titre général de *Musa aonia* et composés de *Terpsichore* (2 vol.), *Calliope* (2 vol.), *Thalia* (2 vol.), *Erato* (1 vol.), *Diana Teutonica* (1 vol.) et *Das Regensburgische Echo* (l'*Écho de Ratisbonne*, 1 vol.) ; ces recueils contiennent des danses et des chansons polyphoniques.

Le trait dominant qui caractérise les œuvres de Praetorius réside dans l'enrichissement qu'il a apporté au style musical pratiqué dans l'Allemagne du Centre de son temps par l'adjonction de plus en plus marquée d'éléments de langage empruntés à la musique italienne qu'il a beaucoup étudiée. Ses premières œuvres font encore appel à la polychoralité, plusieurs chœurs à plusieurs voix étant réunis, et, sur le plan

*Portrait de M. **Praetorius** ornant la page de titre de* Musae Sionae.

Page de titre du Theatrum Instrumentorum *de Michael **Praetorius** (Wolffenbüttel, 1620).*

de la forme, au motet fondé sur le choral harmonisé. Mais, rapidement, il fait évoluer ces formes anciennes et rigides en les marquant de la souplesse expressive du madrigal italien, puis en leur ajoutant des parties instrumentales qui contribuent, avec l'ornementation des parties chantées, à enrichir la polyphonie de sonorités nouvelles et plus variées. Cette évolution le mène à concevoir une véritable basse continue instrumentale, qui apparaît très nettement dans ses dernières œuvres (les

recueils de *Polyhymnia* de 1619). Ainsi, en une époque de complète transformation du langage musical, Praetorius contribue puissamment, en Allemagne, à faire passer la polyphonie chorale héritée du XVIe siècle à la musique baroque qui va se développer au XVIIe siècle.

Mais Praetorius eut également une profonde influence par ses écrits, dans lesquels il fit la synthèse des très nombreuses connaissances qu'il avait acquises. On connaît de lui un *Traité de l'orgue*, resté manuscrit ; mais son principal ouvrage est la grande somme des 3 tomes du *Syntagma musicum* (« Traité de la musique »), publié à Wolfenbüttel de 1614 à 1620. Écrit en latin et en allemand, il traite, dans son premier tome, de l'ancienne musique religieuse et des différentes musiques liturgiques connues (juive, grecque, égyptienne, latine, jusqu'aux formes pratiquées en Allemagne), ainsi que des musiques profanes anciennes, des compositeurs et des théoriciens. Le deuxième volume, intitulé *Organographia*, est un magistral traité d'organologie : nomenclature et description de tous les instruments connus, du passé et du présent, et de leur facture. Enfin, le troisième volume est consacré à la théorie de la musique : notation, solmisation, rythme, contrepoint.

PREY *(Claude),* compositeur français *(Fleury-sur-Andelle, Eure, 1925).* Il a fait ses études au Conservatoire de Paris avec Darius Milhaud et Olivier Messiaen. Il est essentiellement un homme de théâtre : son important catalogue ne comprend pas une seule œuvre de musique « pure ». Il a toujours été son propre librettiste, sauf pour *le Cœur révélateur,* opéra de chambre sur un texte de Philippe Soupault (1902 ; Italia, 1963). Dans son théâtre, le langage joue un rôle prédominant, la même phrase pouvant avoir plusieurs sens suivant la notation de son intonation, de son rythme, de son ambitus, voire de son timbre. On lui doit *Lettres perdues,* opéra radiophonique (1960) ; *la Dictée* (1961) ; *le Cœur révélateur* (1962) ; *L'Homme occis* (1963, créé à Paris en 1975) ; *Jonas,* opéra-oratorio (1964) ; *Mots croisés* (1965, créé à Paris en 1978) ; *Métamorphose d'Écho,* opéra de concert (1965) ; *Donna Mobile I* (1966) ; *la Noirceur du lait,* opéra-test (1967) ; *On veut la lumière ? Allons-y !,* opéra-parodie (1968) utilisant la série pour unifier des éléments très disparates et se livrant à une véritable analyse structuraliste de la musique de l'époque de l'affaire Dreyfus ; *Fêtes de la faim* (1969) ; *le Jeu de l'oie* (1970) ; *Théâtrophonie,* ouvrage pour 12 chanteurs et piano écrit à l'occasion de l'année Proust (1971) ; *Donna Mobile II* (1972) ; *les Liaisons dangereuses,* d'après Choderlos de Laclos (1973), opéra épistolaire créé à l'Opéra du Rhin et repris à Avignon, puis, en 1980, à Aix-en-Provence, et qui demeure sa partition la plus célèbre ; *Young Libertad* (1976, créé à Lyon par l'Opéra-Studio) ;

les Trois langages, écrit pour des enfants (1978) ; *Utopopolis* (1980) ; *l'Escalier de Chambord,* créé à Tours en 1981, *Paulina,* créé à Tourcoing en 1983, *le Rouge et le Noir* (Aix-en-Provence, 1989).

PROKOFIEV *(Serge),* compositeur russe *(Sontsovka, Ukraine, 1891 - Nikolina Gora, près de Moscou, 1953).* Ayant reçu de sa mère, pianiste, les premières notions musicales, Prokofiev montre des dispositions étonnamment précoces pour la composition : à cinq ans les premières mesures d'un *Galop indien,* pour piano, à neuf-dix ans de petites scènes lyriques, *le Géant* et *Sur les îles désertes.* Un étudiant du conservatoire de Moscou, Youri Pomerantsev, puis le jeune compositeur Glière lui enseignent les bases de l'harmonie. Ses essais de composition sont encouragés par Serge Tanéiev. En 1904, il entre au conservatoire de Saint-Pétersbourg ; il y est l'élève de Liadov en harmonie, de Winckler puis de Essipova en piano, de Vitol en composition, de Rimski-Korsakov en orchestration

*Serge **Prokofiev.**
Dessin de Michel Larionov (1921).*

*Serge **Prokofiev**, par Michel Larionov (coll. A. Meyer/Ziolo).*

et de Tchérepnine en direction d'orchestre. Il y fait la connaissance de Nikolaï Miaskovski, qui restera toute sa vie son plus proche ami. Peu fait par nature pour l'enseignement scolastique, Prokofiev s'intéresse de bonne heure aux compositeurs contemporains : Debussy, Strauss, Reger (tous mal vus au conservatoire) et Schönberg, dont il interprète les œuvres lors de ses premiers récitals. Il s'impose rapidement en tant que pianiste, impressionnant ou choquant le public par sa puissance et sa technique. Il a à peine vingt

ans lorsque l'éditeur Jurgenson publie ses premières œuvres : sa première sonate pour piano, qui porte encore l'influence de Schumann, Reger et Rachmaninov, 4 études et 8 pièces pour piano. En 1914, il se présente avec succès au concours Rubinstein de piano, et joue lors de l'épreuve avec orchestre son propre premier concerto pour piano. Dans cette œuvre (1911-12), ainsi que dans sa 2e sonate pour piano, son style se précise : goût pour la carrure rythmique et la vigueur de frappe, pour les harmonies âpres et imprévues, et contrastes entre cette force manifestée et un lyrisme élégiaque, parfois douloureux, qui se ressent de la veine mélodique populaire. Contemporainement au *Manifeste des futuristes*, publié en 1912 par un groupe de poètes russes (dont Maïakovski) et intitulé *Gifle au goût du public*, Prokofiev écrit son 2ᵉ concerto pour piano, dont l'exécution en 1913 provoque un scandale mémorable. Ce concerto atteint les limites des possibilités physiques du soliste. À côté de cela, cependant, c'est un Prokofiev beaucoup plus fin et intimiste qu'on trouve dans les 10 pièces pour piano op. 12, ces deux traits constituant à part égale la nature du compositeur.

À l'occasion d'un voyage à Londres, en 1914, Prokofiev rencontre Diaghilev ;

il espère l'intéresser à un projet d'opéra d'après *le Joueur* de Dostoïevski, mais Diaghilev lui commande un ballet « sur un sujet russe ou préhistorique ». Ce sera *Ala et Lolly*, sur un livret du poète symboliste Serge Gorodetski, tiré de la mythologie scythe. La partition déplaît à Diaghilev, qui la refuse. Prokofiev la retravaille et en fait la *Suite scythe*. Œuvre d'une violence rarement atteinte, parcourue de visions fantasmagoriques, s'achevant sur un terrible crescendo évoquant le lever du soleil, la *Suite scythe* utilise un orchestre immense et s'inscrit dans la lignée du courant panmongoliste. C'est la réponse de Prokofiev au *Sacre du printemps* de Stravinski.

Le refus de Diaghilev n'a pas découragé Prokofiev d'une collaboration avec lui, et

Projet de décor par Larionov pour Chout *de **Prokofiev** et Diaghilev (VIᵉ tableau).*

J. Candelier

PROKOFIEV

*Serge **Prokofiev**.*

ils choisissent ensemble un nouveau sujet de ballet : *Chout* (« le bouffon »), extrait d'un recueil de contes russes. Mais ce projet ne trouvera sa concrétisation que six ans plus tard.

En 1916-17, Prokofiev compose dans les genres les plus divers : il achève *le Joueur* (1917), écrit ses 3ᵉ et 4ᵉ sonates pour piano, son 1ᵉʳ concerto pour violon, le cycle des vingt *Visions fugitives* (1915-1917), qui sont à la musique de leur époque ce que les *Préludes* de Chopin sont à la musique romantique. C'est aussi la date de deux œuvres aussi différentes que possible : la *Symphonie classique,* qui témoigne du goût de Prokofiev pour la forme pure, et de la cantate *Ils sont sept* (1917-18 ; rév., 1933), sur un poème de Constantin Balmont, « invocation chaldéenne » écrite dans le pressentiment du bouleversement

de la Révolution, et qui se rattache à l'esthétique de la *Suite scythe*. En même temps, il fait la connaissance de Maxime Gorki et de Maïakovski. Mais, dans les mois à venir, leurs chemins vont diverger. Révolutionnaire en musique, mais peu intéressé par la politique, Prokofiev ne voit guère de possibilités de faire carrière en Russie au lendemain de la Révolution, et demande à Lounatcharski, commissaire du peuple à l'Instruction, l'autorisation d'émigrer. En mai 1918, il part pour les États-Unis, en passant par le Japon, où il donne quelques récitals. Il s'impose assez rapidement aux États-Unis, malgré la malveillance de certains critiques. Le chef d'orchestre de l'Opéra de Chicago, l'Italien Campanini, lui propose un sujet d'opéra sur *l'Amour des trois oranges,* fable de Gozzi, auteur du xviiiᵉ siècle. Prokofiev écrit rapidement la partition, mais le décès subit de Campanini provoque le report de la représentation. En avril 1920, Prokofiev quitte les États-Unis pour la France. Il entre dans le cercle de Diaghilev, aux côtés de Stravinski, Poulenc, Milhaud, de Falla, Ravel. Entrecoupé de deux nouveaux voyages aux États-Unis, dont le second pour la création de *l'Amour des trois oranges* (décembre 1921), le séjour parisien de Prokofiev est marqué par la représentation de *Chout* (mai 1921). La même année voit naître le 3ᵉ concerto pour piano (commencé en 1917), d'une structure plus rationnelle et d'un dynamisme plus contrôlé que le précédent.

En 1922, Prokofiev s'installe à Ettal dans les Alpes bavaroises, où il travaille à un nouvel opéra, *l'Ange de feu,* d'après une nouvelle de Valéry Briussov ; le sujet en est un cas de « possession diabolique » au xviᵉ siècle. En même temps, le compositeur continue à donner des concerts dans les capitales occidentales (Londres, Berlin, Bruxelles). Son nom commence à être connu, tant grâce à ses propres efforts qu'à ceux du chef d'orchestre Koussevitski, récemment émigré, qui est un propagateur actif de la musique russe.

En 1923, Prokofiev revient à Paris. C'est l'année de son mariage avec Carolina Llubera-Codina, jeune femme d'origine mirusse, mi-espagnole. De ce mariage naîtront deux fils, Sviatoslav et Oleg.

Avec la 2ᵉ symphonie (1924-25), Prokofiev aborde l'esthétique constructiviste, à laquelle Honegger a rendu hommage avec son *Pacific 231*. Deux ans plus tard, Diaghilev commande à Prokofiev un ballet constructiviste sur le thème des réalisations industrielles et de la nouvelle vie en Union soviétique. C'est le *Pas d'acier*, créé en 1927 avec des décors de Iakoulov sous la direction de R. Desormière. Depuis quelques années précisément, Prokofiev est de plus en plus attiré par l'Union soviétique, se sentant étranger aussi bien parmi les Occidentaux que parmi ses compatriotes émigrés, qu'il juge trop passéistes. Au début de 1927, il fait un premier séjour en U.R.S.S., où il renoue avec ses anciens amis, dont Miaskovski, et où sa musique a déjà pénétré. Toutefois, le *Pas d'acier* est désapprouvé par les Soviétiques, et considéré comme caricatural.

S. Prokofiev, par Kontchalavski.

Serge Lido

Achevant *l'Ange de feu* en 1927, Prokofiev entreprend de composer à partir du matériau thématique de l'opéra sa 3e symphonie. L'année suivante, une nouvelle — et dernière — commande de Diaghilev est à l'origine du ballet *le Fils prodigue,* d'après la parabole évangélique, le rôle-titre est créé par Serge Lifar. Peu après Diaghilev meurt à Venise, ce qui rompt une des principales attaches de Prokofiev avec l'Occident. Pendant sept ans, Prokofiev va mener un mode de vie instable, partagé entre l'Occident et l'U.R.S.S. : en 1930, un nouveau voyage aux États-Unis est à l'ori-

gine de la composition de son *1er Quatuor* commandé par la Library of Congress. En 1932, le ballet *Sur le Borysthène,* élaboré avec Lifar, connaît un retentissant échec à l'Opéra de Paris. Une autre déception est celle du 4e concerto pour piano (1931), composé, comme le *Concerto pour la main gauche* de Ravel, à l'intention de Paul Wittgenstein, et refusé par le dédicataire. Le 5e concerto (1931-32), qui s'apparente au 2e et au 3e, connaîtra une meilleure fortune. Mais c'est en U.R.S.S., dont il n'est pourtant pas encore citoyen, que Prokofiev reçoit, dès 1933, les commandes les plus intéressantes, à commencer par la musique du film de Feinzimmer *Lieutenant Kijé,* qui marque son retour à un style plus classique, afin de se mettre à la portée des masses. En 1936, il écrit pour les enfants *Pierre et le loup,* tout en élaborant avec le metteur en scène Radlov un grand ballet, *Roméo et Juliette* (créé à Brno en 1938), son premier ballet soviétique, et sa première grande référence à un thème de la littérature classique. Le ballet donne lieu, outre à une suite symphonique (ce que Prokofiev fait de la plupart de ses œuvres scéniques), à une série de pièces pour piano.

En 1937, Prokofiev prend la citoyenneté soviétique. Par malchance, il renoue avec son pays au moment où le contrôle du pouvoir s'étend à tous les domaines culturels : en 1932, création de l'Union des compositeurs soviétiques ; en 1936, célèbre affaire de l'opéra *Lady Macbeth de Mzensk* de Chostakovitch, qualifié de « galimatias musical ». Et, de plus en plus, les artistes qui déplaisent pour une raison ou une autre se voient taxés de « formalisme », tare suprême définie comme « le sacrifice du contenu social et émotionnel de la musique au profit de la recherche d'artifices avec les éléments de la musique : rythmes, timbres, combinaisons harmoniques ». Tandis que nombre de musiciens russes (Rachmaninov, Chaliapine, Tchérepnine, Medtner, Glazounov) ont choisi d'émigrer, refusant l'avenir soviétique, afin de conserver leur passé russe et leur liberté, Prokofiev fait le choix inverse : il sacrifie sa liberté pour revenir à la Russie comme à une source indispensable, et pour devenir un compositeur soviétique officiel, subissant tous les avantages et les inconvénients de ce statut.

En 1937, Prokofiev achève une *Cantate pour le 20e anniversaire de la Révolution*

PROKOFIEV

qu'il projette depuis plusieurs années. Il y met en musique des textes de théoriciens du marxisme, dont Lénine. Mais l'œuvre est refusée par la censure, ce type de textes « n'étant pas prévu pour être chanté ». La rencontre avec le cinéaste Eisenstein va donner lieu à une collaboration fructueuse. Prokofiev écrit la musique pour la grande fresque historique et patriotique *Alexandre Nevski* (1938), dans laquelle on reconnaît le style de la période occidentale du compositeur *(les Croisés dans Pskov, Bataille sur la glace)* à côté de pages dont l'ins-

piration populaire et épique correspond aux exigences de l'esthétique soviétique (*Chant sur Alexandre Nevski, Sur le champ de la mort,* finale). Prokofiev y renoue avec les traditions des opéras nationaux russes du xixe siècle. En décembre 1939, pour le soixantième anniversaire de Staline, il se joint au chœur des panégyristes en écrivant la cantate *Zdravitsa* (« bonne santé »). La même année, il compose son premier opéra soviétique, *Siméon Kotko,* inspiré de la guerre civile en Ukraine. En même temps, il commence à travailler à trois

A.P.N.

Ivan le Terrible,
*ballet
de Iouri Grigorovitch,
musique de Serge **Prokofiev.**
(Opéra de Paris, 1976.)*

*Serge **Prokofiev.**
Tableau d'I. E. Grabar
(Galerie Tretiakov,
Moscou).*

Bernand

période sont la *Ballade du garçon resté inconnu*, le 2ᵉ quatuor écrit sur des thèmes kabardes, la sonate pour piano et flûte (transcrite ensuite pour piano et violon à la demande d'Oïstrakh), qui frappe par sa limpidité, aux côtés d'œuvres pathétiques et tourmentées. Mais, surtout, Prokofiev va, dès 1942, retravailler avec Eisenstein pour un nouveau film historique, *Ivan le Terrible*. Le premier épisode, projeté en 1945, obtient le prix Staline, mais le second est interdit par la censure (il ne sera montré qu'à partir de 1958). La mort d'Eisenstein en 1948 mettra fin aux activités de Prokofiev dans le domaine de la musique cinématographique.

Les années 1945-1947 voient l'achèvement et la création de plusieurs œuvres ébauchées au cours des années précédentes : la 5ᵉ symphonie, le ballet *Cendrillon* (théâtre Bolchoï, novembre 1945), la première partie de *Guerre et Paix* (Leningrad, théâtre Maly, juin 1946). Simultanément à deux œuvres de circonstance pour le trentième anniversaire de la Révolution, *Poème de fête* et *Fleuris, pays toutpuissant*, il compose en 1947 sa 9ᵉ et dernière sonate, dédiée à Richter et qui marque un certain dépouillement du langage. La même année il obtient le titre d'artiste du peuple de la R.S.F.S.R. Mais cette distinction ne le met pas à l'abri des redoutables attaques qu'il subit l'année suivante, dans le cadre d'une campagne antiformaliste sans précédent, lancée par Andreï Jdanov, et qui atteint les plus grands noms de la musique soviétique : Chostakovitch, Khatchaturian, Miaskovski, Kabalevski. Toute une série d'œuvres de Prokofiev est condamnée, en particulier celles de sa période occidentale *(Chout, le Pas d'acier, le Fils prodigue, l'Ange de feu)*, et même certaines œuvres soviétiques, dont la 8ᵉ sonate. Contraint de faire son autocritique, le compositeur attire cependant l'attention sur celles de ses œuvres qui ont échappé à la condamnation : *Roméo et Juliette, Alexandre Nevski,* la *5ᵉ Symphonie*. Mais, quelques mois plus tard, la censure refuse son nouvel opéra *Histoire d'un homme véritable*, inspiré pourtant de la vie héroïque d'un aviateur soviétique pendant la guerre.

Malgré un état de santé précaire (hypertension), Prokofiev consacre toute son énergie à la composition. En 1950, il écrit *la Garde de la paix*, œuvre avec laquelle il se rachète aux yeux du régime. Ses dernières

nouvelles sonates pour piano (nᵒˢ 6, 7 et 8, dites « les sonates de guerre »), œuvres monumentales qui constituent le sommet de sa production pianistique. Les deux premières sont créées par Sviatoslav Richter (1943), qui révèle également aux Soviétiques le 5ᵉ concerto ; la 8ᵉ sonate est jouée par Guilels (1944).

En 1940, Prokofiev fait la connaissance de la jeune poétesse Myra Mendelssohn qui devient sa nouvelle compagne, ainsi que sa collaboratrice. Elle lui suggère le thème d'un opéra-comique, *les Fiançailles au couvent*, d'après *la Duègne* de Sheridan ; et ils élaborent ensemble le livret de *Guerre et Paix* d'après Tolstoï, opéra que Prokofiev commence en 1941 et auquel il travaillera jusqu'à la fin de sa vie.

Dès le début des hostilités germanorusses, Prokofiev est évacué au Caucase, avec nombre d'autres artistes et intellectuels. Il y reste pendant deux ans. Les œuvres les plus marquantes de cette

Cendrillon, *ballet de V. Orlikowski et de R. de Larrain, musique de* **Prokofiev**
(premier festival international de danse de Paris, 1963).

œuvres importantes sont la sonate pour piano et violoncelle écrite pour Rostropovitch et Richter, la 7ᵉ symphonie, et surtout le ballet *la Fleur de pierre* ; s'inspirant des légendes de l'Oural et créé à Moscou en 1954. C'est à Nikolina Gora, dans la banlieue de Moscou, où il vit depuis la fin de la guerre, que Prokofiev meurt le 5 mars 1953. Mais sa mort passe pratiquement inaperçue, car elle survient le même jour que celle de Staline.

Excepté la musique religieuse, Prokofiev a abordé tous les genres. Il a donné le meilleur de lui-même dans la musique pour piano (ses concertos, sonates et ses nombreuses miniatures sont au premier rang du répertoire pianistique du xxᵉ s.), dans les œuvres chorégraphiques et cinématographiques, où il excelle à donner l'équivalent musical des mouvements et des scènes visuelles. Sa musique lyrique présente plus d'inégalités, en dépit de la puissance incontestable du *Joueur* ou de *l'Ange de feu,* et de certains épisodes de *Siméon Kotko* et de *Guerre et Paix :* Prokofiev est incomparablement plus novateur dans le domaine harmonique et instrumental que dans celui de l'écriture vocale, et il est davantage un illustrateur et un narrateur qu'un psychologue.

Réaliste, volontaire, tourné vers le concret et vers l'avenir, caustique et dur, spirituel et provocateur, Prokofiev n'en est pas moins, à côté de cela, un lyrique, qui a toujours su adapter son invention mélodique aux divers styles qu'il a pratiqués. C'est aussi un héritier direct des classiques, par son sens de la forme et de la construction solide, et la discipline de son inspiration. Ce qui explique, dans une grande mesure, ses facilités d'adaptation et sa productivité.

*Serge **Prokofiev**
dirigeant une répétition.*

PUCCINI *(Giacomo)*, compositeur italien *(Lucques 1858 - Bruxelles 1924)*. Issu d'une vieille famille de musiciens d'église — son grand-père Domenico écrivit aussi pour le théâtre —, il perdit son père en 1864, fit ses premières études au séminaire, puis entra à l'Institut musical de Lucques en 1874, y écrivant son *Prélude symphonique* (1876) et diverses œuvres religieuses, réunies plus tard en une messe (1880).

Fortement marqué par une représentation d'*Aïda* vue à Pise en 1876, il décida de se consacrer au théâtre et réussit brillamment un examen d'entrée à Milan en 1880. Doté d'une bourse exceptionnelle de la reine, il y étudia avec Bazzini et Ponchielli et obtint son diplôme en 1883 avec son *Caprice symphonique* (dont il réutilisera des fragments inaltérés treize ans plus tard dans *La Bohème*), ayant, en outre, composé des mélodies et un quatuor à cordes. L'originalité et le modernisme de son écriture éclatèrent dès son premier opéra, *le Villi,* d'après Heine et Th. Gautier, joué en 1884 au Del Verme de Milan. Dédaigné par le jury du concours organisé par la jeune Maison Sanzogno, cet opéra attira l'attention de l'éditeur Ricordi, qui accorda sa confiance et son aide financière au jeune musicien. Puccini put ainsi travailler durant quatre ans à *Edgar,* d'après *la Coupe et les lèvres* de Musset, créé sans succès à la Scala de Milan en 1889; réduit de 4 actes à 3, l'opéra reçut un meilleur accueil à Ferrare en 1892. Ricordi n'en avait pas moins conservé sa confiance à Puccini, qui, par ailleurs, menait une vie sentimentale difficile, vivant avec la femme d'un de ses amis, Elvira, qu'il n'épousa qu'en 1904.

Ayant vu Sarah Bernhardt jouer *la Tosca* de V. Sardou en 1889, Puccini s'était enflammé pour ce sujet, mais ne pouvant en obtenir les droits, il décida, quatre ans après le succès de la *Manon* de Massenet, de traiter le même thème, et, au terme de longs démêlés avec plusieurs librettistes, fit représenter sa *Manon Lescaut* à Turin en 1893, huit jours avant la création du *Falstaff* de Verdi à Milan. Ce fut un triomphe, et l'œuvre fut jouée dans toute l'Italie, en Amérique du Sud, en Russie, en Espagne et en Allemagne l'année même, à Lisbonne, Budapest, Londres, Prague, Montevideo et Philadelphie en 1894, bientôt à Mexico, à Varsovie, New York, Athènes, etc., n'atteignant toutefois la France qu'en 1906 (à Nice et à Bordeaux).

PUCCINI

La succession de Verdi semblait dès lors assurée, et, désormais célèbre, Puccini se fixa à Torre del Lago, près de Lucques. C'est là qu'il écrivit sa *Bohème,* d'après Murger ; cet opéra, créé à Turin en 1896 sous la baguette de Toscanini, connut un départ incertain, tant l'orchestration et l'harmonie en parurent révolutionnaires, contrastant avec le sentimentalisme post-romantique de *Manon Lescaut.* L'œuvre s'affirma néanmoins rapidement, alors que, Franchetti lui en ayant abandonné généreusement les droits, Puccini put enfin écrire sa *Tosca,* qui, créée à Rome en 1900, fut jouée immédiatement dans le monde entier, triomphant devant les publics les plus traditionnels, malgré son langage extrêmement audacieux.

Ballerini Fraatini

... et au début de l'âge mûr.

*Giacomo **Puccini** à deux périodes de sa vie : jeune homme...*

Après avoir traité cinq sujets d'inspiration française, c'est durant un voyage à Londres que Puccini découvrit le drame de John Luther Long qui lui inspira *Madame Butterfly,* dont l'achèvement fut retardé par son grave accident d'automobile de

1903, et qui, après son échec initial à la Scala de Milan en 1904, triompha à Brescia trois mois plus tard dans une version remaniée. Alors qu'il supervisait en Amérique la production de ses œuvres, il trouva dans une pièce de Belasco un nouveau thème de dépaysement, le Far West : *La Fanciulla del West* fut créée triomphalement au Metropolitan Opera en 1910 avec Caruso et E. Destinn, sous la baguette de Toscanini, et cette réussite rasséréna Puccini qui, d'une part, avait usé ici d'un langage très hardi et qui, d'autre part, venait de traverser une crise personnelle très grave, Elvira Puccini ayant été jugée responsable du suicide d'une jeune servante qu'elle avait injustement accusée d'être la maîtresse de son mari.

Au faîte de la gloire, bien que vilipendé par une certaine presse, notamment en France, Puccini entreprit des œuvres de caractères divers : un projet d'opérette à la viennoise, mais que les circonstances politiques durent modifier et dont il fit un

La représentation de la Fille du Far West *de* **Puccini** *au Metropolitan Opera de New York en 1910. Au centre, Enrico Caruso, qui créa le rôle. Toscanini conduisait l'orchestre.*

opéra (*la Rondine,* créée à Monte-Carlo en 1917) ; 3 œuvres courtes réunies sous le titre de *Triptyque* (créées à New York en 1918) ; *la Houppelande,* drame vériste de Didier Gold, nimbé d'un climat musical impressionniste ; *Suor Angelica,* douloureuse tragédie sentimentale imaginaire située dans la Florence de la Renaissance ; *Gianni Schicchi,* tiré de *l'Enfer* de Dante et où Puccini renouait avec la grande tradition du comique remise à l'honneur par Verdi dans *Falstaff* et surtout par Wolf Ferrari au début du siècle, dans ses comédies lyriques inspirées par Goldoni. C'est à un autre Vénitien classique, Carlo Gozzi, que Puccini emprunta le thème de son dernier opéra, *Turandot,* dans lequel la fable exotique (un sujet chinois tiré

d'une légende persane) s'effaçait devant la dimension du grand opéra auquel le musicien avait songé toute sa vie. Audacieuse dans son harmonie, d'une rare difficulté d'exécution, l'œuvre ne put être achevée par son auteur qui, victime d'un douloureux abcès à la gorge, s'éteignit dans une clinique de Bruxelles après une opération infructueuse. L'opéra fut achevé par son ami Alfano, qui récusa parfois les esquisses laissées par Puccini, et créé à la Scala de Milan en avril 1926 ; lors de la première, la représentation s'acheva par la scène de la mort de Liù, là où le compositeur avait posé la plume.

La célébrité de Puccini a longtemps reposé sur des malentendus, ses partisans et ses détracteurs ayant cru pouvoir appa-

La scène de la Scala de Milan au cours d'une représentation de la Tosca *de* **Puccini.**

renter son œuvre total au courant vériste, dont il s'était pourtant si nettement démarqué; en outre, cette célébrité s'appuya d'abord sur l'adhésion des amateurs traditionnels de l'opéra du XIXᵉ siècle, amoureux des effusions lyriques contenues dans ses opéras, et séduits par son extraordinaire efficacité dramatique, mais parfaitement indifférents aux si importantes innovations de son théâtre et de son langage orchestral et harmonique. C'est pourquoi cette gloire fut jugée suspecte par une certaine « élite » de la musicologie, qui, il faut en convenir, ne s'était guère attardée à étudier ses partitions. Mais, si Debussy, Fauré ou Dukas ont émis des jugements qui ne leur font pas honneur, ce furent aussi, dès l'abord, des compositeurs tels que Mahler et Ravel qui clamèrent leur

admiration pour Puccini, cependant que les premiers musicologues à avoir resitué ce musicien parmi les grands novateurs du siècle furent deux spécialistes de la musique moderne, l'Américain Mosco Carner et le Français René Leibowitz.

En fait, bien qu'élevé au sein de la *scapigliatura* milanaise, Puccini avait échappé à l'emprise du courant vériste, ses goûts le portant vers le romantisme (ses premiers inspirateurs furent Heine, Gautier et Musset), en même temps que sa formation sévère l'incitait à rendre à l'orchestre un rôle essentiel qu'avait négligé Verdi, créant, en outre, un climat harmonique nouveau, presque inconcevable en Italie. Enfin, son sens de la construction théâtrale, dont témoignent les incessants démêlés avec ses librettistes et l'extrême concision de ses livrets (pour ne pas parler de raccourcis excessifs) le portaient aux antipodes de la pompe romantique et des excès du vérisme. En même temps, son intimité avec la culture française lui dictait un langage harmonique apparenté à celui de Chabrier, et dont les audaces anticipèrent parfois celles de Debussy, tandis que son orchestration « éparpillée », axée sur l'individualité des timbres et la brièveté des cellules, précédait de plus de dix ans celle de Ravel : *la Bohème* est de douze ans antérieure à la première œuvre d'orchestre pur de Ravel. En outre, dans sa conception même de l'opéra, Puccini adoptait d'emblée les procédés récents de la mélodie continue (pour ne rien dire du chromatisme wagnérien de *Tosca*), en éliminant les airs séparés. Les quelques monologues contenus dans ses œuvres sont toujours en situation, plus brefs que ceux de l'opéra wagnérien, indispensables à l'action et toujours enchaînés dans le discours musical, et ils apparaissent de plus en plus rares au fur et à mesure de l'évolution du compositeur, pour ne même plus être assimilables à la notion d'aria dans ses dernières œuvres. Le génie de Puccini, dans sa conception du chant, fut d'avoir maintenu la pérennité de la voix chantée dans son intégrité, non seulement en confrontant une lignée mélodique « facile » à un langage orchestral complexe, mais en requérant la voix toutes ses nuances sur toute son étendue, contrairement aux compositeurs véristes ; seuls les sujets de ses opéras sont parfois tributaires de l'esthétique de la « tranche de vie », encore que leur action soit trop souvent dépaysée dans le temps et dans la géographie pour y souscrire totalement. Enfin, si l'on excepte la grandiose tentative de *Turandot*, c'est à un phénomène de « raréfaction musicale », selon l'expression appliquée à l'œuvre de Webern, que l'on assiste dans son évolution, ses premiers opéras, jusqu'à *Manon Lescaut* se situant dans le postromantisme européen d'un Tchaïkovski, d'un Massenet, d'un Catalani, pour offrir dès *la Bohème* des audaces inconnues de ses contemporains (sinon du Rimski-Korsakov des dernières œuvres), auxquelles s'ajouteront l'utilisation du total chromatique (les accords de Scarpia au début de *Tosca*), l'utilisation de la gamme par ton *(La Fanciulla del West)*, l'impressionnisme du *Tabarro* et la série du premier acte de *Turandot*.

Delius

*Giaccomo **Puccini**.*

PUGNANI *(Gaetano),* violoniste et compositeur italien *(Turin 1731 - id. 1798).* Il effectue l'essentiel de ses études avec G. B. Somis, et, dès l'âge de dix ans, figure au dernier pupitre des seconds violons du Teatro Regio de Turin, où il est officiellement nommé en 1748. Ses débuts à Paris en 1754, où il joue un de ses concertos au Concert spirituel, assurent sa renommée. En 1763, il prend la tête des seconds violons à Turin, puis assure de 1767 à 1769 les fonctions de chef d'orchestre au King's Theatre de Londres, où son premier opéra, *Nanetta e Lubino,* obtient un vif succès (1769). Il est enfin nommé premier violon de l'orchestre de la cour de Turin en 1770, et, en 1776, premier virtuose de la chambre et directeur général de la musique instrumentale. De 1780 à 1782, il effectue une

*Gaetano **Pugnani**.*

grande tournée de concerts à travers l'Europe, accompagné de son élève préféré, G. B. Viotti. Son jeu puissant faisait l'admiration de toute l'Europe, et il influença probablement la conception de l'archet moderne. Comme compositeur, il s'imposa surtout par ses œuvres instrumentales (concerto, sonates avec basse continue, duos pour deux violons, sonates et menuets en trio). Il écrivit aussi de la musique de chambre (trios, menuets, quatuors et quintettes) et orchestrale (ouvertures, symphonies). Il contribua à l'établissement du classicisme en Italie, mais resta par certains côtés assez conservateur, comme le prouve le maintien de la basse continue dans une partie de sa musique de chambre. Comme violoniste, il fit le lien entre Corelli (qui avait formé son maître Somis) et Viotti, son élève.

PURCELL *(Henry),* compositeur anglais *(Londres ou Westminster 1659 - Westmins-*

ter 1695). Fils de Henry Purcell senior, « gentilhomme de la chapelle royale » et maître de chœur à Westminster, il est élevé dans un milieu très favorable de musiciens professionnels (son oncle Thomas était également membre de la chapelle royale) et initié très tôt à la pratique de son art. Admis sans doute très jeune à la chapelle de Charles II, dirigée par le célèbre capitaine Cooke, puis par Pelham Humfrey, il compose, dès 1670, une ode pour l'anniversaire du souverain. En 1673, un document atteste son départ de la maîtrise de la chapelle (à cause de la mue ?). Il parachève, la même année, sa formation chez John Hingeston, conservateur et restaurateur des orgues et instruments de la chapelle royale. Cependant que John Blow succède à Humfrey à la tête de la musique de Charles II, Purcell est nommé, en 1677, à la mort de M. Locke, compositeur « ordinaire » pour les violons de la chapelle. Deux ans plus tard, c'est précisément John Blow qu'il remplace aux orgues de Westminster, fonction qu'il gardera jusqu'à sa mort.

À la même époque (1680 ou 1681), il se marie à une certaine miss Frances, dont on ne connaît pas les origines, mais qui devait se montrer une compagne pleine de zèle et de·compréhension. De ce mariage le musicien aura six enfants, dont deux seulement atteindront l'âge adulte.

Célèbre désormais dans toute l'Angleterre et jouissant d'une très bonne situation matérielle, Purcell est, en quelque sorte, le musicien officiel de la monarchie et reconnu par ses compatriotes comme le premier de son temps. L'histoire de sa vie — sans problèmes — se confond dès lors avec celle de sa carrière. Les chefs-d'œuvre, d'ailleurs, apparaissent dans les mêmes années (*Élégie à la mémoire de Matthew Locke,* écrite en 1677, *Fantaisies* et *In nomine,* pour violes, composés vers 1680, *Sonates en trio,* pour cordes, écrites sous l'influence du style italien et de Corelli et dont le premier recueil à trois parties paraît en 1683). À la fois respectueux de l'admirable tradition nationale et novateur ouvert à toutes les expériences du temps, Purcell ne va plus cesser, jusqu'à sa mort, d'être sollicité par les compositions de cour, les commandes privées et les théâtres publics, pour lesquels il laissera dans les dix dernières années de sa vie une imposante production : opéras, semi-opéras, *masques* et musiques de scène diverses, où triomphe son génie lyrique, l'un des premiers du XVIIe siècle.

À la chute de Jacques II, en 1688, Purcell, immédiatement rallié au nouveau régime, compose la musique du couronnement de Guillaume de Nassau et de Mary d'Angleterre. De la même époque date *Didon et Énée,* qui, composé au départ pour un collège de jeunes filles de Chelsea, en 1689, devait devenir comme le symbole de l'opéra anglais. Influencé par le *Vénus et Adonis* de John Blow, l'ouvrage consacre le ton dramatique de Purcell et, malgré certains emprunts formels à Lully et à sa tragédie lyrique, atteint à une intensité et à une vérité dans la confession des sentiments que seuls les plus grands égaleront par la suite.

Didon et Énée, chanté de bout en bout, était un véritable opéra. Dorénavant, le compositeur, sacrifiant au goût des Londoniens qui préféraient ce genre hybride à l'opéra à l'italienne, va s'orienter vers le *masque,* ou « semi-opéra », qui entrecoupe les épisodes chantés d'importants dialogues avec accompagnement instrumental. Les ouvrages majeurs se succèdent : *Dioclétien* (1690), *King Arthur* (1691), *The Fairy Queen* (1692), *The Married Beau* et *Timon d'Athènes* (1694), *The Tempest* et *The Indian Queen* (1695). Parallèlement à cette activité théâtrale, Purcell écrit une abondante et admirable musique liturgique (*Anthems, Hymnes,* psaumes et chants sacrés pour le service anglican) et profane (*Odes* et chants d'anniversaire comme l'*Ode pour l'anniversaire de la Reine Mary, Come ye, sons of Art* (1694) et l'*Ode à sainte Cécile, Hail bright, Cecilia* (1692). Et ce sont ces occupations multiples de com-

Rencontre de Didon et Énée *par Iacopo Amigoni.*

positeur, professeur, chanteur et instrumentiste (comme organiste et claveciniste) qui expliquent sa mort prématurée en 1695. La cause exacte de son décès n'est pas connue avec certitude (refroidissement ou tuberculose ?), mais ce qui est évident, c'est que le surmenage a fortement contribué à miner une santé qu'il semble avoir eu fragile. Sa célébrité incita les contemporains (qui avaient conscience qu'il s'était usé à la tâche) à l'honorer au cours d'une imposante cérémonie funèbre où furent exécutés les *Anthems* qu'il avait écrits, peu de temps auparavant, pour les obsèques de la reine Mary. Il fut enterré dans l'abbaye de Westminster au pied de l'orgue qui lui était familier.

Ce qui caractérise avant tout la production de « l'Orphée britannique », c'est son étonnante diversité. Musicien complet comme Mozart (et souvent, malgré les époques différentes et la divergence des styles, le rapprochement s'impose irrésistiblement entre les deux hommes), Purcell a abordé pratiquement tous les genres, pour y réussir pareillement. Cette diversité et ce bonheur rares dans l'inspiration, Purcell les doit à son génie qui a su tirer le meilleur parti des possibilités de son siècle. À l'époque où il vécut, la musique anglaise se trouvait engagée dans plusieurs voies et le grand mérite du compositeur est d'avoir su exploiter celles-ci à fond, sans en négliger aucune, mais aussi sans se décider à choisir, à trancher en faveur de l'une aux dépens d'une autre. Créateur moderne dans le sillage de l'école italienne (mais dans un ton et un style parfaitement personnels et immédiatement identifiables), Purcell, par-delà toute découverte, se souvient toujours de la tradition nationale et contrapuntique qui l'a formé et il se garde bien de la désavouer au nom de la musique nouvelle. Et, sans doute, une grande part de la fascination qu'exerce son œuvre sur l'auditeur d'aujourd'hui tient à cette ambiguïté — non résolue — entre deux conceptions de l'art musical : conception modale, héritée de la Renaissance, et conception tonale, favorisée par l'essor du style concertant, dans la seconde moitié du XVIIᵉ siècle.

N'ayant donc jamais renié l'acquis de sa première éducation contrapuntique, malgré les nouveautés italiennes, et possédant une souplesse d'écriture qui s'accordait à un sens inné de la mélodie et « que ne gênait pas encore la rigide carrure de

ce qui allait devenir très vite le style classique » (Suzanne Demarquez), Purcell a merveilleusement combiné, au long de sa musique — l'instrumentale comme la vocale, la profane comme la religieuse — trois composantes, caractéristiques de son art, en une synthèse sans équivalent dans toute l'histoire européenne : « Une polyphonie libre, la régularisation des formes et des tonalités de l'ère baroque et une compréhension profonde et sans précédent de la valeur poétique de la langue anglaise » (Henry Raynor).

Technicien hors pair, il a, toute sa vie durant, été attiré par les problèmes de composition pure et, à cet égard (et malgré son tempérament intuitif), il est le contraire d'un musicien « simple ». Chez lui, sous l'émotion poignante de l'expression, se cache souvent un art suprêmement complexe et subtil. Et, sans considérer la virtuosité comme une fin en soi, il ressent une joie évidente à résoudre au mieux les difficultés soulevées par l'emploi d'une basse obstinée, par exemple. C'est d'ailleurs dans le même esprit qu'il provoque de fréquentes — et inattendues — rencontres polyphoniques, en recourant simultanément aux gammes modales et tonales. Amoureux des fausses relations (qui sont à interpréter, avec lui, comme un archaïsme, hérité de ses grands prédécesseurs, et non comme un modernisme) et des dissonances laissées sans résolution, Purcell est aussi l'un des premiers maîtres de la modulation, avec des sauts continuels du majeur au mineur et inversement, et ce trait, joint à la grande beauté de sa ligne mélodique — toujours personnelle, toujours surprenante, toujours émouvante — en fait en quelque sorte un précurseur de Schubert.

Dans le domaine instrumental, outre les admirables *Fancies* et *In nomine* de 1680, nourris de la leçon polyphonique de l'âge d'or élizabéthain (mais les dernières pièces s'orientent vers une écriture homophone), il est l'auteur des *Sonates en trio* de 1683. La préface de ces pages nous dit que l'auteur y « a fidèlement tenté une imitation des plus célèbres maîtres italiens ». C'est-à-dire essentiellement Corelli, bien que son nom ne soit pas cité. Pourtant, Purcell tout en reprenant à son compte les trouvailles et séductions (surtout mélodiques) de la manière transalpine, ne cesse d'y faire œuvre de musicien typiquement national et « anglais », restant remarquablement lui-même dans le libre mouvement

*Henry **Purcell**, par Johann-Baptist Closterman.*

du discours instrumental, par exemple, dont les arêtes vives étonnent, si on les compare à l'équilibre déjà classique des *Sonates en trio* corelliennes.

Dans le domaine vocal (et choral), Purcell, attaché à l'abbaye de Westminster (remarquons en passant qu'il n'a pratique-

ment rien laissé pour le répertoire d'orgue et que le claveciniste, chez lui, n'a pas la même importance que chez Haendel), a évidemment beaucoup écrit pour le culte. Destinés, soit à Westminster, soit à la chapelle royale, ses *Anthems* sont, eux aussi, profondément marqués par la glorieuse tradition de l'école élizabéthaine et jacobéenne. L'influence de Byrd, Gibbons et des autres maîtres de la Renaissance anglaise y est déterminante, mais, bien entendu, Purcell adapte les modèles qu'il s'est choisis ici (et qu'il connaissait bien pour les avoir étudiés à fond durant ses années d'apprentissage auprès de Henry Cooke) au goût et aux mentalités du temps, en d'autres termes, aux exigences expressives nées en Italie de la nouvelle musique. Comme dans ses odes et sa production lyrique, il y fait valoir un instinct prosodique très sûr et un sens de l'écriture syllabique qui s'adapte admirablement à l'accent tonique, si mouvant, de la langue anglaise. Écrits pour les effectifs les plus divers, de la voix seule au chœur avec orchestre, trompettes et timbales, outre la basse continue, les *Anthems* et chants sacrés sont d'un très grand musicien religieux, joignant l'élan spirituel à une expressivité intense, à un art de l'accent toujours générateur d'un décor sonore fascinant *(The Witch of Endor)*. Dans les pages de circonstance, enfin, comme l'*Anthem* de couronnement pour Jacques II, *My heart is inditing* (1685), ou le *Te Deum et Jubilate* en *ré* de 1694, Purcell recourt à la puissance et à la gloire des sonorités et cède au plaisir de la virtuosité exubérante, avec des effets vocaux, des ornements et mélismes de la ligne de chant et des passages de trompette traités avec une agilité déjà haendélienne, à ceci près que, chez Haendel, ces procédés, sans être superficiels, ne participent qu'à des fins seulement musicales, alors que, chez son aîné, ils font partie intégrante de la structure profonde — musique et expression — de l'œuvre.

Parallèlement, mais cette fois comme auteur profane, Purcell a composé de nombreuses odes. Les premières ne sont pas sans défaut, dans le traitement des voix (solistes et chœurs) mais, à la fin de sa vie, le musicien a laissé une série de six chefs-d'œuvre : les odes écrites pour célébrer, chaque année, l'anniversaire de la reine Mary, femme de Guillaume III. Ainsi, *Come ye, sons of Art* aussi bien que *l'Ode à sainte Cécile* de 1692, nous montrent Purcell au sommet de son art, mariant l'élan dynamique à la mobilité des rythmes et à une vocation poétique dont témoignent d'abord l'éclat de l'accompagnement instrumental (la rutilance des trompettes et timbales), mais surtout l'incroyable liberté et le don mélodique de la ligne de chant où triomphe de nos jours, comme du reste à l'époque de Purcell (qui avait, nous disent les annales, ce type de voix), le timbre agile des haute-contres.

Outre des odes, Purcell a laissé de nombreux canons et *catches*, chansons de taverne, le plus souvent, qui se réfèrent, là encore, à l'art du passé et qu'anime une réjouissante veine populaire, dans le droit fil de la *Merry Old England (Come let us drink)*.

Puis dans un registre tout différent, il y a les airs où Purcell fait montre de son immense savoir-faire, d'une élégance dans l'écriture qui égale, quand elle ne la dépasse pas, la maîtrise des plus habiles Italiens. Ses chansons sur un *ground* (basse obstinée) sont d'extraordinaires réussites, où l'art cache l'art, où le chant atteint à une intensité — et à une nudité — dans la confession intimiste, véritablement fabuleuse (*Ô Solitude*, immortalisé, au disque, par le regretté Alfred Deller).

Reste à parler du musicien de théâtre, c'est-à-dire du compositeur d'opéras, de masques et de semi-opéras, aussi bien que de l'auteur de nombreuses musiques instrumentales pour la scène *(Stage Music)*, conformément aux modes du temps. Un seul opéra, dans cette production lyrique : *Didon et Énée*. Mais c'est là un extraordinaire chef-d'œuvre balayé du souffle et des contrastes de la vie et dont l'intense pouvoir tragique, la perfection musicale et formelle appellent irrésistiblement la comparaison avec Monteverdi, malgré le décalage de l'époque et du style. Écrit au départ pour un simple pensionnat, l'ouvrage échappe, en fait, à ses origines modestes — tout comme *la Flûte enchantée* de Mozart — pour atteindre à la dimension et à la vérité des musiques universelles, et l'opéra anglais aura là un modèle qui ne sera jamais égalé par la suite.

Le don mélodique et métrique est le trait dominant de *Didon et Énée*, avec un sens de la modulation et une intuition dans le rapport des tonalités qui témoigne du génie psychologique de Purcell. Comme chez Monteverdi, c'est «le grand théâtre de la vie» qui se trouve mis en scène ici, à travers l'histoire de la princesse carthaginoise délaissée. Musicien de l'étrange et du fantastique (une tradition du théâtre anglais depuis Shakespeare et les élizabéthains), Purcell a greffé en contrepoint sur la légende une sombre scène de sorcières

*Henry **Purcell**. Autre portrait de Closterman ; le modèle est plus âgé.*

sorties tout droit de *Macbeth*. Son inspiration s'accorde parfaitement aux exigences prosodiques de la poésie et le maître rythmicien, qu'il est, triomphe dans le traitement des chœurs et des danses qu'il manie avec une aisance suprême. Notons, à ce sujet, combien Purcell sera fasciné, dans toute sa production, par les possibilités d'irrégularité métrique offertes par les danses du folklore national, en particulier par le *Hornpipe* (à l'origine, pas de marin pour danseur seul, mesuré à 3/2 ou 3/4 et offrant toute une gamme de combinaisons de mesures), qui connut une grande popularité à la fin du xviie siècle. Quant au personnage de Didon, magistralement caractérisé, il appartient déjà à la galerie des

grandes héroïnes qui jalonnent la carrière de l'opéra, de l'Ariane de Monteverdi à la Lulu de Berg, et sa déploration finale est l'une des plaintes les plus déchirantes qu'ait jamais poussées la musique. Après cet unique essai dans un genre qui n'avait pas, à Londres, le succès qu'il rencontrait alors en Italie, voire en France, Purcell ne compose plus pour le théâtre que des musiques de scène et des semi-opéras, ou masques.

Proches, au plan formel, de la suite instrumentale mise au point par le Stuttgartois Johann Jacob Froberger, sous l'influence de Frescobaldi et des clavecinistes français, les *Stage Music* — dont les plus connues sont *Abdelazer ou la Vengeance*

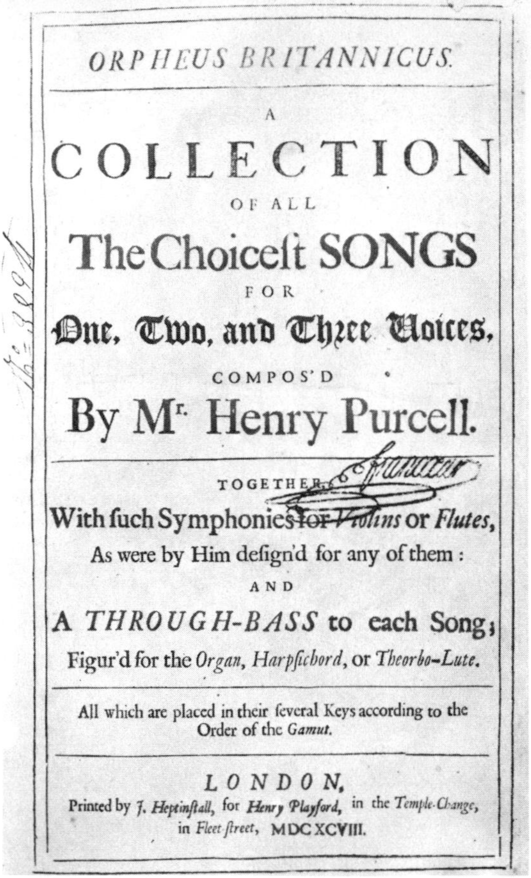

ORPHEUS BRITANNICUS.

A
COLLECTION
OF ALL
The Choicest SONGS
FOR
One, Two, and Three Voices,
COMPOS'D
By Mr. Henry Purcell.

TOGETHER
With such Symphonies for Violins or Flutes,
As were by Him design'd for any of them:
AND
A THROUGH-BASS to each Song;
Figur'd for the Organ, Harpsichord, or Theorbo-Lute.

All which are placed in their several Keys according to the
Order of the Gamut.

LONDON,
Printed by J. Heptinstall, for Henry Playford, in the Temple-Change,
in Fleet-street, MDC XCVIII.

*Page de titre
d'Orpheus Britannicus
d'Henry **Purcell**,
imprimé par H. Playford
à Londres en 1698.*

du More, The virtuous Wife, The Gordian Knot, The Double Dealer, The Old Bachelor — témoignent de la maîtrise atteinte par l'auteur dans ce répertoire qu'il marque de sa griffe personnelle, malgré d'indéniables emprunts — dans les ouvertures notamment — au style de la suite lullyste. Cela dit, c'est peut-être dans les 5 semi-opéras que se tient le plus grand Purcell. Dioclétien (1690), musique de circonstance, destinée à fêter les victoires de Guillaume III sur les Irlandais, est un semi-opéra guerrier, tout comme The King Arthur or the british Worthy (le Roi Arthur ou la Valeur britannique), qui, représenté en 1691, brûle d'une ardente flamme patriotique (le chœur du 5e acte, Old England), mais où le fantastique, ou plutôt l'irréel, fait irruption sous la légende, au gré d'évocations saisissantes et quasi visuelles (au 3e acte, la scène du peuple du Froid, dont les incroyables chromatismes et trémolos — procédé alors nouveau en Angleterre — ont peut-être été transposés par Purcell, mais en plus convaincant, du chœur des Trembleurs tiré de l'*Isis* de Lully).

The Fairy Queen (1692), inspirée — mais très librement — du *Songe d'une nuit d'été*, est un autre sommet de la production lyrique de Purcell. Une musique de vent et d'eau, toute bruissante des rumeurs du monde comme dans le modèle shakespearien (dont elle devait illustrer la représentation). La composition est à l'origine, ici, d'un climat poétique intimement accordé aux humeurs et à la fantaisie fondamentale du grand Will, malgré le regrettable manque de cohérence du livret de Settle.

Enfin, à quelques mois de sa mort, Henry Purcell écrit une musique pour *la Tempête* (celle de Shakespeare, bien entendu) et, sur un texte assez satisfaisant de Dryden et Howard, *The Indian Queen (la Reine indienne),* où il se montre également au plus haut son inspiration, jouant du réalisme comme du merveilleux et réussissant à faire passer une véritable idée dramatique dans le développement musical. De proportions plus réduites que *The Fairy Queen, la Reine indienne* mêle les sentiments et les états d'âme les plus divers, avec, comme dans l'ouvrage précédent, l'inévitable, mais toujours impressionnante, intrusion du surnaturel dans le cours de l'action, tout en sauvegardant l'heureuse conception unitaire de l'ensemble.

Au terme de ce rapide parcours, on peut toujours s'interroger — comme pour Mozart d'ailleurs — sur ce qu'aurait encore donné Purcell à la musique, s'il avait vécu plus longtemps. Ce qui est évident, c'est que, bien que respectueux du patrimoine national et de l'héritage du passé, Purcell est en avance sur son temps, au niveau de l'imagination comme de l'expression pure, qu'il écrive pour l'Église, la Cour ou le théâtre.

Ce sens novateur éclate ainsi dans les derniers semi-opéras, ou masques, tant dans la facture des airs que dans l'écriture orchestrale, qui pourrait être d'un maître du XVIIIe siècle, par exemple signée Telemann, mais avec le génie en plus. Tout comme éclate l'autre trait dominant du musicien, son signe distinctif en quelque sorte : une rare vigueur d'accent qui fait de Purcell un grand dramaturge musical, de la même race que Monteverdi et Mozart, dont il partage l'exigeant idéal de beauté et de vérité et l'infaillible instinct scénique. Et c'est cette race qu'a bien reconnue notre époque qui se retrouve dans l'élan d'une œuvre vivant d'une jeunesse conquérante, dans la joie comme dans le cri ou le deuil, dans la plainte comme dans la fantaisie déchaînée, et allant droit au cœur.

Q

QUANTZ *(Johann Joachim)*, compositeur, flûtiste et théoricien allemand *(Oberscheden, Hanovre, 1697 - Potsdam 1773)*. Fils d'un forgeron de village, il apprit dans sa jeunesse à jouer de tous les instruments à l'exception de celui qui devait devenir sa grande spécialité, la flûte traversière, étudia le contrepoint à Vienne en 1717, et en 1718, fut nommé hautboïste dans la chapelle polonaise d'Auguste II à Varsovie et à Dresde. De 1724 à 1727, il voyagea en Italie, en France et en Angleterre. Ayant accompagné Auguste II à Berlin en 1728, il y retourna ensuite deux fois par an pour donner des leçons de flûte au prince-héritier Frédéric de Prusse. Devenu Frédéric II, celui-ci appela Quantz à Berlin (1741) et en fit son musicien de chambre et son compositeur de cour. En trente ans, Quantz écrivit pour le roi environ 300 concertos et 200 partitions de musique de chambre pour flûte, auxquels il faut ajouter quelques airs et quelques lieder spirituels. On lui doit aussi divers écrits, parmi lesquels une autobiographie parue dans les *Historischkritische Beyträge* de Marpurg (1754) et surtout une méthode de flûte (*Versuch einer Anweisung die Flöte traversiere zu spielen*, Berlin, 1752) qui reste le témoignage le plus complet et le plus riche sur le jeu de cet instrument à la fin de l'époque baroque.

Larousse

*Johann Joachim **Quantz**,
par Schleuen.*

R

RABAUD *(Henri),* compositeur et chef d'orchestre français *(Paris 1873 - Neuilly-sur-Seine 1949).* Petit-fils du flûtiste Dorus et de la soprano Dorus-Gras, fils du violoncelliste Hippolyte Rabaud, il entra au Conservatoire de Paris en 1891 dans les classes de Taudon (harmonie), de Gédalge (contrepoint et fugue) et de Massenet (composition). Il obtint le prix de Rome en 1894 avec sa cantate *Daphné.*

Revenu de la villa Médicis, il organise avec Max d'Ollone des concerts de musique française à Vienne et à Rome, et se fait connaître comme compositeur avec *la Procession nocturne* jouée aux Concerts Colonne en 1899. Après avoir manifesté de la réticence envers Franck et Wagner, il commence à s'intéresser à eux, et cette double influence est sensible dans son oratorio *Job* (1900) qui porte l'empreinte du mysticisme franckiste et de celui de *Parsifal.* Quatre ans plus tard, l'Opéra-Comique crée son premier ouvrage lyrique, *la Fille de Roland* (1904), tiré de la tragédie d'Henri de Bornier.

De 1908 à 1914, Rabaud est chef d'or-

Henri Rabaud.

chestre à l'Opéra. En 1914, à la veille de la guerre, il connaît un triomphe avec *Marouf le savetier du Caire,* son œuvre maîtresse. De 1915 à 1917, il dirige les Matinées musicales de la Sorbonne, et en 1918 part pour les États-Unis comme chef d'orchestre du Boston Symphony Orchestra. Élu à l'Institut en 1919, il succède l'année suivante à Gabriel Fauré comme directeur du Conservatoire de Paris, poste qu'il conserve jusqu'en 1941. En 1924 et 1925, il signe respectivement les premières partitions originales écrites pour le cinéma muet : *le Miracle des loups* et *le Joueur d'échecs,* films de Raymond Bernard. 1938 le trouve en Amérique du Sud, où il dirige de nombreux concerts, et, de 1941 à 1946, il assure par intérim le poste de président-chef d'orchestre des Concerts Pasdeloup, en attendant le retour d'Albert Wolff, alors retenu en Argentine.

Rabaud a écrit de nombreuses musiques de scène, dont *Antoine et Cléopâtre* (1908), *le Marchand de Venise* (1917), adaptation de Népoty d'après Shakespeare, et *Pour Martine,* pièce de Jacques Bernard (1947). Son dernier ouvrage, *le Jeu de l'amour et du hasard,* un opéra-comique d'après Marivaux, resta inachevé et fut terminé par Max d'Ollone et Henri Busser.

RACHMANINOV *(Serge),* pianiste et compositeur russe *(Oneg 1873 - Los Angeles 1943).* Manifestant de bonne heure des talents de pianiste, il entre à douze ans au conservatoire de Moscou dans les classes de Zverev (piano), Taneiev (contrepoint) et Arensky (composition). Il travaille également le piano avec son cousin A. Ziloti. En 1892, il obtient la médaille d'or du conservatoire pour son opéra *Aleko.* Il entame alors une brillante carrière de virtuose qui durera toute sa vie, et le fera reconnaître comme l'un des plus grands pianistes de son temps.

Son activité de compositeur, encouragée par Tchaïkovski, s'exprime dès 1892 dans des Pièces-fantaisies pour piano op. 3, une Fantaisie-tableau pour deux pianos op. 5 (1893), le poème symphonique *le Rocher* (1893), le *Trio élégiaque* (piano, violon, violoncelle ; 1892) à la mémoire de Tchaïkovski, ainsi que de nombreuses mélodies.

Mais, en 1897, l'échec de sa 1re symphonie paralysera sa créativité pendant près de trois ans. La même année, cependant, il est engagé comme chef d'orchestre à

APN

Serge Rachmaninov.

l'opéra privé de Mamontov à Moscou. Il s'y lie d'amitié avec Chaliapine. Ayant suivi un traitement de psychothérapie auprès du docteur Niels Dahl, il compose en 1901 son 2e concerto pour piano, qui reste son œuvre la plus populaire. La période 1901-1917 est la plus productive : Sonate pour piano et violoncelle (1901), *Variations sur un thème de Chopin* pour piano (1903), les opéras, *le Chevalier avare* écrit à l'intention de Chaliapine (1903-1905, créé le 24 janvier 1906), et *Francesca da Rimini* (1904-1905, créé le 24 janvier 1906), la 2e Symphonie (1907), le poème symphonique *l'Île des morts* (1909) d'après un tableau de Böcklin, le 3e Concerto pour piano (1909), et surtout des œuvres pour piano seul dont les deux cahiers de *Préludes* op. 23 et 32 (1901-1903 et 1910), les *Études-tableaux* op. 33 et 39 (1911 et 1916-17) et deux Sonates (1907 et 1913, rév. 1931).

Intéressé d'autre part par le renouveau qui s'élabore depuis la fin du xixe siècle dans la musique religieuse, il compose pour solistes et chœur a cappella les deux cycles monumentaux de la *Liturgie de saint Jean Chrysostome* (1910) et des *Vêpres* (1915). En décembre 1917, profitant d'une tournée en Suède, il émigre. Il vit ensuite aux États-Unis jusqu'en 1928, puis en France et en Suisse, avant de retourner définitivement aux États-Unis en 1935.

Il ne s'adaptera jamais véritablement au mode de vie occidental et souffrira de la nostalgie jusqu'à la fin de ses jours. Son activité de concertiste lui assure pourtant la renommée et la fortune. Mais, au cours de ses vingt dernières années, ses œuvres s'espacent. Si le 4e concerto pour piano (1926, rév., 1941) porte l'empreinte de la musique américaine et apparaît moins personnalisé que les autres, c'est un Rachmaninov d'une incontestable originalité qu'on découvre dans la *Rhapsodie sur un thème de Paganini* pour piano et orchestre (1934),

Rachmaninov au piano.

et dans les *Variations sur un thème de Corelli* (1931), qui sont un des sommets de ce genre dans la littérature pianistique. Sa 3e Symphonie (1936, rév., 1938) est traversée d'un souffle épique. Son testament musical est constitué par les *Danses symphoniques* (1940).

Contemporain de Scriabine, de Ravel et de Bartók, Rachmaninov, immuablement attaché au système tonal, est sans conteste le dernier compositeur romantique, dans la lignée de Chopin, de Liszt et de Tchaïkovski, ses trois principaux modèles. Si cela explique le peu d'estime que lui portent les musicologues, sa faveur auprès des mélomanes et des interprètes n'en a jamais souffert. Il serait inexact de voir en Rachmaninov un compositeur exclusivement imitatif. Son style pianistique en particulier et son invention mélodique possèdent un cachet indiscutablement personnel. Son lyrisme tourmenté, tumultueux, douloureux n'est pas une prise de position délibérée par rapport à un courant esthétique, mais le reflet direct de sa personnalité nerveuse, angoissée et introvertie.

La totalité de son œuvre pianistique a survécu, même si le succès démesuré du 2e Concerto ou du Prélude en *ut* dièse mineur a pu nuire à d'autres compositions non moins intéressantes. Parmi ses nombreuses mélodies, certaines font partie du répertoire courant des chanteurs *(les Eaux printanières, le Lilas, Chanson géorgienne, Le Christ est ressuscité, Vocalise)*. Ses opéras connaissent relativement peu les faveurs de la scène, en dépit de pages d'une incontestable puissance dans *le Chevalier avare* et dans *Francesca da Rimini*.

De son œuvre symphonique, *l'Île des morts* est un chef-d'œuvre trop peu connu, dans lequel Rachmaninov se montre authentiquement symboliste. Le thème du *Dies irae* médiéval qui s'y profile a également trouvé place dans la *Rhapsodie sur un thème de Paganini* et dans les *Danses symphoniques*, ces diverses citations reflétant la crainte latente et constante de la mort. Le même pessimisme se retrouve dans la cantate *les Cloches* (1913) sur un poème de Balmont.

Rachmaninov a laissé un grand nombre d'enregistrements de ses œuvres et de celles d'autres auteurs, qui révèlent une interprétation fortement personnalisée, bien que contestable dans certains cas (la *Marche funèbre* de Chopin). Les œuvres pour piano et violon jouées avec Kreisler constituent des documents inoubliables.

RADULESCU *(Horatiu)*, compositeur français d'origine roumaine *(Bucarest 1942)*. Il fait ses études de composition à Bucarest (1er Prix nommé à l'Académie en 1969), puis suit les cours de Darmstadt et travaille notamment avec Stockhausen, Ligeti, Xenakis et Kagel. Dans sa pensée théorique comme dans sa musique, il remet radicalement en question le matériau et la forme, abolissant la notion d'échelle et de division égale et tempérée du continuum sonore. Le concept le plus général de sa démarche part du fait que l'art musical doit être tout autre chose que la réalité, c'est-à-dire qu'il doit créer un état plutôt qu'une action. Son système de pensée aborde plusieurs chapitres qui doivent être regardés comme des systèmes interdépendants : l'espace infini du son, de toute information auditive, se déployant entre les « points cardinaux » suivants : *N* (noise : bruit, qui représente l'apériodicité et le caractère nébuleux du spectre), *S* (sound : son, spectre « serein », cristallisation des composantes fréquentielles dans une géologie exponentielle, périodicité, composition du timbre, matière du son). Si les deux pôles *Noise* et *Sound* caractérisent la qualité de la matière sonore, deux autres pôles caractérisent la quantité de passage dans le temps qui, hors du temps, est aussi une qualité de densité : *W* (width : largeur, agglomération, grande densité spectrale) et à l'opposé *E* (élément, filtré jusqu'au faisceau sonore). Les sources globales du son qui sont, selon Radulescu, historiquement au nombre de cinq : *L* (langage articulé), *I/O* (instrument/objet sonore), *H* (source humaine abstraite, par exemple voix et sifflements simultanés), *N* (phénomènes acoustiques purement naturels) et *E* (sons électroniques, computers, etc.) : il s'agit pour le compositeur d'analyser les situations (les « points cardinaux » de l'espace infini du son) comme les sources globales du son, qu'elles soient intérieures à nous *(L* et *H)*, tangentes à nous *(I/O* et *E)* ou extérieures à nous *(N)* de telle manière que la cause et l'effet du résultat sonore soient sans cesse cachées. Si l'on réussit à les rendre effectivement non décelables, on arrive à créer un monde non-manufacturé, à cerner les notions de plasma sonore et d'analyse spectrale infinitésimale.

Radulescu a composé plus de 60 œuvres dont les plus révélatrices sont sans doute *Cradle to Abysses opus 5* pour piano (1967-68), *Vies pour les cieux interrompus opus 6* pour quatuor à cordes, deux « écho-pianos » et six bandes magnétiques (1966-1971), *Taaroa opus 7* pour orchestre (1968-69), *Credo opus 10* pour neuf violoncelles solistes (1969-1976), *Everlasting longings opus 13a* pour vingt-quatre cordes (1971), *Capricorn's Nostalgic Crickets opus 16* pour sept bois (sept flûtes ou sept hautbois ou sept clarinettes, etc.) [1973], *Wild Incantesimo opus 17b* pour neuf orchestres (1969-1978), *Lamento di Gesu pour grand orchestre opus 23* (1973-1975), *A doïni opus 24a* pour dix-sept musiciens jouant d'« icônes de sons » (pianos verticaux) [1974], *Doruind opus 27* pour 48 voix solistes a cappella (14 sopranos, 10 altos, 10 ténors, 14 basses) [1976], *Ecou Atins opus 39* pour flûte (aussi flûte-basse) cor, violoncelle, voix de soprano et cordes de piano (1979), *The outer time opus 42* pour vingt-trois flûtes solistes (1979-1980), *Iubiri opus 43* pour seize musiciens (deux flûtes piccolos, aussi flûte-basse et flûte-contrebasse, deux clarinettes piccolos, aussi clarinette-basse et clarinette en *si* bémol, deux contrebassons, aussi bassons, 1 cor, 1 trompette, 1 trombone, 2 percussions, 2 violons, alto, violoncelle, contrebasse) et bandes magnétiques (1980-81), *Incandescent Serene opus 35* pour flûte contrebasse, cor, alto, contrebasse et bande (1979-1982), *Awakening opus 52* pour 4 solistes, ensemble et sons préenregistrés (1983), *Das Andere* pour alto solo (1984) ; *Christe eleison* pour orgue (1986).

RAISON *(André)*, compositeur et organiste français *(? v. 1640 - Paris 1719)*. En 1666, il fut nommé titulaire de l'orgue de l'abbaye de Sainte-Geneviève-du-Mont, où il avait fait ses études. Il conserva ce poste jusqu'en 1716, tout en étant organiste des jacobins de la rue Saint-Jacques à partir de 1687. Ses œuvres consistent en deux livres d'orgue. Son *Premier Livre d'orgue* (1688) se compose de *Cinq Messes suffisantes pour tous les tons de l'Église*, suivies d'une *Offerte du Ve Ton*, « *le Vive le Roy des Parisiens à son entrée à l'hostel de Ville le 30e janvier 1687* », à laquelle J.-S. Bach emprunta un fragment du thème de sa *Passacaille en « ut » mineur*. Brillant exécutant et improvisateur, il ne

Clermont (1702) pour six ans ; mais dès 1706, il est à Paris, organiste des jésuites de la rue Saint-Jacques et des pères de la Merci, et y publie son *Premier Livre de pièces de clavecin* (1706). Il succède à son père à Dijon (1709), se retrouve organiste des jacobins à Lyon (1713). Il semble avoir séjourné à Montpellier, avant qu'on ne le retrouve à Clermont, poste qu'il quitte à nouveau avant le terme pour se fixer à Paris (1723), où il restera jusqu'à sa mort : il y a été précédé par la publication de son *Traité de l'harmonie réduite à ses principes naturels* (1722) qui a fait sensation.

Organiste des jésuites et de Sainte-Croix-de-la-Bretonnerie, il publie un *Deuxième Livre de pièces de clavecin* (1724), se marie (à quarante-deux ans) avec une jeune fille de dix-neuf ans, Marie-Louise

*Autographe d'André **Raison**.*

*Jean-Philippe **Rameau**. Lavis de Carmontelle. (Musée de Condé, Chantilly.)*

Bulloz

fait pas appel au plain-chant pour les différentes parties de ses messes, mais révèle un sens aigu de la couleur et de la registration, qu'il prend soin d'expliquer en préface. Son *2ᵉ Livre d'orgue* (1714), moins important, contient des pièces diverses « *sur les acclamations de la paix tant désirée* » (paix d'Utrecht ou de Rastatt), et des noëls variés ; il est précédé d'un avis donnant des conseils sur la registration à l'orgue. Raison eut pour élève Clérambault, qui lui dédia son propre *Livre d'orgue* en 1710.

RAMEAU *(Jean-Philippe)*, compositeur français *(Dijon 1683 - Paris 1764)*. Il est fils de Jean Rameau, organiste à Saint-Bénigne, à Notre-Dame et à Saint-Étienne de Dijon. Après des études générales médiocres, il quitte Dijon à dix-huit ans pour l'Italie, où il ne reste que quelques mois, sans dépasser Milan : il le regrettera plus tard. La première partie de sa carrière est décousue et on a peine à le suivre à la trace : organiste à Notre-Dame-des-Doms d'Avignon (1702), puis de la cathédrale de

Mangot (1726), écrit un second ouvrage, *le Nouveau Système de musique théorique*, et travaille pour le théâtre de la foire Saint-Germain. Le fermier général La Pouplinière le prend sous sa protection et lui fait pénétrer le milieu intellectuel et artistique de son temps. Il tente en vain d'obtenir un livret d'opéra de Houdar de la Motte; Voltaire écrit pour lui le livret de *Samson*, dont il commence la composition : mais la pièce est interdite. Enfin, l'abbé Pellegrin lui propose *Hippolyte et Aricie* qui est représenté à l'Académie royale en 1733 : Rameau a cinquante ans. Cette œuvre fait scandale par sa trop grande richesse musi-

Bulloz

*Buste de **Rameau,** attribué à Caffieri.*
(Bibl. S^e Geneviève, Paris.)

Frontispice et page de titre
de l'opéra Hippolyte et Aricie
*de **Rameau** (1793).*

HIPPOLYTE ET ARICIE.

HIPOLYTE
ET
ARICIE,
TRAGEDIE
représentée par l'Académie
Royale de Musique,
l'An 1733.

Paroles de M. Pellegrin.

Musique de M. Rameau.

CXIX. Opera.

Larousse

cale et la remise en cause de l'orthodoxie lulliste.

Désormais, la vie de Rameau se confond pratiquement avec celle de ses opéras. De 1733 à 1749, paraissent les six grands chefs-d'œuvre que sont *les Indes galantes* (1735), *Castor et Pollux* (1737), *Dardanus* et *les Fêtes d'Hébé* (1739), *Platée* (1745), *Zoroastre* (1749). Entre-temps, il publie, en 1728, un troisième volume de *Pièces de clavecin* et, en 1741, les *Pièces de clavecin en concert*. Depuis 1745, il est compositeur de la Chambre du roi, universellement admiré et comblé d'honneurs.

Giraudon

*J.-Ph. **Rameau**, croqué par Carmontelle.
(Musée municipal, Dieppe.)*

C'est alors qu'éclate la Querelle des bouffons, à l'occasion des représentations de *La Serva padrona* de Pergolèse (1752), au cours de laquelle les «philosophes» vont mener une attaque en règle contre la tradition française de l'opéra. Autour de Diderot, Grimm et Rousseau, qui a rédigé les articles musicaux de l'*Encyclopédie*, se constitue l'opposition à Rameau, d'où un échange de libelles, au premier rang desquels on trouve la *Lettre sur la musique française* de Rousseau (1754) et les *Erreurs sur la musique dans l'Encyclopédie* de Rameau (1755).

Rameau compose régulièrement durant ses dernières années, et ses dernières œuvres, *les Paladins* (1760) et *les Boréades* (en répétition à sa mort et jamais représenté) ne sont pas les moins puissantes. Il meurt plus qu'octogénaire en 1764. Il était immense et maigre, solitaire et taciturne ; ses contemporains l'ont exagérément dépeint comme sec, avare et rude. Il était plus sensible qu'ils ne l'ont dit, et ses collègues musiciens, dans la mesure où ils étaient compétents, n'ont jamais eu à se plaindre de lui.

La musique sacrée. Des nombreuses années durant lesquelles Rameau fut organiste et maître de chapelle, il ne reste que 4 motets, un cinquième douteux, et une petite œuvre à une voix qui peut lui être attribuée. Le *Deus noster refugium* (Lyon, av. 1716) est ample mais froid. *In convertendo* et *Quam dilecta* (Lyon, v. 1718-1720) sont, en revanche, des œuvres remarquables. Rameau reprend la tradition française du motet à grand chœur et petit chœur avec symphonie, mais déploie une science déjà consommée et, en particulier dans le dernier, une inspiration soutenue. *Laboravi* est une œuvre à cinq voix sans orchestre ni solistes, d'un seul tenant (Clermont, av. 1722).

Les cantates profanes. Composées entre 1720 et 1730, elles sont la préparation directe de Rameau à l'art dramatique. Elles ressortissent au genre de la *cantate française,* qui fleurit durant les trente premières années du XVIIIe siècle : opéra en miniature, généralement à une voix, avec une basse continue et parfois un ou deux instruments. Rameau a dû en composer plus que les six qui nous restent. On peut dater *les Amants trahis, Orphée, l'Impatience* d'avant 1722 ; *Thétis, Aquilon et Orithie* d'avant 1727 ; *le Berger fidèle* a été chanté en 1728. Composées d'une succession de récitatifs et d'airs, elles témoignent d'une parfaite maîtrise, mais d'un art encore impersonnel, marqué par l'influence italienne : mais quelques pages sont remarquables. Rameau a inséré des fragments de ses cantates dans ses œuvres ultérieures.

PREMIER LIVRE
DE PIECES DE CLAVECIN
Composées
PAR MONSIEUR RAMEAU ORGANISTE
des RR.PP. Jesuiltes de la Rue St Iacques,
et des RR.PP. de la Mercy.
Gravées par Roussel.
1706
A PARIS
Chez l'Auteur *Vielle Ruë du Temple: vis a vis*
las Consignations chez un Perruquier.
Roussel *graveur au bout de la ruë de la*
Parcheminerie du coté de la rue de la Harpe.
Foucaut *Ruë St Honoré a la Regle d'Or.*

Page de titre du Premier livre de Pièces de clavecin *de **Rameau.***
Titre de Desmarest gravé par Roussel (Paris, 1706).

L'œuvre pour clavecin. Elle se répartit en trois *livres* auxquels s'ajoutent les *Pièces de clavecin en concert* (1706, 1724, 1728, 1741). L'évolution est assez claire. Dans le *Premier Livre,* un art assez traditionnel consistant en une suite précédée d'un prélude non mesuré : l'influence de Louis Marchand est assez évidente, malgré une écriture personnelle, austère et dense. Le *Deuxième Livre,* dix-huit ans plus tard, marque une évolution très nette : la forme de la suite s'efface, et on a dix-huit pièces librement réunies en deux groupes. Les danses y alternent avec des pièces libres, descriptives, évocatrices ou pittoresques. D'écriture et de sensibilité plus légères, elles évoquent, avec une fermeté plus grande, Couperin. Dans le *Troisième Livre,* le langage s'élargit et s'intensifie, prend une totale possession du clavier (d'où une virtuosité accrue) et une ampleur de pen-

sée admirables. Dans le quatrième recueil, le clavecin seul sera insuffisant, et Rameau le flanquera de deux instruments (V. LES PIÈCES DE CLAVECIN EN CONCERT). D'une manière générale, Rameau traite le clavier en symphoniste, et bon nombre de pièces figureront dans ses opéras en version orchestrale.

L'œuvre lyrique. C'est l'essentiel de l'œuvre de Rameau, avec 29 œuvres, soit 80 actes au total, étalés sur trente ans. C'est là que le compositeur donne sa pleine mesure, de mélodiste, de symphoniste, d'orchestrateur. Par sa structure d'ensemble, l'opéra de Rameau n'est pas novateur : il se situe dans la lignée lulliste, développée par Campra, et il continue, en les assouplissant et en les affirmant à la fois, les principes de l'opéra à la française, qu'il transfigure de l'intérieur sans modifier l'essentiel du cadre général. Cette œuvre

dramatique recouvre les genres pratiqués en France de son temps :
— la *tragédie lyrique* en cinq actes, à intrigue suivie et à ton soutenu (*Hippolyte et Aricie*, 1733 ; *Castor et Pollux*, 1737 ; *Dardanus*, 1739 ; *Zoroastre*, 1749 ; *Abaris ou les Boréades*, 1764) ;
— la *pastorale héroïque* en trois actes, au ton plus léger, qui domine la production de Rameau autour de 1750 (*Zaïs*, 1748 ; *Naïs*, 1749 ; *Acanthe et Céphise*, 1751 ; *Daphnis et Églé*, 1753) et la *pastorale* (*Lysis et Délie*, 1753) ;
— l'*opéra-ballet*, œuvre à plusieurs sujets brièvement traités (un par acte) groupés autour d'un thème commun, et faisant très large place à la danse (*les Indes galantes*, 1735 ; *les Fêtes d'Hébé*, 1739 ; *les Fêtes de Polymnie*, 1745 ; *le Temple de la Gloire*, 1745 ; *les Fêtes de l'Hymen et de l'Amour*, 1747 ; *les Surprises de l'amour*, 1748) ;
— l'*acte de ballet*, pièce en un acte, d'un ton généralement léger *(Pygmalion*, 1748 ; la Guirlande, 1751 ; *les Sybarites*, 1753 ; *la Naissance d'Osiris*, 1754 ; *Anacréon*, 1754 et 1757 ; *Zéphire, Nélée et Myrtis, Io) ;*
— la *comédie-ballet* (*la Princesse de Navarre*, 1745).

On retrouve dans les opéras de Rameau la conception du chant caractéristique de l'art lyrique français depuis Lully, en particulier l'importance accordée au récitatif et à sa qualité mélodique. Plus encore que celui de ses prédécesseurs, celui de Rameau se situe aux confins de l'air, et le passage de l'un à l'autre est souvent insensible. Les pages les plus intenses de ses œuvres (lamentation de Phèdre dans *Hip-*

*Dessins de costumes de Télaïre et de Castor,
pour la tragédie* Castor et Pollux *de **Rameau**. (Bibliothèque Nationale, Paris.)*

TÉLAÏRE.
dans Castor et Pollux.
CASTOR

Maquette de costume de J.-B. Martin pour Hippolyte et Aricie,
opéra de J.-Ph. **Rameau.**

polyte et Aricie, air d'Iphise dans *Dardanus,* de Télaïre dans *Castor et Pollux*) affectent cette forme indécise qui suit de près une valeur mélodique : forme libre, indépendante de toute structure préétablie. L'accompagnement par l'orchestre y est fréquent.

L'air proprement dit est du domaine du divertissement. Il affecte deux formes principales : celle de la danse (menuets, gavottes, sarabandes, musettes chantés) et celle de l'ariette, où se retrouve la structure de l'air de bravoure à l'italienne. L'importance accordée par Jean-Philippe Rameau à ce dernier genre constitue l'une des innovations les plus notables par rapport au schéma lulliste.

Comme toute œuvre lyrique depuis Lully, l'opéra de Rameau fait une large place au chœur et à la danse. Les premiers (qui peuvent apparaître sous la forme de trios [trio des Parques d'*Hippolyte et Aricie*]) ont fréquemment un aspect dramatique, ou s'insèrent dans les grandes scènes cérémonielles (hymne au soleil de l'acte des Incas dans *les Indes galantes,* cérémonies de *Zoroastre*). La danse est présente à chaque acte, et Rameau, par la richesse de son orchestration et son invention mélodique, fait d'elle une des parts les plus séduisantes de son œuvre, sous la forme du divertissement ou par le ballet figuré inséré dans l'action.

C'est cet orchestre ramiste qui est l'agent essentiel de la transformation essentielle apportée par le compositeur à l'opéra, et c'est lui qui frappa ses contemporains. Il accompagne le récitatif, soulignant chaque intention ; il s'insère dans les scènes en de vastes symphonies chorégraphiques ou descriptives (tempête, éruption volcanique dans *les Indes galantes*, invocations magiques, apparition du monstre dans *Dardanus*). La richesse du tissu musical dense, la science de l'harmonie complexe, la recherche de la couleur instrumentale font de cette orchestration l'un des aspects les plus remarquables de l'opéra de Rameau.

Rameau théoricien. L'œuvre théorique de Rameau n'est pas moins considérable que son œuvre artistique. Le nombre de ses

Projet de costume de R. Chapelain-Midy pour un personnage des Indes galantes *de J.-Ph. **Rameau** : Kalioujni. (Musée de l'Opéra, Paris.)*

Lauros-Giraudon

écrits est important et, à aucun moment, du *Traité de l'harmonie réduite à ses principes naturels* (1722) à sa mort, il n'a dissocié sa création de sa réflexion. D'abord sereine et purement didactique (*Nouveau Système de musique théorique*, 1726 ; *la Génération harmonique*, 1737 ; etc.), son œuvre est devenue polémique, à la suite des attaques dont il fut l'objet et de ses dissensions avec les Encyclopédistes et Rousseau (*Erreurs sur la musique dans l'Encyclopédie*, 1755 ; *Suite des Erreurs*, 1756 ; *Réponse de M. Rameau aux éditeurs de l'Encyclopédie*, 1757 ; *Lettre à d'Alembert*, 1760 ; etc.).

Complexe et minutieuse, souffrant parfois pour la clarté de l'exposé du manque de culture générale du musicien, cette œuvre théorique a une portée considérable. À la confusion héritée des siècles précédents, où la théologie, la métaphysique, les mathématiques et l'empirisme se mêlaient, Rameau substitue une pensée cohérente, qu'il fonde, en homme de son temps, sur la physique. La résonance et les harmoniques naturels sont les bases sur lesquelles il se fonde, justifiant l'harmonie sur un seul son et non plus sur les divisions de l'octave. C'est à partir de la *basse fondamentale* que se déduit « en raison » non seulement l'harmonie, mais aussi l'ensemble des effets psychologiques de la tonalité.

RANGSTRÖM *(Ture),* compositeur suédois *(Stockholm 1884* - id. *1947).* Il est considéré comme l'un de ceux qui a le mieux su rendre l'« âme » de son pays, surtout par son attachement au monde du mot ; aussi, plus que dans ses symphonies (nº 1 *A. Strindberg in memoriam,* 1914 ; nº 2 *Mon pays,* 1919 ; nº 3 *Mélodie sous les étoiles,* 1929 et nº 4 *Invocatio,* 1935) ou dans sa musique instrumentale, c'est dans son œuvre vocal qu'il a su le mieux exprimer son lyrisme dramatique, notam-

Partition autographe pour Daphnis et Eglé *(1753).*
*Pastorale héroïque inédite de J.-Ph. **Rameau.***

*Ture **Rangström**.*

1900. En 1901, il remporte un second prix au Concours de Rome, avec la cantate *Myrrha*. En 1902 et 1903 il se présente à nouveau, sans succès, au Concours de Rome, et en 1905, une dernière fois, il tente sa chance. On lui refuse l'accès au concours car il a dépassé de quelques mois la limite d'âge. Jugé scandaleux, ce refus provoque une campagne de presse et finit par entraîner la démission du directeur du Conservatoire, Théodore Dubois, qui est remplacé par Gabriel Fauré. Défenseur d'une tradition figée, Théodore Dubois n'a vu en Maurice Ravel qu'un révolutionnaire. Le scandale est, selon lui, qu'un élève du Conservatoire ait osé proclamer son admiration pour Emmanuel Chabrier, fréquenter Erik Satie et commettre dans ses devoirs des «incorrections terribles d'écriture».

Gabriel Fauré, au contraire, a jugé Maurice Ravel avec bienveillance, découvrant en lui un «très bon élève, laborieux et

*Maurice **Ravel**.*
Eau-forte d'Achille Ouvré (1909).

ment en utilisant les poèmes de Bo Bergman mais aussi ceux de Runeberg ou Strindberg. Son opéra *Kronbruden* («la Fiancée couronnée», 1915, créé à Stuttgart en 1919) sur un livret de Strindberg, qui possède de nombreux points communs avec le *Jenufa* de Janáček, est peut-être son chef-d'œuvre.

RAVEL *(Maurice)*, compositeur français *(Ciboure 1875 - Paris 1937)*. D'origine savoyarde et suisse du côté paternel, Maurice Ravel naît au Pays basque, qui est le pays de sa mère, le 7 mars 1875. Il a trois ans lorsque son père, un ingénieur qui joint à ses connaissances scientifiques une culture artistique des plus étendues, s'installe à Paris. Ce père avisé veille sur les premières études musicales de son fils. Maurice Ravel entre au Conservatoire de Paris en 1889, à l'âge de quatorze ans ; il a pour professeurs Charles de Bériot (piano), Émile Pessard (harmonie), André Gédalge (contrepoint et fugue), Gabriel Fauré (composition) et poursuit ses études jusqu'en

RAVEL

ponctuel » et « une nature musicale très éprise de nouveauté, avec une sincérité désarmante ». Il faut préciser qu'en 1905 Maurice Ravel est déjà un compositeur connu et discuté. Dès 1895, sa personnalité s'est affirmée avec le *Menuet antique* et la *Habanera;* elle s'est définitivement confirmée en 1901 avec les *Jeux d'eau,* en 1903 avec le *Quatuor en « fa »* et *Schéhérazade.*

Enfin délivré des soucis du prix de Rome, entre 1905 et 1913, Maurice Ravel compose la part la plus importante de son œuvre : la *Sonatine,* les *Miroirs,* les *Histoires naturelles,* la *Rhapsodie espagnole,* l'*Heure espagnole, Ma mère l'Oye, Gaspard de la nuit,* les *Valses nobles et sentimentales, Daphnis et Chloé,* les *Trois Poèmes de Stéphane Mallarmé.* En 1910, il est un des fondateurs de la S.M.I. (Société musicale indépendante) qui s'oppose à la

H. Manuel

*Maurice **Ravel.***

De gauche à droite : F. Schmitt,
Déodat de Severac Calvocoressi, Godebski (assis)
*Ricardo Vines et Maurice **Ravel.***
Tableau de G. D'Espagnat.

B.N.

Début du manuscrit de l'Heure Espagnole *de Maurice* **Ravel.**

Société nationale de musique, soumise à l'influence de Vincent d'Indy et devenue trop conservatrice. En 1911, il fait entendre à la S. M. I., sans nom d'auteur, ses *Valses nobles et sentimentales,* et le public, décontenancé, ne sait à qui l'attribuer. L'Opéra-Comique monte, en 1911, *l'Heure espagnole* qui n'est guère mieux accueillie que ne l'ont été, en 1907, *les Histoires naturelles.* Ni l'exacte prosodie qu'adopte le musicien, ni son humour, ni sa poésie qui se situe entre le familier et le féerique ne sont compris du public.

En 1912, *Daphnis et Chloé,* commandé par Diaghilev, est créé aux Ballets russes dans les décors de Bakst et la chorégraphie de Fokine, avec Nijinski et Karsavina dans les deux premiers rôles ; Pierre Monteux est au pupitre. L'année suivante, Ravel rencontre Stravinski qui vient d'écrire ses *Poèmes de la lyrique japonaise* et lui parle du *Pierrot lunaire* de Schönberg. Utilisant une formation instrumentale analogue à celle de ces deux ouvrages, il compose alors ses *Trois Poèmes de Mallarmé.* Il vient de terminer, en 1914, un *Trio pour piano, violon et violoncelle* lorsque la guerre survient. Maurice Ravel obtient, à

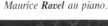

Décor conçu par L. Bakst pour le 3ᵉ acte de Daphnis et Chloé *de Maurice **Ravel**.*
(Bibl. de l'Opéra, Paris.)

*Maurice **Ravel** au piano.*

force de démarches, d'être engagé comme conducteur de camion. Envoyé sur le front, du côté de Verdun, il tombe malade en 1916 et il est démobilisé en 1917. Cette année-là, il termine le *Tombeau de Couperin,* suite de six pièces pour piano dédiées à des amis morts au combat.

Sa santé est ébranlée ; la mort de sa mère, au début de 1917, l'a profondément affecté. Maurice Ravel ne reprend qu'en 1919 un projet qui lui tient à cœur, la composition d'un poème chorégraphique, *la Valse,* auquel il pense depuis 1906 et qui n'est créé qu'en 1928. Promu chevalier de la Légion d'honneur en 1920, Maurice Ravel refuse cette distinction. Son style évolue. Il recherche maintenant un art dépouillé, sans surcharges ni enjolivures. Cette esthétique, à vrai dire, a toujours été la sienne. Lorsqu'il s'est approché de l'impressionnisme *(Jeux d'eau, Miroirs),* c'est moins en coloriste qu'en graveur au trait parfois acéré. Quant au droit à la dissonance, les *Valses nobles et sentimentales* l'ont déjà revendiqué.

La *Sonate pour violon et violoncelle* (1920-1922) marque toutefois un tournant dans la carrière du musicien, tournant qu'il caractérise lui-même en ces termes : dépouillement poussé à l'extrême, renoncement au charme harmonique, réaction de plus en plus marquée dans le sens de la mélodie. Il n'en reste pas moins que les chefs-d'œuvre de la dernière période de sa vie créatrice, *l'Enfant et les Sortilèges* (créé à Monte-Carlo en 1925) les deux *Concertos pour piano et orchestre* (1929-1931), en échappant aux impératifs d'une esthétique trop caractérisée, libèrent le lyrisme et l'imagination du compositeur.

Une tournée de concerts aux États-Unis, en 1928, une autre en Europe centrale, en 1932, après la création du *Concerto en « sol »* par Marguerite Long, permettent à Maurice Ravel de mesurer sa célébrité à l'étranger ; mais, en 1933, la maladie le frappe. Les médecins diagnostiquent une affection cérébrale. Diminué, condamné à l'inaction, mais demeuré lucide, le musicien survivra quatre ans encore. Une intervention chirurgicale est tentée en vain. Maurice Ravel meurt le 28 décembre 1937. Il est inhumé au cimetière de Levallois et sa maison de Montfort-l'Amaury, où il vécut de 1921 à sa mort, est maintenant un musée.

RAVENSCROFT *(Thomas),* compositeur et théoricien anglais *(? v. 1582 - ? v. 1633).* Petit chanteur à la cathédrale Saint-Paul de Londres, il y eut pour maître Edward Pearce. Il devint Bachelor of Music à Cambridge vers 1607 et enseigna la musique au Christ's Hospital de Londres de 1618 à 1622. Il a publié trois recueils de pièces vocales, le plus souvent à trois ou quatre voix : *Pammelia* (1609, premier des rounds et des catches imprimés en Angleterre), *Deuteromelia* (1609) et *Melismata* (1611). Ces volumes contiennent des *catches,* des *rounds,* des ballades, des chansons à boire, la plupart de caractère humoristique et populaire, bien que quelques pièces de *Pammelia* soient écrites sur un texte sacré latin ou anglais dans le genre du psaume métrique. Il est aussi l'auteur d'un *Brief Discourse* (1614) où, traitant de la musique mesurée, il déplore les libertés prises en ce domaine par les musiciens contemporains et prône un retour au système médiéval. Il doit aussi sa célébrité à sa publication d'une centaine de psaumes assez pauvrement harmonisés (dont 48 par lui-même), connue sous le titre de *Ravenscroft Psalter* et encore en usage.

RAWSTHORNE *(Alan),* compositeur anglais *(Haslingden, Lancashire, 1905-Cambridge 1971).* Il a étudié à partir de 1925 au Royal College of Music de Manchester, puis à Berlin avec Egon Petri. Il a enseigné ensuite quelque temps, à partir de 1932, à la Darlington Hall School. En 1939, ses *Études symphoniques* furent jouées au Festival de la S. I. M. C. à Varsovie. D'une œuvre assez abondante, surtout dans le domaine instrumental, on retiendra notamment 3 symphonies dont la 2e pour soprano et orchestre (1950, 1959, 1964), 2 concertos pour piano (1939, rév. 1942, 1951) et 2 pour violon (1948, 1956), de la musique de chambre, la cantate *A Canticle of Man* (1952).

REBEL, famille de musiciens français des XVIIe-XVIIIe siècles. — 1. **Jean** *(? - Versailles v. 1692).* En 1661, il entra en qualité de « haute-taille » à la chapelle royale. Par la suite, il chanta dans de nombreux divertissements royaux, et dans des opéras de Lully *(Cadmus et Hermione, Alceste).*
— 2. **Jean-Ferry (Baptiste),** violoniste,

*Jean-Ferry **Rebel.***
Gravure d'après un portrait de Watteau.

claveciniste et compositeur, fils du précédent *(Paris 1666* - id. *1747).* Élève de Lully, membre des 24 Violons du roi en 1705, il devint en 1713 claveciniste accompagnateur à l'Opéra, puis compositeur de musique de la Chambre en 1718. Auteur de la tragédie lyrique *Ulysse* (1703), il a surtout joué un rôle important dans la musique instrumentale, et a été l'un des premiers en France à écrire des sonates pour violon (Recueil de 12 sonates, composé en 1695, publié en 1712-13). Il est également l'auteur de symphonies instrumentales, dont *les Caractères de la danse* (1715), où se révèle son souci du choix des timbres, et du ballet *les Éléments* (1737).

— 3. **Anne-Renée,** cantatrice, sœur du précédent *(Paris 1663 - Versailles 1722).* Elle épousa en 1684 Michel Richard Delalande.

— 4. **François,** violoniste et compositeur, fils de Jean-Ferry *(Paris 1701* - id. *1775).* Il fut musicien à l'Opéra dès l'âge de treize ans. Couvert d'honneurs, il devint surintendant de la musique de la Chambre (1733-1753) et inspecteur de l'Académie royale de musique, conjointement avec son ami Francœur, avec lequel il écrivit en collaboration la musique de nombreux spectacles (le *Ballet de la paix,* 1738 ; *les Augustales,* 1749 ; *Zelindor le roi des Sylphes,* 1745). En dépit des difficultés qu'il avait rencontrées à l'Académie royale, il en devint administrateur général en 1772.

REDOLFI *(Michel),* compositeur français *(Marseille, 1951).* Il est un des membres fondateurs du Groupe de musique expérimentale de Marseille, auquel il apporte son expérience très poussée de la technique de synthèse informatique des sons, acquise en grande partie lors des séjours aux États-Unis, ainsi que son dynamisme innovateur : on lui doit la conception d'un système de diffusion par « homo-parleur », ainsi que des expériences de musiques « sous l'eau » (projet WET). Sa musique est marquée par un sens cosmique de l'énergie naturelle, notamment marine, qui donne beaucoup de puissance à des œuvres comme *Instant blanc,* pour flûte et bande magnétique (1973), *Pacific Tubular Waves* (1979), *Immersion* pour bande magnétique (1980). Il dirige depuis 1986 le festival MANCA de Nice.

REGER *(Johann-Baptist-Joseph-Max[imilian]),* pianiste, organiste et com-

positeur allemand *(Brand, Oberpfalz, 1873-Leipzig 1916).* Aîné des cinq enfants d'un instituteur installé à Weiden en 1874, Joseph Reger, et de Philomena Reichenberger, qui lui apprennent très jeune à jouer de divers instruments, il est ensuite, pendant huit ans, l'élève de l'organiste Adalbert Lindner, qu'il remplace, dès l'âge de treize ans, à l'orgue de la paroisse catholique de Weiden. En 1888, pour récompenser la réussite scolaire de son fils, Joseph lui offre un voyage à Bayreuth qui va confirmer sa vocation de compositeur. Mais ce n'est qu'à dix-neuf ans qu'intervient la décision définitive. En secret, Lindner a envoyé les œuvres de son disciple au célèbre maître Hugo Riemann qui, honneur insigne, l'accepte comme élève, tout d'abord à Sondershausen, puis à Wiesbaden (1890-1893). Là, Reger se lie d'amitié avec Ferrucio Busoni et obtient d'enseigner l'orgue et la théorie au conservatoire Freudenberg (1893-1896).

À l'âge de vingt-trois ans, Reger fait la connaissance de Brahms à qui il voue depuis longtemps une vive admiration et il lui dédie sa *Suite d'orgue* op. 16. Subjugué, le vieux maître lui donne sa photo avec une dédicace où il déclare lui transmettre le flambeau de la musique allemande, après l'avoir lui-même reçu des mains de Schumann.

Après un an de service militaire, Reger rentre dans sa famille, qu'il suivra trois ans plus tard à Munich. C'est là qu'il épouse Elsa von Bercken, née von Bagensky (1902). À partir de cette date et jusqu'à sa mort, il ne cessera plus de composer chaque jour. En 1905, il est nommé professeur d'orgue et de composition à la Königliche Akademie der Tonkunst de Munich. Ses récitals d'orgue attirent l'attention de Karl Straube, célèbre organiste, qui désormais interprétera régulièrement les œuvres de Reger en public. En 1902, Straube est nommé organiste à Saint-Thomas de Leipzig, puis en 1907 professeur au conservatoire de cette ville. Reger finit par le rejoindre pour y enseigner la composition (1907).

À Munich, ses œuvres ont déchaîné l'hostilité violente des membres de la « Nouvelle Allemagne » (Ludwig Thuille, Rudolf Louis et Max von Schillings), mais Reger entretient avec son chef de file, Richard Strauss, des liens d'amitié et d'admiration mutuelles. C'est avec l'accord de Strauss qu'il publie alors une série d'ar-

*Max **Reger**.*

ticles sur l'esthétique de la nouvelle musique et les droits sacrés du compositeur moderne. À Leipzig, Reger sera peu à peu submergé de distinctions universitaires et honorifiques venues de toute l'Allemagne.

Cependant, il continue ses tournées d'organiste et de musique de chambre, notamment à Londres à 1909. À Dortmund, en 1910, un premier festival Reger est organisé. Deux ans plus tard, Reger se voit confier la direction du célèbre orchestre de la Meininger Hofkapelle, fondé par Hans von Bülow. Pendant trois ans, il effectue avec lui de nombreux voyages et compose à son intention quelques grandes partitions orchestrales. Il n'en conserve pas moins son poste au conservatoire de Leipzig.

En 1914, une grave affection nerveuse consécutive à l'abus d'alcool le contraint à plusieurs mois de repos. Il abandonne l'orchestre de Meiningen et s'installe à Iéna, d'où il poursuit ses tournées et donne des cours à Leipzig une fois par semaine. C'est là, dans un hôtel, qu'il est terrassé par une crise cardiaque à l'âge de quarante-trois ans.

L'œuvre de Reger n'est comparable en abondance qu'à celle des grands maîtres classiques. Elle est, aussi, incontestablement inégale, comme il le reconnaissait lui-même. Il a abordé tous les genres sauf le théâtre. Mêlant la «force baroque» à la «tendresse romantique», une parfaite maîtrise de l'écriture à une mobilité harmonique toute moderne, sa musique reste très personnelle. Les principales références en sont Beethoven et Schumann, mais le chromatisme wagnérien n'en est pas moins sous-jacent. Le modèle le plus proche et le plus accepté demeure celui de Brahms pour la synthèse entre l'inspiration et le métier, la subjectivité et l'objectivité, la rigueur néoclassique et l'expressivité romantique. L'expérience de l'organiste, interprète de Bach, conditionne toute la production pour orgue : on a même parlé de lui comme d'un «second Bach». Surmontant le style quelque peu «confus» et «chaotique» de ses premières œuvres, Reger tend, surtout à la fin de sa vie, vers un nouvel idéal fait d'économie des moyens, de simplicité et de transparence. Il faut reconnaître cependant que certaines de ses œuvres les plus célèbres, qui datent de «l'époque d'Iéna», comme les *Variations et Fugue sur un thème de Telemann* op. 134 (1914) et les *Variations sur un thème de Mozart* op. 132 (1914), sont en réalité moins caractéristiques que ses partitions néobaroques et surchargées de la période munichoise.

REIBEL *(Guy)*, compositeur français *(Strasbourg 1936)*. Nanti d'une formation d'ingénieur, et après des études musicales chez Serge Nigg et Olivier Messiaen, il entre en 1963 au Groupe de recherches musicales de Paris, où il commence par collaborer aux recherches de Pierre Schaeffer sur la perception du son et l'objet sonore. Il s'affirme ensuite comme compositeur, avec une production d'œuvres où la voix humaine (traitée en général collectivement : chœurs, groupes, et ensembles vocaux) ainsi que les moyens électro-acoustiques tiennent une place importante. Il a acquis une certaine réputation dans le milieu des chorales d'amateurs, avec un grand nombre de pièces musicales et de jeux musicaux, écrits à leur intention, dans une notation et une conception modernes, mais accessibles à tous. Il n'a pas délaissé pour autant les chanteurs professionnels, auxquels il a destiné des pièces pour ensemble vocal, où des textes poétiques sont parfois utilisés comme prétextes phonétiques, réservoirs de mots et de sonorités à faire éclater dans tous les sens : *Chanson de Geste* (1971, sur des textes de poètes contemporains) et *Ode à Villon* (1972), entre autres.

Une certaine superficialité, quand il s'agit d'aborder un texte ou de traiter un propos explicite, se révèle avec la *Suite pour Edgar Poe* (1972), pour bande magnétique, ou dans l'opéra choral *Rabelais en liesse* (1974). Ses œuvres « abstraites » sont plus convaincantes, comme *Antinote* (1967), pour bande, et les *Variations en étoile* (1967), pour bande magnétique avec percussion en direct ad libitum, essai plutôt réussi dans un genre classique en musique électroacoustique : celui qui consiste à créer une œuvre entière à partir de quelques sons de base soumis à de nombreuses manipulations, qui en tirent la plus grande variété possible de dérivés. Avec *Vertiges* (1969), pour guitare électrique et bande, se manifeste son goût pour les sons aigus, crissants, spasmodiques, goût dont témoignent aussi les *Granulations-Sillages* (1976), œuvre électroacoustique « multi-pistes ». Dans son important *Triptyque électroacoustique* (*Signal sur bruit, Cinq Études aux modulations, Franges du signe*, 1973-74), Reibel donne peut-être le meilleur de lui-même, mettant sa faconde et son habileté au service d'un propos plus inspiré, plus médité, canalisé dans une forme plus efficace. En 1987 a été créé à Metz *Musaïques,* concerto pour percussion et orchestre.

REICH *(Steve),* compositeur américain *(New York 1936).* Avec son compatriote Phil Glass, il est le plus talentueux représentant de la tendance « répétitive », qu'il a inventée, et qui a connu beaucoup d'imitateurs. Sa musique est en effet fondée, en général, sur le traitement par répétition, emboîtement, superposition, décalage, de motifs plus ou moins brefs — ces motifs de base possédant toujours une *pulsation rythmique* très affirmée et régulière, et un *centre d'attraction tonale* également très défini (accord parfait, gamme diatonique, etc.). Sur ces deux points, la musique de Steve Reich s'est toujours opposée à la tendance atonaliste postsérielle.

C'est à l'âge de quatorze ans que Steve Reich commence à découvrir la musique classique : notamment Bach et la musique baroque, Stravinski, Bartók, Webern, qui, avec le jazz et les musiques africaines et balinaises, et, plus tard, avec la cantillation hébraïque, seront ses principales sources d'inspiration. Durant ses études de philosophie, sa vocation musicale se cristallise : il entre en 1958 à la Juilliard School. Au Mills College (Californie), il étudie avec Berio et Milhaud tout en cherchant dans des directions nouvelles. C'est à travers une œuvre pour bande magnétique, *It's Gonna Rain* (1965), basée sur le simple « déphasage » et « rephasage » d'une boucle de voix humaine superposée à elle-même sur deux magnétophones tournant simultanément, qu'il découvre la technique de *déphasage* (c'est-à-dire de décalage entre des phénomènes périodiques superposés), qui commandera sa musique jusqu'en 1971. Il en déduit le principe d'une musique conçue comme « processus graduel », c'est-à-dire construite comme le déroulement implacable et précis d'une loi simple qui commande à la fois « l'ensemble des détails note après note (son après son) et la totalité de la forme (comme dans un canon *ad infinitum*) ». La vieille structure du canon, ainsi que le procédé de développement par augmentation, sont deux des bases de son écriture qui appartiennent au fond ancestral de la musique traditionnelle occidentale.

En effet, s'il a étudié, en interprète autant qu'en compositeur, les musiques africaines (tambourinage africain, étudié au Ghāna, en 1970) et balinaises (apprentissage du jeu de gamelan balinais, en 1973 et 1974, aux États-Unis), il se réclame sans gêne d'une continuité avec la tradition occidentale. Dans le même sens, il abandonne rapidement l'utilisation des moyens électroacoustiques, après *Come Out* (1966), et *Melodica* (1966), deux œuvres pour bande magnétique dans la lignée de *It's Gonna Rain,* pour faire réaliser ses projets de composition par des instrumentistes jouant en direct. En effet, si sa musique, dans sa rigueur « mathématique » de rythme et de structure, semble demander aux interprètes une précision de machines, cette précision demeure toujours, comme chez les Balinais, une précision humaine, et sensible comme telle, et non la précision indifférente d'un mécanisme, d'autant que Steve Reich affirme son attachement à la beauté du son instrumental traditionnel, franc et lumineux. Ses premières œuvres «répétitives» pour instruments explorent de manière assez didactique et systématique des processus simples de déphasage : *Piano Phase* (1967), pour deux pianos ; *Violin Phase* (1967), pour quatre violons (ou pour violon et une bande magnétique diffusant l'enregistrement des autres parties) ; *Four Organs* (1969), pour quatre orgues électriques et maracas ; *Phase Patterns* (1970), pour quatre orgues électriques. Installé à New York depuis 1965, il y a collaboré avec des chorégraphes et rencontré des cinéastes, sculpteurs et vidéo-artistes d'« avant-garde ». Enfin, il a fondé son propre ensemble, Steve Reich and Musicians, pour expérimenter et exécuter sa musique, et y joue lui-même (piano, percussions, etc.), jugeant indispensable de s'investir comme interprète dans sa création.

De son étude du tambourinage au Ghâna, il tire une longue œuvre nommée *Drumming* (1971), pour différentes percussions, sifflet, piccolo, et voix utilisées «instrumentalement». Cette œuvre introduit des techniques nouvelles chez lui de changement graduel de timbre, et de «substitution progressive des temps aux pauses», et l'amène à abandonner les techniques de déphasage et sa conception antérieure de la composition comme développement d'un processus unique. *Music for Mallet Instruments, Voices and Organ* (1973), *Music for 18 Musicians* (1974-1976), *Music for Large Ensemble* (1978), *Octuor* (1979), *Variations for Winds, Strings and Keyboard* (1981) sont les étapes successives d'une évolution qui le mène à la fois vers un certain succès public, vers l'utilisation d'ensembles de plus en plus importants et différenciés dans leurs timbres, et vers l'emploi de structures musicales plus variées, inattendues, contrastées, colorées (jeu sur les timbres et sur des motifs beaucoup plus nombreux, utilisation, dans *Music for 18 Musicians*, au lieu d'un seul accord de base, d'un large «cantus firmus» harmonique de onze accords, etc.).

Sa musique est également marquée par sa redécouverte de la cantillation hébraïque (*Tehillem* [1981], pour trois voix de femme et ensemble instrumental, œuvre qui met en musique des textes très connus de psaumes bibliques très connus, comme le Psaume 19 et le Psaume 150).

La musique de Steve Reich s'impose par sa beauté apollinienne et rigoureuse, très dynamique cependant, et par la qualité de sa réalisation. Si, comme celle de Phil Glass, elle a été beaucoup imitée, elle est le fruit d'une grande indépendance d'esprit, notamment vis-à-vis de l'influence, grande aux États-Unis, de John Cage. Par rapport à ce dernier, Reich a toujours souhaité une musique très déterminée, mais qui ne soit pas pour autant une effusion personnelle (il s'agit, dit-il, de «détourner son attention du *lui*, du *elle*, du *toi* et du *moi* pour la projeter en dehors, à l'intérieur du *ça*»). Il cherche à créer une beauté objective, où l'homme trouve une certaine extase qui n'est pas sans résonances religieuses.

REICHA, famille de musiciens tchèques. — 1. **Josef,** violoncelliste, chef d'orchestre et compositeur *(Chudenice, près de Klatovy, 1752-Bonn 1795).* Après plusieurs années à Prague, il fut successivement premier violoncelle de l'orchestre

*Antonin **Reicha**.*

du prince d'Oetinngen-Wallerstein à Harburg (1774), et violoncelliste et premier violon de l'Orchestre électoral de Bonn (1785). Il prit la direction de cet ensemble en 1789. Ses œuvres influencèrent le jeune Beethoven.

— 2. **Antonin** *(Antoine),* compositeur et théoricien, neveu du précédent *(Prague 1770-Paris 1836).* Orphelin de père de bonne heure, il fut accueilli à Bonn par son oncle. Après l'occupation de la Rhénanie par l'armée française, il s'installa à Hambourg (1794-1799), à Paris (1799-1802), puis à Vienne (1802-1808), où il fréquenta Haydn et Beethoven (il avait connu ce dernier à Bonn). Ses *36 Fugues* pour piano (1803) furent dédiées à Haydn.

Fixé définitivement à Paris en 1808, Antonin Reicha devint professeur de composition au Conservatoire en 1818. Naturalisé en 1829, il succéda à Boieldieu à l'Institut en 1835, et il eut comme élèves Berlioz, Liszt, Franck et Gounod.

On lui doit des opéras, de la musique religieuse, des symphonies, des concertos, de la musique de chambre pour cordes, des pièces pour piano, mais c'est surtout par ses quintettes à vent que ce musicien parfois étrange, aux trouvailles harmoniques et rythmiques souvent prophétiques, voire tout à fait expérimentales, s'est maintenu au répertoire.

REICHARDT *(Johann Friedrich),* compositeur et musicographe allemand *(Königsberg 1752-Giebichenstein, près de Halle, 1814).* Fils d'un luthiste, il s'inscrivit à l'université de Königsberg en 1767, et en 1771, entreprit le premier de ses nombreux voyages (Allemagne du Nord et Bohême). Il en rapporta une monographie sur l'opéracomique allemand *(Über die deutsche comische Oper,* Hambourg, 1774, rééd. 1974) et des notes publiées en 2 volumes, dans le but notamment de répondre aux attaques de Burney* contre la musique en Allemagne *(Briefe eines aufmerksamen Reisenden die Musik betreffend,* 1774 et 1776). En 1775, il succéda à Agricola comme maître de chapelle de l'Opéra royal de Berlin, et y dirigea des opéras à l'italienne de Graun et Hasse. En 1776, il épousa en premières noces Juliana Benda*, et sa maison devint vite un lieu de rencontre pour artistes et intellectuels. Des congés lui permirent de se rendre à Vienne et en Italie (1782-83), puis en Angleterre et à Paris (1785). Confirmé dans ses fonctions de maître de chapelle par Frédéric Guillaume II de Prusse (1786), il noua des liens étroits avec Goethe et Schiller, et en 1789, collabora avec Goethe pour le singspiel *Claudine von Villa Bella,* qu'il présenta à Berlin. En 1790-1792, il voyagea de nouveau en Angleterre et à Paris, où il sympathisa avec les idées révolutionnaires. À son retour à Berlin, il publia sous un pseudonyme ses *Vertraute Briefe über Frankreich* (1792-93), ce qui en 1794 lui valut de perdre sa place de maître de chapelle.

Il s'installa à Giebichenstein, et en 1796, fut nommé par Frédéric Guillaume II directeur des mines de sel de Halle. En 1802-1803, il était de nouveau à Paris, et en 1806, Giebichenstein fut ruiné par l'occupation française. Nommé en 1808 directeur général des théâtres et de l'orchestre du roi Jérôme Bonaparte à Cassel (le poste devait bientôt être offert, mais en vain, à Beethoven), Reichardt effectua durant l'hiver 1808-1809 un voyage à Vienne, en principe pour y recruter des chanteurs. Il y rencontra Haydn, Beethoven et d'autres musiciens, et publia ses souvenirs de ce séjour dans *Vertraute Briefe geschrieben auf einer Reise nach Wien und den österreichischen Staaten zu Ende 1808 und zu Anfang 1809* (Amsterdam, 1810).

Comme compositeur, son importance réside surtout dans ses lieder (environ 1500 sur des textes de plus de 120 poètes différents) et dans ses ouvrages pour la scène, en particulier ses singspiels. Il abandonna définitivement l'opera seria italien et les imitations de Hasse et de Graun à partir de *Tamerlan* et *Panthée* (1785-86), ouvrages inspirés de Gluck et *Claudine von Villa Bella* marqua l'introduction de la langue allemande sur la scène lyrique berlinoise. Dans ses œuvres instrumentales, il se montra plutôt conservateur, plus proche des disciples de Carl Philipp Emanuel Bach que de Haydn. On lui doit aussi de la musique sacrée. Comme écrivain, il publia notamment, outre ses souvenirs de voyage, d'intéressants programmes explicatifs pour le Concert spirituel de Berlin, et édita divers journaux et revues : *Musikalisches Kunstmagazin* (Berlin, 1782-1791); *Musikalischer Almanach* (Berlin, 1796); *Berlinische musikalische Zeitung* (Berlin 1805-1806).

REIMANN (Aribert), compositeur allemand *(Berlin 1936).* Il a mené de front une carrière de pianiste et une carrière de créateur. Après des études à l'École supérieure de musique de Berlin, il a séjourné à Vienne (1958) puis travaillé en autodidacte. Il a d'abord suivi la voie ouverte par l'école de Vienne, en particulier par Webern, puis a abandonné la technique sérielle en 1967. Il s'est familiarisé avec les musiques d'Asie, de l'Inde notamment.

On lui doit notamment *Ein Totentanz,* suite pour baryton et orchestre de chambre (1960); *Fünf Gedichte von Paul Celan* pour baryton et piano (1960); 2 concertos pour piano (1961 et 1972); *Hölderlin-Fragmente* pour soprano et orchestre (1963); *Ein Traumspiel,* opéra d'après Strindberg (1964); *Verrà la morte,* cantate d'après Pavese (1966); *Einführung* pour ténor et piano, texte de Paul Celan (1967); *Loqui* pour orchestre (1969); *Die Vogelscheuchen,* ballet de Günter Grass (1970); *Melusine,* opéra (1970); *Zyklus* pour baryton et orchestre, textes de Paul Celan (1971); *Wolkenloses Christfest,* requiem pour baryton, violoncelle et orchestre (1974); *Variations* pour orchestre (1975); *Lear,* opéra d'après Shakespeare (1976-1978); *Nachtstück II* pour baryton et piano, d'après Eichendorff (1978); *Invenzioni* pour 12 exécutants; un *Requiem* créé à Kiel en 1982; les opéras *Die Gespenstersonate* d'après Strindberg (Berlin 1984) et *Troades* (Munich 1986); *Fragmente* pour orchestre (1988), *Concerto* pour violon, violoncelle et orchestre (1989).

REINKEN ou **REINCKEN** *(Johann Adam),* compositeur et organiste allemand *(? 1623 - Hambourg 1722).* Après un séjour en Hollande, à Deventer, il s'établit à Hambourg où il devint l'élève de Scheidemann*, avant d'être son assistant (1658), puis son successeur (1663) à l'orgue de l'église Sainte-Catherine.

Lorsqu'il était élève de la Michaelisschule de Lüneburg (1700-1703), Jean-Sébastien Bach vint à plusieurs reprises écouter celui qu'avec Buxtehude on considérait alors comme le plus grand organiste de son temps. Il se fit plus tard entendre de lui, en 1720, quand il postula le poste d'organiste de l'église Saint-Jacques; Reinken, âgé de quatre-vingt-dix-sept ans, lui déclara, après l'avoir écouté improviser sur le choral *An Wasserflüssen Babylons,* que lui-même avait traité : « Je croyais cet art mort, mais je vois qu'il vit encore en vous » — témoignage qui montre bien

l'influence des maîtres du Nord sur le jeune Bach.

L'essentiel de l'œuvre connue de Reinken a été publié en un recueil, *Hortus musicus* (« Jardin musical ») en 1687, pièces de musique de chambre pour deux violons, viole de gambe et basse continue. On possède aussi de lui des variations instrumentales *(Partite diverse),* des pièces d'orgue (deux fantaisies et des variations sur des chorals, deux toccatas, quelques fugues) et une cantate d'église, *Es erhub sich ein Streit.* Reinken est l'un des plus brillants représentants de l'école d'orgue de l'Allemagne du Nord, caractérisé par sa virtuosité des mains et des pieds et la richesse de ses registrations.

RESPIGHI *(Ottorino),* compositeur italien *(Bologne 1879 - Rome 1936).* Élève de Torchi et de Martucci à Bologne, il s'intéressa aussitôt à la renaissance de la musique

Ottorino Respighi.

H. Manuel

instrumentale italienne, puis, nommé violoniste à Saint-Pétersbourg, travailla l'orchestration avec Rimski-Korsakov. Ses premières mélodies dénotèrent néanmoins plus d'originalité que ses essais dans le genre de l'opéra, et, fixé à Rome comme professeur à l'académie Sainte-Cécile en 1913, il s'engagea à fond sur la voie du renouveau symphonique, donnant notamment avec succès *les Fontaines de Rome* (1914-1916), *les Pins de Rome* (1923-1924), *Triptyque botticellien* (1927) et *les Fêtes romaines* (1928), tandis que ses attaches avec le courant néoclassique apparaissaient plus nettement dans ses brillantes orchestrations de Rossini (*la Boutique fantasque,* pour Diaghilev en 1919, puis *Rossiniana,* 1925), dans sa suite *les Oiseaux* (1927), d'après les clavecinistes du XVIIᵉ siècle, et dans ses *Airs et Danses antiques pour luth* (1917), ainsi que dans sa musique de chambre (sonate pour piano et violon, deux quatuors à cordes, dont le *Quatuor dorique*) et instrumentale (*Concerto grégorien,* 1921). Mais, dès 1923, Respighi tentait la synthèse entre ses diverses aspirations et revenait à la composition lyrique, où il entendait renouer avec une tradition authentique en donnant en outre à ses opéras de larges prolongements philosophiques : *Belfagor* (1923), *La Campana sommersa* (1927), *Marie l'Égyptienne* (1932) et *La Fiamma* (1934), la plus discutée de ses œuvres, connurent une plus grande fortune en Allemagne ou dans les deux Amériques qu'en Italie.

REUTTER (VON), famille de musiciens autrichiens. — 1. **Georg,** organiste et compositeur *(Vienne 1656 - id. 1738).* Peut-être élève de Kerll, il lui succéda en 1686 comme organiste de la cathédrale Saint-Étienne de Vienne, et après un voyage en Italie, au cours duquel il fut anobli, il devint organiste de la cour de Vienne en 1700. Il succéda à Fux comme vice-maître de chapelle (1712), puis comme maître de chapelle (1715) à Saint-Étienne. Comme compositeur, il est connu surtout pour ses toccatas pour orgue.
— 2. **Georg,** organiste et compositeur, fils du précédent *(Vienne 1708 - id. 1772).* Il étudia la composition avec Caldara, et après en avoir assumé les fonctions, succéda officiellement à son père comme premier maître de chapelle à Saint-Étienne (1738). C'est en cette qualité qu'en 1739 ou 1740, il engagea comme petit chanteur

Haydn âgé de sept ou huit ans. Il devint également vice-maître de chapelle de la cour en 1747, chef de la seconde chapelle de Saint-Étienne en 1756, et maître de chapelle de la cour en 1769 (après avoir, dans les faits, assumé ces dernières fonctions à partir de 1751). Personne avant lui n'avait cumulé tous ces postes à Vienne, et personne ne devait les cumuler par la suite. Sous sa tutelle, la chapelle impériale déclina considérablement. Comme compositeur, il resta ancré dans le style baroque, et laissa dans le domaine dramatique, dans le domaine religieux et dans le domaine instrumental une production abondante mais d'inégale qualité.

REVERDY *(Michèle),* femme compositeur française *(Alexandrie, Égypte, 1943).* Elle a fait ses études au Conservatoire de Paris, en particulier avec Olivier Messiaen et Claude Ballif, travaillé au Groupe de recherches musicales de l'I. N. A., et a été pensionnaire à la Casa de Velasques à Madrid (1979-1981). Depuis 1979, elle est professeur d'analyse au Conservatoire national de région de Paris, ainsi que dans divers conservatoires municipaux de la même ville. Elle a écrit : *Cante jondo,* trois mélodies pour voix de femme et ensemble instrumental sur des poèmes de Federico García Lorca (1974 ; rév., 1980) ; *Espaces,* pour orchestre (1975), pièce largement fondée sur une série de 12 accords ; *Kaléidoscope,* pour clavecin et flûte (1975) ; *Figure,* pour piano (1976) ; *le Rideau bleu,* pour flûte(s), clarinette(s), violon, violoncelle et piano (1978) ; *Météores,* pour 17 instrumentistes (1978) ; *Arcane,* pour clarinette, violon, violoncelle, piano et percussion (1979) ; *Through the Looking-Glass,* pour récitant, voix de femme, clarinette, alto, 2 trombones et piano (1979), avec textes de Lewis Carroll, lus en exergue ; *Quintette à vents* (1980) ; *Mimodrame,* pour 4 percussionnistes, 2 trombones, 4 « joueurs » et 3 danseurs (1981) ; et *le Château,* opéra d'après Kafka (1982) ; l'opéra le *Précepteur* (Munich, 1990). On lui doit également un ouvrage sur *l'Œuvre de piano d'Olivier Messiaen* (Paris, 1978).

REYER (*Ernest Rey,* dit), compositeur et critique musical français *(Marseille 1823-Le Lavandou, Var, 1909).* Dans sa jeunesse, il fut contraint de travailler quelques années dans la comptabilité, sous la direction de son oncle à Alger ; de cette épo-

Reyer dans son intérieur.

— et un ballet, *Sacountalâ* (livret de Gautier, d'après un sujet hindou, 1858).

De 1866 à 1898, Reyer exerça la profession de critique musical dans divers journaux : *la Revue française, la Presse, le Courrier de Paris,* et surtout *le Journal des débats,* où il succédait à Berlioz et à d'Ortigue. Sa productivité musicale baissa considérablement, mais c'est au cours de cette période qu'il écrivit *Sigurd* (1884) et *Salammbô* (1890), qui restent ses œuvres majeures. Bien qu'admirant Wagner, il se refusait à l'imiter et c'est comme continuateur du grand opéra français qu'il apparaît même dans le sujet wagnérien de *Sigurd.*

RICHTER *(Franz Xaver),* compositeur allemand d'origine tchèque *(Holešov, Moravie, 1709 - Strasbourg 1789).* Il se forma avec le *Gradus ad Parnassum* de Fux, peut-être directement avec ce dernier, et après un voyage en Italie, entra au service du prince-abbé Anselm von Reichlin-Meldegg à Kempten (1740). En 1747, à la mort du prince-abbé, il fut appelé, d'abord comme chanteur puis comme violoniste, chef d'orchestre et compositeur, à

*Franz Xaver **Richter,**
d'après une gravure de Ch. Guérin.*

que date déjà une *Messe solennelle* pour l'arrivée du duc d'Aumale à Alger (1847). Contre la volonté de ses parents, Reyer vint à Paris en 1848 et travailla le piano sous la direction de ses cousins Aristide et Louise Farrenc. Il se lia avec Théophile Gautier, dont les textes lui fournirent le sujet de son premier poème symphonique avec voix et chœurs, *le Sélam* (1850), d'une inspiration africaine qui l'a fait comparer au *Désert* de Félicien David. Par la suite, il se consacra essentiellement à la musique de scène. Entre 1854 et 1864, il produisit trois opéras — *Maître Wolfram,* sur un texte de Méry et Gautier (1854), *la Statue* (texte de Barbier et Carré, d'après les *Contes des mille et une nuits,* 1861), *Érostrate* (texte de Méry et Pacini, 1862) la cour du prince électeur de Mannheim, et, avec Johann Stamitz, domina la première génération de compositeurs de l'école à laquelle cette ville devait donner son nom. Il composa alors la plus grande partie de sa production instrumentale (symphonies, concertos, quatuors, sonates de chambre). Dans ces œuvres, il sut éviter les pièges de la galanterie, et eut souvent recours à l'écriture fuguée. Ses six quatuors à cordes op. 5, en trois mouvements et publiés en 1768, remontent à quelques années auparavant.

De 1769 à sa mort, il fut maître de chapelle à la cathédrale de Strasbourg, où il eut comme assistant et successeur Ignaz Pleyel, et se consacra beaucoup à la musique religieuse. Il compta parmi ses élèves Johann Martin Kraus et Carl Stamitz, et laissa également un des rares ouvrages théoriques produits à Mannheim (*Harmonische Belehrungen,* manuscrit, éd. fr. Paris, 1804).

RIEGGER *(Wallingford),* compositeur américain *(Albany 1885 - New York 1961).* Il fit ses études à New York, puis à Berlin avec Max Bruch. Chef d'orchestre du théâtre de Würzburg et de l'orchestre Blüthner de Berlin, il fut, à son retour aux États-Unis, violoncelliste à l'orchestre de Saint Paul, puis professeur à l'Institut musical de New York et au conservatoire d'Ithaca. Il fut l'un des premiers compositeurs américains de naissance à employer le système dodécaphonique, découvert par lui en 1927.

Après des pages néoromantiques (musique de chambre et notamment un trio pour piano, 1920) et néo-impressionnistes (*la Belle Dame sans mercy* pour 4 voix et 8 instrumentistes, 1923), c'est une conception toute nouvelle de l'harmonie qu'il proposa avec *Study in Sonority* pour 10 violons ou n'importe quel multiple de 10 (1927), ou *Dichotomy* pour orchestre de chambre (1931-32), qui substitue aux traditionnels accords de tonique et de dominante deux autres accords jouant le même rôle, et utilise deux séries de 11 et 13 notes dans un ensemble dominé par la «séquence cumulative» (qui consiste à conserver le motif original et à y ajouter une séquence au-dessus ou au-dessous). Toutes ses œuvres exploitèrent désormais les découvertes des années 1930, jusqu'à une période plus récente où la musique électronique retint son attention.

Ses quinze dernières années ont été particulièrement riches en partitions de tous genres, et l'importance des précédentes fut enfin reconnue, vers 1948, lors de la création de sa *3ᵉ Symphonie.* Signalons sa passion pour les chants d'oiseaux, qui le conduisit à en noter plusieurs centaines. On lui doit notamment quatre symphonies, dont la dernière écrite en 1957.

RIES *(Ferdinand),* pianiste, copiste et compositeur allemand *(Bonn 1784 - Francfort 1838).* Il vécut à Vienne de 1801 à 1805 et en 1808-1809, et, lors de son premier séjour, servit de secrétaire à Beethoven, dont il reçut aussi des leçons de piano. Il effectua ensuite des tournées en Europe, et de 1813 à 1824 vécut à Londres. Comme compositeur, on lui doit beaucoup d'œuvres pour piano (sonates, pièces diverses, musique de chambre avec piano, concertos) ainsi que des ouvrages pour orchestre et des pages vocales. Il publia avec Wegeler les *Biographische Notizen über Ludwig van Beethoven* (Coblence, 1838), ouvrage largement basé sur ses propres souvenirs et qui constitue une des premières biographies importantes de l'auteur de *Fidelio.*

RIHM *(Wolfgang),* compositeur allemand *(Karlsruhe 1952).* Il commence ses études musicales par le piano. À partir de 1968-69, il étudie à la Musikhochschule à Karlsruhe : théorie musicale et composition chez E. W. Velte, piano chez I. Slavin et H. Searle. Les conseils de W. Fortner sont d'une importance capitale pour ses recherches de compositeur. En 1970, il fréquente pour la première fois les cours d'été de Darmstadt et plus tard, à la fin de ses études (diplôme de composition à la Musikhochschule à Karlsruhe), il est accepté comme élève par K. Stockhausen. Ses travaux avec Stockhausen en 1972-73, puis avec Klaus Huber à Fribourg-en-Brisgau constituent deux expériences décisives pour la formation de son style personnel. Parallèlement, il suit en musicologie l'enseignement de H. H. Eggebrecht à l'université de Fribourg. En 1973, il enseigne la théorie et l'analyse musicale à la Musikhochschule à Karlsruhe. Titulaire de nombreux prix, il séjourne en 1979-80 à l'Académie allemande, villa Massimo, à Rome. Il vit à Fribourg et à Karlsruhe.

Wolfgang Rihm est le représentant le plus connu et le plus productif du mouvement de la jeune musique allemande appelé « Nouvelle simplicité ». Opposé à « l'avant-gardiste (des années 50-60) devenu l'académicien d'aujourd'hui », il se déclare « allergique au dilettantisme » et crée une « musique humaine », particulièrement expressive et directement adressée à l'auditeur, parce que « complexe et claire, troublée et passionnée, précise et étonnée comme l'existence humaine ».

Après l'intellectualisme exacerbé des avant-gardistes des années 50-60 et l'objectivisme simpliste des post-cagiens, la recherche de Rihm se propose « l'expression de différents états in oratio directa », en élaborant une technique compositionnelle particulière qui s'inspire sans gêne des styles antérieurs. Qualifiée souvent, un peu trop à la hâte, de néoromantique ou de néo-expressionniste, l'écriture de Rihm correspond en réalité à sa conception de la musique en tant que « force et énergie immédiatement et physiquement vécues ». L'expérience personnelle et le savoir littéraire participent au même processus créateur qui explore les zones frontières entre le moi et la folie : des œuvres comme l'opéra de chambre *Jakob Lenz, Hölderlin-Fragmente, Alexanderlieder, Wölfli-Liederbuch, Tutuguri*, l'opéra *Œdipus*, l'oratorio *Missa non est* (1989), témoignent de son intérêt pour la subjectivité psychologique mise entre parenthèses par le structuralisme des années 50-60.

RILEY *(Terry)*, compositeur et improvisateur américain *(Corfax, Californie, 1935)* Après avoir étudié le piano et la composition à San Francisco et à l'université de Berkeley, il se tourne vers l'improvisation, d'abord dans un groupe formé avec Pauline Oliveros. Il rencontre La Monte Young en 1960, voyage en Europe, travaillant avec divers instrumentistes de pop et de jazz (avec le guitariste David Allen en 1962 dans un bar de Pigalle, puis avec le trompettiste Chet Baker). Il travaille aussi pour les ballets Ann-Halprin, et développe ses techniques d'improvisation, basées sur la répétition de brèves cellules et sur l'utilisation des magnétophones pour multiplier un instrumentiste et lui permettre de former un ensemble : soit en studio et en différé, avec le « re-recording », soit en direct, avec les procédés d'écho retardé et de « tape delay » (exécution enregistrée au fur et à mesure, et rejouée avec un certain décalage dans le temps par d'autres magnétophones).

Certaines de ses premières pièces jouables en re-recording, ou par plusieurs instrumentistes, comme les *Keyboard Studies* (1965-66), et surtout *In C* (1966) [en *do* majeur], font sensation dans l'avant-garde musicale, avec leur langage agressivement consonant et tonal, et leur principe de répétition obstiné : Riley fut ainsi le premier « répétitif » à percer dans le grand public, avant Glass, Reich, ou Gibson, mais alors que ceux-ci sont restés dans le cercle d'une « avant-garde », même élargie et popularisée, Riley fabrique une musique moins rigide, plus « pop ».

À la fin des années 60, ses œuvres *Poppy No Good and the Phantom Band* (1967), pour saxophone soprano, orgue et dispositif de multiplication par « tape delay », et surtout *A Rainbow in Curved Air* (1969), lumineux mouvement perpétuel pour orgue électronique en re-recording, le font connaître, par le disque, d'un large public de tous les milieux. Après quoi, de plus en plus influencé par une certaine musique orientale (indienne, notamment), il continue une carrière de compositeur-improvisateur, utilisant en guise de partitions des structures de base « mises en orbite à l'intérieur de sphères concentriques », et créant dans la durée une musique extatique. Parmi ses créations récentes, on peut citer *Persian Surgery Derviches*, la musique du film *les Yeux fermés, Happy Ending* et *Journey from a Death of a Friend*.

RIMSKI-KORSAKOV *(Nikolaï A.)*, compositeur russe *(Tikhvine 1844-Lioubensk 1908)*. Placé dès l'âge de six ans devant un piano, il se familiarise rapidement avec Beethoven, Mozart, les ouvertures de Verdi, Auber, Spontini et les pots-pourris d'opéras italiens, répertoire quotidien de sa famille, de la noblesse campagnarde éclairée. Mais destiné à faire carrière dans la marine, il est envoyé à l'École des cadets de la flotte à Saint-Pétersbourg (1856-1862). La capitale lui offre la révélation décisive du théâtre lyrique, en l'occurrence Meyerbeer, Weber, Verdi, Rossini, Mozart *(Don Giovanni)*, et surtout Glinka, dont il ressent toute l'importance. Parallèlement, dès 1860, Canilla, son professeur de piano, lui fait connaître Bach, Schumann, et approfondir Beethoven ; il encourage même ses premières compositions et le présente, en novembre 1861, à Balakirev, qui lui demande d'écrire une

*Nicolaï **Rimski-Korsakov**.*

× l'étude des fugues de Haendel et de Bach (il en écrira lui-même 61), des polyphonistes italiens et néerlandais, du traité de Chérubini et de celui de Berlioz, cela avec l'aide de Johansen et de Tchaïkovski. Étonnant Rimski-Korsakov, qui, par conscience professionnelle, substitue la technique à l'empirisme de sa première manière! Exemple unique dans ce groupe des Cinq et qui explique partiellement les tâches de « révision », d'un bonheur parfois douteux, qu'il s'assignera, notamment en ce qui concerne Moussorgski et Borodine.

Enfin, sa nomination comme inspecteur des musiques des équipages de la flotte (1873) lui permet de vivre de et par la musique tout en le conduisant à s'intéresser aux instruments à vent et même à apprendre la clarinette et la flûte. La collecte des chants populaires l'absorbe alors pendant près de deux ans (1876-1878) et lui fait découvrir les vieux rites païens, notamment du Dieu-Soleil, qui l'obséderont dans ses œuvres lyriques. Jusqu'en 1882, date à laquelle il se consacre à la révision des manuscrits de Moussorgski (1882-1884), il dirige l'École libre de musique, puis, de 1886 à 1890, les Concerts symphoniques russes de Saint-Pétersbourg, tout en étant directeur adjoint de la chapelle impériale confiée à Balakirev (1883-1893).

Il a noué aussi des liens d'amitié avec Belaïev, autour duquel s'est formé un cénacle plus ouvert, plus technique que celui du groupe des Cinq, moins passionnané peut-être, mais où Palestrina, Bach, et les nouvelles œuvres de Wagner trouvent grâce. Liadov, Glazounov, plus tard Tcherepnine et Scriabine s'y retrouveront. À l'initiative de Belaïev, Rimski-Korsakov dirige, au Trocadéro, deux grands concerts de musique russe dans le cadre de l'Exposition universelle de 1889, occasion pour lui de prendre un premier contact avec les musiciens français et les courants musicaux nouveaux (il y reviendra avec Diaghilev en 1907).

Écarté de ses différentes activités et interdit d'exécution (le Coq d'or ne sera créé qu'après sa mort en 1909) pour avoir soutenu le mouvement de 1905, pris le parti des étudiants et même mis en musique Doubinouchka, l'hymne populaire de la première révolution, Rimski-Korsakov n'est réintégré qu'officieusement quand un infarctus le terrasse le 22 juin 1908, au moment même où Snegourotchka est

symphonie. Mais, promu au grade d'aspirant, il doit s'embarquer pour une croisière de trois ans autour du monde : peut-être en rapporte-t-il son goût du pittoresque, des couleurs et du folklore.

Le succès de sa première symphonie, achevée à son retour, le décide à voir dans la musique sa vraie vocation, alors même que, sous l'influence des idées de Liszt et Berlioz il entreprend Sadko, son premier poème symphonique.

Mais sa nomination en 1871 comme professeur de composition et d'orchestration au conservatoire de Saint-Pétersbourg marque un tournant décisif dans sa vie. Si le groupe des Cinq trouve là un lieu de vulgarisation de ses idées, cette promotion amène Rimski-Korsakov à entreprendre pendant cinq ans un véritable recyclage, sa formation d'autodidacte ne pouvant nourrir son enseignement. Lui, qui n'avait jamais harmonisé un choral, jamais fait un exercice de contrepoint, se met à représenté à l'Opéra-Comique de Paris. L'essentiel de son activité de compositeur fut consacré à ses quinze opéras. Mais si en 1868-69, lorsque sonne l'heure des réalisations pour le groupe des Cinq, Rimski choisit l'épisode historique de la révolte de la ville de Pskov réprimée par Ivan le Terrible, la *Pskovitaine,* ce type de sujet constitue à vrai dire une exception. Le monde de Rimski est un monde de poésie, de beauté et de lumière, et il est plus attiré par les sujets tirés des contes populaires où s'affirme la sagesse profonde du peuple et par les thèmes féeriques, sinon fantastiques.

Cette orientation, sensible dans la *Nuit de mai* (1878-79), *Snegourotchka* (1880-81), *Sadko* (1894-1896), *Kastcheï* (1901-1902), *Kitège* (1903-1905), *le Coq d'or* (1906-1907), véhicule une critique sociale qui lui vaut quelques démêlés avec la censure (il doit supprimer dans *la Nuit de Noël* toute allusion à Catherine II; *Kastcheï* a été bien compris comme une protestation contre l'oppression et une allusion au grand inquisiteur Pobedonostev, *le Coq d'Or* comme une satire du gouvernement). Bien plus, l'optique générale reflète aussi une certaine conception de l'opéra : l'acceptation du caractère conventionnel du genre, l'idée

Illustration d'Ivan Bilibine pour le Coq d'or *de **Rimski-Korsakov.***

B. N.

Rimski-Korsakov, par V. A. Serov.

*Phrase musicale
et signature de **Rimski-Korsakov**.*

que sur scène tout est spectacle et stylisation, la méfiance à l'égard du réalisme vériste.

Distinguons chez lui trois types d'opéra : le genre italien *(la Fiancée du tsar);* la mélodie ininterrompue héritière à la fois de Wagner et Dargomyjski (*Mlada,*

1889-90 ; *Mozart et Salieri*, 1897 ; *Kitège* (1903-1905) ; l'œuvre de compromis entre l'opéra lyrique et l'opéra déclamatoire (*Snegourotchka*, 1880-81 ; *Sadko*, 1894-1896, *la Nuit de Noël*, 1894-95 ; *Tsar Saltan*, 1899-1900 ; *le Coq d'or*, 1906-1907), où les « morceaux séparés » alternent avec des scènes entières construites selon les idées du drame wagnérien. Rimski-Korsakov refuse, en effet, de se laisser guider par des théories, seuls comptent pour lui le résultat et la nécessité musicale. Ainsi l'emploi du leitmotiv est-il chez lui tout autre que chez Wagner : il n'est pas le tissu de la trame orchestrale, il peut devenir thème, air, véritable motif rythmico-mélodique, parfois succession harmonique *(cf.* la leit-harmonie du cri du *Coq d'or).*

Le grand Eunuque.
Projet de costume de L. Bakst
pour Shéhérazade *de **Rimski-Korsakov***
(Paris, 1910).

Projet de décor de L. Bakst
pour Shéhérazade *de **Rimski-Korsakov***
(Paris, 1910).

Mais ce qui frappe avant tout dans son œuvre, c'est sa science de l'orchestration (*cf.* ses *Principes d'orchestration, 1896-1908,* édités en 1913) qui s'appuie sur les expériences des compositeurs allemands (Weber, Mendelssohn, Wagner, Liszt), français (Meyerbeer et surtout Berlioz), russes (la marche de Tchernomor de Glinka dans *Rousslan et Ludmilla* étant le modèle). En ce domaine, il a marqué toute une génération, y compris Stravinski, fortement influencé par l'orchestre, la couleur et les procédés d'écriture du *Coq d'or :* l'*Oiseau de feu* et *Petrouchka* en témoignent. Rimski a un goût certain pour les combinaisons neuves (par ex. bois, cuivres et percussions), la sonoristique *(cf. Capriccio espagnol, Schéhérazade, la Grande Pâque russe),* et il aimait à comparer l'orchestre à une sorte de clavier idéal. Son langage harmonique ne plonge pas seulement dans la musique populaire, il pousse l'harmonie, comme dans *Katscheï,* « jusqu'aux extrêmes limites, bien qu'on n'aboutisse jamais à la sur-harmonie » (Rimski). Il affectionne, d'autre part, les accords augmentés et certaines trouvailles peuvent l'apparenter à Debussy ; l'ouverture de *Kitège* peut même faire songer à Chostakovitch. Sans doute a-t-il été le chef d'école le plus important de la Russie de la fin du XIXe siècle.

RISSET *(Jean-Claude),* compositeur et chercheur français *(Le Puy 1938).* Il mène de front des études scientifiques (École normale supérieure) et musicales (écriture avec Suzanne Demarquez, composition avec André Jolivet). Dans le cours des années 60, il travaille, trois années durant, aux côtés du pionnier Max Mathews, dans les laboratoires de recherches de la Bell Telephone, près de New York, et il se trouve ainsi associé, avec Guttman et Pierce, aux recherches déterminantes de Mathews sur la synthèse des sons par ordinateur.

En 1969, Risset publie ainsi un « catalogue de sons d'ordinateur », fondé sur l'emploi du programme de Mathews *Music V,* et qui fait date dans cette recherche. On lui doit particulièrement la conception de sons « paradoxaux » basés sur des phénomènes d'illusion acoustique, tels que le son qui semble monter indéfiniment, ou descendre de même ; il les a utilisés lui-même dans sa musique de scène *Little Boy* (1968, pour une pièce de Pierre Halet

sur Hiroshima) et dans l'œuvre pour bande *Mutations I* (1969), commandée par le G. R. M., une des premières œuvres importantes entièrement synthétisées par ordinateur.

Elle sera suivie d'une série de pièces « mixtes », combinant la bande magnétique (réalisée à partir de sons d'ordinateur) avec des parties instrumentales jouées en direct, dans un style coulant et euphonique, de bonne compagnie : *Dialogues* (1975), pour flûte, clarinette, percussion et bande ; *Inharmoniques* (1977), pour soprano et bande ; *Moments nextoniens* (1977), pour quatuor à cordes, piano, deux trompettes, et bande ; *Mirages* (1978) ; *Songes* (1980), pour bande, etc.

En 1976, Jean-Claude Risset prenait la direction du département « ordinateur » de l'I. R. C. A. M. dirigé par Pierre Boulez au centre Pompidou à Paris, mais il devait en démissionner trois ans plus tard, et aller poursuivre ses recherches à l'université de Marseille-Luminy, dans le cadre institutionnel du Centre national de la recherche scientifique (C. N. R. S.). Ses recherches et ses œuvres, d'un style plutôt « rassurant », ont beaucoup contribué à faire admettre les sons synthétisés par ordinateur à un public plus large.

RIVIER *(Jean),* compositeur français *(Villemomble 1896 - Aubagne 1987).* Il commença à étudier en autodidacte, puis fut mobilisé lors de la Première Guerre mondiale, au cours de laquelle il fut gazé et réformé. Il se mit alors à travailler l'harmonie avec Jean Gallon et le contrepoint avec Georges Caussade, puis entra au Conservatoire de Paris dans les classes de Paul Braud (piano), Paul Bazaire (violoncelle) et Maurice Emmanuel (histoire de la musique). En 1926, il obtint un premier prix de contrepoint et de fugue. Il se consacra alors à la composition, et fut un compositeur fécond (7 symphonies, concertos pour violon, pour clarinette, pour basson, pour hautbois, concertino pour alto, nombreuses œuvres de musique de chambre, un requiem, mélodies, chœurs).

L'œuvre de Jean Rivier a subi l'influence de Ravel, de Roussel, puis celle de Prokofiev, de Jolivet, et du jazz. À partir de 1948, il fut une année par deux professeur de composition au Conservatoire de Paris, en alternance avec Darius Milhaud, titulaire de la classe et auquel il devait succéder (1962-1966).

ROBERDAY *(François)*, compositeur et organiste français *(Paris 1624-Auffargis 1680)*. Fils d'un orfèvre en renom, grand amateur de musique, il fut lui-même reçu orfèvre en 1650 et devint orfèvre du roi. Il fut organiste chez les Petits-Pères, à Paris, acheta une charge de valet de chambre de la reine, et vécut dans une grande aisance jusqu'à ce que des revers de fortune le ruinent, le contraignant à se retirer à la campagne. En 1660, il publia son unique recueil de musique, *Fugues et Caprices à 4 parties, mises en partition pour l'orgue et dédiées aux amateurs de musique*. En insistant sur les mots «mises en partition», Roberday met l'accent sur l'originalité de l'écriture de son recueil, présenté ni en tablature, comme on le faisait pour les instruments à clavier ou le luth, ni en parties séparées, selon l'usage pour la musique à plusieurs instruments. Dans son avertissement, il précise que ces morceaux sont en partie empruntés à d'autres auteurs (Cavalli, d'Anglebert, Louis Couperin, Bertali, de la Barre, Cambert et Froberger), traités dans un contrepoint très solide et un ardent lyrisme qui apparente Roberday à Frescobaldi et à Froberger, dont il a par ailleurs copié des pièces. Beau-frère de d'Anglebert, Roberday aurait été l'un des maîtres de Lully.

RODRIGO *(Joaquín)*, compositeur espagnol *(Puerto Sagunto, Valence, 1902)*. Frappé, tout enfant, de cécité, Rodrigo commença ses études musicales à Valence, puis se rendit en Allemagne (1922) où il écrivit ses premières compositions. Élève de Paul Dukas à Paris (1927-1932), il y rencontra Falla et Ricardo Viñès, dont les conseils le marquèrent profondément. Sa première œuvre importante, le *Concerto* d'Aranjuez* (1939), fut accueillie avec un enthousiasme qui ne s'est jamais démenti depuis, et a exercé une influence déterminante sur l'évolution de la guitare au xxe siècle. La syntaxe de Rodrigo ne cherche pas à s'évader d'une clarté folklorisante qui lui vaut, du reste, une très vaste audience. Ses mélodies, ses pages orchestrales et d'inspiration religieuse se réclament de la même esthétique, indifférente au progrès, mais d'un charme indéniable. On lui doit aussi un *Concerto andalou* pour 4 guitares (1967).

ROMAN *(Johan Helmich)*, compositeur suédois *(Stockholm 1694-Haraldsmala 1758)*. Surnommé *Den svenska musikens fader* («le père de la musique suédoise»), d'origine finlandaise, enfant prodige, violoniste dans l'Orchestre royal, il étudie ensuite en Angleterre (1715-1721) où on le surnomme «The Swedish Virtuoso». De 1721 à 1735, il est appelé à diriger l'Orchestre royal de Suède, après quoi il voyage en Angleterre, en France, en Italie et rejoint son pays en 1737, après s'être arrêté en Autriche et en Allemagne. À partir de 1740, le triomphe de l'opéra, la mort de sa deuxième femme et celle de sa protectrice la reine Ulrika Eleonore le contraignent à se retirer dans le sud du pays où il continue de composer jusqu'à sa mort.

Son œuvre (près de 400 numéros) comprend surtout de la musique instrumentale; il s'y affirme très proche de Haendel qu'il avait rencontré à Londres, et il laisse des sinfonie, 3 concertos pour violon, des concertos pour hautbois, des sonates (13 en trio, 12 pour flûte, violon et clavecin,

*Jean **Rivier**.*

Lido

12 pour clavecin), des pièces pour violon seul (*Assaggi a violino solo,* 1740) et une monumentale suite pour orchestre, *Drottningholmsmusiken* (1744) en 24 mouvements, écrite pour le mariage de Lovisa Ulrika et Adolf Fredrik de Hesse, roi de Suède. Dans le domaine vocal, peu attiré par l'opéra, Roman s'est surtout consacré à la musique religieuse.

ROPARTZ *(Joseph Guy Marie),* compositeur français *(Guingamp, Côtes-du-Nord, 1864 - Lanloup, Côtes-du-Nord, 1955).* Il commença à travailler la musique tout en faisant ses études de droit. Obtenant sa licence à Rennes en 1885, il entra la même

Agence Intercontinental

*Joseph Guy Marie **Ropartz**.*

*Page autographe de **Ropartz**.*
Début du premier mouvement
du Quatuor à cordes en sol mineur.

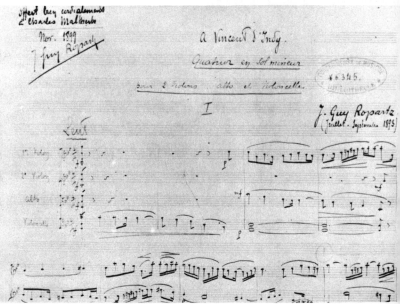

année au Conservatoire de Paris dans les classes de Dubois, de Massenet, puis dans celle de Franck, dont l'influence sur toute son œuvre restera fondamentale. Il se lia alors d'amitié avec Albéric Magnard et Vincent d'Indy, et fréquenta Chabrier, Fauré, Dukas, Duparc, Chausson, Messager. Il mena parallèlement des activités musicales et littéraires, publiant notamment les recueils *Adagiettos* (1888), *Modes mineurs* (1890), *les Muances* (1892) et, en collaboration avec L. Tiercelin, *le Parnasse breton* (1899), ainsi que les *Notations artistiques* (1891), récit de son voyage de Paris à Stockholm en passant par Bayreuth. En 1894, il devint directeur du conservatoire de Nancy, puis, en 1919, de celui de Strasbourg, ce qui l'amena à repenser les problèmes de l'enseignement musical et à jouer un rôle important dans la diffusion de la musique française contemporaine. En 1929, il se retira dans son manoir de Lanloup.

Les sources premières de son inspiration musicale furent sa foi religieuse (3 messes, un requiem, psaumes, motets, nombreuses pièces d'orgue), et sa Bretagne natale (*les Landes,* 1888 ; *Dimanche breton,* 1893 ; *la Chasse du prince Arthur,* 1912 ; le drame lyrique *le Pays* d'après *l'Islandaise* de Ch. Le Goffic, 1910). Il a également rassemblé des cantiques en langue bretonne *(Kanovenno santel).* Mais, dans ses œuvres, il préfère souvent recréer des thèmes folkloriques plutôt que de les citer. Par goût et par formation, il a privilégié des œuvres d'écriture complexe et d'architectonique savante (5 symphonies, 6 quatuors à cordes), ce qui a donné à sa musique une réputation d'aridité. Mais il apparaît aussi comme un miniaturiste de talent, en particulier dans ses nombreuses mélodies (*les Heures propices,* 1927).

Pénétré de l'esprit franckiste, il a su dégager sa propre personnalité en se montrant éclectique dans ses goûts, comme le prouve notamment son admiration pour Debussy. Après la mort d'Albéric Magnard, il orchestra deux actes de son opéra *Guercœur.*

RORE *(Cyprien de),* musicien flamand *(Malines* 1515 ou 1516 - *Parme* 1565). Le nom de Rore paraît être la transposition latine du néerlandais *Dauwens* (de Rosée). Ses maîtres ne nous sont pas connus, mis à part Antoine Barbé, chef de chant à Notre-Dame d'Anvers. À peine âgé de dix-

*Cyprien de **Rore.**
Miniature de Hans Mielich (détail).*

neuf ans, il quitte les Pays-Bas pour Venise et devient chantre à Saint-Marc, sous la direction d'un autre Flamand, le célèbre Adrian Willaert. De cette période vénitienne date un *Premier Livre de madrigaux* (1542). En 1547 (sans doute dès 1545), il est attaché à la cour des Este à Ferrare et y rencontre Nicolo Vicentino dont les théories sur les systèmes chromatique et enharmonique de l'Antiquité *(L'Antica Musica ridotta a la moderna prattica)* auront une influence déterminante sur ses œuvres. À la suite d'un séjour prolongé à Anvers en 1558 (où il était venu rendre visite à ses parents), il perd le bénéfice de sa charge de maître de chapelle à Ferrare. Après un court intermède au service du duc de Parme, Octave Farnèse (1561), il est choisi comme maître de chapelle à Saint-Marc de Venise, à la mort de Willaert. Mais il ne retire pas d'une telle charge tous les avantages escomptés et revient en 1564 au service du duc de Parme pour mourir à ce poste un an plus tard.

RORE

De son vivant, de Rore a été considéré comme l'un des plus grands musiciens de son temps, d'abord comme madrigaliste (il a laissé cent quatre-vingt-dix-sept pièces à trois, quatre et cinq voix), mais aussi comme musicien d'église, où il perpétue le style de Josquin Des Prés associé à l'influence de Willaert. Dans les deux cas, son chromatisme exacerbé a fortement aidé « à libérer le chant du vieux système modal » (N. Bridgmann). Aussi bien, ses contemporains lui reconnurent un véritable rôle de chef de file, n'hésitant pas à le saluer du surnom de « Cipriano il divino ».

ROSENBERG *(Hilding)*, compositeur et chef d'orchestre suédois *(Bosjökloster 1892 - Stockholm 1985).* Organiste, il commence tard des études sérieuses d'écriture avec W. Stenhammar (1921-1925), ce qui ne l'empêche pas de devenir la figure centrale de la vie musicale suédoise de la première moitié du XXᵉ siècle. Après avoir subi, tout d'abord, les influences de Schön-

Hilding Rosenberg.

Radio Suédoise

berg, Stravinski et des néoclassiques français, son style s'épure à partir de 1930 *(4ᵉ Quatuor à cordes* et *3ᵉ Symphonie,* 1939).* À partir de 1956, il adopte un langage issu du dodécaphonisme *(Quatuors nᵒˢ 7 à 12),* et, après un semblant de retour sur lui-même *(4 Mélodies de J. Edfelt,* 1959), son style s'épanouit et il écrit des œuvres brillantes, virtuoses et expansives *(Salomé,* ballet, 1963 ; *la Tour de Babel,* ballet, 1966 ; *7ᵉ Symphonie,* 1968). Dans les années 70, il continue d'écrire des partitions de grande ampleur (symphonie nᵒ 8 *In candidum,* 1974) tout en révisant ses œuvres de jeunesse.

Compositeur éclectique, premier moderniste suédois de ce siècle avec M. Pergament et G. Nystroem, Rosenberg a, aujourd'hui, écrit 12 quatuors, de nombreuses œuvres symphoniques parmi lesquelles 8 symphonies, des ballets, des œuvres chorales, des concertos, des œuvres instrumentales, un opéra-oratorio et 6 opéras dont *Marionetter* (« Marionnettes », 1938, créé à Stockholm en 1939).

ROSENMÜLLER *(Johann),* compositeur allemand *(Oelnitz, Vogtland, v. 1620-Wolfenbüttel 1684).* Étudiant à l'université de Leipzig vers 1640, il devint l'assistant du cantor de l'église Saint-Thomas, Tobias Michael, et, en 1651, fut nommé organiste de l'église Saint-Nicolas. Après avoir en vain espéré le cantorat de l'église de la Sainte-Croix à Dresde, il fut inquiété en 1655 pour des affaires de mœurs et dut quitter la Saxe. Après un séjour à Hambourg, il gagna l'Italie pour s'installer à Venise comme professeur de musique de 1660 à 1674. Cette même année, il se décida à revenir en Allemagne comme maître de chapelle à la cour de Wolfenbüttel, foyer musical très actif où il bénéficiait de la protection du duc régnant Anton Ulrich et où il devait travailler jusqu'à sa mort.

Avant tout, Rosenmüller s'illustra comme champion des influences italiennes dans le répertoire instrumental. Alors que dans ses premières œuvres *(Suites en trio,* 1645 ; *Studentenmusik,* 1654, dédiée aux étudiants de Leipzig), il se réfère à l'ancien style allemand (avec pavane, allemande, courante, ballo et sarabande), ses *Sonates da camera* à cinq parties, qu'il fit éditer à Venise en 1667, sont précédées d'une *sinfonia,* dans le nouveau style du temps.

En 1682, il publia un nouveau recueil

de *Sonates* qui s'apparentent, quant à la forme, à la *Sonate d'église* de Corelli. Écrites pour un groupe de cordes de deux à cinq voix, ces pages qui comportent, comme toutes les autres œuvres de Rosenmüller, une partie de *continuo*, représentent sans doute « ce que l'art allemand a produit de plus parfait, dans le répertoire instrumental de la seconde moitié du XVIIe siècle » (Kurt Gudewill).

Au reste, Rosenmüller qui ne cessa, sa vie durant, d'œuvrer à la réunion des goûts allemand, italien et anglais, jouit d'une popularité égale à celle de Buxtehude et Pachelbel dans l'Allemagne du temps. Comme musicien vocal, il s'illustra surtout dans le domaine du *lied* où il mérite d'être comparé à Adam Krieger. Sa musique d'église qui comprend plus de 175 pièces à l'état de manuscrit, du *petit concert spirituel* à la façon de Schütz aux *psaumes* et *messes* (celles-ci en latin) qui perpétuent la manière polychorale de l'école vénitienne, est également d'un maître parmi les maîtres et l'on comprend pourquoi Jean-Sébastien Bach a repris son ultime choral dans sa *Cantate* n° 27. En revanche, l'opinion du théoricien Scheibe le comparant, au XVIIIe siècle, à Lully semble plus curieuse ; elle s'applique à un artiste beaucoup plus tenté par le mariage de l'intériorité allemande et de la couleur et du mélodisme transalpins que par les symétries de l'école française.

ROSETTI (*Antonio* ou FRANZ ANTON RÖSSLER), compositeur et contrebassiste tchèque *(Litomerice v. 1750 - Ludwigslust 1792)*. Il étudia à Prague, et entra en 1773 au service du prince d'Oettingen-Wallerstein, dont il devint maître de chapelle en 1785. En 1789, il fut nommé au même poste chez le duc de Mecklembourg-Schwerin, et mourut au retour d'un voyage à Berlin. Prenant Haydn comme modèle, il écrivit surtout des symphonies, des concertos et de la musique de chambre dont un certain nombre de pièces pour vents seuls. Il eut au moins cinq homonymes, dont l'un fut violoniste à Esterháza de 1776 à 1781.

ROSSETER (*Philip*), luthiste et compositeur anglais *(? v. 1567-68 - Londres 1623)*. On ne connaît rien de sa jeunesse et, après la publication de quelques-unes de ses pièces dans le *New Booke of Tablature* de W. Barley en 1596, son nom n'apparaît qu'en 1601 lors de l'édition de son *Booke*

of Ayres. De cette époque date son amitié avec Th. Campion. En 1603, il est nommé luthiste à la cour de Jacques Ier et, à partir de 1609, il s'associe à la direction d'une compagnie théâtrale de jeunes garçons, les *Children of Whitefriars* (ou *Children of the Queen's Revels*), qui, après quelques saisons entrecoupées de déménagements, fusions et autres remous, se démantèle en 1617. Outre le *Booke of Ayres* de 1601 contenant 42 chansons (21 de lui et 21 de Campion) avec luth, orpharion et basse de viole, il a composé quelques pièces pour luth (préludes, pavanes et gaillardes) et un recueil de *Lessons for Consort* (1609). Ses chansons, plutôt légères, sont caractéristiques par leur mélodie gracieuse et un accompagnement plutôt cordal, que Rosseter déclare préférer au style contrapuntique.

ROSSI *(Luigi)*, compositeur, chanteur et organiste italien *(Torremaggiore, Foggia, v. 1597 - Rome 1653)*. Ses premières années demeurent obscures, mais il semble avoir été l'élève à Naples vers 1608 du Flamand Jean de Macque avant de s'installer à Rome en 1621 environ, probablement au service de la famille Borghèse. En 1627, il épouse Costanza de Ponte. En 1633, il est nommé organiste de l'église Saint-Louis-des-Français, poste qu'il conserve jusqu'à sa mort. À partir de 1641, ses talents sont sollicités par le cardinal Barberini. Le premier de ses deux opéras, *Il Palazzo incanto* (1642), est représenté dans le théâtre privé des Barberini, et le spectacle dure sept heures.

Après un séjour à Bologne, et le départ de la famille Barberini, exilée en France, Mazarin invite le compositeur à suivre son ancien maître et à composer un nouvel opéra. Rossi accepte, arrive à Paris en 1646 et termine son *Orfeo* quelques jours seulement avant la création, le 2 mars 1647. Avec les ballets de Lully entre les actes, l'œuvre est très applaudie mais les dépenses, colossales pour l'époque, déclenchent de sévères critiques. Persécuté et menacé pendant la Fronde, Rossi retourne définitivement en Italie vers 1650.

La réputation de Luigi Rossi est fondée principalement sur ses quelque 300 cantates de chambre. Leur popularité est attestée par le nombre de manuscrits qui en subsistent en Italie, en Grande-Bretagne, et en France. Les cantates de Rossi sont chantées, entre autres, par Pierre de Nyert, un chanteur français qui faisait « pleurer de joie » le compositeur (Saint-Évremond). Allant de la simple aria ou *canzone* strophique aux cantates plus développées comportant également des récitatifs (par exemple, *La Gelosia* à une voix et basse continue), ces œuvres ont fortement contribué à l'évolution du genre.

Rossi est, avec Carissimi, le compositeur le plus influent de l'école romaine de la première moitié du XVIIᵉ siècle.

ROSSI *(Salomone),* compositeur italien *(Mantoue 1570 - id. ? v. 1630).* « Juif de Mantoue », comme le désignaient ses contemporains, Salomone Rossi appartenait à une vieille famille israélite où les arts étaient honorés depuis toujours. Violoniste virtuose, il bénéficia de la protection des Gonzague et, instrumentiste à la chapelle ducale durant plus de trente ans (1589-1628), il eut le privilège de travailler plusieurs années sous l'autorité de Monteverdi. Précisément, il collabora avec celui-ci et quelques autres à la composition du drame sacré *La Maddalena* (aujourd'hui perdu), et mit en musique l'un des intermèdes de *L'Idropica* (joué au mariage du jeune duc en 1608). Il écrivit aussi des *madrigaux,* des *canzonette* à trois voix, des *psaumes* et *cantiques* en hébreu, qui offrent comme particularité d'être à double chœur dans le style vénitien et sont souvent d'un grand intérêt musical, avec une intonation soliste préludant au tutti du chœur.

Mais c'est le virtuose instrumental qui est le plus original comme dans ses *Sonates, Sinfonie et Gagliarde,* où il fait valoir, dans le maniement de l'écriture à trois, quatre et cinq voix, une réelle maîtrise et d'indéniables dispositions « modernes » (style alternativement contrapuntique et homophone et recours à la *basse continue*).

Après la mort du dernier duc de Gonzague en 1628 et la mise à sac de Mantoue par les Impériaux en 1630, les juifs perdirent tous les avantages acquis et durent quitter précipitamment la ville. Avec ce départ, on perd la trace de Salomone Rossi et l'on pense qu'il mourut lors de l'épidémie de peste la même année.

ROSSINI *(Gioachino),* compositeur italien *(Pesaro 1792 - Paris, Passy, 1868).* Élevé au hasard des tournées de ses parents (son père jouait remarquablement

*Gioachino **Rossini** à 27 ans. Gravure de J. Coiny.*

Larousse

du cor, sa mère fit une brève mais belle carrière de soprano), et sans avoir reçu une éducation musicale approfondie, Rossini savait jouer du violon et composer lorsqu'à douze ans il écrivit ses sonates à quatre, témoignant d'une maturité précoce unique dans toute l'histoire de la musique. La science du contrepoint, acquise à la lecture des partitions de Mozart et de Haydn, lui avait déjà plus appris que n'allait pouvoir le faire Stanislas Mattei, directeur du Lycée musical de Bologne dont il suivit les cours de 1804 à 1810, mêlant l'étude des auteurs anciens à la pratique des auteurs plus récents.

Durant ces années d'adolescence, il dut gagner sa vie comme chanteur puis comme répétiteur et accompagnateur de théâtre, pratiquant, outre le clavecin, le violon et l'alto, le cor et le violoncelle, et composant des sinfonie, messes et cantates, l'opéra *Demetrio e Polibio,* et diverses œuvres instrumentales, révélant la même précocité et le souci d'une harmonie et d'une instrumentation assez rares dans l'Italie d'alors.

En 1810, *La Cambiale di matrimonio* (Venise) lui ouvrit les portes des meilleurs théâtres du Nord pour lesquels il écrivit en un temps record quelques partitions de style léger qui établirent sa réputation à Venise, Ferrare et Milan (*La Pietra del paragone*, 1812), cependant que *Ciro in Babilonia*, un opéra sacré, démontrait une connaissance approfondie du style sévère. L'année 1813 lui apporta la gloire à vingt et un ans : après *Il Signor Bruschino*, Venise applaudit l'opera seria *Tancrede* et le dramma giocoso *l'Italienne à Alger* qui renouvelaient singulièrement les lois des deux genres.

Après avoir essuyé quelques échecs, Rossini fut appelé par l'impresario Barbaja à Naples où des conditions exceptionnelles lui étaient offertes : un orchestre et une équipe de chanteurs incomparables — notamment les ténors Davide, Nozzari, García et surtout Isabel Colbran pour qui il devait écrire ses meilleurs rôles avant de l'épouser en 1822 — et un public familiarisé avec toutes les nouveautés européennes.

Durant sept ans, il devait mener une existence incessante de compositeur, impresario, chef d'orchestre, s'imposant

Le chanteur Giovanni David dans l'Italienne à Alger *de **Rossini** (Musée théâtral de la Scala, Milan).*

Giancarlo Costa

*Maria Malibran, dans le rôle de Desdémone d'Otello de **Rossini**.
Tableau d'Henri Decaisne (Musée Carnavalet).*

dès 1815 dans le genre tragique avec *Elisabetta,* puis, l'année suivante, avec *Otello,* qui élargissaient singulièrement les structures habituelles de l'opera seria. D'autre part, il donnait à Rome en 1816 *le Barbier de Séville* qui, malgré une première houleuse, triompha rapidement, puis, en 1817, *Cendrillon* et *la Pie voleuse,* deux comédies sentimentales avec lesquelles il prenait congé du genre léger, apportant désormais tout son soin au renouvellement du genre tragique, établissant de nouveaux types vocaux, soignant comme nul avant lui l'écriture vocale, développant le rôle de l'orchestre et des chœurs, importants dans *Mose* (1818), cependant qu'en 1819 il signait l'acte de naissance de l'opéra romantique en puisant chez Walter Scott l'inspiration de *La Donna del lago*.

Lassé par les critiques apportées à ses innovations, Rossini quitta Naples, se rendit à Vienne, de mars à juillet 1822, où il déchaîna l'enthousiasme du public, essuya la jalousie de Weber, rencontra Beethoven le 22 avril, et « fit pleurer Hegel ». Invité par Metternich au congrès de Vérone, il quitta l'Italie après avoir donné *Semiramide* à Venise en 1823 et se rendit à Londres. Mais l'épisode anglais tourna au fiasco financier ; il accepta les propositions de Charles X et se fixa à Paris d'abord comme inspecteur du chant, puis comme codirecteur du Théâtre-Italien dont Paër lui abandonna bientôt l'entière responsabilité, cependant qu'il s'engageait à écrire une œuvre par an pour l'Opéra de Paris.

Tenant compte des impératifs du style français et des possibilités assez limitées de ses chanteurs, Rossini remania d'abord profondément deux œuvres anciennes, *Maometto II* et *Mose,* devenues respectivement *le Siège de Corinthe* (1826) et *Moïse* (1827), puis écrivit *le Comte Ory* (1828) dans le style léger de Boieldieu.

Page autographe du Barbier de Séville
de **Rossini**. *La cavatine de Rosine, 1ᵉʳ acte.*

Gioachino **Rossini**
*(école italienne du XIXᵉ siècle).
Academia Rossini, Bologne.*

Guillaume Tell (1829), un opéra politique
qui révélait un sens de la nature inattendu,
déçut le public malgré l'attente fébrile de
celui-ci, mais devint le prototype jamais
égalé du grand opéra français.

La révolution de 1830 mit implicitement
fin à son contrat, cependant qu'il assistait,
étonné, au triomphe de Meyerbeer (qu'il
avait lui-même appelé à Paris), cependant
qu'il ouvrait les portes du succès à Bellini
et Donizetti. Hostile à la pompe assez
creuse du nouvel opéra français, il préféra
abandonner la place, d'autant qu'il allait,
durant plus de dix ans, traverser de graves
crises nerveuses et physiques, consécutives à ses abus de jeunesse et à l'inces-
sant labeur mené pendant vingt années au

Rideau exécuté par A. Derain pour la Boutique fantasque,
ballet en 1 acte sur une musique de **Rossini.**

cours desquelles il avait écrit messes, cantates et œuvres diverses, outre une quarantaine d'opéras dont il avait assuré la réalisation à la scène et tous les remaniements consécutifs aux reprises en d'autres théâtres.

Se séparant d'Isabel Colbran, il vécut avec la Française Olympe Pelissier qui l'avait affectueusement soigné, et qu'il épousa en 1845. Il écrivit encore pour Paris ses *Soirées musicales* (1836) et un *Stabat Mater* (créé en 1842), mais retourna vivre à Bologne dès 1836, puis se fixa à Florence en 1848. Complètement rétabli, il revint à Paris de 1855 à sa mort, y écrivant quelque deux cents pièces diverses réunies sous le titre de *Péchés de vieillesse*, et occupant un rôle éminent dans la vie musicale française : Wagner, qu'il reçut en 1860, avoua que « Rossini était le seul musicien d'envergure qu'il ait rencontré à Paris ».

Les soirées que Rossini organisait en son logis de la Chaussée-d'Antin accueillirent la nouvelle génération d'interprètes et de compositeurs français (Diémer, Planté, Mathias, Saint-Saëns, etc.), qui allait précisément assurer cet « après-Wagner » qu'il avait su prévoir, tandis que les cantatrices qu'il conseilla allaient assurer plus tard la pérennité de son enseignement du chant. Après avoir laissé une prophétique *Petite Messe solennelle* (1863), il s'éteignit en 1868, fut inhumé à Paris, et sa dépouille transportée, avec des honneurs extraordinaires, à Florence où il repose désormais auprès de Raphaël et de Michel-Ange.

Contemporain, par son œuvre, de

Beethoven, Schubert et Weber, posant la plume à l'heure de leur disparition, Rossini mena, dans le domaine de l'opéra, le même combat qu'avaient mené ceux-ci pour la symphonie, la sonate ou le lied, entre la disparition de Mozart et l'éclosion du véritable romantisme musical. Or, l'image du compositeur est celle qui a le plus souffert du mépris dans lequel une certaine musicologie — notamment en France — tint l'opéra italien durant un siècle. De son vivant, Rossini avait déjà survécu de près de quarante années à l'esthétique de son œuvre lyrique, et avait vu disparaître de l'affiche nombre de ses opéras désormais inaccessibles à des chanteurs formés aux impératifs dramatiques des œuvres nouvelles de Verdi et des récents auteurs allemands.

Au-delà de sa mort, à l'heure de l'invasion du « drame lyrique », les œuvres tragiques de Rossini parurent à tort surannées, et « surchargées de vocalises, dépourvues d'intérêt dramatique », termes que l'on retrouve encore parfois dans la critique contemporaine, cependant que ne se maintenaient au répertoire que ses œuvres comiques (et essentiellement *le Barbier de Séville*) qui représentent en réalité moins du quart de sa production, et accessoirement *Moïse,* ou bien *Guillaume Tell,* interprété de façon exagérément héroïque, telle que l'auteur l'avait lui-même condamnée.

Dès 1930, on entreprit de réestimer la portée d'une œuvre considérable dont tout le xixe siècle avait témoigné, à commencer par Schopenhauer dont il représentait l'idéal esthétique, mais aussi Stendhal (auteur, dès 1823, de la première biographie rossinienne) dont les relations fantaisistes, reprises par ses imitateurs, contribuèrent à fausser bien des jugements.

Il faut se souvenir que Rossini, bien qu'Italien, avait su préférer les leçons venues du Nord et s'inspirer de Haydn, Mozart, Beethoven ou Mayr plus que des petits maîtres qui l'avaient précédé, les Zingarelli, Generali, Pavesi, Fioravanti, etc., dont il ne retint que le minimum indispensable ; se souvenir aussi que Rossini, quel que fût son génie propre, avait su s'adapter aux temps nouveaux tout en demeurant farouchement attaché à certains principes inaltérables de l'art classique : un objectivisme inviolable, une structuration rigoureuse des formes lyriques, et un chant qui redevînt plus humain qu'instrumental,

appuyé sur les principes du bel canto (extension de la gamme chantée, absence d'aigus donnés en force, colorature plus expressive que décorative, etc.).

Sensible aux réformes déjà apportées aux structures de l'opéra par Jommelli, Traetta ou Mozart, il réussit mieux qu'eux la parfaite synthèse entre les genres seria, semiseria et buffa, mais, à la différence de Mozart qui avait introduit le tragique dans les structures de l'opera buffa, il parvint à insuffler à l'opera seria la souplesse des structures du genre semiseria, et sa prétendue « réforme » napolitaine ne fut que la concrétisation d'objectifs plus anciens, rendue possible par les moyens dont il disposa soudain : il put ainsi achever de bannir le récitatif secco* au profit d'un récit très lyrique, et souvent orné — retournant ainsi à l'esprit du recitar cantando* originel —, dialoguant avec un orchestre coloré et actif (ce que lui reprochèrent ses contemporains qui le surnommèrent « Signor Vacarmini », ou « Il Tedeschino » — le petit Allemand) ; il réussit à enchevêtrer avec souplesse ces récits avec les arias, duos ou ensembles, les entrecoupant parfois d'interventions du chœur, construisant de vastes finales de conception tout à fait nouvelle, mais n'en demeurant pas moins fidèle à la conception du morceau isolé *(pezzo chiuso)* considéré comme un commentaire affectif, isolé de l'action, et aisé à transporter d'une œuvre à une autre, ainsi qu'en avaient toujours usé Bach, Haendel, Gluck, Mozart, etc.

Il réduisit également les points d'orgue et les passages, rédigeant souvent lui-même l'essentiel de l'ornementation, mieux accordée à chaque situation, puis, prenant acte de la disparition du castrat, il redistribua totalement l'échelle des tessitures vocales (v. CHANT).

Enfin, il ne faut pas oublier de mentionner ce microcosme parfait de la forme sonate que représente l'ouverture d'opéra aux structures très strictes, ni l'importance expressive donnée à un orchestre de type beethovenien (Matilde di Shabran, Ermione, etc.) avec l'emploi préférentiel des instruments romantiques tels que cor et clarinette, non plus que l'introduction des thèmes romantique *(La Donna del lago),* féerique *(Armide)* ou libertaire *(Guillaume Tell).*

Créateur d'une trop brève école de chant française qui unit les principes du bon chant italien à ceux de la noble

*Gioachino **Rossini**.*

déclamation française, et telle que la définit Manuel García junior dans son traité de 1847, fidèle aux objectifs d'une musique pure dont la beauté devait demeurer vierge de toute subjectivité (préfigurant en cela le retour à l'art «gratuit» de Mallarmé), il préféra, la maladie aidant, s'abstenir de prendre part au déferlement du romantisme européen, mais sut, dans ses dernières années, se montrer à l'avantgarde des jeunes générations françaises de 1870.

ROUSSEAU *(Jean-Jacques),* écrivain et compositeur genevois *(Genève 1712-Ermenonville 1778).* Après une formation essentiellement autodidacte, Rousseau manifesta rapidement son intérêt pour la musique par des fragments d'opéras, écrits à Chambéry, puis à Lyon, entre 1739 et 1742. Sa première publication d'or-

dre musical est un essai de réforme de la notation (*Projet concernant de nouveaux signes pour la musique,* 1742), défendu l'année suivante par une *Dissertation sur la musique moderne.* Cette tentative fut accueillie par un scepticisme général, et situa d'emblée Rousseau sur le plan d'une polémique agressive avec ses contemporains. Mais l'expérience déterminante dans la formation de son goût musical fut sans doute la familiarité avec l'opéra italien qu'il acquit en 1743-44 comme secrétaire de l'ambassadeur de France à Venise. De retour à Paris, Rousseau termina *les Muses galantes,* un opéra-ballet commencé en 1743 ; l'œuvre attira des commentaires peu amènes de Rameau et ne dépassa jamais le stade d'une représentation privée. C'est avec un «intermède», *le Devin du village,* représenté à Fontainebleau en 1752, que Rousseau connut enfin le succès comme librettiste-compositeur.

Il s'engagea ensuite vigoureusement dans la querelle des Bouffons*, parmi les tenants de la musique italienne ; sa *Lettre sur la musique française* en constitua le pôle extrême, avec la thèse selon laquelle «notre langue (est) peu propre à la poésie, et point du tout à la musique». Rousseau tira les conséquences de cette assertion dans une «scène lyrique», *Pygmalion* (1770), où «les paroles et la musique, au lieu de marcher ensemble, se font entendre successivement». On peut y voir le point de départ du «mélodrame», genre dramatique hybride qui fleurit en Allemagne dans les années 1770. Il ne reste que des esquisses et des fragments d'une dernière pastorale, *Daphnis et Chloé.*

Rousseau représente le cas extrême d'un compositeur dont l'influence fut sans commune mesure avec la qualité propre de sa musique. *Le Devin du village* est d'une écriture fruste, mais concrétise de manière achevée l'aspiration de ses contemporains à un art dépouillé, prêchant les vertus de la morale naturelle. Musicalement, *le Devin du village* se situe à l'origine de la «comédie mêlée d'ariettes», bien que son principe d'une musique continue soit resté quasi sans descendance.

Quant aux écrits de Rousseau, ils restent l'un des plus précieux témoignages sur la conception que le XVIIIe siècle se faisait de la musique. Les articles qu'il rédigea pour *l'Encyclopédie,* réunis en un *Dictionnaire de musique* (1768), sont une mine de renseignements, où se rejoignent les diverses

*Dessin d'Adrien Marie pour le centenaire de la mort de Jean-Jacques **Rousseau** (détail).* (Le Monde illustré, *1878.*)

expériences de leur auteur, comme écrivain, comme compositeur et même, plus modestement, comme copiste.

ROUSSEL *(Albert)*, compositeur français *(Tourcoing 1869 - Royan 1937).* Issu d'une famille d'industriels du Nord, Albert Roussel perd ses parents lorsqu'il n'est encore qu'un enfant. Il est élevé par son grand-père paternel, puis, après la mort de celui-ci, en 1880, par un de ses oncles. Il reçoit, à onze ans, ses premières leçons de piano. En 1884, il entre comme interne au collège Stanislas à Paris, obtient son baccalauréat et prépare le concours de l'École navale. Il consacre à la musique ses jours de congé. Une exécution de la *7ᵉ Symphonie* de Beethoven le bouleverse. Admis à l'École navale en 1887, Albert Roussel embarque sur le *Borda,* le navire-école ancré à Brest. En 1889, il découvre le

Proche-Orient. Embarqué à Toulon, puis à Brest, enfin à Cherbourg sur le cuirassé *Victorieuse,* le jeune officier de marine s'essaie à la composition. Le jour de la Noël 1892, il fait entendre à l'église de la Trinité de Cherbourg un *Andante* pour violon, alto, violoncelle et orgue (détruit).

En 1893, Albert Roussel effectue sur une canonnière, le *Styx,* une croisière en Extrême-Orient. À son retour en France, il obtient un congé de plusieurs mois et s'installe à Roubaix pour étudier l'harmonie sous la direction de Julien Koszul, directeur du conservatoire de cette ville. Ce dernier ne tarde pas à reconnaître les dons exceptionnels de son élève et lui conseille de poursuivre ses études musicales à Paris, sous la direction d'Eugène Gigout.

Albert Roussel suit ce conseil, démissionne de la marine et arrive à Paris en octobre 1894. Gigout lui enseigne le piano, l'orgue, l'harmonie, le contrepoint et la fugue. En 1897, Albert Roussel adresse, en deux envois séparés et sous deux pseudonymes différents, deux *Madrigaux* à quatre voix au concours de la S. A. C. E. M. Tous deux sont primés. L'année suivante, il entre à la Schola cantorum pour étudier, sous la direction de Vincent d'Indy, la composition et l'orchestration.

En 1904, sa première œuvre pour orchestre, *Résurrection,* est dirigée à la Société nationale par Alfred Cortot. Cette année-là, il compose sa première symphonie, *le Poème de la forêt.* Entre 1902 et 1912, Albert Roussel écrit de nombreuses mélodies pour chant et piano *(Poèmes d'Henri de Régnier, Poèmes chinois)* et des œuvres de musique de chambre, parmi lesquelles le *Divertissement pour flûte, hautbois, clarinette, basson, cor et piano* (1906)

*Albert **Roussel** à 25 ans.*

offre déjà, par l'importance accordée à la rythmique, un caractère très personnel.

En 1908, Albert Roussel se marie avec Blanche Preisach. L'année suivante, les jeunes époux font un voyage aux Indes, à Ceylan et au Cambodge. Les cavernes d'Ellorä, les ruines de Jaipur, Bénarès et le Gange inspirent au musicien le triptyque des *Évocations.* Albert Roussel et sa femme visitent aussi Tchitor, la ville où régnait Padmâvatî. En 1912, pour le théâtre des Arts que dirige Jacques Rouché, Albert Roussel compose un ballet, *le Festin de l'araignée,* qui obtient à sa création, le 3 avril 1913, un succès très vif. En 1914, il entreprend la composition de *Padmâvatî,* opéra-ballet en 2 actes, sur un livret de Louis Laloy.

À la déclaration de guerre, il demande sa réintégration dans la marine ; elle lui est refusée. Mobilisé dans l'armée de terre en 1915, il commande une section de transports à Verdun, en 1916. Réformé en 1918, il se remet au travail et achève *Padmâvatî,* créé à l'Opéra en 1923.

En 1920, son poème symphonique *Pour une fête de printemps,* lumineuse fête des rythmes et du contrepoint, amorce la série des chefs-d'œuvre qui vont désormais jalonner sa carrière : en 1924, *les Joueurs de flûte* et la *Deuxième Sonate pour piano et violon,* en 1926, la *Suite en « fa »,* en 1927 le *Concert pour petit orchestre,* etc. En 1922, il a acheté une maison au bord de la mer, à Varengeville, et c'est là qu'il compose presque toutes ses œuvres.

En 1930, Albert Roussel se rend aux États-Unis pour assister, à Boston, à la création de sa *Symphonie en « sol » mineur* dirigée par Serge Koussevitski. L'année suivante, son ballet *Bacchus et Ariane* est créé à l'Opéra de Paris. Bruxelles accueille *Aeneas* en 1935. En 1937, Albert Roussel achève sa dernière œuvre importante, un *Trio à cordes.* Sa santé, déjà précaire depuis 1935, décline rapidement. Le musicien quitte Varengeville dont le climat ne lui convient plus et s'installe à Royan où il meurt d'une crise d'angine de poitrine le 23 août 1937. Le 27 août, il est inhumé dans le petit cimetière marin de Varengeville.

Chez Albert Roussel, il faut d'abord considérer le *musicien,* car il lui importe plus de construire son œuvre et de découvrir des combinaisons sonores nouvelles que de se confesser. L'*homme* maîtrise ses sentiments, discipline acquise dès l'en-

*Albert **Roussel** par Muter.*

fance (une enfance privée de l'affection des parents disparus très tôt), et cultivée par le jeune officier de marine. Non pas froideur, mais une extrême pudeur, une certaine réserve, une constante fierté. Parfois féminine par la grâce et l'agilité de son écriture, la musique d'Albert Roussel est toujours mâle par la pensée. Une force l'habite, la soutient, l'entraîne en des élans dionysiaques dont *Bacchus et Ariane* offre le plus bel exemple, mais aussi le préserve des excès romantiques. Ajoutons à cela l'expérience du marin, du voyageur, l'ouverture sur l'Extrême-Orient, la contemplation de la mer, et le rêve, caressé un jour, de traduire par la musique ce qu'elle recèle de puissance et d'infini, de charme, de colère, de douceur, et force est de consta-

ter que le cas d'Albert Roussel est des plus complexes.

Une telle personnalité ne se classe pas facilement dans les écoles musicales ou les courants esthétiques. Son art transparent et délié, art de contrapuntiste formé à la Schola cantorum, a trouvé du côté de l'impressionnisme l'allégement de la pensée, le sens de l'ellipse. Albert Roussel a fait siennes les leçons de fluidité incluses dans l'œuvre de Debussy. Quant à la mobilité, car il n'est pas de musique plus mobile, plus nerveuse, plus agile que la sienne, comment n'y pas déceler également l'influence des *Images pour orchestre* de Claude Debussy ?

L'évolution d'Albert Roussel l'a conduit vers un classicisme où logique et sensualité s'équilibrent, où musique pure et évocation sont de la même essence. Ses plus grands chefs-d'œuvre, *Bacchus et Ariane*, la *Troisième* et la *Quatrième Symphonie*, marquent précisément le triomphe de ce classicisme.

RUBBRA *(Edmund)*, compositeur anglais *(Northampton 1901 - Londres 1986).* Élève de Cyril Scott, puis de Gustave Holst au Royal College of Music (1921-1925), il a enseigné à l'université d'Oxford de 1947 à 1968, ainsi qu'à la Guildhall School of Music à partir de 1961. De ses onze symphonies (entre 1935-1937 et 1978-79), citons notamment la 5e (1947-48), la 9e, dite *Sinfonia sacra* (pour solistes vocaux, chœurs et orchestre, 1971-72), et la 10e, dite *Sinfonia da camera* (1974). Il a écrit aussi des œuvres de musique de chambre dont quatre quatuors à cordes (1933, 1952, 1962-63 et 1976-77) et de la musique chorale (*Festival Te Deum*, 1951).

RUBINSTEIN *(Anton)*, pianiste, compositeur et pédagogue russe *(Vykhvatintsy, Moldavie, 1829 - Peterhof, près de Saint-Pétersbourg, 1894).* Ayant commencé l'étude du piano avec sa mère, puis travaillé avec A. Villoin, il se révèle un enfant prodige, et dès 1840 effectue des tournées en Europe. Il travaille avec Siegfried Dehn à Berlin, rencontre Mendelssohn, Liszt, Chopin. Une première période créatrice voit naître plusieurs opéras sur des sujets russes, *Dimitri Donskoï* (Saint-Pétersbourg, 1852), *la Vengeance* d'après Lermontov (1852) ; *les Chasseurs sibériens* (Weimar, 1854), dans lesquels il s'efforce sans y parvenir d'imiter le style national russe. Il ne se reconnaîtra que dans la tradition des formes germaniques. Sa 2e symphonie, *Océan,* considérablement influencée par Schumann et Mendelssohn (1851, rév. 1863 et v. 1880), est une œuvre d'infiniment plus de valeur. De la même période (1850-1854) datent trois de ses cinq concertos pour piano.

Dès la fin des années 1850, Rubinstein s'impose comme animateur d'activités musicales : il crée à Saint-Pétersbourg une Académie de chant (1858) et surtout la Société musicale russe, qui fut bientôt transformée en conservatoire (1862). Le conservatoire de Saint-Pétersbourg fut le premier de ce genre en Russie. Rubinstein s'opposa dès lors à la tendance nationale du groupe des Cinq, en prônant la néces-

Anton Rubinstein.

sité d'un enseignement académique à la mode occidentale. Il fut directeur et professeur du conservatoire jusqu'en 1867, et eut Tchaïkovski parmi ses élèves. Il quitta son poste en 1867 et pendant vingt ans mena de front sa carrière de virtuose et ses activités de compositeur.

Sa réconciliation avec Balakirev et les compositeurs nationalistes correspond à l'époque de la composition de son opéra *le Démon* d'après Lermontov (Saint-Pétersbourg, 1875), qui est une de ses œuvres ayant le mieux survécu. Cela ne l'empêcha pas, quatre ans plus tard, de composer un authentique opera seria, *Néron* (Hambourg, 1879), qui connut également un certain succès. En 1885-1887, les cycles de « concerts historiques » qu'il donna dans diverses capitales européennes (Berlin, Londres, Paris, Vienne), ainsi qu'à Saint-Pétersbourg et à Moscou, contribuèrent, entre autres, à faire connaître l'œuvre pour piano de l'école russe. En 1887, il reprit son poste de directeur et de professeur au conservatoire, dont l'esprit s'était « russisé » depuis l'arrivée de Rimski-Korsakov en 1871. En 1888-89, Rubinstein fit un cycle de cours consacrés à l'histoire du répertoire pianistique, qu'il illustra avec l'interprétation de plus de 800 œuvres, des virginalistes du xvie siècle à Liszt. Quittant le conservatoire en 1891, il vécut à Dresde jusqu'en 1894 et rentra en Russie peu avant sa mort.

L'immense mérite de Rubinstein fut d'avoir imposé en Russie un enseignement musical officiel de haut niveau, tâche dans laquelle il fut activement secondé par son frère Nicolai, et d'avoir jeté les bases d'une tradition pianistique russe, servant de lien entre le style de Liszt et celui de Tchaïkovski et de Rachmaninov. Avec le contrepoids important qu'a représenté le groupe des Cinq, Rubinstein a assuré à l'école russe l'équilibre entre l'authenticité nationale et le métier classique. Le catalogue de ses œuvres est considérable (13 opéras, 5 opéras sacrés et oratorios, dont *Sulamith*, 1883, 6 symphonies, 5 concertos pour piano, de nombreuses œuvres pour piano seul, des mélodies, de la musique de chambre). Si la majeure partie d'entre elles a été oubliée à juste titre, certaines n'en méritent pas moins de survivre ; le cycle de mélodies *Chansons persanes* (1854) manifeste, curieusement, un sens de l'orientalisme que viendront confirmer de nombreuses pages vocales et symphoniques du *Démon*, la 2e symphonie *Océan*, le 4e concerto pour piano (1864), le quintette pour piano et vents (1855, rév. 1860), tous d'un style intégralement occidental, n'en sont pas moins d'incontestables réussites.

RUGGLES *(Carl)*, compositeur américain *(Marion, Massachusetts, 1876 - Bennington, Vermont, 1971)*. Violoniste amateur, il se fixa de bonne heure à Boston où il fut musicien d'orchestre et prit ses premières leçons avec Paine. À l'université de Harvard, il étudia ensuite la composition avec W. Spalding et Timner. Professeur dans une école locale à Winona (Minnesota), il y fonda un orchestre (1907) et commença à composer (1912). Ses œuvres les plus importantes datent de 1920 à 1940. Professeur à l'université de Miami de 1938 à 1943, il devint membre de l'Institut des arts et lettres (1954), mais vécut de longues années dans un petit village du Vermont, Arlington, avant de se retirer,

après 1966, dans une maison de repos. Il a peu écrit, mais ses tentatives témoignent d'une remise en question de la matière sonore. D'où chez lui la fréquence des combinaisons instrumentales originales : *Portals* pour 13 instruments à cordes (1925, plusieurs fois remanié) ; *Sun-Treader* pour orchestre (1926-1931) ; *Men and Mountains* pour 31 instruments (1924, plusieurs fois remanié). Parti de l'utilisation très libre du contrepoint dissonant, puis venu en toute indépendance à la syntaxe de Schönberg et de Berg, il fit partie, à ce titre, de la première avant-garde américaine. Mais son expression, parfois austère, a conservé toute son originalité.

RUSSOLO *(Luigi)*, compositeur et peintre italien *(Portogruaro 1885 - Cerro di Laveno 1947)*. Il est le théoricien et le pionnier de la musique « bruitiste ». Il étudie la musique avant de se tourner vers la peinture. À Milan, il entre en 1910 dans le groupe des futuristes, formé entre autres par l'écrivain Marinetti, les peintres Boccioni et Balla, et dont le projet est de rénover tous les arts, en les ouvrant au dynamisme de la vie moderne et des machines. S'inspirant des théories et des réalisations de Balilla Pratella, Russolo publie en 1913 son manifeste l'*Arte dei rumori (l'Art des bruits)*, qui proclame en termes énergiques et enthousiastes la désuétude des musiques instrumentales traditionnelles et la nécessité de « conquérir la variété infinie des sons-bruits » (sons de la vie moderne, de la nature, de la ville... et de la guerre) pour les composer harmoniquement et rythmiquement.

Établissant une classification sommaire des bruits, Russolo imagine, pour les recréer et en jouer, des instruments qu'il appelle des « intonarumori » (bruiteurs) : ceux-ci ont l'aspect de caisses cubiques dont sortent des trompes pour porter le son, et contiennent des mécanismes que l'on peut actionner grâce à une manivelle, avec un levier permettant de contrôler approximativement la hauteur des sons. Réalisés avec Ugo Piatti, ces instruments se divisent en hululeurs, grondeurs, crépiteurs, froufrouteurs, éclateurs, bourdonnateurs, glouglouteurs et sibileurs.

Russolo écrit pour eux des pièces en notation graphique *(Réveil d'une capitale, Rendez-vous d'autos et d'aéroplanes, Escarmouche dans l'oasis, On dîne à la terrasse du casino)*, pièces qui, malgré leurs titres, veulent dépasser le niveau purement imitatif pour recréer des «compositions» ordonnées de bruit, susceptibles de donner une «nouvelle volupté acoustique». Ces œuvres sont jouées dans différents concerts à Milan, Gênes, Londres, en 1914, avec un accueil souvent houleux. Enrôlé et blessé dans la Première Guerre mondiale, Russolo recommence à diffuser sa musique en 1921 (concerts à Paris, suivis par Stravinski, Ravel, et surtout Varèse).

Il perfectionne ses bruiteurs et finit par les regrouper en un seul instrument à clavier, le *rumorharmonium* ou *russolophone,* mis au point entre 1923 et 1927, et qui, avec ses douze «jeux», donne aussi bien des bruits que des accords parfaits. Quand Russolo s'établit à Paris en 1927, c'est avec cet instrument qu'il gagne sa vie, s'en servant pour accompagner et bruiter en direct des films muets d'avant-garde au cinéma du Studio 28. Il rencontre alors Varèse, intéressé mais réticent, ainsi qu'Honegger, également tenté par l'utilisation du rumorharmonium, mais l'intérêt du milieu musical n'aura pas de suite.

L'avènement du cinéma parlant ruine les applications commerciales du rumorharmonium, dont le seul exemplaire semble aujourd'hui perdu. Russolo arrête ses activités d'avant-garde, et se fixe en 1937 à Cerro di Laveno, se désolidarisant des positions fascistes prises par certains futuristes. C'est là que meurt en 1947, dans l'indigence, cet homme modeste et désintéressé dont l'œuvre de précurseur de la musique concrète (laquelle fit usage de sons enregistrés, au contraire du bruitisme) commence à être redécouverte. Pierre Henry devait rendre en 1975 un hommage à Russolo, avec son œuvre *Futuristie.*

RUTINI *(Giovanni Marco),* compositeur italien *(Florence 1723 -* id. *1797).* Il étudia

à Naples, séjourna à Prague en 1748 (il y signa alors la dédicace de ses *Sonate per cembalo* op. 1) et en 1753 (il y fit représenter *Semiramide,* son premier opéra), puis se rendit à Dresde, Berlin et Saint-Pétersbourg (1758). À partir de 1761, il vécut à Florence, entretenant avec le Padre Martini une correspondance suivie, et composant jusqu'en 1777 au moins quatorze opéras. L'essentiel de sa production est formé par ses sonates pour clavecin, qui furent admirées du jeune Mozart et exercèrent sans doute une influence non négligeable sur les premières de Haydn.

RYBA *(Jakub Šimon Jan),* compositeur et pédagogue tchèque *(Prestice 1765-Rožmitál 1815).* Fils de l'instituteur et professeur de musique de Prestice, il étudia la philosophie à Prague de 1780 à 1785, puis devint l'assistant de son père, essayant de faire partager ses idées nouvelles puisées dans Sénèque, Catulle, Rousseau, Voltaire, écrivant des monographies sur ces grands humanistes, quatre volumes sur la théorie de la musique et un dictionnaire musical encyclopédique. Son enseignement fut apprécié à Prague, mais il supportait difficilement la résistance latente aux réformes qu'il expérimentait dans l'école de la petite ville bohème de Rožmitál, et il se suicida lors d'une crise de dépression. Il laisse plus d'une centaine d'œuvres dont des quatuors de jeunesse colportés sous la signature de «Fisch» ou «Poisson», traduction littérale de son nom tchèque.

Sa *Missa solemnis pastoralis* (1796) est une suite de pastourelles de Noël réalisée sous forme de dialogue en langue du pays. Mélodiste doué d'une facilité peu ordinaire, Ryba est un des rares maillons permettant de passer du répertoire de Komenský à l'art choral populaire d'un Janáček.

S

SACCHINI *(Antonio),* compositeur italien *(Florence 1730 - Paris 1786).* Élève de Durante à Naples, il connut des débuts difficiles, fut applaudi à Venise *(Alessandro Severo,* et *Alessandro nelle Indie,* 1763) et triompha à Padoue la même année avec son *Olimpiade.* Il quitta Venise pour Londres en 1772, y connut le succès tant dans l'opera buffa que dans l'opera seria, mais en fut chassé pour affaire de mœurs. Fixé à Paris en 1781, il y tira la leçon de la querelle entre gluckistes et piccinnistes, remania pour le goût français quelques

Antonio Sacchini.

Roger-Viollet

ouvrages anciens, dont son *Armida* (1772) devenue *Renaud* (1783), et écrivit *Dardanus* (1784) où il opérait une magistrale synthèse entre les genres italien et français, ce pour quoi l'œuvre déçut le public. Il mourut sans voir représenter son *Œdipe à Colone* (1786) qui s'imposa, et fut joué sans interruption jusqu'en 1844, puis fréquemment repris de nos jours.

SAGUER *(Louis),* compositeur français *(Charlottenburg, Allemagne, 1907).* D'origine allemande, il a pris ce pseudonyme sous lequel on le connaît, sans divulguer sa biographie ni son nom de naissance; aussi ses débuts sont-ils mal connus. Élève présumé d'un disciple de Busoni, il est l'auteur de l'opéra *Maria Pineda* (1967), d'après García Lorca, de pièces de musique de chambre *(Musique à 3,* 1943), de pièces d'orchestre *(Musique d'après-midi,* 1942; *Musique d'été,* 1944; *Mouvement 60,* 1963; *Messages,* 1964) et de la cantate *Quanta belle giovinezza* (1972), ainsi que de l'opéra *Lili Merveille* d'après Jean-Louis Bory, et de nombreuses œuvres vocales.

SAINTE-COLOMBE (DE), violiste et compositeur français *(seconde moitié du XVIIᵉ s.).* Son personnage reste mystérieux : ni ses dates de naissance et de mort, ni même son prénom ne sont connus, pas plus que les détails de son existence. Virtuose (probablement « dilettante ») de la viole, qu'il perfectionna en lui adjoignant une septième corde, il eut pour disciples la plupart des violistes français de son temps, dont le grand Marin Marais, qui lui avait une grande reconnaissance et lui dédia un « tombeau », Sainte-Colombe est ainsi au point de départ de l'apogée de l'art de la viole. Un manuscrit contenant soixante-sept pièces à 2 violes a été découvert en 1966, dont certaines doivent être datées d'après 1687.

SAINT-GEORGES *(Joseph Boulogne, chevalier de),* violoniste et compositeur français *(Basse-Terre, Guadeloupe, v. 1739-Paris 1799).* Fils d'un ancien conseiller au parlement de Metz et d'une Noire de la Guadeloupe, il arriva à Paris en 1749, et y acquit rapidement dans le domaine de l'escrime une réputation qu'il devait conserver toute sa vie. En 1769, sans doute après des études musicales suivies, il devint violoniste dans l'orchestre de Gossec au Concert des amateurs. Il fit ses débuts en public en 1772, et, l'année suivante, prit la direction du Concert des amateurs, Gossec assumant désormais celle du Concert spirituel. La plupart de ses œuvres (quatuors à cordes, concertos, symphonies concertantes, symphonies) parurent entre 1772 et 1779. Il fut ensuite un des fondateurs du Concert de la Loge olympique, et ce fut probablement lui qui servit d'intermédiaire entre cette organisation et Haydn lors de la commande des six symphonies *parisiennes**. Il vécut à Londres de 1785 à 1787, puis de nouveau pour quelques mois à partir de décembre 1789. En 1791, il devint capitaine de la garde nationale à Lille. Il se rendit ensuite à Saint-Domingue, et revint à Paris en 1797.

SAINT-SAËNS *(Camille),* compositeur français *(Paris 1835 - Alger 1921).* Normand par son père, emporté deux mois après sa naissance par une phtisie que lui-même cherchera à éviter toute sa vie en multipliant les fuites vers les pays du soleil, Saint-Saëns fut élevé par sa mère et sa grand-tante. Sachant ses notes avant de savoir lire, il a à peine cinq ans quand il compose son premier morceau, et dans le même temps, il tient le piano dans une sonate pour violon et piano de Beethoven. Dès lors il ne quittera plus le piano, dont il sera l'un des virtuoses les plus accomplis et ne cessera de composer, avec une facilité et une constance infatigable, qu'à la veille de sa mort, « produisant, ainsi qu'il l'a dit, des œuvres pour accomplir une fonction de (sa) nature, comme un pommier produit des pommes ».

À sept ans on le confie à Stamaty. Déjà se manifeste son indépendance, cette indocilité en face de qui contrarie ses idées, sa volonté. En définitive, il ne fut

*Camille **Saint-Saëns** en 1846.*

reconnaissant à son professeur de piano que de l'avoir dirigé vers Maleden — «professeur incomparable», assurait-il — qui lui enseigna la théorie et la composition. Que ce premier maître, par l'exemple de son enseignement en marge des voies officielles, ait affermi son indépendance ne semble guère douteux. À onze ans il donnait, salle Pleyel, ses deux premiers concerts. Entré en 1849 au Conservatoire dans la classe d'orgue de Benoist, il en sort, en 1851, avec un premier prix.

Improvisateur remarquable, il est salué par Liszt comme « le premier organiste du monde ». Cette même année 1851, Halévy l'accueille dans sa classe de composition. Plus tard, juge redouté des candidats au concours de Rome, il se voit refuser alors, et à deux reprises, ce prix. Exceptionnel échec à l'aube d'une carrière jalonnée de succès quasi constants.

En 1852 la société Sainte-Cécile couronne son *Ode à sainte Cécile*. Cette même société exécute en 1853 sa 1re symphonie et, trois ans plus tard, une seconde restée inédite. Depuis 1853, il a été nommé organiste à Saint-Merri qu'il quittera en 1858 pour tenir le grand orgue de la Madeleine. En 1877 un héritage le libère de toute contrainte.

De 1861 à 1865, il avait effectué un bref passage à l'école Niedermeyer, comme professeur de piano, où il eut Fauré et Messager parmi ses élèves. Aux côtés de Castillon et de Bussine, il fonde, au lendemain du désastre de Sedan, la Société nationale de musique qui, sous sa fière devise « Ars Gallica », accueille l'école française moderne. Il en démissionnera en 1886, se trouvant en désaccord avec les disciples de Franck, d'Indy en tête.

Dès 1861, il avait ébloui Wagner par ses dons ; Berlioz, dans une lettre de 1867, le signale comme « un maître pianiste foudroyant... et l'un des plus grands musiciens de notre époque ». L'admiration qu'il suscite chez ses aînés est partagée par ses camarades — notamment par Bizet — qui voient en lui le chef de l'école française.

Giraudon

*Camille **Saint-Saëns** par Charles Lecocq.*

*Camille **Saint-Saëns**.*

Comme compositeur, il aborde tous les domaines, tous les genres, religieux comme profanes, s'inspirant de tous les styles, à l'aise dans les formations vocales et instrumentales les plus variées.

Curieusement, ce grand pianiste n'a laissé, parmi les trente-quatre œuvres qu'il a dédiées à son instrument, aucune partition vraiment marquante. On relèvera néanmoins ses *Variations sur un thème de Beethoven* pour 2 pianos, op. 35 (1874), et trois cahiers de *6 Études* chacun, op. 52 (1877), op. 111 (1899), op. 135 (1912),

les dernières *pour la main gauche seule.*
Maniant les timbres orchestraux avec une éblouissante sûreté, c'est en l'associant à l'orchestre qu'il a privilégié son instrument, notamment dans cinq concertos op. 17 (1858), op. 22 (1868), op. 29 (1869), op. 44 (1875) et op. 103 (1896).

En disciple de Liszt, il s'est plu à sonder les ressources offertes par la virtuosité et a également confié trois concertos au violon, op. 20 (1859), op. 58 (1858), op. 61 (1880), sans préjudice d'un *Rondo capriccioso* (1863) et d'une *Havanaise* (1887), ainsi que deux autres concertos au violoncelle op. 33 (1872) et op. 119 (1902).

Pionnier dans le domaine de la musique de chambre, il n'a pas écrit moins de trente-six œuvres, la première étant un *Quintette,* op. 14, datant de sa vingtième année. On y trouve deux sonates pour violon et piano, op. 75 (1885) et op. 102 (1896) ; deux sonates pour violoncelle et piano, op. 32 (v. 1873) et op. 123 (1905) ; deux trios, op. 18 (1863) et op. 92 (1892) ; un quatuor pour cordes et piano, op. 41 (1875) ; deux quatuors à cordes, op. 112 (1899) et op. 153 (1918) ; un *septuor* op. 65 (1881), sans parler du célèbre *Carnaval des animaux* (1886).

Il fut l'un des rénovateurs de la symphonie. Sur les cinq qu'il composa, deux sont restées inédites. La troisième, op. 78 (1886), dédiée «à la mémoire de Franz Liszt», innove, tant dans sa composition orchestrale que sur le plan formel. À la suite de Liszt il est le premier compositeur français à s'aventurer dans le poème symphonique qui lui inspire, coup sur coup, *le Rouet d'Omphale* (1872), *Phaéton* (1873), la *Danse macabre* (1874) — née d'une mélodie —, et *la Jeunesse d'Hercule* (1877).

D'un grand nombre de mélodies (119), on extraira les curieuses *Mélodies persanes,* op. 26 (1870). Incroyant, il a pourtant écrit un *Oratorio de Noël* (1858), *le Déluge* (1875), un *Requiem* (1878), *The Promised Land* (1913).

Épris de théâtre comme tous les musiciens de sa génération, il a connu l'amertume de ne point voir ses œuvres lyriques remporter le succès qu'il en escomptait, à l'exception toutefois de *Samson et Dalila* (1877) qui s'est imposé non sans difficulté. Du grand opéra historique à l'opéra-comique léger, il a été tenté par tous les genres consacrés et fit représenter successivement *la Princesse jaune* (1872), *le Timbre d'argent* (1877), *Étienne Marcel* (1879), *Henri VIII* (1883), *Proserpine* (1887), *Ascanio* (1890), *Phryné* (1893), *les Barbares* (1901), *Hélène* (1904), *l'Ancêtre* (1906), *Déjanire* (1911), sans parler du ballet *Javotte* (1896).

À cette importante production, il faut ajouter de nombreuses révisions de partitions de M. A. Charpentier, de Gluck, et surtout l'édition des œuvres complètes de Rameau dont il fut l'un des plus ardents à remettre en lumière le génie oublié. Il laisse aussi plusieurs ouvrages parmi lesquels *Harmonie et Mélodie* (Paris, 1885) et *Portraits et Souvenirs* (3e éd., 1909), d'un intérêt qui ne s'est pas émoussé. Le fait, par contre, que ce fort en thème n'ait pas laissé le plus petit ouvrage didactique témoigne de son éclectisme, de sa hantise de tout systématisme qui le hérisse.

*Caricature de **Saint-Saëns** par Ch. Giraud, à l'occasion de son opéra* les Barbares.

P. Caillon

*Gravure représentant l'opéra de **Saint-Saëns** Samson et Dalila,*
extraite de l'Illustration *du 8 novembre 1890.*

Son savoir est prodigieux. Debussy qui ne l'aimait guère affirmait : « Saint-Saëns est l'homme qui sait le mieux la musique du monde entier. » Cette érudition, l'admiration qu'il porte aux grands maîtres du passé, son extraordinaire don d'assimila-tion jugulent plus son inspiration qu'ils ne la libèrent. Et, de son propre aveu, il impose à sa nature une « raideur » qui ne lui est pas naturelle et que la perte tragique de ses deux jeunes fils accentuera encore. Qu'il desserre son corset et libère en lui le gamin espiègle, il s'exprime avec une fantaisie pleine d'invention, une alacrité pimentée qu'on découvre moins dans ses grandes œuvres ambitieuses que dans ses pièces plus légères, en tout cas dans de nombreux scherzos où éclate sa verve primesautière comme dans la *Danse macabre* ou dans ce petit chef-d'œuvre d'humour corrosif qu'est le *Carnaval des animaux* — où il se met en scène parmi les Fossiles ! —, qu'il refusa de faire éditer de son vivant par crainte, sans doute, de laisser paraître un portrait de lui trop ressemblant et non conforme à l'idée qu'il s'était faite de sa « figure ».

Quelque précaution pourtant qu'il ait prise pour se montrer insensible et comme détaché d'une œuvre qu'il entendait hautainement maîtriser sans en être la proie ni la dupe, on perçoit, néanmoins, çà et là, chez ce romantique enchaîné, la palpitation d'un cœur qui bat. On a cru voir en lui le plus parfait représentant de la doctrine de l'art pour l'art et lui-même a prêté le flanc à cette interprétation. « Pour moi, a-t-il dit, l'art c'est la *forme*. L'expression, la passion, voilà qui séduit avant tout l'*amateur*. Pour l'*artiste*, il en va autrement. L'artiste qui ne se sent pas pleinement satisfait par des lignes élégantes, des couleurs harmonieuses, une belle série d'accords ne comprend pas l'art... Pendant tout

*Camille **Saint-Saëns** dans la plénitude de l'âge.*

*Page autographe de Camille **Saint-Saëns** :* Hymne à Victor Hugo.

le XVIe siècle on a écrit des œuvres admirables dont toute émotion est exclue. »

Au vrai, il fut un incorrigible amateur de pittoresque et excella dans le tableau de genre. De caprices danois en fantaisies africaines, il recueille la couleur locale, pratiquant le placage en tout genre et faisant se côtoyer, comme des accessoires d'atelier destinés à situer le tableau, gammes modales, exotiques, rythmes folkloriques. Mais la perfection de son métier — sa maîtrise orchestrale, notamment — ennoblit tout ce qu'il touche et lui a valu des admirations qui se révélèrent fructueuses, celles de Fauré, de Ravel, pour ne citer que ces deux grands créateurs.

S'il a fini par incarner une tradition académique, vieillard illustre, statufié avant sa mort, fatigué peut-être par tant d'honneurs venus à lui, membre de l'Institut, n'oublions pas tout ce que la musique française lui doit et tout spécialement un retour aux sources les plus nobles et les plus pures de notre art dans ce qu'il offre d'incomparablement dessiné, un regard

pénétrant et une ardeur de prosélyte envers Bach et Rameau dans un temps où ils étaient quasi oubliés sinon méprisés et, à l'opposé, une défense de ceux qu'on aurait pu croire les plus éloignés de son art impassible, les démiurges de l'ombre, ces musiciens maudits que dans sa jeunesse généreuse il avait exaltés, les Liszt, Berlioz, Schumann, Wagner.

SALIERI *(Antonio)*, compositeur et pédagogue italien *(Legnago Veneto, 1750-Vienne 1825)*. Formé à Venise, il fut remarqué par F. Gassmann et se fixa en 1766 à Vienne, où, encouragé par Métastase, Calzabigi et Gluck, il composa ses premières œuvres lyriques, comiques ou sérieuses, avant d'occuper, dès 1774, diverses charges officielles. Son opéra *L'Europa riconosciuta* fut choisi pour l'inauguration de la Scala de Milan en 1778. Il composa en allemand pour le Théâtre national du singspiel *(Der Rauchfangkehrer,* 1781), et, toujours recommandé par Gluck, il donna à Paris *les Danaïdes,* en 1784 ; c'est là que

*Manuscrit autographe d'Antonio **Salieri**. Début du quintette en vent en si bémol majeur (Bibliothèque du Conservatoire, Paris).*

*Antonio **Salieri**.*

Beaumarchais lui écrivit le livret de *Tarare* (1787), remanié pour Vienne en italien sous le tire de *Axur, re d'Ormus.* Maître de chapelle impérial à partir de 1788, il éclipsa Mozart à Vienne, fut joué dans toute l'Europe. Il écrivit, notamment sur des poèmes de l'abbé Casti, *La Grotta di Trofonio* (1785) et *Prima la musica e poi le parole* (1786). *Falstaff* fut, en 1799, une de ses dernières productions importantes, alors qu'il se consacrait de plus en plus à l'enseignement; il eut pour élèves, entre autres, Beethoven, Schubert, Liszt, Meyerbeer, Hummel, Moschelès, etc.

Extrêmement doué, capable d'assimiler les divers styles européens mieux que ses rivaux (son succès rendit jaloux Cherubini), évoquant tour à tour Gluck ou Mozart, plus élégant que profond, il sut faire preuve, selon le caractère de ses opéras, d'une étonnante variété d'écriture que l'on retrouve dans son importante production instrumentale et surtout sacrée. Dernier grand représentant de la tradition napolitaine, il mourut comblé d'honneurs, regrettant sincèrement que son succès ait réduit Mozart à la misère. De la légende sans fondements selon laquelle il aurait empoisonné son rival s'emparèrent successivement Pouchkine et Rimski-Korsakov.

SALLINEN *(Aulis),* compositeur finlandais *(Salmi 1935).* Il est peut-être, actuellement, le compositeur finlandais vivant le plus connu, joué et enregistré à l'étranger. Il réussit en effet à exprimer avec une grande clarté des idées simples et directes au moyen d'une syntaxe et d'un vocabulaire musical remarquablement agencés. Après *Mauermusik* (1962), qui le fait connaître, il écrit plusieurs chefs-d'œuvre : le *Quatuor n° 3 «Quelques aspects de la marche funèbre de Hintriikki de Peltoniemi»* (1969) et *Élégie pour Sebastian Knight,* pour violoncelle seul (1964), puis s'affirme dans le domaine orchestral avec *Chorali* (1970), *Sinfonia* (1970-71) et la *3ᵉ Symphonie* (1974-75). En 1975, il approfondit ses techniques d'écriture avec la *Musique de chambre n° 1* pour cordes. Il a écrit depuis un Concerto pour violoncelle (1977) et les *Symphonie n° 4* (1979) et *5* (1983).

Dans le domaine de l'opéra, il a rencontré le succès avec *Ratsumies* («le Cavalier», 1973-74), *Punainen viiva* («le Trait rouge», 1978) et *Le roi partira pour la France* (Covent Garden, 1985).

SALMENHAARA *(Erkki),* compositeur finlandais *(Helsinki 1941).* Élève de J. Kokkonen et de G. Ligeti, docteur en philosophie, critique, musicologue et professeur à l'université de Helsinki, il commence à composer très tôt et ses premières œuvres le font considérer à la fin des années 50 comme l'enfant terrible de la musique finlandaise. Son rôle dans l'éveil de son pays aux mouvements d'avant-garde est d'ailleurs essentiel. Mais, de 1962 à 1971, il écrit quatre symphonies qui semblent vouloir prolonger la tradition sibélienne et, de 1965 à 1971, cinq poèmes symphoniques (dont *le Bateau ivre,* 1966 ; *la Fille en minijupe,* 1967 ; *Illuminations,* 1971) qui développent un aspect musical particulier, statique et introverti, issu de ses symphonies.

En 1968-69, le *Requiem profanum* pour solistes, cordes, piano et orgue, est à la fois un aboutissement et le point culminant d'un œuvre qui va de nouveau évoluer vers une plus grande simplicité (*Sonates pour piano* nᵒˢ 2, 1973, et 3, 1975 ; mélodies ;

Missa profana, 1977). Certains procédés « naïvistes » et symbolistes vont à leur tour disparaître ou se transformer à partir du *Quatuor à cordes* (1978) tandis que le *Concerto pour orgue* (1979), œuvre sombre et introvertie d'un grand effet tragique, semble réaliser l'amalgame des principales tendances manifestées dans les œuvres de jeunesse.

SAMMARTINI, famille de musiciens italiens.

— 1. **Giuseppe,** hautboïste et compositeur *(Milan 1695 - Londres 1750).* Il étudia sans doute le hautbois avec son père, un Français nommé Alexis Saint-Martin, et en 1728 probablement quitta l'Italie pour Londres, où il passa le reste de sa vie, jouant notamment dans l'orchestre de Haendel. Il composa surtout de la musique instrumentale (sonates, concertos) dont la plus grande partie ne fut publiée qu'après sa mort.

— 2. **Giovanni Battista,** compositeur, frère du précédent *(Milan 1700 ou 1701-id. 1775).* Il fit toute sa vie carrière à Milan, y dirigeant la musique d'au moins onze églises différentes. De 1737 à 1741 probablement, il fut le maître de Gluck, qui utilisa des mouvements de ses symphonies pour ses opéras *Le Nozze d'Ercole et d'Ebe* (1747) et *La Conteza dei numi* (1749), et, lors de leurs passages à Milan, il aida et apprécia Jean-Chrétien Bach, Boccherini et le jeune Mozart. Il composa des cantates, de la musique religieuse et trois opéras de jeunesse, *Menet* (Lodi, 1732), *L'Ambizione superata dalla virtù* (Milan, 1734) et *L'Agrippina, moglie di Tiberio* (Milan, 1743), mais l'essentiel de sa production relève du domaine instrumental. Comme symphoniste, il fut un des compositeurs les plus inventifs de la période préclassique, et sa renommée fut plus grande en Autriche ou à Paris que dans son pays natal.

Son style nerveux et incisif et ses libertés dans le traitement de la forme sonate le rapprochent beaucoup du jeune Haydn, bien que celui-ci ait plus tard nié avoir été influencé par le musicien milanais. Des symphonies de Sammartini, dont 68 ont survécu, il est difficile de tracer une chronologie exacte. Celles en trois mouvements et pour cordes seules, proches de Vivaldi, comptent parmi les plus anciennes. Plus tard s'ajoutèrent des hautbois et des cors, tandis que l'élément purement mélo-

dique prenait une importance accrue. On lui doit aussi des concertos et plus de deux cents œuvres de musique de chambre. Beaucoup d'œuvres douteuses ou apocryphes ont circulé sous son nom.

SARASATE (*Pablo de* MARTIN MELITÓN SARASATE *y* NAVASCUÉS), violoniste et compositeur espagnol *(Pampelune 1844 - Biarritz 1908).* Il étudie à Madrid avec M. R. Sáez puis, à partir de 1856, à Paris. Ses tournées le conduisent à Constantinople, Vienne, en Amérique du Nord et du Sud, en Russie et dans toute l'Europe. Les enregistrements qu'il a laissés révèlent une technique éblouissante, d'une sûreté incroyable, et un jeu très élégant, assez superficiel. De nombreuses œuvres furent composées

Pablo de Sarasate.

Reutlinger

Pablo de Sarasate.

Autographe de Pablo de Sarasate (Barcelone. 1890).

pour lui, notamment la *Symphonie espagnole* de Lalo, le *2ᵉ Concerto* et la *Fantaisie écossaise* de Max Bruch, le *Concertstück*, l'*Introduction et Rondo capriccioso* et le *Concerto en «si» mineur* de Saint-Säens. Il a lui-même écrit un grand nombre de pièces brillantes pour violon, parmi lesquelles *Rêverie, Zigeunerweisen, Caprice basque, Jota aragonesa, Navarra, Introduction et Caprice-jota, Introduction et Tarentelle, Fantaisie sur Carmen, Fantaisie sur Faust,* etc.

SARTI *(Giuseppe)*, compositeur italien *(Faenza 1729-Berlin 1802)*. Violoniste apprécié, organiste et compositeur de talent, il quitta l'Italie pour se fixer à Copenhague, en 1753, comme maître de chapelle puis directeur de l'Opéra italien et de la musique de cour; il y demeura jusqu'en 1775, exception faite d'un bref voyage en Italie (1765-1768). De retour à Venise, il y donna quelques opéras, enseigna à Milan où il forma le jeune Cherubini et fit créer *Giulio Sabino* (1781) puis *Fra i due litiganti* (1782) qui fit fureur à Vienne, et que Mozart cita deux fois, en particulier dans *Don Giovanni*.

En 1784, il succéda à Paisiello auprès de Catherine II à Saint-Pétersbourg où il demeura désormais. De même qu'il s'était consacré à former un théâtre de langue danoise, il s'employa à l'organisation de la musique en Russie, écrivant dans le plus

pur style mozartien des oratorios russes, et organisant les spectacles de la cour avec un faste inattendu chez ce typique belcantiste (il alla jusqu'à joindre à son orchestre des carillons et des salves de canon). Il collabora avec Pashkevitch et Cannobio à la composition d'un opéra sur un livret de l'impératrice, puis se consacra essentiellement à ses fonctions d'enseignant, organisateur, critique, etc.

SATIE *(Alfred Erik* Leslie-Satie, *dit Erik),* compositeur français *(Honfleur 1866-Paris 1925).* Il naît d'une mère anglaise, de confession protestante, qui meurt en 1870, et d'un père courtier maritime, catholique. Sortant de pension en 1878, et marqué par la mort dramatique d'une grand-mère, il suit d'abord des leçons de piano d'un certain Vinot, élève de Niedermeyer. Son père se remarie avec Mlle Barnetsche, une pianiste, et il entre au Conservatoire de Paris (classes de piano, d'harmonie, de solfège — avec Lavignac), tout en se liant avec le poète Contamine de la Tour.

Ses *Ogives* (1886), œuvres brèves et sérieuses pour piano, dans un style de « plain-chant » rigidifié et verticalisé par une harmonisation pleine, portent la trace de son intérôt pour le Moyen Âge, un Moyen Âge rude et stylisé, mystique. Elles sont suivies de *Sarabandes* (1887), dont on vantera plus tard la simplicité et l'harmonie, révolutionnaire dans son « tachisme », et des *Trois Gymnopédies* (1888), pour piano, qui sont devenues avec les *Six Gnossiennes* (1890-91), son œuvre la plus populaire : le Satie aimé du grand public est là, avec sa mélancolie infinie.

Il commence par gagner sa vie comme pianiste accompagnateur au cabaret du Chat-Noir, puis à l'auberge du Clou, où il fait la connaissance de Debussy. La découverte de la musique de l'Asie et de l'Europe centrale, à l'Exposition de 1889, aurait marqué les *Gnossiennes,* qui clôturent une première période d'œuvres effusives, sans autre but que l'expression. En effet, il éprouvera bientôt le besoin de mettre systématiquement son art, encore sobre et basé sur un « vocabulaire » assez réduit, au service d'une foi, d'une cause esthétique, fût-ce celle de la dérision. Bref, il ne se contente pas d'offrir sa musique toute seule, mais l'accompagne de mots, de manifestes, la fait épauler par des amis — tandis que lui-même demeure, dans sa vie la plus privée, un homme très seul.

Ses premières pièces « engagées » et militantes sont pour le « Sâr » Joseph Péladan, sorte d'occultiste et mage, rénovateur du mouvement de la Rose-Croix : ce sont la musique de scène pour *le Fils des étoiles* (1891), un drame de Péladan, *Trois Sonneries de la Rose-Croix* (1891-92), pour piano, son instrument de prédilection, auquel sont destinés quelques préludes ainsi que des *Danses gothiques* (1893), et enfin un *Prélude de la porte héroïque du ciel* (1894), qu'orchestre Roland-Manuel.

Puis Satie prend ses distances avec Péladan et fonde, peut-être pour rire, une *Église métropolitaine d'art de Jésus conducteur,* dont il est seul adepte, et dont il rédige le bulletin paroissial. Il y manifeste déjà son très grand talent d'écrivain humoriste. Sa *Messe des pauvres* (1895), pour

Erik Satie.

orgue, prolonge, comme son titre l'indique, son esthétique « minimale », à base de juxtaposition d'accords très nus, enchaînés d'une manière statique et antifonctionnelle, qui fait penser à l'« archaïsme » reconstitué de certaines musiques pour films historiques.

En 1898, Satie s'installe à Arcueil, dans une chambre retirée, « tour d'ivoire » où il ne laissait entrer, paraît-il, personne, et où il habitera jusqu'à sa mort. Sans doute tourmenté par la crainte que son inspiration ne réponde pas aux exigences de son orgueil (la crainte de l'impuissance artistique, pour tout dire), et aussi, peut-être, marqué par des déceptions d'ordre privé sur lesquelles il fut d'une très grande pudeur, c'est à Arcueil qu'il commence à « organiser son échec », donnant des titres dérisoires à une foule de recueils de pièces pour piano souvent pleins de talent et d'expression (*Pièces froides,* 1897 ; *Trois Morceaux en forme de poire,* 1903, pour piano à quatre mains ; *Nouvelles Pièces froides,* 1906-1910 ; *Aperçus désagréables,* 1908-1912 ; *Préludes flasques* et *Véritables Préludes flasques pour un chien,* 1912 ; *Descriptions automatiques,* 1913 ; *Embryons desséchés,* 1913 ; *Vieux Sequins et Vieilles Cuirasses,* 1913 ; *Trois Valses distinguées du précieux dégoûté,* 1914 ; *Avant-Dernières Pensées,* 1915 ; etc.) — pièces musicales qui volontairement visent court, et qu'il « parasite », comme le dit très bien Anne Rey, par des annotations burlesques d'exécution, ou par des petits poèmes qui sont de véritables « haïkus » humoristiques.

Ses *Mélodies* pour chant et piano, destinées à Paulette Darty (1900) [*Je te veux, la Diva de l'Empire, Tendrement, Poudre d'or*], sont des parodies moins truculentes que celles de Chabrier, situées exprès à la limite où l'on ne peut décider si elles se situent au « second degré ».

Mais il entretient une amitié admirative pour son confrère Debussy, qui de son côté l'estime sincèrement. Et quand, en 1905, Satie essaie de repartir sur un nouveau pied, entreprenant à trente-neuf ans des études de contrepoint à la Schola cantorum (dans la classe de Roussel, notamment), il ne faut pas y voir une provocation de plus, mais une tentative sincère (et menée avec sérieux, comme ses professeurs l'attestent) pour enrichir sa syntaxe et son vocabulaire musicaux. Des pièces comme *En habit de cheval* (1911), pour

orchestre, nées après une certaine période de stérilité, profitent de cette expérience, puisqu'elles contiennent des fugues, du contrepoint — ce qui ne les a pas empêchées d'être mal reçues. Mais en même temps, l'esprit de révolte de Satie se durcit, il fait un principe de sa non-réussite, et décrète que l'art en est arrivé au « temps du dérisoire ».

Même s'il est touché par le fait que des

*Rideau de scène peint par Picasso
pour* Parade *d'Erik **Satie**
(Musée national d'Art moderne, Paris).*

« jeunes » comme Ravel ou Alexis Roland-Manuel le découvrent, lui consacrent des concerts entiers et ressortent ses premières *Sarabandes,* il sent bien qu'il est souvent utilisé comme porte-étendard, comme prétexte pour diverses croisades dont il n'est pas lui-même l'initiateur : croisade anti-d'Indyste et anti-académique, puis croisade anti-impressionniste menée par Cocteau et le groupe des Six, croisade anti-art de Dada, etc. C'est le drame de Satie d'avoir vécu « dans sa chair » certaines impasses esthétiques, et d'avoir ouvert la voie à des innovations sur lesquelles d'autres bâtiront leur carrière d'un cœur beaucoup plus léger : musique « de fond » (qu'il appelle musique d'«ameublement »); musique graphique et conceptuelle, avec ses partitions calligraphiées accompagnées de dessins et de poèmes qu'il « défend de lire à haute voix » (*Sports et Divertissements,* 1914); musique de collage, avec les citations et les effets réalistes et bruitistes de *Parade;* musique ininterrompue, de méditation, avec *Vexations,* pour piano, etc.

Candelier-Giraudon

Prestidigitateur chinois. Projet de costume dessiné par Picasso pour Parade *(1917) d'Erik* **Satie.**

Avec le ballet *Parade* (1917), créé au théâtre du Châtelet sur un argument de Cocteau, et des décors et costumes de Picasso, vient pour lui le temps du succès-malentendu. C'est en 1914 que Cocteau avait noué avec lui certains liens, en vue d'une collaboration future qui devait aboutir à ce « ballet cubiste », où Satie a fait sagement une musique conforme à l'esprit du projet : objective, orchestrée en « à

plat », avec des effets de bruits très sommaires (machine à écrire, sirènes), des répétitions de thèmes élémentaires, des rythmes mécaniques (la machine fascinera toujours Satie) et sans trace de sentimentalité, mais aussi sans trace de la personnalité complexe de son auteur. Là encore, il ouvre la voie à la musique objective et apollinienne des répétitifs américains, mais dans un style marqué par l'autodérision, le « paupérisme » affiché.

Il semble que le succès de scandale de *Parade* n'ait pas abusé Satie, et qu'il ait bien senti que sa musique y fonctionnait comme élément de décor, plutôt que comme objet esthétique. Cocteau, dans son libelle *le Coq et l'Arlequin,* jeta Satie en pâture à la postérité, comme exemple d'une nouvelle musique dégraissée, régénérée, saine, stylisée — une musique de la « ligne ».

Mais l'œuvre où Satie met à la fois son ambition propre et son ambivalence, c'est le « drame symphonique » *Socrate* (1918), pour trois mezzo-sopranos, soprano, et orchestre de chambre, utilisant des fragments de dialogues de Platon dans la traduction de Victor Cousin pour évoquer la figure et la mort du sage grec. La commande en venait de cette généreuse mécène que fut la princesse de Polignac, et elle devait en principe permettre à Satie de se libérer de son encombrante « image de marque » de provocateur. Écrit dans un style de récitatif nu et austère, anti-expressif, c'est une gageure dans son parti pris de « blancheur » et de pauvreté, et on y voit à l'œuvre les procédés autodestructeurs par lesquels Satie barre délibérément la route à toute expressivité, à toute couleur — immobilisant et dévitalisant sa musique au maximum, comme si, à l'instar de Socrate, elle avait elle aussi bu la ciguë.

En 1920, il s'associe à une autre expérience d'avant-garde, en collaboration avec Darius Milhaud, une « musique d'ameublement » servant d'intermède à une pièce de Max Jacob — nouvelle provocation anti-artistique. Puis voilà Satie, déjà traité en patriarche précurseur, bien qu'il ne soit guère âgé (mais son affectation de s'habiller en vieux professeur à lorgnons et barbiche y prêtait), qui se trouve associé au mouvement Dada, à Tristan Tzara, à Picabia, pour lequel il écrit la musique du « ballet instantanéiste » *Relâche* (1924), comprenant une partition pour le film muet de René Clair *Entr'acte,* œuvre quasi suicidaire dans sa «simplicité saugrenue», comme le releva avec justesse et cruauté Roland-Manuel. Déjà, le ballet *Mercure* (1924), avec Picasso et Massine, avait fait crier à la lassitude devant cette musique trop dégarnie.

En apparence, Satie n'est pas seul : des jeunes compositeurs qui le respectent, Henri Clicquet-Pleyel, Roger Desormière, Henri Sauguet, Maxime Jacob, s'associent avec lui et Charles Kœchlin pour former une «école d'Arcueil», du nom de sa «retraite», et dont il est l'esprit tutélaire, le grand-oncle. Mais, par une sorte de malédiction, tout ce mouvement se fait comme sur son dos : son personnage, plus que sa musique, est pris comme emblème. Il a tellement «marqué» sa musique de sa pittoresque figure, de ses titres, ses actes, ses manifestes, son humour, etc., que cette musique, dénudée de tout cela, dont elle semble indissociable, paraît souvent réduite à l'os. Et Satie ne s'est jamais entièrement consolé de ne pas avoir fait une œuvre *autonome* par rapport à lui-même, une œuvre qui, comme celle de ses pairs, puisse vivre toute seule, au-delà des étiquettes et des mouvements esthétiques.

Vers la fin de sa vie, Satie se fâche plus ou moins avec une partie de ses admirateurs ; on le brouille avec la mémoire de Debussy, mort avant lui, et qui lui aurait «volé», prétend-on, l'esthétique de *Pelléas* et des innovations harmoniques. La manière, provocante et amère à la fois, avec laquelle Satie cultive son ressentiment donne à penser qu'il n'avait pu ou voulu «localiser» l'origine de son propre sentiment d'échec. Il meurt assez tristement le 1er juillet 1925 à l'hôpital Saint-Joseph, des suites, disent certains, d'une cirrhose du foie soigneusement cultivée.

Puis son œuvre suit son chemin dans l'histoire, toujours revendiquée au service d'esthétiques diverses, rarement aimée de manière directe, pour elle-même. Aux États-Unis, notamment, John Cage rend un hommage retentissant au travail «indispensable» de pionnier accompli par Satie, qui devient, après avoir été considéré comme un «amuseur» ou un «mystificateur» par ses compatriotes, le musicien français le plus vénéré par l'avant-garde internationale. Mais ces œuvres à la fois faciles et inimitables que sont les *Gymnopédies* et les *Gnossiennes* lui valent une popularité authentique, dans le cœur du très grand public, loin de toute revendica-

Erik. Satie, par Alfred Fruch.

tion posthume d'«avant-gardisme». Satie n'était pas un créateur étriqué : il manie merveilleusement les mots, et se montre, quand il le veut, très musicien. Mais s'il fut «en porte-à-faux», c'est moins par rapport au public que par rapport à lui-même. Il ne renonça jamais vraiment à être le «grand musicien» qu'il reprochait aux autres de prétendre devenir, et sa musique n'est jamais complètement désinvestie de tout besoin d'exprimer quelque chose de son auteur, puisque son côté narquois ne fait souvent qu'en ressasser la dénégation. Rien de moins populaire et de plus «populiste», dans le sens militant et fastidieux du mot, que certains flonflons de *Parade* ou de *Relâche*, à côté d'une poignée d'œuvres brèves et sensibles, comme les *Gymnopédies*, qui méritent de conquérir le semi-anonymat et le repos des *Classiques favoris*.

Kicia Laffon

SAUGUET *(Henri),* compositeur français *(Bordeaux 1901 - Paris 1989).* Dès l'enfance, il est initié à la musique ; il apprend le piano et chante à la maîtrise de sa paroisse. La Première Guerre mondiale l'empêche de se présenter au conservatoire de Bordeaux ; son père étant mobilisé, il doit gagner sa vie au lieu de poursuivre ses études. Sa vocation s'affirme. Henri Sauguet découvre avec ferveur l'œuvre de Debussy, et, en 1918, employé à la préfecture de Montauban, étudie la composition sous la direction de Joseph Canteloube.

En 1919, il envoie à Darius Milhaud ses premières compositions et fonde à Bordeaux, avec J. M. Lizotte et Louis Emié, un « groupe des Trois » qui donne un concert d'avant-garde. Darius Milhaud l'invite à Paris en 1921. Henri Sauguet quitte alors définitivement Bordeaux, trouve un gagne-pain dans la capitale, et reçoit des leçons de Charles Kœchlin. En 1922, il est pré-

*Henri **Sauguet** au piano.*

Décor conçu par Cassandre
pour les Mirages,
*ballet d'Henri **Sauguet,** à l'Opéra de Paris.*

Larousse

Henri Sauguet.

une des caractéristiques de la musique de Sauguet.

En 1945, dû à la collaboration de Boris Kochno, Christian Bérard, Roland Petit et Henri Sauguet, le ballet *les Forains,* dédié à la mémoire d'Erik Satie, devint très vite populaire. De là à enfermer Sauguet dans la spécialité de compositeur de ballets, il n'y aurait qu'un pas. Mais, en 1948, un remarquable *Quatuor à cordes* et un recueil de mélodies sur des poèmes de Max Jacob, *Visions infernales,* démontrent l'universalité du compositeur, qui écrit, l'année suivante, une *Symphonie allégorique : les Saisons.* Entre 1950 et 1964, Henri Sauguet compose de nombreuses œuvres dont les plus importantes, *le Cornette,* sur des poèmes de Rilke, *les Caprices de Marianne,* opéra d'après Alfred de Musset, *la Dame aux camélias,* ballet d'après Alexandre Dumas fils, *L'oiseau a vu tout cela,* sur un poème de Jean Cayrol, *Mélodie concertante* pour violoncelle et orchestre indiquent l'étendue du « registre poétique » du musicien.

SAVOURET *(Alain),* compositeur, pianiste et chef d'orchestre français *(Vanves 1942).* Collaborateur du Groupe de musique expérimentale de Bourges depuis 1973 (après quatre années passées au Groupe de recherches musicales de Paris), il est l'un des deux ou trois plus importants compositeurs de musique électroacoustique de sa génération, en tout cas le plus brillant et le plus habile, et celui qui pousse le plus loin le travail sur la *forme* et l'*articulation* pour accorder plus d'intérêt à la matière sonore ou aux procédures techniques de fabrication. Sa première œuvre importante, *Kiosque* (1969), pour bande et musiciens-improvisateurs, manifeste d'emblée le « baroquisme » propre à l'auteur, qui consiste pour lui à faire voisiner dans une forme très maîtrisée des éléments aussi hétérogènes que possible, du « musical » à l'« anecdotique », de l'abstrait au concret, etc. Le même principe est à l'œuvre dans la *Valse molle* (1973), pièce de musique légère pour bande.

Selon (1970), pour 2 joueurs de clavier sonorisé, et la *Suite pour clavier à rallonges* (1973), pour bande, mettent en valeur son goût de la virtuosité digitale : il est pianiste-improvisateur et a fondé avec Christian Clozier le groupe d'improvisation électroacoustique Opus N. *Tango* (1971) et *l'Arbre et Cætera* (1972), pour bande, sont

senté à Erik Satie qui, l'année suivante, patronne l'« école d'Arcueil », constituée de Henri Cliquet-Pleyel, Roger Désormière, Maxime Jacob et Henri Sauguet. Il débute au théâtre en 1924 avec un opéra bouffe : *le Plumet du colonel,* et un ballet, *les Roses.* Les Ballets russes de Diaghilev créent à Monte-Carlo, en 1927, son second ballet, *la Chatte.*

Dès 1926, Henri Sauguet projette d'écrire un opéra sur *la Chartreuse de Parme* de Stendhal. Cette œuvre, achevée en 1936, sera créée à l'Opéra de Paris en 1939. Transposant le romantisme italien dans son propre style, Henri Sauguet a fait ici une œuvre originale dont le langage, qui est celui du xxᵉ siècle, ne fait pas obstacle à une certaine nostalgie du passé. Cette couleur mélancolique que l'on retrouvera dans d'autres œuvres « romantiques », telles que *les Caprices de Marianne* (1954), *la Dame aux camélias* (1959), est, d'une manière plus générale, un des attraits et des exercices très vivants de forme et d'écriture.

Enfin, la *Sonate baroque,* entreprise en 1974, est un monument électroacoustique dont les trois premiers mouvements (allegro, andante, scherzo) totalisent une heure et demie et font s'épanouir et se réconcilier, dans une cohabitation harmonieuse et dynamique, toutes les tendances, toutes les «tentations» de l'auteur — celles déjà relevées, mais aussi son humour, son «mauvais goût», son lyrisme.

À partir de là, Savouret revient à la musique instrumentale et mixte, sauf pour des incursions isolées dans la musique électroacoustique pure (*Don Quichotte Corporation,* 1981), et, parmi des œuvres récentes, on peut citer *Phil Cello et Joe Sax chez les Trogloustiques* (1979), pour violoncelle, saxophone alto et bande magnétique, *la Main du clown* (1980), pour quintette à vent, *Il était une fable* (1981), pour trois groupes instrumentaux, *Mauvaise Journée* (1981), pour piano principal et huit instruments, et une pièce constituant la finale de la *Sonate baroque, l'Ouïe-Spartacus* (1981), pour bande magnétique et ensemble instrumental.

SCARLATTI *(Alessandro),* compositeur italien *(Palerme 1660 - Naples 1725).* Il vint étudier à Rome à douze ans, s'y maria en 1678, et y donna en 1679 son premier opéra, *Gli Equivoci nel sembiante,* qui connut un énorme succès, et, fait assez rare à l'époque, fut joué dans de nombreuses autres villes. Entré au service de la reine Christine de Suède, maître de chapelle de San Girolamo della Carità, protégé par les Colonna, Ottoboni et autres grands de la noblesse romaine, il eut des contacts avec d'autres centres italiens, et partagea ses activités de compositeur entre la cantate, l'oratorio et l'opéra : parmi ses premières œuvres figurent *L'Onestà negli amori* (1680) et *Il Pompeo* (1683) dont certaines arias sont restées célèbres.

À la suite d'intrigues familiales, il fut nommé en 1684 maître de chapelle à la cour de Naples, où, durant une vingtaine d'années, sa production fut considérable, mais inégale, cependant que certains de ses opéras étaient joués jusqu'en Allemagne (*Pirro e Demetrio* à Brunswick, en 1694, créé à Naples la même année). Des différends artistiques et humains avec la cour de Naples le conduisirent à rechercher d'autres appuis, et il écrivit des opéras

pour Florence de 1703 à 1706 et fut à nouveau à Rome où il connut Corelli grâce au cardinal Ottoboni. Il y écrivit un grand nombre de cantates à grand effectif, les milieux ecclésiastiques romains tenant alors l'opéra pour un genre suspect.

N'ayant pu y obtenir de situation stable, il alla donner à Venise son fastueux *Mitridate Eupatore* (1707), retourna assurer sa charge à Naples en 1709, et, de 1717 à 1721, se partagea entre cette dernière ville et Rome où il donna *La Griselda* (1721, livret de Zeno), avant de se consacrer à la musique instrumentale : il publia en 1725 un recueil de quatuors pour instruments solistes qui pourraient établir un pont entre l'ancienne sonate à trois et la forme à venir du quatuor à cordes.

La personnalité musicale de Scarlatti se dégage encore mal de son œuvre abondante, partiellement révélée, et dont il est malaisé de tirer des conclusions de synthèse. En fait, il sut prêter son talent

*Alessandro **Scarlatti.***

aux styles les plus divers, selon les époques, les villes, et la destination de ses œuvres ; plus de six cents cantates profanes ou religieuses à une voix, quatre-vingt-dix cantates à plusieurs voix ou avec instruments concertants, trente-cinq oratorios, des messes, au moins quatre-vingt-cinq opéras et pastiches, et une œuvre instrumentale non négligeable dont douze concertos grossos, des sonates pour flûte, et des œuvres diverses pour clavier.

Sa *Passion selon saint Jean* (v. 1680), une de ses premières œuvres, influencée par Carissimi, est l'une de ses meilleures productions religieuses, tandis que son oratorio *Il Sedecia* (1705), de grandes proportions, a toutes les caractéristiques de l'opéra alors en cours à Naples ; ses préludes et fugues, ses toccatas pour clavier jettent un pont entre l'œuvre de Frescobaldi et celle, autrement moderne, de son fils Domenico ; ses madrigaux à voix seules appartiennent au siècle précédent, mais ses concertos grossos préfigurent le style galant de la future école napolitaine. Ses cantates se plient également aux styles les plus variés, mais, comme ses oratorios, elles témoignent d'un plus grand soin et d'une plus grande richesse que ses opéras où il ne semble jamais avoir cherché à se démarquer des modèles en vogue dans les villes pour lesquelles il écrivait, sans se soucier des courants de réforme du livret.

Il ne peut absolument pas être tenu pour le père d'un « opéra napolitain » : ses premières œuvres, encore tributaires du style contrapuntique, s'inspirent très largement de Stradella, auquel il emprunte la formule de l'aria da capo qu'il va systématiser dans ses opéras écrits pour Naples, où se schématisent l'ouverture tripartite extrêmement brève, l'usage d'un récitatif secco assez mécanique, et une longue succession d'arias, généralement da capo, n'utilisant que rarement l'instrument à vent soliste, et dont la nudité allait autoriser l'excessive surcharge ornementale des interprètes qu'il désapprouva souvent, mais où, comme dans *Tigrana*, s'intercalent également des ariettes de style plus moderne. En revanche, *Mitridate Eupatore*, écrit pour Venise, emploie largement l'orchestre et les chœurs, quasi absents de ses œuvres napolitaines. Enfin, l'élément comique présent dans ses premiers opéras romains disparaît progressivement de son œuvre, mais, pour des raisons d'ordre familial, il donnera en 1718 au théâtre dei

Alessandro Scarlatti. Portrait anonyme.

Fiorentini de Naples une véritable comédie, *Il Trionfo dell'onore,* l'un de ses chefs-d'œuvre.

SCARLATTI *(Domenico),* compositeur italien *(Naples 1685 - Madrid 1757).* Sixième des dix enfants d'Alessandro Scarlatti, il eut comme marraine la vice-reine de Naples, et, dès 1701, il était organiste et compositeur de la chapelle royale de Naples. En 1702, il effectua avec son père un séjour à la cour de Toscane et, à son retour à Naples, composa coup sur coup trois opéras, *Ottavia ristituita al trono* (1703), *Giustino* (1703) et *Irene* (1704). En 1705, Alessandro l'envoya à Venise avec une lettre de recommandation adressée à Fernando de Médicis : « Ce fils est un aigle dont les ailes ont poussé. Il ne faut pas qu'il reste oisif dans son nid, et il ne m'appartient pas de l'empêcher de prendre son vol. »

À Venise, Domenico prit des leçons auprès de Francesco Gasparini *(1668-1727),* et il est probable que, grâce à lui, il fut initié à l'art de Frescobaldi. De 1709 à 1719, il vécut à Rome, où il fit la connaissance de Haendel — auquel l'opposa une joute légendaire qui se termina par la victoire du Saxon à l'orgue et du Napolitain au clavecin — et du musicien anglais Thomas Roseingrave*, qui, une vingtaine d'années plus tard, devait faire beaucoup pour la diffusion à Londres de ses premières sonates.

Il fut d'abord (jusqu'en 1714) maître de chapelle de la reine exilée de Pologne, puis (à partir de décembre 1713) à la chapelle Giulia au Vatican. En 1714, après le départ de Rome de la reine de Pologne, il devint également maître de chapelle de l'ambassadeur du Portugal, le marquis de Fontes. De cette époque datent sans doute son *Miserere* en *sol* et son magnifique *Stabat Mater* à dix voix. Il composa aussi durant ces années des cantates de circonstance et de nombreux opéras parmi lesquels *Tolomeo* (1711), *Orlando* (1711), *Ifigenia in Aulide* (1713), *Ifigenia in Tauri* (1713), *Ambleto* (1715) et l'intermezzo *Dirindina* (1715). Sa dernière œuvre en ce genre fut *Berenice* (1718).

Le grand tournant de la carrière de Domenico Scarlatti intervint en 1719, date à laquelle il s'installa à Lisbonne comme maître de chapelle du roi João V de Portugal. On crut longtemps qu'en 1719 il s'était rendu en Angleterre, mais Ralph Kirkpatrick* a réduit à néant cette hypothèse, tout en avançant de plusieurs années l'installation à Lisbonne. Là, Domenico Scarlatti fut chargé de l'éducation musicale du frère du roi, don Antonio, et surtout de sa fille, la princesse Maria Barbara, pour laquelle il écrivit la plupart de ses sonates. Il ne retourna en Italie qu'en 1724 (à Rome), en 1725 (à Naples pour y revoir une dernière fois son père) et en 1728 (il épousa alors à Rome sa première femme, Maria Catalina Gentili). Durant les trente-sept dernières années de son existence, il ne quitta donc plus, exception faite de ces trois voyages, la péninsule Ibérique.

En 1729, la princesse Maria Barbara de Portugal épousa l'infant d'Espagne, futur Ferdinand VI. Domenico la suivit à Madrid, qu'il ne devait plus quitter. Il n'écrivit plus désormais que de la musique pour clavier, à l'exception d'un *Salve Regina* pour soprano et cordes que l'on suppose être sa dernière œuvre. Fait en 1738 chevalier de l'ordre de Santiago par João V de Portugal, il le remercia avec la dédicace des célèbres *Essercizi per gravicembalo*, parus à Londres la même année, et qui ne

sont autres que les trente premières sonates de la numérotation de Kirkpatrick. Sa femme étant morte en 1739, il se remaria au plus tard en 1742. De ses neuf enfants, quatre survécurent, mais aucun ne devint musicien.

Tant qu'il vécut en Italie, Domenico Scarlatti ne fut qu'un compositeur parmi tous ceux qui œuvraient dans le domaine de l'opéra napolitain, genre alors dominé par son père. De cette époque datent aussi ses dix-sept *sinfonie* pour ensemble instrumental. Son départ pour le Portugal lui permit de se libérer du monde de l'opéra, de faire ses propres expériences et de découvrir ce pour quoi il était né : la sonate pour clavier (clavecin).

Domenico Scarlatti, exact contemporain de Bach et de Haendel et de deux ans le cadet de Rameau, est effectivement un des plus grands maîtres du clavier de tous les temps. La préface des *Essercizi* étant un des deux seuls textes de Scarlatti ayant survécu, il vaut la peine de le reproduire ici : « Lecteur, que vous soyez *dilettante* ou connaisseur, n'attendez pas de ces compositions un profond enseignement, mais plutôt un ingénieux badinage artistique destiné à vous familiariser avec la majesté du clavecin. Je n'ai été poussé à les publier ni par des considérations d'intérêt ni par ambition, mais simplement par l'obéissance. Peut-être vous seront-elles agréables : je répondrai alors d'autant plus facilement à d'autres commandes, pour vous plaire dans un style plus facile et varié. Montrez-vous donc plus humains que critiques, et par là, accroissez votre plaisir. En ce qui concerne la position des mains, sachez que par D est indiquée la droite, et par M la gauche. Adieu. »

Des 555 sonates (moins de dix sont incomplètes ou d'authenticité douteuse) de Scarlatti dénombrées par Kirkpatrick, aucun autographe ne nous est parvenu, et très peu furent publiées du vivant du compositeur. À peu près toutes les éditions d'époque sont anglaises, et toutes sont fondées sur l'unique publication signée par Scarlatti lui-même, les trente *Essercizi* de 1738. En 1739, Thomas Roseingrave y ajouta douze sonates, parvenant ainsi à un total de quarante-deux. Une nouvelle édition des *Essercizi* parut à Amsterdam en 1742, plusieurs éditions d'un nombre très limité de sonates virent le jour à Paris entre 1741 et 1746. Au début du xixe siècle, Muzio Clementi, le seul compositeur ita-

*Domenico **Scarlatti**. Portrait attribué à Antonio de Velasco.*

lien de son temps sur lequel Domenico Scarlatti ait laissé des traces autres qu'épisodiques, publia en Angleterre un recueil intitulé *Scarlatti's Chefs d'Œuvre, for the Harpsichord or Piano-Forte.* En 1839, Czerny fit paraître deux cents sonates, mais en les adaptant au goût d'une époque qui les considérait surtout comme d'utiles études pour délier les doigts.

En 1906 seulement, on assista à une première tentative d'édition complète : celle d'Alessandro Longo, qui publia un total de 544 sonates groupées par « suites » dans telle ou telle tonalité, mais dans un

ordre totalement arbitraire ne tenant aucun compte de la chronologie. L'édition Longo fit longtemps autorité, malgré ses concessions au postromantisme, et sa numérotation reste en vigueur jusqu'à l'apparition de celle de Kirkpatrick. Une édition complète selon la numérotation Kirkpatrick (555 sonates) a été réalisée dans les années 70 par Kenneth Gilbert.

Pour établir sa classification chronologique, d'ailleurs parfois sujette à caution, Kirkpatrick eut recours aux sources fondamentales de notre connaissance des sonates de Scarlatti : pour l'essentiel, deux groupes de manuscrits de quinze volumes chacun, copiés parallèlement entre 1742 (voire 1752) et 1757, et ayant appartenu à Maria Barbara. Un groupe (treize volumes numérotés de I à XIII et totalisant 496 sonates plus deux volumes non numérotés) se trouve à la bibliothèque de Saint-Marc à Venise, l'autre (quinze volumes totalisant 463 sonates) à la Bibliothèque palatine à Parme. Les deux volumes de Venise non numérotés à l'origine, et numérotés par Kirkpatrick XIV et XV, fuent copiés respectivement dès 1742 et dès 1749 : ils comprennent les sonates les plus anciennes, dont les trente *Essercizi* de 1738. À l'autre extrême, les volumes Venise XIII et Parme XV, copiés l'un et l'autre en 1757, contiennent des sonates qu'une autre source, la collection des manuscrits de l'abbé Fortunato Santini *(1778-1862),* préservée à Münster, présente comme les «Dernières Sonates pour Clavecin de Domenico Scarlatti composées en 1756 et en 1757 l'année de sa mort». Les cinq volumes de Münster totalisent 349 sonates. Enfin, sept volumes ayant appartenu à Johannes Brahms et totalisant 308 sonates sont conservés à la Société des amis de la musique à Vienne.

L'origine des manuscrits de Venise et de Parme est assez claire. En même temps que Domenico Scarlatti, vécut à la cour de Madrid le célèbre castrat Carlo Broschi, dit Farinelli*. Arrivé en Espagne en 1737, Farinelli y resta jusqu'en 1759, date de la mort du roi Ferdinand VI. Il reçut de la reine Maria Barbara non seulement ses plus beaux clavecins, mais ses manuscrits de sonates de Scarlatti, et c'est certainement par l'intermédiaire de Farinelli, qui termina ses jours en Italie, que les deux groupes de quinze volumes chacun aboutirent respectivement à Venise et à Parme.

Quant à l'abbé Santini, «collectionneur authentique au meilleur sens du terme» (Mendelssohn), et dans la maison duquel Cramer et Liszt jouèrent du Scarlatti, ce sont ses manuscrits qui servirent à Czerny pour son édition de 1839.

Dans la mesure où la chronologie de Kirkpatrick est fondée sur les dates des sources, elle ne correspond pas toujours aux dates ni à l'ordre de composition, et l'on peut supposer, en l'absence du moindre autographe, que telles qu'elles nous sont parvenues certaines sonates ne sont que la version définitive d'ouvrages conçus différemment à une époque antérieure.

Kirkpatrick a néanmoins tenté de dégager, pour les divers volumes copiés, des caractéristiques générales : statisme des *Essercizi,* par opposition au dynamisme des volumes suivants; impression de maturité à partir de Venise III et IV, avec notamment dans ces volumes d'admirables mouvements lents; transparence de l'écriture et renonciation aux effets extérieurs dans Venise V-VII; sommets et synthèses à partir de Venise VIII. En 1967, une classification chronologique fondée sur des critères uniquement stylistiques a été tentée par Giorgio Pestelli : elle aussi reste largement incertaine.

Les sonates de Scarlatti sont toutes en un seul mouvement (ce qui ne veut pas toujours dire un seul tempo), et numérotées individuellement dans toutes les sources, mais les manuscrits de Venise et de Parme les réunissent souvent par groupes de deux (plus rarement de trois), en général dans la même tonalité (mais pas toujours groupées de la même façon dans les divers manuscrits). On peut admettre que Scarlatti en faisait autant lorsqu'il les jouait lui-même. Par leur caractère, les sonates ainsi réunies (chez Kirkpatrick, numéros se succédant) peuvent aussi bien s'opposer que se compléter. La forme est toujours binaire, chacune des deux parties étant en principe répétée, et les fins de chaque partie sont toujours identiques (fin de la première partie à la dominante ou à ce qui en tient lieu, fin de la seconde partie à la tonique).

Mais, différence essentielle avec la forme sonate classique, le début de la sonate n'est pratiquement jamais repris au cours de la seconde partie (quelques exceptions cependant, comme K.159 ou K.256). Le sentiment de «réexposition» est donc fortement atténué, malgré le rôle de «développement modulant» fréquemment assumé par le début de la seconde partie. En fait, dans ce cadre apparemment restreint et uniforme, Scarlatti déploie les trésors d'une imagination inépuisable.

On peut en gros distinguer deux types de sonates : celles de forme «fermée» aux deux parties semblables, et celles (plus dynamiques) de forme «ouverte», aux deux parties dissemblables par la succession des thèmes et des tonalités. Dans toutes ces œuvres, et c'est un aspect de leur étonnant modernisme, la structure harmonique est plus importante que la structure thématique. Scarlatti ne recule

*Manuscrit autographe du Credo pour 5 voix soprani de Domenico **Scarlatti** (Bibl. du Conservatoire de musique. Paris).*

devant aucune modulation, oppose brutalement les tonalités les plus éloignées, emprunte de fulgurants raccourcis enharmoniques, et s'aventure même jusqu'à la polytonalité. Il eut de la dissonance une conception dynamique, et ses sonates, bien davantage que n'importe quel ouvrage de Bach, de Haendel ou même de Rameau, sont une succession d'événements dramatiques articulés : à ce titre, elles annoncent de très près le classicisme viennois.

Les rythmes sont tout aussi prodigieux et variés, et contribuent grandement à la grâce, à l'élégance ou à la vigueur d'un discours exempt de la moindre lourdeur. D'autant que Domenico se passionna pour la musique populaire, en particulier pour le folklore ibérique, au point qu'on le prendrait presque pour un compositeur espagnol. Il emprunta certaines tournures modales étranges au flamenco andalou, et son écriture évoque souvent la guitare :

*Page de titre
des* Pièces pour le clavecin
*composées
par Domenico* **Scarlatti.**

d'où ces grappes d'accords dissonants que de nombreux éditeurs et copistes crurent devoir corriger, alors qu'en réalité on a là des «fausses notes pour le plaisir» qui rapprochent Scarlatti de compositeurs pour piano du XXe siècle comme Albéniz ou Ravel : plus sans doute qu'aucun maître du clavier, il sut user de l'acciaccatura*. Mais on trouve aussi chez lui des dissonances expressives, des chromatismes annonçant Schumann ou Brahms. Dans sa musique, l'imitation du chant des charretiers, des muletiers et d'autres gens du peuple, les sonorités de chasse ou de bals populaires coexistent avec les plus profondes méditations.

Cette musique est aussi suprêmement virtuose, souvent d'une difficulté technique extrême : sauts, croisements de mains, batteries, gammes, arpèges, elle intègre tout ce qu'il y a de plus difficile pour les doigts. Relativement isolé en son temps, Domenico Scarlatti n'eut comme disciples directs que des compositeurs ibériques, avec à leur tête le padre Antonio Soler*. Son œuvre est comme un diamant unique : elle en a éclat et perfection.

SCARLATTI *(Giuseppe),* compositeur italien *(Naples v. 1718* ou *1723 - Vienne 1777).* Probablement neveu d'Alessandro et cousin de Domenico, il partagea sa carrière entre l'Italie (Rome, Florence, Lucques) et Vienne, rendit sans doute visite à Domenico en Espagne vers 1752 et composa au moins 32 opéras.

SCELSI *(Giacinto),* compositeur italien *(La Spezia 1905).* Il étudia avec Respighi et Casella, et obtint ses premiers succès à Paris, notamment avec la création par Pierre Monteux de *Rotative* pour orchestre (1931). Il voyagea ensuite au Proche-Orient et en Afrique, et étudia les techniques dodécaphoniques à Vienne avec Walter Klein (1935-36). En 1937, il organisa à Rome avec Petrassi une série de concerts de musique contemporaine, et, durant la guerre, résida en Suisse, où il collabora à la revue *la Suisse contemporaine* tout en écrivant de nombreux essais musicologiques. Il publia à Paris de la poésie en français (1949, 1954, 1962), à participa à Rome aux activités du groupe Nuova Consonanza. À partir de 1952, il s'est orienté comme compositeur vers des solutions radicales teintées parfois d'ésotérisme ou de mysticisme, et qui font que se reconnaissent en lui aussi bien un Ligeti ou un Feldman que des membres de la jeune génération actuelle. En témoignent notamment les *Quattro Pezzi su une nota sola* pour orchestre de vingt-six musiciens (1959), *Hurqualia* pour grand orchestre et instruments amplifiés (1960), *O-ho-i* pour seize cordes (1966), ou *Pranam* pour voix, douze instruments et bande magnétique (1972).

SCHAEFFER *(Pierre),* compositeur français *(Nancy 1910).* On le connaît d'abord comme le « père de la musique concrète », mais c'est aussi un excellent écrivain, un pionnier et un vétéran de la radio, le fondateur et le directeur de nombreux services, dont le Service de la recherche de l'O. R. T. F., qu'il anima de 1960 à 1975. Enfin c'est un penseur et un chercheur, dont la réflexion s'est appliquée à la communication audiovisuelle *(Machines à communiquer),* mais surtout à la musique : son œuvre théorique, dans ce domaine, est aussi importante que sa production réduite.

Sorti de l'École polytechnique en 1934, Pierre Schaeffer entre à la Radiodiffusion française, où il crée en 1944 un Studio d'essai voué à la formation et à l'expérimentation radiophonique. C'est dans ce studio qu'en 1948 sa curiosité l'amène à « inventer » la musique concrète par des tâtonnements successifs qu'il a racontés avec humour *(À la recherche d'une musique concrète).* Déjà il se préoccupe de

trouver des bases perceptives et une méthode à la fois empirique et rigoureuse pour faire progresser une musique dont l'incongruité le fascine et lui fait horreur tout à la fois. Son ambivalence profonde par rapport à cette musique nouvelle qu'il a inventée sera une des marques dominantes de sa création et de sa pensée.

Rejoint par le jeune Pierre Henry en 1949, il en fait son collaborateur et compose avec lui plusieurs œuvres, dont la fameuse *Symphonie pour un homme seul* (1949-50), qui s'impose comme le premier classique du genre. En 1951, il fonde au sein de la Radiodiffusion française le Groupe de musique concrète, qui devient en 1958 le Groupe de recherches musicales, nom qu'il a conservé depuis. Le G. R. M. est d'abord mobilisé sur une recherche collective autour des hypothèses de son fondateur : définition d'un « sol-

*Pierre **Schaeffer**.*

fège expérimental» de l'univers sonore, basé sur l'écoute, et remise en question de ces notions faussement évidentes que sont la musique, l'écoute, le timbre, le son, etc. Le monumental *Traité des objets musicaux,* publié en 1966 par Pierre Schaeffer, dresse le bilan considérable de cette recherche.

Après quoi, son auteur laisse la direction du G. R. M. à François Bayle, et se consacre principalement à l'animation du Service de la recherche, qu'il a fondé en 1960 et qui l'occupera jusqu'en 1975, date du démantèlement officiel de l'O. R. T. F., où il est relevé de son poste, et où ce Service de la recherche disparaît pour laisser la place à un Institut national de l'audiovisuel.

Après la publication de son *Traité,* il ne délaisse pas l'expérience musicale : comme «professeur associé», il assure, à partir de 1968, un Séminaire sur la musique expérimentale au Conservatoire de musique de Paris, dans le cadre d'un enseignement organisé par le G. R. M. Dans de nombreuses conférences, publications, etc., il prolonge les thèses de son *Traité.*

La production musicale de Pierre Schaeffer, exclusivement électroacoustique, est constituée d'un nombre réduit d'œuvres, réalisées sur des périodes courtes. Une première série est celle des «primitifs» de la musique concrète, les *Études de bruits* de 1948 *(Étude violette, aux chemins de fer, aux tourniquets, pathétique),* brèves pièces demeurées aussi fraîches et attachantes qu'au premier jour, la dernière étant de toutes la plus réussie. La *Flûte mexicaine* (1949) et *l'Oiseau RAI* (1950) sont de petites «pièces de genre» sans prétention, cependant que la curieuse *Suite 14* (1949) est une tentative désespérée pour réintégrer l'ancienne musique (avec notes et instruments) dans la nouvelle. Le manque de sérieux apparent, le surréalisme sans prétention et les titres cocasses de ces œuvres firent scandale auprès des musiciens sériels, qui ne badinaient pas à cette époque. Elles utilisent beaucoup le «sillon fermé», équivalent au disque de la «boucle» de magnétophone : c'est sur des disques souples, en effet, qu'ont été réalisées jusqu'en 1951 environ les premières musiques concrètes.

Une deuxième série est celle des œuvres composées en collaboration avec Pierre Henry. Outre le bref *Bidule en «ut»* (1950), elle comprend deux pièces plus longues et ambitieuses : la *Symphonie pour un homme seul* (1949-50) et l'opéra concret *Orphée 51* (1951, remanié plusieurs fois), dont Schaeffer écrivit le livret. Ces deux œuvres expressionnistes lui doivent leur ton très particulier, grinçant et nostalgique. Elles rappellent aussi que Schaeffer fut un grand «homme de radio». L'association provocante, dans *Orphée,* du chant classique et de la bande magnétique fit scandale à Donaueschingen comme un crime de lèse-avant-garde.

La troisième série, quelques années plus tard, prend le contrepied des deux premières et cherche à créer une musique concrète purement «musicale», sans effets surréalistes et anecdotiques, se fondant seulement sur les qualités intrinsèques des sons — celles-là mêmes que le «solfège expérimental» entrepris par l'auteur cherche à définir et à classer. Elle est constituée de trois *Études* (l'auteur affectionne cette formule, et cet terme) : l'*Étude aux allures* (1958), l'*Étude aux sons animés* (1958), toutes deux très réussies, et surtout l'*Étude aux objets* (1959), le chef-d'œuvre de son auteur. Cette pièce utilise un nombre limité d'«objets sonores», qu'elle assemble de cinq manières différentes en cinq mouvements très contrastés. Elle a la poésie d'une belle prose bien cadencée, mais aussi des caprices, des trouvailles, des coups de folie inattendus. Son influence est notable chez de nombreux compositeurs de musique concrète et, en général, électroacoustique.

En 1960, Pierre Schaeffer cesse de composer, estimant que la musique a plus besoin de «chercheurs» que d'«auteurs». Mais sa mise en disponibilité, en 1975, lui redonne du temps libre pour réaliser, avec l'assistance de Bernard Dürr, une série de pièces à base de sons électroniques (qu'il emploie pour la première fois), baptisée le *Trièdre fertile.*

Les quinze années passées sans composer ont été largement occupées par la musique, et d'abord par le *Traité des objets musicaux.* Le «T. O. M.», comme disent ses familiers, est un monument encore mal connu, et il bouscule trop d'idées toutes faites pour être facilement accepté. Il se présente comme un travail interdisciplinaire, et la musique y est envisagée comme un art-carrefour, où se rencontrent la linguistique, la psychoacoustique, la phénoménologie, etc. Énumérons pêle-mêle quelques-uns des jalons révolu-

*Pierre **Schaeffer** dans un studio de l'O. R. T. F. devant le phonogène inventé par lui-même vers 1952 et modifié ensuite avec la collaboration de l'ingénieur Coupigny.*

tionnaires que cet ouvrage pose pour une nouvelle musique : distinction des « quatre écoutes » (écouter, ouïr, entendre, comprendre) et analyse de ce « circuit de la communication musicale » en quatre secteurs ; définitions complémentaires de « l'objet sonore » et de « l'écoute réduite », deux notions clés introduites par Schaeffer ; dialectique perceptive de « l'objet » et de la « structure » ; critique des notions classiques de timbre et de paramètres qui prétendent décrire, pour les manier, les phénomènes sonores, et contre-proposition, en retour, de sept critères perceptifs principaux, perçus dans le triple « champ perceptif » naturel de l'oreille ; tout cela pour en arriver à un vaste programme de recherche musicale, dont le *Traité* se présente comme le préambule.

Le « T. O. M. » illustre notamment cette double thèse : *la musique est faite pour être entendue* (ce qui récuse toute conception a priori de la composition sur le papier, négligeant le fait perceptif) ; *la musique est double : culturelle,* certes, comme tout le monde l'admet, mais aussi *naturelle,* c'est-à-dire s'appuyant sur des propriétés perceptives naturelles de l'oreille (phénomène d'octave, par exemple) que respectent les musiques traditionnelles, et que les recherches contemporaines ne peuvent ignorer impunément.

On comprend mieux la relative impopularité du *Traité des objets musicaux.* Non qu'il se présente comme une nouvelle bible de la musique moderne, mais plutôt comme un questionnement, que bien peu ont encore osé aborder en face. C'est la

*Pierre **Schaeffer**
manipulant des bandes d'enregistrement.*

rigueur, la profondeur et la très grande honnêteté de ce questionnement qui font de Schaeffer un homme aussi important pour la musique par son travail de chercheur que par sa production réduite de compositeur : paru en 1966, le *Traité* s'est d'ailleurs révélé prophétique, bon nombre de ses thèses ayant été confirmées depuis par des expériences menées avec l'aide de l'ordinateur.

Passionnante figure que celle de Pierre Schaeffer, rare et même unique dans une avant-garde musicale qui cultive plutôt un optimisme progressiste sans nuances. Les scrupules, les questions, le scepticisme de cet « homme seul », dans un concert si unanime, apportent une dissonance nécessaire et vitale.

SCHÄFFER *(Boguslaw)*, compositeur et théoricien polonais *(Lvov 1929)*. Il fit ses études de violon, puis de composition, avec A. Malawski à Cracovie, obtint son diplôme de musicologie à l'université de Cracovie en 1953, et, depuis 1963, est titulaire de la chaire de composition à l'École supérieure de musique de cette ville. Il commença sa carrière comme théoricien de la musique nouvelle, publiant en 1958 un ouvrage intitulé *la Musique nouvelle. Problèmes de la technique de composition contemporaine,* et assumant les fonctions de rédacteur en chef de la revue *Ruch Muzyczny.* Auteur en 1953 de la première œuvre dodécaphonique polonaise *(Musique pour cordes : Nocturne),* il écrivit d'abord une série d'œuvres encore relativement « classiques » comme *Quattro Movimenti* pour piano et orchestre (1957), *Tertium datur* pour clavecin et instrument (1958) et *Monosonata* pour vingt-quatre instruments à cordes (1959), puis élargit ses préoccupations en direction des rapports de la musique à l'image, au graphisme, à l'espace, à la gestique.

À partir de 1963, il composa une série de pièces de théâtre musical où l'action scénique, ainsi que le jeu instrumental assument un rôle aussi fondamental que le résultat sonore lui-même : ainsi *Tis-Mw2* (1962-63), composé à l'intention de l'ensemble Mw2 de Cracovie pour un acteur, un mime et une ballerine accompagnés de deux pianos, une chanteuse, une flûte et un violoncelle, ou encore *Out of Tune* pour soprano et violoncelle (1972).

Il explora aussi le happening, avec notamment *Non-Stop* pour piano (1960), *Expressive Aspects* pour flûte et soprano (1963), *Creative Act* (1968), ou *Negative Music* pour n'importe quel instrument (1972). Ses « musiques d'action » comme *Quartet SG* pour ensemble de musiciens (1968) ou *Synectics* pour trois exécutants (1970) se situent entre le voir et l'entendre, et, d'une façon générale, sa démarche rejoint la signification donnée par John Cage à la notion d'expérimental.

Il s'est en outre intéressé à l'écriture musicale et aux partitions graphiques, par exemple dans *Free Form n° 1* (1972), à l'électroacoustique, comme dans *Synthistory : Electronic Music* (1973), et au jazz *(Blues n° 2* pour ensemble instrumental, 1973). Citons encore *Missa elettronica* pour chœur de garçons et bande (1975), *Heideggeriana* pour ensemble (1979),

Autogenic Composition pour soprano, flûte, violoncelle, piano et quatre acteurs (1980), *Cinq Introductions et Un épilogue* pour petit orchestre de chambre (1981), et l'ouvrage théorique *Introduction à la composition* (1976).

SCHAT *(Peter),* compositeur néerlandais *(Utrecht 1935).* Élève de Kees Van Baaren au conservatoire de sa ville natale, il étudia aussi avec Matyas Seiber à Londres et Pierre Boulez à Bâle. D'abord influencé par Stravinski et par les quatuors de Bartók, il se tourna ensuite vers Webern et Stockhausen, et devint un des principaux chefs de file de l'avant-garde de son pays. Son *Septuor* (1957), conçu selon la technique dodécaphonique, attira l'attention par ses qualités formelles et sonores. Suivirent notamment *Mozaiken* pour orchestre (1959), *Signalement* pour six percussions et trois contrebasses (1961), et

Peter Schat en 1964.

Donemus

l'opéra *Labyrinth* (1961-62), créé sous la direction de Bruno Maderna en 1966. En 1969, il joua le rôle essentiel dans la conception et la réalisation de l'opéra collectif *Reconstruction**.

Lié depuis 1967 au Studio de musique électroinstrumentale d'Amsterdam, ce qui devait se refléter dans un certain nombre d'œuvres dont *Thema* pour hautbois solo, dix-huit vents, quatre guitares électriques et orgue électrique (1970), et *To You* (1972), il fonda en 1973 le Cirque électrique d'Amsterdam, groupe pour lequel il composa *Het vijde seizoen*, pièce de théâtre musical (1973). Le circus-opéra *Houdini* (composé en 1974-1976, créé en 1977) donna naissance, entre autres, à la *Houdini symfonie* pour solistes, chœurs et orchestre (1976), et au ballet *I am Houdini* pour ténor, chœur et deux pianos (1976). Citons encore une *Symphonie nº 1* (1978, rév. 1979), et *Aap verslaat de Knekelgeest* pour cinq chanteurs et douze instrumentistes (Amsterdam, 1980).

SCHEIBE *(Johann Adolph),* compositeur et théoricien allemand *(Leipzig 1708-Copenhague 1776).* Ce fils d'organiste dont la candidature fut refusée à la Nikolaikirche de Leipzig en 1729, J.-S. Bach étant l'un des examinateurs, fonda une revue musicale hebdomadaire intitulée *Der kritische Musicus* (1738-1740), prit violemment à partie J.-S. Bach, et défendit avec ardeur le style allemand contre les influences étrangères et notamment italiennes. Nommé en 1739 maître de chapelle du margrave de Brandebourg-Kulmbach, beau-frère de Christian VI de Danemark, il rejoignit Copenhague en 1740. Dès lors, son œuvre se développe, dominé par ses cantates et surtout ses grands concerts de la Passion (*Gottselige Gedanken bei dem Kreuze unseres Erlösers,* 1742 ; *Tränen der Sünder bei dem Kreuze ihrer Erlösers,* 1746). En 1746, il est mis à la retraite, le nouveau roi Frederik V préférant l'opéra et les styles italien et français, et Scheibe ne réapparaît qu'en 1766 pour écrire une *Passions Cantata* pour les funérailles de Frederik.

Scheibe rejette le style musical italien, il utilise avec simplicité l'arioso, attribue un rôle important à l'orchestre, et il apparaît comme une personnalité représentative de la période de transition entre les époques baroque et classique. La plupart de ses œuvres musicales sont perdues.

Sa critique de Bach, qui lui fut violemment reprochée par la postérité, à partir du XIXᵉ siècle (Spitta) surtout, doit être replacée dans le contexte de l'époque. En fait, Scheibe fut un des principaux théoriciens de la musique dans l'Allemagne de son temps, et c'est comme « progressiste », comme annonciateur et propagateur, par ses idées, de la révolution mélodique et harmonique qui devait mener au classicisme viennois, que Scheibe trouva Bach, ce « grand homme », artificiel et confus. Pour lui, dont les écrits symbolisèrent la fin de l'âge baroque, le musicien le plus représentatif du temps était Telemann. Très significative de son état d'esprit est la phrase suivante, écrite par lui en 1745 : « La mélodie est plus importante que l'harmonie, car elle est plus noble, c'est d'elle que dépend l'invention et c'est chez elle qu'il faut chercher les fondements de l'accompagnement harmonique. »

SCHEIDT *(Samuel),* compositeur et organiste allemand *(Halle 1587* - id. *1654).* Issu d'une famille de musiciens, il fit ses études musicales auprès de Sweelinck, « le faiseur d'organistes », de 1605 à 1608 ou 1609. Sweelinck lui transmit son art de l'orgue, du contrepoint et l'héritage musical anglo-néerlandais. De retour à Halle en 1609, Scheidt y est organiste à l'église Saint-Maurice et à la cour de Brandebourg. Vers 1619, il devient maître de chapelle de Christian Wilhelm de Brandebourg et administrateur de l'archevêché de Magdebourg, mais continue à assurer ses fonctions à l'église de la cour à Halle.

Sa renommée va croissant, grâce à la publication de ses premières œuvres, mais les malheurs de la guerre de Trente Ans entraînent en 1625 la dissolution de la cour. En 1628, il est nommé director musices de la Marienkirche, toujours à Halle dont c'est la principale église. Mais en 1630, à la suite de différends, il perd ce poste qui avait été créé spécialement pour lui et vit alors des revenus que lui rapportent ses œuvres publiées, et cela jusqu'au rétablissement de la cour, en 1642, et des protections princières dont il jouira jusqu'à sa mort.

Son premier recueil d'œuvres, les *39 Cantiones Sacrae a 8 vocum,* paraît en 1620, suivi en 1621 et 1622 par les deux recueils de pièces diverses pour plusieurs voix avec accompagnement d'instruments publiées sous le titre de *Concertus sacri.*

Larousse

*Samuel **Scheidt**.*
Gravure extraite de Tabulara Nova.

Il édite ensuite quatre volumes de *Ludi musici* (ou *Ludorum musical*), dont seul le deuxième nous est parvenu, puis les trois volumes de sa *Tabulatura Nova* (1624), recueils de pièces d'orgue contenant des variations, fantaisies, cantilènes, passamezzos, canons, toccatas, échos, psaumes, hymnes, un *Magnificat* et des paraphrases du *Kyrie* et du *Credo.* Viennent ensuite les quatre volumes des *Geistliche Konzerte* (« Concerts spirituels », 105 œuvres vocales de deux à six voix avec basse continue et soutien facultatif d'instruments), respectivement en 1631, 1634, 1635 et 1640. En 1644, ce sont les *LXX Symphonien auff Concerten manir* (« 70 Préludes dans le mode concertant », dix pour chacune des sept tonalités), et enfin le *Görlitzer Tabulaturbuch* (« Livre de tablature de Görlitz », 100 harmonisations de chorals pour orgue ou instruments).

Sous le titre des « 3 S », on a rangé Scheidt auprès de ses contemporains, nés à une année d'intervalle, Schütz et Schein. Mais son originalité tient au fait qu'il a su, tout en restant fidèle au choral ou à la mélodie qui servent de base à ses commentaires ou à ses variations, opérer une synthèse entre l'art des musiciens d'Allemagne du Nord, la technique du contrepoint et de la variation des Néerlandais et des Anglais, que lui avait enseignée Sweelinck, et le jeu concertant, comme la recherche de l'expressivité musicale des mots, propres à l'Italie et qu'avait pu lui transmettre l'encyclopédique Michael Praetorius. Lié d'amitié avec Praetorius, lui-même maître de chapelle à Halle, il avait d'ailleurs fondé avec lui et avec Schütz la Concert Music de la cathédrale de Magdebourg, en 1618.

Grand fournisseur de musique spirituelle au moment où son pays, ravagé par la guerre de Trente Ans (1618-1648), connaît une exacerbation de sa pratique religieuse, il en fit évoluer le style depuis ses premières œuvres à plusieurs chœurs jusqu'à ses Concerts spirituels. Là, un style contrapuntique rigoureux et fidèle à la tradition s'enrichit de l'apport expressif du madrigal et des instruments concertants, mais toujours dans le but très précis de servir les textes spirituels — attitude qui rapproche davantage Scheidt de Schütz que de Schein et en fait l'un des plus importants précurseurs de la cantate de choral.

On retrouve ce même amour pour les anciennes règles léguées par la tradition dans son œuvre instrumentale. Il est un héritier direct de Sweelinck pour la manière de varier un thème en l'enrichissant progressivement et pour la rigueur de sa polyphonie instrumentale. Mais il innove en empruntant au ricercar italien la construction contrapuntique sur plusieurs thèmes, ou en phrasant de façon plus variée, à l'imitation de la technique expressive du violon.

De la sorte, Scheidt contribue à créer un style d'écriture spécifiquement instrumentale, bien différenciée de la technique vocale, et un art de synthèse qui va profondément influencer ses successeurs jusqu'à Jean-Sébastien Bach. Mais à la différence de ce que fera — génialement — ce dernier, Scheidt ne modifie jamais sa ligne mélodique d'un choral, qui reste toujours lisible sous sa forme primitive dans les lignes de la polyphonie.

SCHEIN *(Johann Hermann),* compositeur, maître de chapelle et poète allemand *(Grünhain 1586 - Leipzig 1630).* Il fit ses études à Dresde, à Pforta et à l'université de Leipzig. En 1609, un recueil de musique vocale et instrumentale qu'il fait paraître à Wittenberg sous le titre de *Venus Kräntzlein* révèle ses dons musicaux et décide de son orientation. Il sera successivement précepteur et directeur de la musique domestique au château de Weissenfels (1615-16), puis, de 1616 à sa mort en 1630, cantor de Saint-Thomas et director musices à Leipzig — les fonctions exactes qui seront celles de J.-S. Bach un siècle plus tard. Dans ses œuvres religieuses ou profanes, Schein se montre toujours résolument novateur, et, à ce titre, il influencera profondément ses contemporains et successeurs.

Johann Hermann **Schein.**

Le caractère dominant de son style est d'emprunter à la musique italienne de nombreux traits d'écriture — harmonies, disposition du concert de solistes. Il trouve dans le madrigal l'écho de ses propres préoccupations : la primauté donnée au verbe et à l'expression contenue dans les mots, ce qui le mènera à abandonner parfois le support musical liturgique (thème de choral) de certaines de ses œuvres. En cela, il poursuit le chemin ouvert par Praetorius* et se montre le principal représentant allemand du premier âge baroque.

Outre de nombreuses œuvres publiées dans des recueils collectifs, Schein a fait éditer douze volumes de ses propres compositions, dont *Israels Brünnlein (la Fontaine d'Israël),* madrigaux spirituels à 5 voix et basse continue (Leipzig, 1623).

SCHERCHEN-HSIAO *(Tona),* compositrice suisse *(Neuchâtel 1938).* Fille de Hermann Scherchen et de la compositrice Hsiao Shu-sien, elle a passé à partir de 1949 dix années en Chine, où elle a pu approfondir la culture classique de ce pays, puis étudié à partir de 1960 avec Henze, Messiaen (1963-1965) et Ligeti (1966-67). Très imprégnée de poésie chinoise, très consciente d'avoir une perception du temps différente de celle des Occidentaux, elle n'a cependant jamais fait usage de la musique chinoise, et ses œuvres sont exemptes de tout exotisme. Citons *Shen* pour six percussions ou percussions et orchestre (1968), *Tzi* pour chœur à seize voix a cappella (1969-70), *Tao* pour alto et orchestre (1971), *Vague-Tao* pour orchestre (1974-75), *l'Invitation au voyage* pour orchestre de chambre (1976-77), *Ziguidor* pour quintette à vent (1977), *Œil de chat* pour orchestre (1976-77), *Ló* pour trombone et douze cordes (1978-79).

SCHMELZER *(Johann-Heinrich),* compositeur autrichien *(? v. 1623 - Prague 1680).* Virtuose du violon, il fut musicien de chambre de la chapelle impériale à Vienne, puis devint vice-maître de chapelle en 1671 et Kapellmeister en 1679. Élève d'Antonio Bertali, il publia dans le style italien un recueil de *Sonates pour violon seul* (1663-64). Compositeur surtout instrumental, il a beaucoup aidé, avec Biber, à l'épanouissement d'une école de violonistes, propre à l'Autriche et à l'Allemagne du Sud, et caractérisée par une riche écriture contrapuntique et le recours à la *scordatura.*

Ses œuvres principales, éditées de son vivant, sont le *Sacroprofanus concentus musicus fidium aliorumque instrumentarum, treize sonates à plusieurs instruments* (1662), *Aria per il balletto a cavallo nella... festa Leopoldo I* (1667), *Duo-*

dena selectarum sonatarum applicata ad usum tam honesti fori quam devoti chori (1669), etc. Mais un grand nombre de partitions ont été conservées à l'état de manuscrit dans les bibliothèques de Vienne et d'Uppsala. On y relève de la musique d'église (vêpres, motets), une *Messe* (publiée par G. Adler en 1918 et marquée par les techniques vénitiennes) et, bien entendu, des pages instrumentales, comme des sonates en trio. Dans l'ensemble, Schmelzer a été peu marqué par le style de l'école lullyste, empruntant plutôt des éléments d'inspiration à l'Italie. Pour le fond comme pour la forme, il a joué un rôle important dans la diffusion de la suite instrumentale dans les provinces d'Allemagne du Sud et contribué à imposer une écriture violonistique privilégiant le chant et l'ornement mélodique. Enfin, à partir de 1672, il écrivit des musiques de ballet pour les opéras du répertoire viennois.

SCHMIDT *(Franz),* violoncelliste, pédagogue et compositeur austro-hongrois *(Poszonyi, ex-Presbourg, auj. Bratislava, 1874 - Perchtolsdorf, près de Vienne, 1939).* Il fut au conservatoire de Vienne l'élève de Ferdinand Hellmesberger pour le violoncelle et de Robert Fuchs pour la composition. Mais son admiration juvénile allait à Anton Bruckner, dont il put suivre quelques leçons à l'université. Il entre en 1896 à l'orchestre de l'Opéra. Nommé en 1901 professeur de violoncelle au conservatoire, il laissera peu d'œuvres pour son instrument, mais le traitera avec prédilection dans l'orchestre, lui confiant de longs solos, de même que dans la musique de chambre. Comme instrumentiste, il suit toute la carrière de Mahler à l'Opéra de Vienne, et c'est au cours de la tournée de la Philharmonie en 1900 à Paris qu'il recueille les sujets de ses deux futurs opéras : *Notre-Dame,* d'après Victor Hugo (terminé en 1904, créé seulement en 1913) ; et *Fredigundis,* écrit de 1916 à 1921 et créé à Berlin en décembre 1922. En 1911, Schmidt quitte la Philharmonie et en 1913 l'Opéra, pour ne conserver que son enseignement au conservatoire, où il est nommé directeur des études en 1925 ; il en deviendra bientôt le recteur (1927 à 1931). À ce titre, il donne en 1929 à Schönberg l'occasion d'y faire entendre ses œuvres et tient lui-même le piano. Souffrant d'angine de poitrine, il subit en outre des chocs moraux terribles avec la démence de sa première épouse et la mort en couches, en 1932, de sa fille unique, et mourut en laissant inachevée sa cantate *Deutsche Auferstehung* — concession au régime nazi qui ne lui a pas encore été pardonnée par la postérité. Franz Schmidt demeure le plus important symphoniste autrichien après Bruckner et Mahler. Il s'inscrit surtout dans la descendance du premier, associant en une synthèse très personnelle cette influence à celle de Brahms. Sa printanière *Symphonie nº 1* en *mi* majeur lui valut dès 1902 le prix Beethoven; mais c'est la *Symphonie nº 2* en *mi* bémol majeur, écrite de 1911 à 1913 et créée le 3 décembre 1913 par Franz Schalk, qui demeure son chef-d'œuvre spécifique et l'une des plus hautes manifestations de la grande tradition orchestrale après Mahler. Après l'intermède de la *Symphonie nº 3* en *la* majeur, hommage à Schubert, qui, en 1928, recueillit le prix autrichien du concours Columbia, la *Symphonie nº 4* en *ut* majeur, de 1933, est un douloureux thrène qui clôt la carrière du symphoniste par une innovation formelle remarquable, une structure unitaire où les divers mouvements, joués sans interruption, s'identifient aux épisodes successifs d'une unique forme sonate. Dans l'opéra également, les formes instrumentales sont mises en œuvre par Franz Schmidt avant de l'être par Busoni, dans *Doktor Faust*, et par Berg, dans *Wozzeck*. Sa musique concertante avec piano fut entièrement écrite pour la main gauche seule, sur commande de Paul von Wittgenstein : *Variations sur un thème de Beethoven* et *Concerto* en *mi* bémol, auxquels il faut adjoindre les trois beaux *Quintettes* (1926 ; 1932 ; 1938), dont les deux derniers comportent une partie de clarinette. L'orgue est redevable à Franz Schmidt d'un «corpus» considérable, culminant en 1925 sur la *Chaconne* en *ut* dièse et qui se situe dans la mouvance directe de Max Reger. Enfin, l'œuvre la plus célèbre de Franz Schmidt, et la seule vraiment connue à l'étranger, demeure l'oratorio *le Livre aux sept sceaux*, terminé en 1937 et créé à Vienne en 1938.

SCHMITT *(Florent)*, compositeur français *(Blamont, Meurthe-et-Moselle, 1870-Neuilly-sur-Seine 1958).* Il fait ses premières musicales à Nancy et entre, en 1889, au Conservatoire de Paris, où il a pour professeurs Théodore Dubois et Lavignac

Florent Schmitt.

(harmonie), Gédalge (fugue), Massenet et Fauré (composition). En 1892, il rencontre Debussy et se lie avec Satie. Quatre ans de suite (1896-1899), il concourt sans succès pour le prix de Rome. En 1900, la cantate *Sémiramis* lui ouvre enfin les portes de la villa Médicis. Pensionnaire indiscipliné, de 1901 à 1904, il séjourne à Rome le moins longtemps possible. Il visite l'Italie, l'Autriche, l'Allemagne, l'Espagne, la Grèce, la Turquie, la Suède, la Pologne, et trouve néanmoins le temps de composer.

Schmitt met en chantier son *Quintette,* pour piano et cordes, et achève en octobre 1904 son *Psaume XLVII.* Le 27 décembre 1906, la première audition du *Psaume XLVII* est saluée comme un événement. Léon-Paul Fargue écrit qu'«un cratère de musique s'ouvre» et l'humoriste Willy proclame Florent Schmitt «vainqueur du Derby des Psaumes». Autre événement : en 1907, la création de la *Tragédie de Salomé,* au Théâtre des Arts, par la danseuse Loïe Fuller. En 1908, le *Quintette,* pour piano et cordes, fait également une

*Florent **Schmitt** chez lui.*

*Florent **Schmitt** avec Heitor Villa-Lobos.*

l'abondance, voire la prodigalité, telles sont les composantes du style de ce musicien qui était un ennemi de la mièvrerie et de la préciosité, autant que du formalisme desséchant. Florent Schmitt avait une personnalité assez rude, que caractérisaient l'indépendance et la franchise. Debussy, Stravinski, Schönberg n'ont eu sur lui aucune influence, bien qu'il ait connu parfaitement leurs œuvres et les ait, à l'occasion, vigoureusement défendues. Il n'a jamais caché ses opinions, dussent-elles lui faire du tort. Humoriste à ses heures, s'amusant à donner à certaines de ses partitions des titres mystificateurs, il était foncièrement un romantique, et, si, par pudeur, il préférait parfois la boutade à la confidence, le ton de certaines de ses œuvres ne trompe pas : son *Petit Elfe Ferme-l'Œil* révèle le poète de l'enfance et son *Quatuor à cordes* est d'une grande intériorité.

très forte impression. Dès lors, la réputation du compositeur est solidement établie, mais aucune des œuvres qu'il écrira par la suite n'aura le même retentissement que celles de ses débuts. En 1924, le ballet *le Petit Elfe Ferme-l'Œil* est créé à l'Opéra-Comique. En 1932, Florent Schmitt se rend aux États-Unis et joue à Boston, sous la direction de Koussevitski, la *Symphonie concertante* pour piano et orchestre. En 1936, il est élu à l'Institut. En 1948, son *Quatuor à cordes* est créé au festival de Strasbourg. C'est à ce même festival que, le 15 juin 1958, Charles Münch crée la *Deuxième Symphonie* op. 137, ultime récompense d'une vie magnifiquement féconde.

La générosité de l'inspiration mélodique, la sensualité du langage harmonique, la richesse de l'invention rythmique (particulièrement dans la *Tragédie de Salomé*), la virtuosité de l'écriture orchestrale et instrumentale (son *Trio à cordes* en est un exemple significatif), la maîtrise des formes sous une apparente liberté,

SCHNEBEL *(Dieter)*, compositeur allemand *(Lahr, Bade du Sud, 1930)*. Il compte parmi les plus importants des compositeurs postsériels. Après ses études musicales — piano chez W. Resch (1945-1949) et théorie et histoire de la musique chez E. Doflein à la Musikhochschule à Fribourg-en-Brisgau (1949-1952) — et l'obtention d'un diplôme de pédagogie musicale en 1952, il se consacra à la théologie protestante, à la philosophie et à la musicologie à l'université de Tübingen, tout en continuant son travail dans le domaine de la musique. Il découvrit Scriabine, Bartók, Berg et Stravinski, étudia les techniques de la deuxième école de Vienne (réalisant en 1952 une analyse musicologique importante des *Variations* op. 27 pour piano de Webern), et fréquenta les cours d'été à Darmstadt, où il rencontra Křenek, Nono, Boulez, Henze, mais aussi Adorno, ce qui l'amena à reconsidérer son travail de compositeur. En 1953, il écrivit *Analysis,* pour cordes et percussions, pièce où l'organisation sérielle des hauteurs est étroitement liée à la composition des timbres. Tout en prenant des leçons de piano à Stuttgart, il étudia la théologie de K. Barth et découvrit Hegel, Marx, Freud et Bloch, dont les positions idéologiques devaient fortement influencer ses recherches ultérieures. En 1955, il termina ses études de théologie et de musicologie (ces dernières avec un travail théorique sur la dynamique chez Schönberg), et commença en 1957 sa carrière de vicaire dans plusieurs villages du palatinat de Pfalz, puis de pasteur à Kaiserslautern (1957-1963) et de pasteur et professeur de théologie, philosophie et psychologie à Francfort (1968-1970) et à Münich (1970-1976). Depuis 1976, il vit à Berlin et enseigne la musique expérimentale et la musicologie à la Hochschule der Künste. Avec ses étudiants, il réalise des pièces contemporaines et des projets de composition collective (de Cage, Wolff, Schnebel, etc.). Ses travaux musicologiques récents sont consacrés à la musique de Bruckner, Janáček, Debussy, Satie, Varèse, Verdi, Ives et à la musique américaine contemporaine.

Particulièrement intéressé, dans les années 50-60, par les recherches de Stockhausen, Schnebel étudia ses œuvres et publia ses textes théoriques. La découverte de la musique et des théories de J. Cage vers la fin des années 50 fut également pour lui d'une importance capitale, après l'extension des techniques vocales et la dissolution de la matière verbale dans des œuvres d'inspiration sérielle comme *dt 31.6* (1956-1958), pour 12 groupes

vocaux, *Das Urteil,* d'après Kafka (1959) et *Glossolalie* (1959-60/1960-61), pour récitants et instrumentistes, il se sentit attiré par l'extension de la matière proprement musicale, par la modification de la pratique du concert et par la transformation du rôle des musiciens et du public. Des pièces, comme *Abfälle I* (1960-1962), *Réactions,* pour un instrumentiste et public, *Visible music I,* pour un chef et un musicien, ou *Modelle (Ausarbeitungen)* [1961-1966], exercices dramatiques pour instrumentistes et chanteurs, cherchent à intégrer aux sons composés par l'auteur des matériaux sonores extérieurs (comme les bruits-sons produits par le public) ou les comportements gestuels-visuels des participants. L'utilisation du geste corporel comme matériau compositionnel transforme l'œuvre musicale en pièce de théâtre musical. À cette époque, Schnebel s'intéressa particulièrement à la recherche théâtrale de M. Kagel : d'où son livre *M. Kagel - Musik, Theater, Film* (Cologne, 1970). Poursuivant « l'expérience des limites », la musique de Schnebel explore toutes les possibilités matérielles du « faire » : les matières sonores, visuelles et gestuelles, la musique muette des corps, l'environnement sonore quotidien, les relations entre musiciens et public, la communication entre participants, l'insertion de l'expérience artistique dans la vie quotidienne, l'expérience individuelle de l'écoute-lecture.

Ainsi, dans la série de compositions dénommée globalement *Radiophonien* (1970-), qui comporte *Hörfunk* (1969-70) et *No* (1979-80), l'objet du travail compositionnel est l'écoute de la radio : les compositions utilisent des bruits-sons environnants, des fragments d'émissions parlées et des bruits-sons provenant des archives sonores de la radio, et mettent en relation des phénomènes acoustiques considérés habituellement comme incompatibles et étrangers à l'expérience artistique. L'intérêt pour la distribution spatiale des dispositifs sonores et visuels utilisés définit le propos théorique de la série de pièces intitulées globalement *Räume* (1963-1977) : *Ki-no* (1963-1967), musique de nuit pour projecteurs et auditeurs, *MO-NO* (1969), musique à lire, et *Gehörgänge* (1972), musique pour « des oreilles qui cherchent » *(forschende Ohren),* jouent avec les composantes sonore et visuelle de l'expérience artistique, mais aussi avec

Dieter **Schnebel.**

le paramètre « temps ». Conçues dans la lignée des musiques « silencieuses » de J. Cage, les réalisations de *MO-NO* et de *Gehörgänge* peuvent totalement supprimer le son et se dérouler dans des laps de temps variables.

Les *Produktionsprozesse* (« processus de production ») se détournent de la notion d'œuvre en tant qu'objet fini. La partition écrite ne se propose plus de fixer le résultat sonore définitif du jeu, mais de définir les instructions pour les actions qui produisent les sons-bruits et pour le déroulement global du processus (*cf.* dans *Maulwerke,* 1968-1974, pour organes d'articulation et appareils de reproduction ; ou *Körpersprache,* 1979-80, action musicale pour 3 à 9 exécutants). Les processus de production chez Schnebel sont souvent réalisables par des musiciens et par des non-musiciens. Ils visent non pas l'exécu-

tion « pour » un public passif, mais l'activité artistique « avec » les autres (le *Mitmachen,* le « faire avec » [les autres], selon l'optique du philosophe de l'utopie E. Bloch). *Schulmusik* (1973-), destinée à des élèves pas nécessairement musiciens, comporte apprentissage, exercices, expériences, transformations, improvisations. pièces, et cherche à éveiller la créativité des individus. Dans cet ordre d'idées, Schnebel forme en 1972 le groupe Neue Musik au lycée Oskar-von-Müller à Munich, et réalise avec lui de nombreux projets de composition collective tout en lui faisant éter un répertoire assez vaste de musique contemporaine.

La série récente de compositions intitulée *Bearbeitungen* (1972-1980) relie le travail de Schnebel à la grande tradition classique et romantique : *Webern-Variationen,* pour ensemble instrumental variable (1972), *Bach-Contrapuncti,* pour voix (1972-1976), *Schubert-Phantasie,* pour grand orchestre (1977-78) et *Wagner-Idyll,* pour ensemble de chambre (1980) se proposent de mettre en valeur certaines particularités des œuvres connues, en développant plus particulièrement le paramètre de la distribution spatiale de la matière sonore. En 1988 est créée à Berlin la *Messe de Dahlem.* Schnebel est enfin l'auteur de *Denkbare Musik* (« Musique imaginable », « musique » à penser » ou « penser la musique », DuMont Schauberg, Köln, 1972), ouvrage regroupant ses travaux théoriques, de 1952 à 1972.

SCHNITTKE *(Alfred),* compositeur soviétique *(Ingels, région de Saratov, 1934).* Il est l'élève, en composition, de E. Goloubev au conservatoire de Moscou (1953-1958). Il enseigne, depuis 1960, la composition instrumentale et la lecture de partitions à ce conservatoire. En tant que compositeur, il est passé en moins de dix ans de l'admiration pour Prokofiev (*1er Concerto pour violon,* 1957) à une musique spirituellement engagée s'en tenant au strict cadre de la musique de chambre. Ainsi, son *Quatuor à cordes* (1966), sa *2e Sonate pour violon* (1968) semblent avoir assimilé l'héritage simultané de Berg, Bartók, de l'école polonaise contemporaine sans pourtant avoir perdu leur personnalité.

Citons encore ses *Hymnes* (*I, II, III,* 1974-75), son *Quintette avec piano* (1976), le *Concerto grosso* pour 2 violons, clavecin et cordes (1977). Dans une production déjà importante, on peut distinguer trois groupes de partitions : celles héritées de Prokofiev *(1er Concerto pour violon, 1re Sonate pour violon),* celles rationnellement organisées sur une base sérielle *(2e Concerto pour violon,* 1966 ; *Dialogues* pour violoncelle, 1965), celles influencées par Lutoslawski *(Sérénade,* 1968 ; *2e Sonate pour violon,* 1968 ; *Symphonie,* 1972 ; *Concerto grosso,* 1977 ; *Prélude à la mémoire de Chostakovitch,* 1975 ; *Quintette avec piano,* 1976 ; suivirent notamment la 2e symphonie *Saint Florian* (1979) ; le *2e quatuor à cordes* (Évian, 1981) ; le *quatuor à cordes n° 3* (1983), *Concerto Grosso n° 4/Symphonie n° 5* (1988), des *Concertos* pour alto (1985), pour violon n° 4 (1985), pour violoncelle (1990).

SCHOBERT *(Johann),* compositeur allemand *(Silésie ? v. 1735 - Paris 1767).* On ne sait rien de précis sur sa vie avant son arrivée à Paris en 1760 ou en 1761. Il entra au service du prince de Conti comme maître de musique et claveciniste de chambre : les salons s'ouvrirent ainsi devant lui, et Il publia lui-même sa propre musique. Exception faite de l'opéra-comique *le Garde-Chasse et le Braconnier* (1765), il n'écrivit que de la musique instrumentale avec clavier, réunie en 20 numéros d'opus. Beaucoup de ces pièces ont un accompagnement (violon, violon et violoncelle, violon et cors), mais celui-ci est souvent *ad libitum,* ce qui fait que les mêmes pièces peuvent être jouées soit comme de la musique de chambre, soit comme des sonates pour clavier. Mozart, enfant, fit la connaissance de Schobert lors de ses deux premiers séjours à Paris (1763-64 et 1766), et Georges de Saint-Foix n'hésita pas à qualifier celui-ci de « premier poète » que Mozart ait rencontré sur son chemin ».

De fait, Schobert fut à tous points de vue un pionnier et un audacieux solitaire, une des personnalités les plus singulières de l'époque de l'Empfindsamkeit. Il ne prescrivit pas, pour ses œuvres, le pianoforte moderne, mais (sans qu'aujourd'hui il faille le prendre à la lettre) le clavecin. Ses contemporains n'en estimèrent pas moins qu'il avait « transplanté la symphonie au clavier ». Il excella à évoquer des atmosphères poétiques rares, tantôt âpres et sombres, tantôt viriles et décidées, mais, le plus souvent, rêveuses et nostalgiques. Cornélie, la sœur de Goethe, annonçant

au poète la mort de Schobert, parla des « sentiments douloureux » qui perçaient son âme quand elle jouait ses sonates. L'andante du concerto pour clavier K.39 de Mozart n'est autre qu'une adaptation d'un mouvement de Schobert, et, en 1778, lors de son ultime séjour à Paris, le futur auteur de *Don Giovanni* faisait étudier à ses élèves la musique de celui qui l'avait tant impressionné une quinzaine d'années auparavant, tout en le citant dans l'andante de sa sonate en *la* mineur K.310. Avec les trios de jeunesse de Haydn, ceux avec clavier de Schobert comptent parmi les premiers du genre.

SCHOECK *(Othmar),* compositeur suisse *(Brunnen, canton de Schwyz, 1886 - Zurich 1957).* Fils d'un peintre et d'abord attiré par la peinture, il se destina à la musique après des études aux conservatoires de Zurich et de Munich (1907-1908, avec Max Reger). Il fut notamment chef du Chœur des professeurs à Zurich (1911-1917) et, tout en vivant dans cette dernière ville, chef d'orchestre à Saint-Gall (1917-1944). Plus de 400 lieder sur des textes allemands (Eichendorff, Lenau, Mörike, Goethe), ordonnés en de vastes cycles, forment l'essentiel d'une production directement influencée par le romantisme germanique et s'inscrivant plus ou moins dans la succession de celle de Hugo Wolf. Son second domaine d'élection fut la scène, avec, notamment, *Erwin und Elmire* d'après Goethe (musique de scène et chants, 1911-1916), *Don Ranudo de Colibrados,* opéra-comique d'après Holberg (1917-18), *Venus,* opéra d'après Mérimée (1919-20), *Penthesilea,* opéra d'après Kleist (1924-25), *Massimila Doni,* opéra d'après Balzac (1934), et *Das Schloss Dürande,* opéra d'après Eichendorff (1938-39).

SCHÖNBERG *(Arnold),* compositeur autrichien *(Vienne 1874 - Los Angeles 1951).* « Je suis un conservateur qu'on a forcé à devenir révolutionnaire » : ainsi se définit lui-même un des plus grands artistes du xxe siècle, un des rares à avoir eu un sens aigu de l'histoire. Il se considéra toujours comme l'héritier authentique de la tradition classique et romantique allemande, et, à ce titre, comme une force historique inévitable. Lorsque, durant la Première Guerre mondiale, il fut enrôlé dans l'armée autrichienne, un de ses supérieurs lui demanda s'il était bien le compositeur Arnold Schönberg, dont la musique

*Arnold **Schönberg**.*

était si dissonante, si moderne, etc., sa réponse fut typique : « Personne n'ayant voulu l'être, je me suis porté volontaire. » La mission historique qu'il assuma consciemment consista, après constat de l'épuisement du système tonal, à mettre fin à celui-ci, puis à bâtir à sa place un nouveau système. D'où sa « révolution » en deux étapes : ce que faute de mieux on appela l'atonalisme « libre » (à partir de 1908), puis le dodécaphonisme sériel (officiellement à partir de 1923). À noter, cependant, que, comme toutes les vraies révolutions, la sienne eut un aspect de « consolidation du passé ».

Né dans une famille de la petite bourgeoisie israélite, Schönberg commença à composer et à jouer du violon dès l'âge de huit ans. Il se tourna ensuite vers le violoncelle pour pouvoir faire de la musique de chambre, et, pour l'essentiel, se forma en autodidacte. Son seul maître fut son futur beau-frère, le compositeur Alexandre von Zemlinski. En début de carrière, il se pas-

sionna à la fois pour Wagner et pour Brahms, ce qui semblait alors contradictoire. Le fait est que, s'il partit de l'hyperchromatisme wagnérien, le sens brahmsien de la forme devait régner jusque dans ses œuvres de vieillesse.

Dans sa jeunesse, Schönberg composa de très nombreuses œuvres inédites. De 1897 date un quatuor à cordes en *ré* majeur dans l'esprit de Dvořák. En 1898-1900 furent écrits plusieurs lieder, dont 12 devaient paraître sous les numéros d'opus 1 à 3. En 1898, l'un d'eux provoqua un scandale. « Et depuis, le scandale n'a jamais cessé » (Schönberg beaucoup plus tard). En septembre 1899, Schönberg composa en trois semaines une œuvre qui, malgré le scandale de sa première audition à Vienne en 1902, devait rapidement devenir une de ses plus jouées : le sextuor à cordes *Verklärte Nacht (la Nuit transfigurée)*, d'après un poème de Richard Dehmel. Il devait lui-même en réaliser deux transcriptions pour orchestre à cordes (1917 et 1943). Il s'agit de la première de ses grandes partitions encore tonales et de style postromantique. « Quand on me demande pourquoi je ne compose plus comme au temps de *Verklärte Nacht*, je réponds en général que c'est justement ce que je fais, mais que je n'y peux rien si les gens ne s'en aperçoivent pas » (Schönberg en 1927). *Verklärte Nacht* découle fortement de Wagner, mais ses tournures mélodiques sont très personnelles, avec leurs vastes sauts d'intervalles et leur quasi-absence de référence à l'accord parfait. Et il reste que « les innovations décisives de Schönberg n'auraient pas été possibles si dans *Verklärte Nacht* il ne s'était détourné de la pompe des poèmes symphoniques du temps pour prendre modèle sur l'écriture obligée des quatuors de Brahms » (Adorno).

Dans la période tonale et postromantique de Schönberg s'inscrivent encore le poème symphonique *Pelléas et Mélisande* op. 5 (1903) et les *Gurrelieder* (1900-1911) ; et beaucoup moins déjà le *Premier Quatuor à cordes* op. 7 (1905) et la *Première Symphonie de chambre* op. 9 (1906). Écrits pour solos, chœurs et orchestre, les *Gurrelieder* font appel à des effectifs énormes. Ils furent conçus en 1900, mais leur orchestration ne fut menée à bien qu'en 1911. Leur première audition à Vienne en 1913 valut à Schönberg un triomphe, mais ce triomphe fut, en quelque sorte, posthume :

La Nuit transfigurée. *Chorégraphie de Roland Petit, musique d'Arnold* **Schönberg**
(Opéra de Paris, 1976).

il s'adressa en effet à un compositeur qui, dans l'intervalle, avait radicalement évolué et rencontré dans sa ville natale des résistances confinant parfois à la haine, et mues parfois par des sentiments ouvertement antisémites.

De 1901 à 1903, Schönberg vécut à Berlin, où pour subsister il dut orchestrer des opérettes. À son retour à Vienne, il découvrit l'art de Gustav Mahler, qu'auparavant il avait peu apprécié, et commença sa longue carrière pédagogique, extraordinaire aventure qui devait marquer profondément la musique du XXᵉ siècle. Parmi ses premiers élèves, Anton Webern et Alban Berg, qui, chacun à sa manière, devaient le suivre dans ses audaces pour former avec lui la fameuse « trinité viennoise ». Avec l'opus 7 (officiellement en *ré* mineur) et l'opus 9 (officiellement en *mi* majeur), Schönberg parvint aux limites du monde tonal. Première manifestation chez lui de l'expressionnisme musical, la *Symphonie de chambre* op. 9 remplaça notamment les

harmonies de tierce par des superpositions impitoyables de quartes, et, par sa structure en un seul mouvement, renouvela de façon originale la forme sonate. Le pas décisif vers l'atonalité fut franchi en 1907-1908 avec le *Deuxième Quatuor à cordes* op. 10, dont les deux premiers mouvements sont encore tonaux, mais dont les deux derniers (qui font intervenir la voix), s'ils le restent par leur vocabulaire (accords classés), ne le sont plus par leur syntaxe (ces accords ne s'enchaînent pas selon les lois de la tonalité). Schönberg déclara à leur propos : « Les troisième et quatrième mouvements définissent clairement une tonalité à tous les points d'articulation de la forme. Mais les dissonances sont si nombreuses qu'elles ne sauraient être équilibrées par la simple apparition, de temps à autre, d'accords parfaits correspondant à telle ou telle tonalité. Il m'a semblé absurde de faire entrer de force un mouvement dans le lit de Procuste d'une tonalité en l'absence des progressions harmoniques s'y rapportant. Tel fut mon problème, et mes contemporains auraient dû s'en préoccuper également. »

Ces premières pages atonales de Schönberg furent composées exactement au moment où en peinture apparut le cubisme, et une comparaison s'impose entre l'opus 10 et *les Demoiselles d'Avignon* de Picasso (ils sont de la même année) : aux deux premiers mouvements (encore tonaux) de l'opus 10 correspond la partie gauche (traditionnelle) du tableau, aux deux derniers mouvements (atonaux) de l'opus 10 la partie droite (cubiste) du tableau.

Suivit pour Schönberg une période de création intense, avec les chefs-d'œuvre de style « atonal libre » que d'aucuns, en particulier Pierre Boulez, considèrent comme ses plus hautes réussites. On parle souvent, pour caractériser cette période, d'émancipation de la dissonance. Il faut entendre par là que, d'une part, n'importe quel accord pouvait dorénavant succéder à n'importe quel autre, et que, d'autre part et surtout, une dissonance n'était plus obligée de se résoudre à plus ou moins longue échéance en une consonance (accord parfait). Ce refus de la résolution fut la source principale de l'aptitude du style de Schönberg, vers 1908 et les années suivantes, à représenter l'angoisse, le macabre. De 1908-1909 date *le Livre des jardins suspendus* op. 15, cycle de 15 mélodies sur des poèmes de Stefan George. En 1909 se succédèrent les *Cinq Pièces pour orchestre* op. 16, les *Trois Pièces pour piano* op. 11 et le monodrame *Erwartung* op. 17, dont la première représentation ne devait intervenir qu'en 1924. Dans l'opus 16, l'orchestre est traité comme un grand ensemble de solistes. Cet intérêt pour le timbre en soi est net dans la troisième des cinq pièces, faite presque exclusivement d'un seul accord de cinq notes transférées d'un registre à l'autre et d'un instrument à l'autre. Schönberg ne fit là que mettre en pratique un principe qu'il avait déjà défini dans ses travaux théoriques, celui de la *Klangfarbenmelodie* (mélodie de timbres).

Erwartung, d'une durée d'une demi-heure environ, met en scène un seul personnage, un femme cherchant son amant dans une forêt et ne trouvant finalement qu'un cadavre. Il s'agit en fait d'un cauchemar : *Erwartung,* qui pousse jusqu'à ses plus extrêmes limites le principe de non-répétition d'une idée musicale et qui confine à l'athématisme, est le premier ouvrage de l'histoire de la musique à contenu essentiellement psychanalytique. Par ses lignes mélodiques et par son phrasé, Schönberg parvint à y recréer la dialectique tension-détente, qui, dans la musique tonale, avait découlé des rapports dissonance-consonance. Dans *Erwartung,* le retour périodique d'un accord de six sons produit des zones de stabilité relative. La dernière page est significative : en quelques secondes, Schönberg y sature l'espace chromatique tempéré, fait entendre à plusieurs registres, dans leur succession et leur superposition, les douze sons de l'échelle chromatique tempérée. Dans *Erwartung* réellement, dans les autres ouvrages de l'époque virtuellement, la consonance absolue n'est plus l'accord parfait, mais le total chromatique, la plénitude chromatique.

En 1910, Schönberg se consacra presque constamment à la peinture et fit montre dans ses toiles d'un expressionnisme aussi violent que dans sa musique de 1909. Il participa activement, avec Kandinski, Klee et Franz Marc, au mouvement pictural, dont l'organe fut la revue *Der blaue Reiter (le Cavalier bleu).*

En 1911, l'année de la mort de Mahler, il composa *Herzgewächse,* sur un texte de Maeterlinck, acheva son *Traité d'harmonie* et s'installa de nouveau à Berlin, pour y rester jusqu'en 1914. C'est là que, en 1912, il composa et fit entendre *Pierrot* lunaire op. 21, l'œuvre qui le rendit célèbre « par-delà le bien et le mal ». Ces « trois fois sept poèmes... pour voix parlée, piano, flûte (ou piccolo), clarinette (ou clarinette basse), violon (ou alto) et violoncelle », chacun étant d'une durée moyenne d'une minute et demie, résultèrent d'une commande de l'actrice viennoise Albertine Zehme, spécialisée dans le mélodrame. La voix y est traitée selon le principe du Sprechgesang. Par leur courte durée, les 21 pièces qui composent *Pierrot lunaire* relèvent de la « petite forme », déjà utilisée par Schönberg en 1910 dans ses *Trois Pièces pour orchestre de chambre* (posthumes) et, en 1911, dans ses *Six Petites Pièces pour piano* op. 19 (la dernière des six pièces, aux limites du silence, est une « vision » de l'enterrement de Mahler), et dont Webern devait se faire une spécialité (avec d'autres principes formels d'ailleurs). Œuvre clé du xxᵉ siècle, *Pierrot lunaire* est typique de la

*Arnold **Schönberg** (debout) avec Alban Berg (au milieu). Dessin de Dolbin.*

période expressionniste d'Arnold Schönberg de par son mélange d'ironie et de sadomasochisme macabre et sanglant.

En 1913, Schönberg écrivit encore *Die glückliche Hand* op. 18 *(la Main heureuse),* drame avec musique, et, en 1913-1916, les *Quatre Lieder avec orchestre* op. 22. Les années suivantes ne le virent plus rien publier. Il les passa à travailler à son oratorio inachevé *l'Échelle de Jacob* (1917-1922), à s'occuper de la Société d'exécutions musicales privées, grâce à laquelle il tenta, de 1918 à 1921, de combler les lacunes des concerts officiels en matière de musique contemporaine, et à mettre au point le dodécaphonisme sériel, sa «méthode de composition avec douze sons n'ayant de rapports qu'entre eux». Avec cette méthode, point de départ officiel de la musique sérielle, il voulut non seulement remplacer l'ordre tonal par un ordre nouveau mettant fin à l'anarchie de l'atonalité «libre» des années 1908-1913, mais aussi, et surtout, retrouver le fil de la grande tradition classique et romantique allemande. En témoignent aussi bien son retour, dans les années 20, à des formes traditionnelles, que sa déclaration à son disciple Josepf Rufer : «J'ai fait une découverte qui assurera la prédominance de la musique allemande pour les cent années à venir» (1921). Les premières manifestations du dodécaphonisme sériel furent la valse terminant les *Cinq Pièces pour piano* op. 23 (1920-1923), le *Sonnet de Pétrarque* de la *Sérénade* op. 24 (1920-1923) et, surtout, la *Suite pour piano* op. 25 (1921-1923). Schönberg poussa ensuite sa méthode vers une virtuosité et une complexité extrêmes dans le *Quintette à vents* op. 26 (1923-24), dans le *Troisième Quatuor à cordes* op. 30 (1927) et dans les *Variations pour orchestre* op. 31 (1926-

1928). Il en fit ensuite usage au théâtre avec l'opéra bouffe *Von heute auf morgen (D'aujourd'hui à demain)* op. 32 (1928-29), de nouveau au piano avec les *Pièces* op. 33a (1928) et op. 33b (1931), et avec la *Musique d'accompagnement pour une scène de film* op. 34 (1929-30), où il montra qu'elle n'était pas incompatible avec l'expressionnisme de sa période d'avant-guerre.

Titulaire depuis 1925, comme successeur de Busoni, d'une classe de composition à l'Académie des arts de Berlin, Schönberg en fut chassé à l'arrivée de Hitler au pouvoir, alors qu'il venait de terminer les deux premiers actes d'une œuvre maîtresse destinée à demeurer inachevée, l'opéra *Moïse* et Aaron*. Il se rendit d'abord à Paris, où, le 30 juillet 1933 — lui qui, à l'âge de dix-huit ans, s'était converti au protestantisme —, il réintégra solennellement la religion israélite : cette démarche fut d'ailleurs l'aboutissement d'une évolution intérieure qui avait débuté peu après 1920 et qui s'était manifestée notamment par la rédaction d'un drame toujours inédit, *Der biblische Weg* (*la Voie biblique,* 1927). En octobre 1933, il émigra aux États-Unis, qu'il ne devait plus quitter.

Il enseigna d'abord à Boston et à New York, puis, de 1936 à 1944, à l'université de Californie. Le *Concerto pour violon et orchestre* op. 36 (1934-1936) et le *Quatrième Quatuor à cordes* op. 37 (1936) sont deux grandes œuvres sérielles. Plus tard, Schönberg réintroduisit dans sa musique certaines références ou fonctions tonales, comme dans *Kol Nidre* op. 39 (1938) ou dans l'*Ode* à Napoléon* op. 41, d'après Byron (1942). Après sa mise à la retraite par l'université de Californie, il dut, pour vivre, reprendre des élèves particuliers, et, en 1945, il se vit refuser par la fondation Guggenheim une bourse qui, espérait-il, aurait pu lui permettre de terminer *l'Échelle de Jacob, Moïse et Aaron* et plusieurs ouvrages théoriques.

Le 2 août 1946, à la suite d'une violente crise d'asthme, le cœur de Schönberg s'arrêta de battre. Une injection le sauva, et le splendide *Trio à cordes* op. 45, écrit du 20 août au 23 septembre, fut (entre autres) la traduction musicale de cette mort momentanée. L'année suivante, le récit d'un rescapé du ghetto fut à l'origine d'*Un survivant de Varsovie* op. 46. En 1949 fut menée à bien la *Fantaisie pour violon avec accompagnement de piano* op. 47. Les ultimes créations de Schönberg furent vocales et d'inspiration religieuse. En 1950, il entreprit la rédaction des *Psaumes modernes*, et, pour bien montrer la continuité qu'il y voyait par rapport aux Psaumes de David, il donna au premier d'entre eux le n° 151. Il commença à le mettre en musique, mais la mort laissa cette dernière œuvre (opus 50C) inachevée.

Peu de créateurs sont aussi stimulants pour l'esprit que Schönberg. Sa musique en témoigne, mais aussi ses innombrables écrits. C'est qu'il ne négligea ni l'argumentation solide, ni l'acuité psychologique, ni l'humour plus ou moins sarcastique. Toute sa vie, il aima cultiver le paradoxe. Ainsi, une de ses professions de foi fut : « Je crois aux droits de la plus petite minorité. » Or, elle venait d'un homme si conscient de sa valeur et de sa position en flèche en tant qu'artiste que, à quelqu'un venu lui dire lors d'un festival international que son temps de répétition avec les interprètes était terminé et que d'autres compositeurs attendaient leur tour, il répondit avec sourciller : « Tiens, il y a d'autres compositeurs ici ? » Ainsi encore, en 1948, dans une lettre à un ami, après avoir violemment exprimé sa désillusion, pour ne pas dire plus, envers la politique, il écrivit : « Nous qui vivons dans la musique n'avons dans la politique aucune place, et devons la considérer comme un domaine tout à fait étranger. Nous sommes apolitiques, et tout au plus pouvons-nous essayer de rester bien tranquilles à l'arrière-plan. » Or, vers 1932-33, dans le contexte de la prise de pouvoir imminente par Hitler, il avait déclaré sans ambages à Adorno : « Aujourd'hui, il y a des choses plus importantes que l'art. » Et, dès 1923, pour des raisons personnelles mais grâce aussi à son extraordinaire intuition, il avait dans une lettre véhémente à Kandinski parlé de Hitler en termes prophétiques.

Schönberg était un adversaire résolu de tout art « engagé », ou plutôt orienté, ce qui dans les années 20 entraîna de très sérieuses divergences et controverses entre lui et son ancien élève Hanns Eisler*. Celui-ci jugeait profondément réactionnaire la vision sacrale que conservait Schönberg de l'art et de l'artiste, et, plus tard, sans pour autant s'empêcher de reconnaître son génie, de lui rendre hommage et de s'en réclamer, il devait le traiter de « petit-bourgeois de la pire espèce ». Schönberg de son côté, en 1947, visant Eisler, devait déclarer considérer avec scepticisme ces artistes «qui auraient certainement quelque chose de mieux à faire, mais qui s'empêtrent dans des plans de réforme universelle, alors que l'histoire montre comment tout cela finit... S'il veut paraître important, qu'il écrive de la musique importante». Or, Schönberg est l'auteur de l'*Ode à Napoléon* et de *Un survivant de Varsovie*, qui est à la musique ce que *Guernica* de Picasso est à la peinture. Il s'intéressa de près à la fondation de l'État d'Israël et, quoi qu'il en ait dit, il élabora lui-même plus d'un plan de réforme universelle, exerçant ses talents d'inventeur pas seulement en musique. On lui doit notamment (inventions qu'il ne fit jamais breveter) une machine à écrire la musique, un échiquier à cent cases avec comme figures supplémentaires un évêque et un amiral, un appareil à aimant pour opérer les yeux, les tickets de transport combinés et les couloirs d'autobus. «Une œuvre authentique d'un compositeur authentique provoquera les réactions les plus diverses sans l'avoir recherché.» Cette formule de Schönberg demande à être nuancée et précisée, mais contient sa part de vérité. Peut-être l'écrivit-il en réaction contre le fait, qu'il connaissait bien, que la musique, à la fois la plus abstraite (elle ne s'appuie sur aucun objet comme peuvent le faire la littérature, la peinture ou l'architecture, et ses formes ne trouvent guère de préfiguration dans la nature) et la plus concrète (son pouvoir de suggestion est extraordinaire et elle agit directement sur les nerfs et les sens) de tous les arts, se prête admirablement à des fins extramusicales. Elle convient mal aux professions de foi, surtout sans support textuel, mais elle est fort apte à en accentuer la portée.

De son vivant, Schönberg n'eut jamais une audience de masse, et sa réputation de compositeur difficile subsiste encore aujourd'hui, plus de trente ans après sa mort. Il le ressentait durement, lui qui déclarait souhaiter entendre les gens siffler sa musique comme celle de Tchaïkovski, mais il savait ce souhait irréalisable, lui qui écrivit un essai intitulé *Comment on devient solitaire*. S'il assuma cette situation, ce fut grâce à ce sens de l'histoire dont il a déjà été question, et qui le fit à la fois opérer consciemment et délibérément une rupture radicale, ou qu'il proclamait radicale, avec le passé et la tradi-

Arnold Schonberg.

tion, et se présenter non comme un des continuateurs, mais comme le continuateur nécessaire et inévitable, le seul continuateur authentique, de cette tradition. Telle est la raison pour laquelle il déclara toujours avoir «découvert» (en all. *gefunden*), et non «inventé» (en all. *erfunden*), le principe sériel. Les avatars du dodécaphonisme sériel, du sérialisme, illustrent parfaitement les ambiguïtés du révolutionnaire Schönberg, du contemporain de Lénine qu'était Schönberg. Le sérialisme schönbergien se proposa d'abolir, en se limitant d'ailleurs aux hauteurs, les hiérarchies entre les sons, mais d'autres hiérarchies devaient surgir sournoisement. En outre, le dodécaphonisme sériel apparaît avec le recul comme l'étape ultime de l'utilisation du total chromatique de la gamme de douze sons tempérés. Il se développa, en fait, à partir de certaines traditions les plus profondes de la musique occidentale et en particulier germanique, reconnaissant notamment la tyrannie de l'octave et la primauté des hauteurs (ou plutôt des intervalles) sur les autres paramètres musicaux, n'excluant pas en soi la poursuite d'une pensée fondée sur la notion de thème et sur les formes allant de pair avec cette notion. Le compositeur « pantonal » (il préférait cette dénomination à celle de compositeur « atonal ») Arnold Schönberg en fut sans doute conscient, pour lui le dodécaphonisme sériel fut largement un substitut des puissants moyens architecturaux auparavant fournis à la musique par la tonalité classico-romantique.

Il reste que la musique occidentale n'aurait pu faire l'économie du sérialisme de Schönberg et de ses successeurs. Comme avant lui le « classicisme viennois » de Haydn, Mozart et Beethoven, ce sérialisme déboucha en effet, en tant que lieu de convergence ayant concentré et dynamisé l'évolution globale, sur un éclatement de la musique en courants fort divers et sur la réintégration de tendances qui, en son temps, avaient pu sembler marginales. Cet éclatement, qui aujourd'hui à son tour pose problème, n'aurait pu se produire sans une puissante concentration préalable.

Il importe enfin de préciser que de la difficulté de la musique de Schönberg, atonalité et sérialisme sont loin de rendre compte à eux seuls. Ils n'en sont d'ailleurs pas, et de loin, la raison essentielle. La cause profonde de cette difficulté réside dans le rythme et dans l'exceptionnelle densité d'une pensée qui, comme celle de Haydn, concentre une multitude d'événements musicaux dans un espace sonore et temporel, qui chez d'autres auraient pris des dimensions bien plus vastes. C'est ainsi que, pour illustrer son essai intitulé *Pourquoi la musique de Schönberg est-elle si difficile à comprendre ?* (1924), Alban Berg choisit à dessein une œuvre encore tonale, le *Premier Quatuor à cordes* op. 7. Et on connaît la boutade de Schönberg : « Ma musique n'est pas moderne, elle est mal jouée. » Aujourd'hui, les questions de langage et de vocabulaire s'estompent devant la profonde unité spirituelle de son œuvre : c'est bien au service d'une affectivité exacerbée qu'il mit son incomparable virtuosité technique. La résistance acharnée qu'il rencontra, en particulier avec ses œuvres de 1908-1913, fut due moins à son

abandon de la tonalité qu'à l'univers de sentiments nouveaux qu'il mit au jour.

Si son message fut mal accepté, c'est qu'il ne fut que trop bien compris. Il était doté de très fortes qualités intellectuelles dont il n'avait pas honte de faire usage, mais son intuition n'était pas moins grande, et un de ses traits de caractère fut justement de s'attacher à justifier rationnellement ses découvertes. De ce dualisme, reflété notamment dans le titre d'un de ses plus célèbres articles (*Cœur et esprit en musique),* Zemlinski s'aperçut dès 1902 : « Il (Schönberg) en sait plus que moi, et ce qu'il ne sait pas, il le ressent. » Vénéré comme un dieu par ses disciples et amis, malgré sa personnalité souvent écrasante, intraitable dès qu'il s'agissait de son art, Schönberg a laissé dans l'histoire l'empreinte qui n'est réservée qu'aux plus grands.

SCHREKER *(Franz),* compositeur, dramaturge et pédagogue austro-hongrois *(Monaco 1878 - Berlin 1934).* Élève de Robert Fuchs au conservatoire de Vienne, il rencontra, grâce à ses œuvres de jeunesse (une ouverture, un psaume), des succès flatteurs. Surtout attiré par le théâtre, il présenta en 1902 un opéra en 1 acte, *Flammen,* en l'accompagnant lui-même au piano. Cet essai n'eut de suite que le jour où Schreker, mécontent de tous les livrets qu'on lui avait proposés, décida de ne se fier qu'à son propre talent et d'écrire, comme Wagner ou comme Busoni, ses poèmes lui-mêmes.

C'est ainsi que *Der ferne Klang* triompha à Francfort en 1912, point de départ d'une des plus fulgurantes carrières lyriques de l'histoire. Le compositeur, qui, jusque-là, avait vécu de petits emplois, fut aussitôt nommé professeur au conservatoire de Vienne, poste qu'il devait conserver jusqu'à son départ en 1920 pour Berlin. Là, il dirigea la Hochschule für Musik jusqu'à son éviction par les nazis en 1932. C'est lui notamment qui y fit nommer Schönberg à la succession de Busoni en 1924. À Vienne, comme chef du Chœur philharmonique qu'il avait fondé, il créa en 1913 les *Gurrelieder** de Schönberg. En 1913, son second grand ouvrage, *Das Spielwerk und die Prinzessin,* connut l'honneur rarissime d'être créé le même jour (15 mars) à Francfort et à Vienne ; mais le public de cette dernière ville, dérouté par les aspects symboliques du livret, se divisa en deux camps antagonistes; et la soirée se termina en quasi-émeute.

Le dramaturge n'en était pas moins engagé sur la voie de triomphes tels que peu de musiciens les connurent en notre siècle : son auditoire n'eut d'égal que celui de Wagner, et dépassa largement celui que son concurrent direct Richard Strauss connaissait à la même époque. Certains des drames suivants furent en effet simultanément à l'affiche dans dix pays différents. Les premiers furent *Die Gezeichneten* (« les Stigmatisés »), œuvre maîtresse, dont le livret avait d'abord été commandé à Schreker par Zemlinski à son propre usage (composée de 1912 à 1915, créée en 1918 à Francfort et en 1920 à Vienne) ; et *Der Schatzgräber* (« le Chercheur de trésor »), écrit entre 1915 et 1918, créé en 1920 à Francfort et représenté la même année à Zurich et en 1922 à Vienne. Mais *Irrelohe* (1924, Cologne) fut un demi-échec du fait des aspects trop novateurs de l'écriture musicale, partiellement sérielle ; et *Christophorus,* terminé en 1927, ne put être représenté à l'époque (sa création n'a eu lieu que pour le centenaire du compositeur, à Francfort). Le déclin fut aussi brutal que le succès avait été rapide et éclatant. La montée du nazisme autant que les dithyrambes abusives d'un Paul Bekker (qui concluait qu'auprès de Schreker Wagner devait être oublié) n'y furent pas étrangères. En 1928, *Der singende Teufel* ne se maintint pas à Berlin ; et en 1932 *Der Schmied von Gent* ne put être monté dans cette ville que grâce au courage du directeur de la Deutsche Opernhaus, P. Breisach. Sa démission forcée et la mise à l'index dès 1933 de toute son œuvre abattirent l'artiste qui, victime le 18 décembre 1933, d'une grave attaque, mourut trois mois plus tard.

Mais les exigences de la scène ont retardé dans le cas de Schreker une renaissance qui semble inéluctable, si l'on en juge par l'intérêt qu'ont suscité les reprises récentes, colloques et expositions qui ont eu lieu tant en Autriche qu'en Allemagne. Au concert, Schreker ne donna que peu de pages significatives ; mais on citera au moins la *Kammersymphonie,* pour 23 instruments, à rapprocher de la première *Symphonie de chambre* de Schönberg, et le *Vorspiel zu einem Drama,* qui n'est autre qu'un développement du prélude des *Stigmatisés.*

L'œuvre mélodique de Franz Schreker est plus abondante : après une série de lieder pianistiques de jeunesse, elle culmine sur une admirable page, deux grandes mélodies avec orchestre d'après Walt Whitman, réunies sous le titre *Vom ewigen Leben* (1926, orchestrées en 1929), et par lesquelles Schreker s'inscrit dans le droit fil du dernier Mahler.

SCHRÖTER, famille d'exécutants et compositeurs allemands.
— 1. **Corona Elisabeth Wilhelmine,** cantatrice et compositrice *(Guben 1751 - Ilmenau 1802).* Élève de Hiller, elle bénéficia de l'admiration et de l'appui de Goethe, qui la fit engager à Weimar. Elle se produisit également beaucoup à Leipzig. On connaît d'elle des mélodies et les airs du singspiel *Die Fischerin* (« la Pêcheuse »).
— 2. **Johann Samuel,** pianiste, organiste et compositeur, frère de la précédente *(Guben 1752 - Londres 1788).* Il travailla à Leipzig puis émigra en Angleterre, où il fut organiste de la chapelle allemande et maître de musique de la reine à la mort de J. C. Bach. Également pianiste, professeur et compositeur, on lui doit des concertos pour piano, des sonates pour clavecin et de la musique de chambre. Sa veuve Roboooa noua avec Haydn, lors des séjours à Londres de ce dernier, des relations très étroites.
— 3. **Johann Heinrich,** violoniste et compositeur, frère des précédents *(Varsovie 1762 - ?).* Il mona une vie itinérante et composa de la musique de chambre. On ignore à peu près tout de sa carrière.

SCHUBERT *(Franz Peter),* compositeur autrichien *(Vienne 1797 - id. 1828).* Il est le troisième et dernier des grands musiciens classiques viennois, après Joseph Haydn et Mozart. Il naquit dans une maison à l'enseigne de l'*Écrevisse rouge,* dans la Himmelpfortgrund — la « Porte du Ciel » —, aujourd'hui, Nussdorferstrasse 54, dans le 9e arrondissement, qui était à l'époque un faubourg. Le père de Schubert, Franz-Theodor *(1763-1830),* avait quitté sa ville natale de Neudorf en Moravie pour rejoindre son frère aîné vers 1780 pour devenir, comme lui, instituteur à Vienne. La mère, Élisabeth Vietz, était silésienne — c'est-à-dire polonaise. Franz Schubert représente donc le type du Viennois issu des provinces non allemandes de l'Empire ; et cette diversité de ses origines jouera un rôle non négligeable dans la richesse et la versatilité de son art. Né le 31 janvier 1797 et baptisé le lendemain à la paroisse de Lichtenthal, il est déjà le douzième enfant de l'instituteur ; trois seulement de ses aînés sont toujours en vie, le plus âgé, Ignaz *(1785-1844),* adjoint de leur père, l'aidera aussi dans la première éducation de l'enfant, notamment en musique. Ils découvrent vite les dons exceptionnels du jeune Franz et, ne pouvant plus rien lui enseigner en cette matière, le confient dès sa huitième année à l'organiste de la paroisse, Michaël Holzer, qui lui donne sa première pratique de l'improvisation et du développement. En 1808, deux postes devenus vacants lui permettent d'entrer au Stadtkonvikt, école formant des petits chanteurs et rattachée à l'université. Si Franz y brille par la facilité de sa voix et par ses progrès étonnants en musique, il est moins assidu dans les matières d'enseignement général, et surtout souffre de la dure vie d'internat, qui exacerbe le côté indépendant de son caractère. D'un autre côté, il retire un bénéfice essentiel de cette communauté : les liens qu'il noue avec de nombreux camarades qui deviendront les plus sûrs appuis de son âge adulte et les partenaires des futures « schubertiades ».

Du Konvikt à la liberté. Le plus âgé d'entre eux, Josef von Spaun, futur juriste, fut le témoin privilégié des premiers essais de composition de Franz, et lui fournit même le papier, dont il faisait déjà grand usage en cachette (car son père ne souhaitait pas qu'il devînt musicien). Les premiers ouvrages qui subsistent datent de la treizième année, mais ils furent sûrement précédés de bien d'autres que le jeune garçon distribua ou détruisit. On conserve, de l'époque du Konvikt, près d'une centaine d'œuvres qui vont de la *Fantaisie en « sol »* D.1 à la *Symphonie nº 1* D.82, en passant par 2 autres fantaisies pour 4 mains, 10 quatuors à cordes (joués dans la maison paternelle), des trios, 1 octuor à vents, plusieurs ouvertures, de nombreuses danses, un fragment d'opéra *(Der Spiegelritter),* des pièces sacrées, mais relativement peu de lieder (le premier fut *Hagars Klage,* D.5). Schubert découvre bientôt non seulement les poètes classiques, mais également les auteurs de sa propre génération, comme le jeune Theodor Körner, chantre de la guerre de libération contre Napoléon et qui mourra au combat en 1813. Quant à sa formation théorique de

*Franz **Schubert** en 1829,
par Robert Theer, miniaturiste et lithographe.*

compositeur, il l'a complétée auprès de Salieri. Ce maître assurera au jeune Franz une parfaite connaissance des fondements de son art, mais ne lui ouvrira pas encore les portes de la musique contemporaine la plus avancée. À seize ans, c'est-à-dire, à l'époque de son départ volontaire du Konvikt (nov. 1813), il jugeait Beethoven « excentrique » et « mêlant sans distinction le sacré et l'arlequinade » ! En revanche, il vénérait Mozart, et, grâce à Spaun, avait découvert le théâtre de Gluck.

Ayant renoncé à sa bourse d'études, il acquiert tant bien que mal, l'année suivante, un diplôme d'instituteur à l'école Sainte-Anne, et, à l'automne de 1813, entre comme adjoint de son père à sa propre école. Il a la douleur de ne plus y retrouver sa mère (morte en 1812) ; sa belle-mère, Anna Kleyenböck, donnera le jour à cinq autres enfants. S'étant épris d'une jeune choriste de la paroisse, Thérèse Grob, Franz écrit pour elle et dirige lui-même une vaste *Messe en « fa » majeur,* D.105 — où l'on note déjà, comme dans toutes les suivantes, l'omission délibérée du fameux verset « Et unam sanctam, catholicam et apostolicam Ecclesiam »... Cette *Messe,* grâce probablement à l'intervention de Salieri, est redonnée quelques semaines plus tard à l'aristocratique église des Augustins. À dix-sept ans, le jeune Schubert, qui vient de terminer son opéra *Des Teufels Lustschloss,* D.84 — une ambitieuse pièce en 3 actes —, et qui a subi un choc esthétique décisif avec la création de la version définitive de *Fidelio,* où il a reconnu la grandeur de Beethoven, entre donc de plain-pied dans la vie musicale de la capitale. Hors de nouveaux quatuors à cordes pour l'usage familial, il donne le 19 octobre 1814 ce qui, plus tard, sera considéré comme l'acte de naissance du lied allemand : *Gretchen am Spinnrade* (« Marguerite au rouet »), suivi, en 1815, parmi une profusion de compositions de tous genres, du chef-d'œuvre absolu qu'est *Erlkönig* (« le Roi des aulnes »). On sait le peu de cas que fera Goethe de ces pages trop novatrices. Mais le cercle des amis du Konvikt et même le vieil organiste de la cour, Ruzicka, accueillent la pièce avec enthousiasme et ils se cotisent pour la faire imprimer.

Schubert reste instituteur pendant quatre ans. La tentation de la liberté ne tardera pas à l'emporter sur l'obéissance filiale, et même sur l'amour de Thérèse Grob, qui rompt ses fiançailles en 1819. Dès 1816, le jeune compositeur a reçu 100 florins (plus de deux fois son salaire annuel !) pour une cantate : *Prométhée,* D.451, dont le sujet même était une véritable provocation et dont tout le matériel a disparu, mais qui fut alors exécutée en privé. Désormais il fournit régulièrement, et en abondance, des pièces de commande, si bien que, dès la fin de 1817, il envisage d'abandonner l'école, et, dans un premier temps, quitte le toit paternel pour s'installer chez son ami Schober. L'occasion de renoncer aussi à l'enseignement ne se fera pas attendre longtemps. Au printemps de 1818, il reçoit l'offre du prince Johann-Karl Esterházy de l'accompagner dans sa résidence d'été de Zseliz en Hongrie (aujourd'hui Zeliezovce, Slovaquie), comme maître de musique de ses filles Caroline et Marie. Il quitte Vienne au début de juillet et n'y rentrera qu'à la mi-novembre, mais ne rejoindra pas son poste

*La maison natale de **Schubert** à Vienne.*

Boudot-Lamotte

*Franz **Schubert** par Léon Noël, en 1834.*

d'instituteur, demandant d'abord un congé d'un an qui deviendra définitif. Schubert est ainsi le premier grand compositeur qui ait débuté en vivant uniquement de sa plume (et de quelques leçons) : Mozart ou Beethoven n'y avaient abouti que plus tardivement, et se produisaient aussi comme exécutants.

De la prolixité à l'inhibition. Sa situation sera, dans l'immédiat, et, même, d'une certaine façon pour le restant de ses jours,

des plus précaires. L'image nous est devenue familière du jeune artiste désargenté, obligé de changer plusieurs fois par an de domicile, trouvant refuge tantôt chez son frère Ferdinand, tantôt même chez son père (où il retournera à deux reprises vivre pendant plusieurs mois), mais le plus souvent chez ses anciens camarades, partageant parfois une petite chambre avec un ou deux d'entre eux, ayant rarement un piano à sa disposition, mais produisant régulièrement plusieurs lieder par jour, sans parler de toutes les piécettes pour piano, danses, ensembles vocaux de circonstance et autres besognes alimentaires. La réalité est beaucoup plus complexe. Lentement mais sûrement, le nom de Schubert fait son chemin à Vienne et, bientôt, à l'étranger. Dès 1816, il a été présenté à l'une des «vedettes» du temps, le chanteur Michaël Vogl, qui s'intéressera vite à sa production mélodique, y voyant sans doute l'occasion inespérée de trouver un «second souffle»! Quoi qu'il en soit, il la propagera sur toutes les scènes d'Autriche et fera de longues tournées avec le compositeur, qui, le plus souvent, l'accompagnera au piano. Cet instrument permet aussi à Schubert, quoique plus rarement, de se produire en soliste; et son jeu était au moins aussi apprécié de ses contemporains que ses compositions elles-mêmes. Il faut d'ailleurs signaler que l'année 1817 a été la plus féconde quant à la production pianistique, avec 7 *Sonates,* dont 3 reste-

ront fragmentaires. À la même époque survient à Vienne l'invasion de la mode italienne, avec le triomphe de l'opéra rossinien (dix ans plus tard, le phénomène se répétera avec Paganini). La plus grande partie de l'Italie était terre d'empire, et les artistes italiens étaient donc à Vienne dans leur propre capitale. Bref, Schubert n'échappe pas à cette influence, et c'est à elle qu'on doit le style très particulier de la *6e Symphonie,* D.589, comme des deux *Ouvertures* voisines, D.590 et 591, dont l'une sera, selon toute probabilité, la première œuvre d'orchestre de Schubert jouée en public, le 17 mai 1818. (Auparavant, ses symphonies n'avaient été exécutées que dans le cadre des soirées musicales du Konvikt; seule la *5e Symphonie,* D.485, à l'instrumentation volontairement simplifiée, avait été entendue en ville, mais en privé). L'hiver précédent, Franz a vu aussi imprimer pour la première fois une de ses œuvres : le lied *Am Erlafsee,* D.586, paru dans un almanach viennois en simple

L'atmosphère des schubertiades : une partie de ballon à Atzenbrugg.
On reconnaît Schubert, assis, au premier plan (Gesellschaft der Musikfreunde, Vienne).

Erich Lessing-Magnum

SCHUBERT

annexe à des poèmes du même auteur, Mayrhofer. Schubert en est déjà, chronologiquement, à sa *six centième* composition !

Et le choc en retour, inévitable devant une telle accumulation, va arriver brutalement. De toute l'année 1818, il ne produit que les quelques morceaux dont il doit illustrer ses leçons aux jeunes comtesses Esterházy : ils comprennent, il est vrai, les *Variations* (D.624) qu'il dédiera à Beethoven, ainsi qu'une remarquable *Sonate* à 4 mains, D.617. Mais, pendant plusieurs années, jusqu'en 1822, vont se succéder un nombre impressionnant de tentatives inabouties dans tous les genres : qu'il s'agisse de symphonies (dont 4 « inachevées » en 1818, 1820-21, 1821 et 1822), d'opéras ou de singspiels, de quatuors (le célèbre *Quartettsatz* D.703, de 1820, comporte un second mouvement fragmentaire), de sonates pour piano (2 fragments en 1818) ou même de lieder. Quant à la *Messe n° 5* en *la* bémol, D.678, la plus importante depuis la toute première, entreprise en 1819, elle ne sera péniblement achevée que trois ans plus tard. Et l'on n'oubliera pas le cas de l'unique oratorio entrepris par Schubert, *Lazare ou la Fête de la Résurrection,* D.689, dont il ne subsiste, de 1820, que la première partie et le début de la seconde (mais rien ne prouve que la suite n'a pas existé). Les causes de cette « inhibition » ne sont pas seulement dans le surmenage antérieur, dans l'existence bohème, ni même dans les premiers symptômes de la syphilis contractée (à Zseliz ou à Vienne ?) auprès d'amours passagères. Elles doivent aussi et surtout être recherchées dans la puissante exigence de progrès qui animait notre musicien, d'autant plus qu'il se tournait désormais vers un public nouveau, plus vaste mais plus anonyme, dont il attendait sa rétribution et auprès duquel il avait donc à établir puis à fortifier sa position. Or, le décalage lui apparut vite entre ses ambitions d'artiste novateur et ce que ce public pouvait accueillir favorablement ; et, dans un premier temps, ce fut pour lui un hiatus infranchissable. Il le résolut lentement, en dissociant de plus en plus souvent ces deux parts complémentaires de sa production : celle qu'il livrait à l'auditoire, pages à usage immédiat, parfois même de commande comme le *Quintette,* D.667, *la Truite,* ou même le remarquable *Octuor* en *fa,* D.803 (1824), qui, pour calquer sa forme sur le *Septuor* de Beethoven, n'en est pas moins une œuvre profondément originale, et celle qui répond bien davantage à des recherches formelles avancées ou à une nécessité intérieure d'expression telles qu'on les trouve dans les derniers *Quatuors* — surtout dans ceux en *ré* mineur, *la Jeune Fille et la Mort,* D.810 (1824), et en *sol* majeur, D.887 (1826) —, dans les dernières symphonies, dans les grandes sonates pour piano et dans les vastes cycles mélodiques, surtout dans le *Winterreise,* D.911 (1827).

La quête de la réussite : l'œuvre scénique. En même temps que la maladie fait ses premiers ravages — en 1823 Schubert est longuement hospitalisé et suit un traitement douloureux qui s'accompagne de la chute de ses cheveux mais ne soulage guère ses maux de tête de plus en plus violents —, arrivent, ô ironie, les premiers honneurs, signe certain de la reconnaissance publique. Les sœurs Fröhlich, artistes et mécènes, l'introduisent à la Gesellschaft der Musikfreunde (fondée en 1813) : il deviendra en 1825 membre suppléant du comité et, deux ans plus tard, y siégera à part entière ; et, dans ses dernières années, son nom sera le deuxième en fréquence sur les programmes, après Rossini et avant Mozart et Beethoven dans cet ordre ! Au printemps de 1823, il est élu membre de la Société musicale de Styrie et, par l'intermédiaire de Josef Hüttenbrenner, envoie en remerciement les deux premiers mouvements de sa *Symphonie en « si » mineur,* en gardant toutefois par devers lui la seconde page, incomplète, du scherzo. C'est le point de départ d'une énigme non encore totalement résolue aujourd'hui. Mais il manque encore à son succès un élément déterminant : la réussite au théâtre, seule susceptible de lui assurer la faveur du plus large public, et qu'il a vainement recherchée depuis des années. Sur la bonne douzaine d'opéras ou singspiels écrits jusqu'en 1823, date de la dernière et plus vaste entreprise, *Fierabras,* D.796, un seul, *Die Zwillingsbrüder* (« les Frères jumeaux », D.647), a été produit au Vieux-Théâtre de la porte de Carinthie en juin 1820 : il n'a eu que six représentations ! L'été suivant voit, il est vrai, la création d'un spectacle hybride, *Die Zauberharfe (la Harpe enchantée),* pour lequel Schubert a écrit une musique de scène que d'aucuns jugent admirable, d'autres envahissante (c'est le prototype de ce

*Schubert au piano, avec le baryton Johann Michael Vogl, à sa droite.
Peinture de Schwind (Historisches Museum der Stadt, Vienne).*

que nous appellerions aujourd'hui « théâtre musical », et c'est aussi, probablement, après l'œuvre presque homonyme de Mozart, une pièce initiatique). La belle ouverture, D.644, fut reprise plus tard par Schubert pour *Rosamunde,* et publiée sous ce titre en 1827.

L'automne et l'hiver 1821-22 sont consacrés à la composition d'*Alfonso e Estrella,* sur un livret de Schober pas plus mauvais que ceux qui réussiront à Weber. Schubert, d'ailleurs, admira sincèrement le *Freischütz,* qu'il vit à Vienne à la même époque ; mais il sera plus réservé vis-à-vis d'*Euryanthe,* et se brouillera avec son

auteur. Quant à *Alfonso,* il ne connaîtra les feux de la rampe qu'en 1854, à Weimar, à l'initiative de Liszt, qui fit tant pour la gloire posthume de Schubert (son orchestration de la *Wanderer-Fantasie* peut passer pour le concerto pour piano que notre musicien n'a pas écrit). L'ouverture D.732 est parfois aussi associée à *Rosamunde :* il semble que ce soit celle qui accompagna les premières représentations de cette pièce de Helmina von Chézy en décembre 1823. Le reste de l'admirable musique de scène de *Rosamunde* (D.797 : 6 pièces symphoniques et 4 pièces vocales) avait été écrit par Schubert dans un temps

ŒUVRES COMPLÈTES DE
FRANÇOIS SCHUBERT.
Paroles françaises de BELANGER · Lithographiées de SORRIEU

LA SÉRÉNADE.
PAR
FRANÇOIS SCHUBERT.

PARIS

Page de titre de la partition de la Sérénade *de Franz* **Schubert**. *Lithographie de Kaeppelin.*

si bref qu'on peut penser qu'il réemploya également le matériau prévu pour servir de finale à la *8ᵉ Symphonie* — et qui serait devenu l'entracte nº 1 en *si* mineur. L'échec de cette pièce sonna le glas des ambitions théâtrales de Schubert. Un an avant sa mort seulement, il s'enthousiasme à nouveau pour un livret d'opéra écrit pour lui par son ami Eduard von Bauernfeld : *le Comte de Gleichen*. Il en composera la plus grande partie au brouillon et y pen-

sera encore dans ses tout derniers instants. L'œuvre aurait, à coup sûr, contenu des pages d'une audace géniale ; mais on ne pourra en juger que quand interviendra sa publication, qui se heurte à de graves difficultés de déchiffrage.

Le « chemin de la grande symphonie ». Le 14 mars 1824, le quatuor en *la* mineur (dont le mouvement lent varie un beau thème de *Rosamunde*) triomphe sous les archets du quatuor Schuppanzigh. À la fin

696

du même mois, dans une lettre célèbre à Leopold Kupelwieser, Schubert déclare ne composer ces œuvres instrumentales que pour se « frayer la voie vers la grande symphonie ». Parole capitale qui éclaire l'opiniâtreté avec laquelle il tente d'aboutir à la forme idéale, dont il rêve, et qui apportera un renouveau décisif à l'histoire de la symphonie. Au printemps, il est à nouveau invité à Zseliz, et part fin mai pour la Hongrie avec « l'intention d'écrire une symphonie » (Moritz von Schwind). Les œuvres qu'il ramènera de Zseliz à la mi-octobre n'en contiendront point, mais on s'accorde à voir dans la *Sonate à quatre mains,* D.812, publiée à titre posthume sous le titre de *Grand Duo,* la concrétisation de ce projet (l'œuvre fut instrumentée par plusieurs auteurs, et dès 1855 par Josef Joachim). Sa santé délabrée, Schubert sait désormais que ses jours sont comptés, mais son génie surmonte et transfigure l'angoisse métaphysique qui l'étreint — car il ne trouve pas, dans une foi toute relative, de certitude suffisante. La connaissance de son mal, autant que l'écart de leurs conditions sociales, l'empêche de donner suite à la passion naissante qui l'unit à Caroline Esterházy — passion qui semble avoir été partagée, car la jeune femme ne se mariera que longtemps après la mort du musicien.

Pourtant, celui-ci connaîtra encore des jours presque heureux, notamment au cours de l'été de 1825, où il entreprend en compagnie de Vogl une tournée de concerts en Haute-Autriche et au Tyrol, entrecoupée de deux séjours de villégiature à Gmunden et à Badgastein. C'est là qu'il entreprend, ou qu'il poursuit, le projet de sa *Grande Symphonie en « ut » majeur,* terminée l'année suivante, qu'il offrira, en octobre 1826, à la Gesellschaft der Musikfreunde. Le fait que celle-ci n'ait pas commandé l'œuvre l'oblige à dissimuler l'entrée du manuscrit et à justifier la remise de 100 florins au compositeur sous les dehors d'« encouragement » ; il sera aussi responsable de la méprise de sir George Grove, qui croira à l'existence d'une symphonie perdue, et la fera si bien admettre qu'on cherchera l'œuvre en vain — et pour cause — un siècle durant ! Après que l'Anglais John Reed (1972) eut empiriquement rétabli les faits, l'analyse scientifique de l'autographe (R. Winter) puis la redécouverte récente des factures des copistes qui préparèrent le matériel au début de 1827 ont

confirmé point par point sa thèse. On continue cependant à s'interroger sur la postdatation de l'autographe (« mars 1828 »), qui peut avoir été mal lue, ou résulter d'un projet d'édition qui se situe à cette date et, bien sûr, n'eut pas de suite. En 1839, Robert Schumann trouva une copie de l'œuvre en la possession de Ferdinand Schubert, et la fit créer à Leipzig par Félix Mendelssohn. Sa nouveauté était telle qu'un siècle plus tard elle n'était pas encore définitivement entrée dans la conscience musicale du public, surtout hors du monde germanique : c'est, semble-t-il, chose faite aujourd'hui, mais l'expression de Schumann, « céleste durée » (au singulier !), demeure un perpétuel sujet de malentendu.

Giraudon

*Franz **Schubert** (ancienne collection Prouté).*

Sans remettre en cause les conclusions précédentes, l'hypothèse n'est pas à exclure qu'une symphonie en *mi* majeur (dite « n° 2 »), dont l'existence a été signalée récemment (H. Goldschmidt, Berlin-Est), ait pour origine une ébauche de Schubert remontant aussi à l'année 1825. Il y aurait surtout travaillé à Gmunden, mais l'aurait bientôt abandonnée au profit de celle en *ut*. L'œuvre aujourd'hui produite (présumée complétée par un auteur inconnu à la fin du XIXe siècle, et créée en 1982) comporte un nombre insolite de citations schubertiennes, notamment du *Wanderer* et de l'*Octuor ;* en outre, le scherzo s'y trouve placé en seconde position. Si le plan est vraiment de Schubert (et les relations tonales tendraient à le prouver), ce serait chez lui un cas unique. Il n'existe aucune trace autographe de cette éventuelle ébauche ; mais H. Goldschmidt fait aussi allusion à des séances de spiritisme suivies par Schubert à Vienne peu avant son départ pour Gmunden, et où le thème du *Wanderer* aurait été évoqué.

Une incomparable série de chefs-d'œuvre. Les mêmes années 1825-26 voient la naissance d'un magnifique ensemble de sonates pour piano (3, dont une incomplète, dite *Reliquie,* en 1825 ; une, en *sol,* D.894, en 1826), suivi en 1827 des deux célèbres séries d'*Impromptus,* D.899 et D.935, dont la seconde figure en vérité une sonate. Le dernier et plus beau quatuor, en *sol* majeur, D.887, d'une sonorité inouïe par l'emploi prébrucknerien du trémolo, naît en quelques jours en juin 1826 : un seul mouvement en sera entendu du vivant de son auteur, au début du fameux et unique concert de ses œuvres qu'il put donner le 26 mars 1828, jour anniversaire de la mort de Beethoven. Le programme comprenait, outre des lieder et des chœurs, une autre grande page terminée et créée peu auparavant : le *Trio* avec piano en *mi* bémol, D.929 (quant à l'œuvre jumelle, en *si* bémol, D.897, longtemps attribuée à 1828, elle remonte très vraisemblablement à 1825 ou 1826, comme l'a aussi montré John Reed). Schubert, qui venait seulement de fêter ses trente et un ans et n'avait déjà plus que quelques mois à vivre, approchait de sa millième composition. Mais les chefs-d'œuvre accumulés jusqu'alors vont encore le céder à tout ce que cette dernière année va apporter d'inouï dans le sens le plus fort du terme.

Préfigurées par le second cahier du *Winterreise,* ces pages capitales touchent d'abord le duo de piano, avec l'ensemble formé par la *Fantaisie en « fa » mineur* (D.940), dédiée à Caroline Esterházy : « Mais toutes mes œuvres ne lui sont-elles pas dédiées ? », dira le malheureux compositeur), l'allegro *Lebensstürme* (D.947, titre apocryphe) et le *Rondo en « la » majeur*

D.951 ; puis, en juin et juillet, la musique sacrée avec la dernière *Messe,* n° 6 en *mi* bémol, D.950, la plus vaste et celle où l'écriture contrapuntique, avec la grande fugue qui termine le credo, atteint une complexité que seul Bruckner dépassera ; puis, à la fin de l'été (où Schubert, ayant dilapidé comme à l'habitude la recette de son concert, a dû renoncer à se rendre à nouveau en Haute-Autriche), le piano solo avec l'ensemble des trois dernières et plus aventureuses sonates : en *ut* mineur (D.958), en *la* majeur (D.959, avec l'explosion terrifiante qui secoue le mouvement lent en son centre), et en *si* bémol (D.960), la plus lyrique au contraire et la seule connue à sa mesure). Au même moment, après les lieder sur des poèmes de Heine qui seront intégrés au *Schwanengesang,* il achève le *Quintette en « ut »,* D.956, avec 2 violoncelles, le plus haut sommet de sa musique de chambre, où l'introspection des premiers mouvements se prolonge encore au trio. C'est enfin un ultime retour à la symphonie avec l'ébauche très avancée d'une *Symphonie en « ré » majeur* qui serait devenue la *10e Symphonie,* et qui devait demeurer insoupçonnée près d'un siècle et demi bien qu'on ait toujours connu l'existence du manuscrit qui la renfermait !

L'ultime remise en cause et la mort. Les problèmes d'écriture soulevés par ces travaux font ressentir au compositeur la nécessité d'effectuer un retour sur les fondements mêmes de son art, et de remettre en cause sa formation technique. Lui, dont l'invention a atteint des cimes que nul ne retrouvera jamais, va frapper humblement à la porte d'un professeur de contrepoint déjà très réputé : Simon Sechter *(1788-1867),* Bohémien d'origine, qui deviendra trente ans plus tard le maître de Bruckner. On a cru de Schubert était mort avant d'avoir pris sa première leçon. En réalité, il en prit une et reçut des exercices à faire chez lui (on en trouve trace sur le brouillon de l'andante de la *10e Symphonie*). La dernière œuvre cataloguée de Schubert est donc un exercice de contrepoint... Brusquement, sa maladie s'aggrava au début de novembre 1828. On crut à un typhus, car le musicien, qui vivait alors chez son frère Ferdinand, ne supportait aucune nourriture. Mais l'absence de fièvre jusqu'aux derniers jours fait conclure au Dr Dieter Kerner, dans un ouvrage récent consacré aux maladies des grands musiciens, que

*Franz **Schubert**, par Wilhelm August Rieder (Historisches Museum der Stadt, Vienne).*

la syphilis seule, parvenue à son dernier stade, est responsable de la mort de Schubert, ce que confirment les résultats de l'autopsie, qui montra la détérioration de l'enveloppe cérébrale. Peu s'en fallut que, comme Hugo Wolf ou Nietzsche, Schubert ne soit atteint par la paralysie et la folie, si bien qu'il serait vain d'imaginer qu'il eût jamais pu concrétiser les « grandes espérances » dont parla Grillparzer sur sa tombe. Il mourut le 19 novembre 1828 au terme d'une journée de délire où il se prit un instant pour Beethoven et demandait s'il y avait encore une place pour lui en ce monde... Inhumée d'abord au cimetière de Währing, sa dépouille, en même temps que celle de son grand aîné, a été transférée en 1888 au cimetière central de Vienne, au lieudit « Panthéon des artistes ».

L'œuvre et sa destinée. De ce simple survol, il résulte que Schubert demeura beaucoup moins inconnu de ses contemporains qu'on a bien voulu le dire ; mais l'image de l'artiste pauvre et malchanceux va trop de pair avec le stéréotype du compositeur romantique pour qu'on admette la vérité : dans ses dernières années, notre musicien fut à Vienne l'un des artistes les plus en vue, et son nom n'était ignoré de nul amateur averti. Reste que cette réputation ne se fondait nullement sur ses œuvres essentielles — et force est de constater que ce n'est pas même encore le cas aujourd'hui ! La liste des œuvres publiées de son vivant est éloquente à cet égard : elles n'atteignent qu'une centaine de numéros (le dixième du total) et concernent pour la plupart des genres mineurs, avec çà et là, il est vrai, l'un ou l'autre chef-d'œuvre. Mais lorsque, en février 1828, Schubert écrit à deux éditeurs allemands, Probst et Schott, pour leur soumettre un choix de ses « dernières compositions », il n'offre en priorité que de la musique de chambre ou des chœurs (les pages les plus hardies, les quatuors, seront d'ailleurs écartées), et n'indique qu'en appendice « 3 opéras, 1 messe et 1 symphonie » (la *Grande*)... « pour que vous soyez au courant de mes ambitions dans les formes les plus hautes de l'art » ! En dépit de quoi, et malgré l'absence à cette époque de toute législation sur les droits d'auteur, les recettes de l'artiste auraient suffi largement à le tenir à l'abri du besoin s'il avait su les gérer correctement. Mais non seulement il ne savait pas réclamer son dû (il céda maintes fois des trésors à vil prix), mais sa générosité le rendait incapable de conserver le nécessaire pour lui-même, tant il préférait régaler ses amis au cours d'interminables soirées demeurées légendaires...

La gloire de Schubert reposa donc d'abord sur sa production mélodique, que la France découvrit dès les années 1830 grâce au chanteur Adolphe Nourrit — nous devrions dire plutôt sur une très petite partie de cette production, qui recèle encore de nos jours des trésors insoupçonnés. Seuls la redécouverte et le succès fulgurant de la *Symphonie en « si » mineur* imposèrent son nom dans le domaine de l'orchestre, encore que sur un malentendu... Les symphonies de la première période n'atteignirent le public qu'à la fin du XIXe siècle ; et bien qu'à la même époque ait paru la première édition complète de l'œuvre schubertienne (Breitkopf et Härtel, Leipzig), son nom ne devait figurer longtemps encore à l'affiche, dans le domaine instrumental, que par un très petit nombre de titres (2 quatuors, 1 trio, le quintette *la Truite* et quelques pièces pour piano favorites à l'exclusion des grandes sonates), qui ne donnaient aucune idée réelle de l'importance de sa production et moins encore de l'ampleur et de la continuité de son évolution stylistique — plus d'un biographe n'alla-t-il pas jusqu'à lui dénier toute évolution ! Il aura fallu l'ère récente de l'enregistrement « encyclopédique » pour qu'une vue plus globale et plus correcte commence à s'imposer, et pour que, à la faveur des commémorations de 1978 et de la préparation de la *Neue Schubert-Ausgabe* (en chantier depuis 1965 : Bärenreiter, Kassel), la musicologie schubertienne connaisse un renouveau sans précédent. Celui-ci s'est déjà traduit non seulement par d'ambitieuses monographies (B. Massin), mais par des redécouvertes, des restitutions ou des études philologiques qui conduisent parfois à une remise en cause fondamentale des notions admises.

La vraie grandeur de Schubert. Il en ressort qu'à âge égal (critère nécessaire de toute juste appréciation), Schubert est certes le plus fécond mais aussi le plus novateur des grands musiciens. Loin d'être l'épigone, le double « féminin » de Beethoven qu'on voulait faire de lui, il ne connaît en vérité de rival dans aucun des principaux genres et pas seulement dans le lied. Tout au plus le cède-t-il dans le domaine scénique (encore que son sens du théâtre ait été fort mésestimé) ou dans le concerto, qui l'intéressait peu. Il n'avait ni le goût de la virtuosité ni celui de l'antagonisme, mais plutôt le goût de la complémentarité entre partenaires ; et même lorsqu'elle fait intervenir un soliste, sa musique est rien moins que démonstrative, ce qui n'a pas été sans nuire à son succès... Mais la sonate, le quatuor, la sym-

Page de titre du Roi des Aulnes *(détail).*
*Lied de Franz **Schubert,** par F. Sorrieu (Bibl. du Conservatoire de musique, Paris).*

phonie et la musique sacrée lui doivent des apports essentiels, incomparables en quantité comme en qualité. Schönberg, taxé un jour de « révolutionnaire », répondit qu'il en était « un bien petit auprès de Schubert », et toute l'œuvre de maturité de celui-ci, surtout celle des deux dernières années, illustre et confirme cet aphorisme révélateur !

Dans toutes les grandes formes, la production de Schubert, clivée par la remise en cause des années 1818 à 1822-23, se répartit en trois étapes d'importances et de significations très différentes : jusqu'en 1818, de 1818 à 1823, après 1823. La première période (1810-1818) est celle de l'œuvre juvénile, très spontanée, pleine d'ardeur et d'insouciance (le jeune musicien s'adresse, ne l'oublions pas, à un

cercle familial ou amical), encore que non dépourvue de réflexion ou de recherche formelle. C'est ainsi que certaines sonates ou quatuors répondent à des coupes inhabituelles (toutefois, la part doit être faite de la perte de l'un ou l'autre mouvement ou de leur réunion arbitraire par un éditeur). Mais c'est l'ampleur du discours, tout imprégné d'une veine mélodique sans équivalent chez nul autre musicien, qui frappe dès ces essais souvent aventureux par l'étendue des expositions (dès la *2ᵉ Symphonie,* le groupe de cadence acquiert une autonomie inconnue jusqu'alors) et plus encore par leurs plans tonaux. Ici les contrastes se meuvent d'emblée dans des régions très inattendues ; et c'est à cette particularité, très reconnaissable même par l'auditeur le moins averti,

701

que l'œuvre schubertienne doit sa couleur propre.

Les années de recherche : naissance de la structure cyclique. Entre 1818 et 1823, nous assistons à un double phénomène de mûrissement : psychologique et formel, qui se traduit — on l'a dit — par une accumulation très insolite d'entreprises inabouties. Mais ces fragments sont, dans chacun des genres concernés, éminemment significatifs, et comprennent certaines des pages à la fois les plus émouvantes et les plus riches de conséquences du grand musicien. Ils vont du *Quartettsatz en « ut » mineur* à la *Symphonie en « si » mineur* en passant par plusieurs sonates et par trois autres projets symphoniques. En outre on a vu que, d'une certaine manière, la sublime *Missa solemnis* en *la* bémol, bien qu'achevée, appartient aussi à cette catégorie d'œuvres marquées par une genèse difficile. Certaines de ces pages peuvent faire l'objet de reconstitutions, notamment si l'esquisse n'est privée que de sa réexposition ou si une trame est fournie jusqu'à la fin de l'œuvre — l'exemple le plus notable de ce dernier cas est la *Symphonie nº 7* en *mi* majeur, D.729 (août 1821).

En même temps que Schubert s'adresse à un nouveau public, il se livre alors à une recherche expressive et formelle plus systématique. En sorte que ces années de doute représentent aussi le véritable passage de la musique viennoise (et, on peut le dire, de la musique tout court) de l'ère classique à l'ère romantique : c'est une percée, un *Durchbruch* d'une importance capitale, que deux œuvres peuvent illustrer plus particulièrement : l'une inaboutie, précisément, la *Symphonie en « mi » ;* l'autre beaucoup plus connue mais pas toujours bien comprise, la *Wanderer-Fantasie,* D.760 (novembre 1822). Bien que son auteur lui-même l'ait presque prise en aversion pour son côté brillant, à l'opposé de sa nature profonde, elle est une des plus spécifiques, à la fois du thème de l'errance si familier à notre compositeur, et de son invention formelle, puisqu'il s'agit en vérité d'une sonate cyclique en 4 mouvements ininterrompus, forme lisztienne avant la lettre. En outre, elle varie un motif emprunté à une œuvre vocale antérieure — procédé qui se retrouvera souvent dans l'œuvre de maturité. À cette *Fantaisie,* on peut associer la sonate suivante, en *la* mineur, D.784 (février 1823), exemple non moins significatif d'une pensée unitaire

dans une forme tout autre (3 mouvements symétriques) : ce qui en fait la première des « grandes ».

Par ces quelques œuvres et par toutes celles qui suivront, Schubert se révèle comme le véritable auteur de la plus puissante révolution formelle des temps modernes : l'avènement de la structure cyclique à composante cellulaire. Ce modèle, qui consiste à élaborer les thèmes de tous les mouvements à partir d'un petit nombre de cellules élémentaires, les unes rythmiques, les autres mélodico-harmoniques, avait certes été exploré par Haydn, Mozart et Beethoven, mais Schubert (qui sera suivi en cela par Bruckner) en faire le fondement de tous les chefs-d'œuvre de sa dernière période. Mais ce qui est plus admirable encore, c'est que la microstructure ne compromet nullement, ni chez l'un ni chez l'autre, l'équilibre des vastes courbes mélodiques qu'elle engendre. Qu'on en juge seulement par le thème de l'allegro de la *7e Symphonie,* qui se déroule superbement sur 23 mesures, tout comme celui de la future symphonie homologue (et de même ton) de Bruckner.

Les « grandes symphonies ». C'est justement la comparaison de leurs microstructures qui permet d'affirmer que la *Symphonie nº 8* en *si* mineur et l'entracte nº 1 de *Rosamunde* procèdent initialement d'une même conception. L'abandon de la partition d'orchestre de la symphonie n'a donc rien à voir avec une prétendue baisse d'inspiration. Elle ne s'expliquerait pas seulement par des circonstances extérieures, mais aussi et surtout (M. Chusid) par certains emprunts beethovéniens (on relève des éléments des *2e* et *5e Symphonies* du maître de Bonn), dont Schubert aurait été conscient et qu'il aurait craint de se voir reprocher. Il aurait donc « évacué » l'œuvre en envoyant la partie achevée à Graz, sachant qu'elle ne serait pas rendue publique (ou peut-être même à cette condition). Retrouvée, comme on sait, et créée en 1865 par Johann Herbeck, la symphonie aujourd'hui la plus jouée du monde n'est pas pour autant un moindre chef-d'œuvre, par l'alliance d'un lyrisme spontané et d'une forme rigoureuse et cohérente à laquelle seule la version complétée (V. NOMENCLATURE) rend vraiment justice.

S'il n'a pas atteint le stade de la partition d'orchestre, le *Grand Duo,* D.812, ne concrétise pas moins le projet symphonique de 1824 à la fois dans son micro-

*Page autographe d'un lied de **Schubert**, sur des vers de Schiller
(Bibl. du Conservatoire, Paris).*

cosme et dans son macrocosme, c'est-à-dire non seulement par sa structure cellulaire, mais par l'ampleur et la disposition des mouvements, et par la nature orchestrale de l'écriture, déjà remarquée par Schumann dès la parution de l'œuvre en 1838. À partir de 1824, la pleine possession d'une technique qu'il vient de forger de toutes pièces permet à Schubert de mener à bien les entreprises les plus vastes, d'abord par le moyen de la sonate (10 chefs-d'œuvre en moins de cinq années, tout gorgés d'une sève inimitable),

du duo (piano à 4 mains ou violon et piano), du trio, du quatuor, de l'octuor, et bientôt, enfin, dans la symphonie. On ne s'étonnera pas que nous donnions ici à cette dernière une place prépondérante : c'est l'image même de l'ambition clairement exprimée du compositeur, qui, en trois lustres, n'a pas entrepris moins de 14, voire 15 symphonies (en moyenne une par an), même si la moitié seulement sont parvenues à leur forme définitive. L'œuvre fondamentale qui va voir le jour en 1825 et 1826, la *Symphonie nº 9 en «ut» majeur,* dite *la Grande Symphonie,* par sa place unique, représente donc la clé de voûte de toute la carrière de son auteur, et, dans son respect de la forme stricte, un jalon aussi essentiel que celle de Beethoven (qui la rompt). En tant qu'exemple parfait d'unité interne (une demi-douzaine de motifs élémentaires la gouvernent de bout en bout), elle est la pierre angulaire de toute la littérature orchestrale moderne ; et elle porte aussi à son apogée le don d'instrumentateur du musicien, qui, en dépit de son peu de pratique de la direction, trouve d'emblée, et par une intuition géniale, l'équilibre admirable de couleurs et d'expressions qui rend son orchestre à la fois si limpide et si homogène : double qualité que seul Bruckner saura retrouver. Et, par-dessus toutes ces vertus, c'est le comble du don de soi que représente cette œuvre qui, créée dans la souffrance, est un miracle de joie !

Le drame toutefois va, dans les deux dernières années, devenir de plus en plus insoutenable et, pour la première fois, confiner à la désespérance. Ce qui n'empêchera pas la recherche formelle de se poursuivre et de se concentrer sur les problèmes d'écriture qui, dans les semaines qui précèdent sa mort, conduisent Schubert à se remettre à l'étude du contrepoint. De plusieurs façons différentes (H. Halbreich), l'esquisse de la *Symphonie nº 10 en « ré » majeur,* entreprise au même moment (automne 1828, D.936 A), ouvre de nouvelles voies, riches de progrès et d'initiatives hardies, qui font de sa révélation récente (le fac-similé parut en 1978 conjointement aux esquisses de 1818 et 1820-21 anciennement confondues dans le même cahier) un événement capital. Des 3 mouvements, le plus prophétique est de très loin le poignant andante central, en *si* mineur, où Schubert anticipe jusque sur le dernier Mahler, et se conduit lui-même au tombeau !

Schubert et la musique vocale. À mesure que les brumes de l'oubli, de l'ignorance ou de l'incompréhension se dissipent autour de cet immense corpus qu'est la production instrumentale de Schubert, sa musique vocale, perdant un peu de sa primauté, acquiert une signification nouvelle, plus proche, semble-t-il, de la réalité : celle d'un fluide vital, d'un sang qui alimente tout le reste de l'organisme. En date du 25 mars 1824, Schubert note dans un de ses rares agendas (aujourd'hui

perdu, mais publié par Bauernfeld et cité par W. Dahms puis par O. E. Deutsch) : « Une beauté unique doit accompagner l'homme tout au cours de sa vie... ; mais la lumière de cet émerveillement doit éclairer tout le reste. »

Ces lignes, de huit jours antérieures à la fameuse lettre sur le « chemin de la grande symphonie », définissent aussi bien le rôle du lied schubertien, « éclairant le reste » de l'œuvre. Dans les cas limites, un lied inspire directement une pièce instrumentale (généralement de musique de chambre). Outre les exemples les plus connus, déjà évoqués plus haut, n'oublions pas les *Variations,* pour flûte et piano, D.802, sur *Trockne Blumen* (« Fleurs séchées »), un lied de *la Belle Meunière* ; ni la *Fantaisie* en *ut* majeur, pour violon et piano, D.934, commandée par J. Slavik avec ses variations sur *Sei mir gegrüsst,* D.741. Quant au 2e mouvement du *Trio* en *mi* bémol, D.929 (que Schumann « ne pouvait écouter sans pleurer »), il s'inspire également d'une mélodie, mais d'un autre compositeur, peu connu, le Suédois Isaak Borg. Plus tard, Mahler suivra la même processus, sauf qu'il utilisera ses lieder presque textuellement en les orchestrant et les amplifiant pour les besoins de ses symphonies, alors que Schubert varie les siens de façon bien plus subtile.

Genèse du lied schubertien. Plus de 600 mélodies pour voix seule et environ 130 pour des ensembles vocaux allant du trio ou du quatuor au grand chœur avec ou sans soliste — voilà, couvrant toute la période créatrice de sa vie, la gigantesque production vocale de Schubert. Génération spontanée, pourrait-on croire. Ce n'est pas tout à fait exact. On pourrait mentionner, comme antécédents, quelques grands noms du Moyen Âge et de la Renaissance : Walter von der Vogelweide, Wolfram von Eschenbach, et, surtout, l'étonnant Oswald von Wolkenstein. Mais rien ne porte à croire que Schubert les ait connus (en fait, pour lui, l'histoire de la musique ne remontait pas à plus de deux ou trois générations, et Bach lui-même n'était pas encore redécouvert). En revanche, il connaissait fort bien l'œuvre de ses prédécesseurs immédiats, les illustres — Haydn, Mozart, Beethoven, Weber — et les relativement obscurs, mais compositeurs vocaux plus spécifiques *(Liederkomponisten)* — Zelter, les Reichardt père et fille (la très douée Luise Reichardt avait déjà trouvé quelques

*Le moulin d'Höldrich où **Schubert** écrivit le lied de* la Belle Meunière.

accents préschubertiens), Schulz et Zumsteeg (le « père de la ballade romantique »).

Mais Schubert donne une ampleur, un rayonnement et un poids nouveaux à ce qui, somme toute, n'était avant lui qu'un genre secondaire, voire mineur, où l'on chercherait en vain un chef-d'œuvre sinon celui, absolu mais isolé, qu'est *An die ferne Geliebte,* de Beethoven (d'ailleurs postérieur aux premières réussites schubertiennes).

On remarquera qu'après quelques tâtonnements de prime jeunesse, dès ses opus 1 et 2 — *Gretchen am Spinnrade* et *Erlkönig,* D.118 et 328 —, Schubert crée une forme à la fois neuve et accomplie. « La révolution de Schubert dans le domaine du lied, écrit le regretté musicologue anglais E. G. Porter, peut être comparée à celle qu'accomplit Wagner dans l'opéra ; mais nous ne pouvons savoir quelle était dans cette création la part d'un raisonnement clair et calculé » (*Schubert's Song Technique,* 1961). Selon un homme mieux placé

que quiconque pour en juger et en témoigner, le chanteur Michaël Vogl, ami et principal interprète de Schubert, les lieder de ce dernier étaient le fruit d'une « révélation divine », produit dans un état de « voyance musicale » *(musikalische Clairvoyance).* Révélation et voyance, certes ; mais aussi invention et travail continus, aboutissant à une immense variété de genres. Côté formel : lieder strophiques, strophiques modifiés, de schéma A-B-A ou de bien d'autres, trop longs à énumérer, ou encore *durchkomponiert* (« d'une composition continue », selon l'heureuse traduction de J. Chailley). Pour ce qui est du contenu, lieder lyriques (en majorité), épiques — relevant plus ou moins de la ballade —, monologues et scènes bibliques ou antiques, tableaux intimistes... ; et, couronnant l'ensemble, les deux grands cycles : *Die schöne Müllerin,* D.795, et *Winterreise,* D.911, auxquels s'ajoute l'ultime recueil *Schwanengesang,* D.957. Deux grands lieder tardifs ajoutent au piano, de façon fort

SCHUBERT

originale, un instrument à vent : le cor pour *Auf dem Strome,* D.943, dont les amples proportions reproduisent les péripéties d'un long voyage fluvial ; la clarinette pour *Der Hirt auf dem Felsen* (« le Pâtre sur le rocher »), D.965.

Chœurs et ensembles vocaux. Dans ce domaine aussi, la production de Schubert est plus riche que celle de la plupart de ses contemporains. Musicalement, elle se distingue par une diversité et une puissance d'invention exceptionnelles : on peut dire que Schubert se trouve, là encore, sur un terrain à peu près vierge, où toutes les expériences sont permises. Ainsi crée-t-il, en toute liberté, des formes nouvelles qui, de loin, se relient au madrigal ancien et préfigurent, sous une forme vocale, le poème symphonique à venir. Citons, parmi les pièces les plus remarquables et les plus fréquemment entendues : *Gesang der Geister über den Wassern,* D.714, d'après Goethe, pour chœur d'hommes ; *Nachthelle,* D.892, pour ténor et chœur ; *Nachtgesang im Walde,* D.913, pour chœur et quatre cors ; *Der Gondelfahrer,* D.809, pour chœur et piano ; *Ständchen,* D. 920, d'après Grillparzer, pour contralto, chœur et piano ; *Der 23. Psalm,* D.706, pour chœur de femmes et piano ; *Coronach,* D.836, idem ; *Hymnus an den Heiligen Geist,* D.964, pour chœur d'hommes et vents ; enfin le monumental *Mirjams Siegesgesang,* D.942, d'après Grillparzer, pour soprano solo, chœur mixte et piano, orchestré par Franz Lachner d'après l'intention de Schubert au lendemain de sa mort.

L'importance de cette production n'est pas uniquement musicale. Elle est également sociologique. Au début du XIXe siècle, sous l'impulsion notamment du musicien suisse Naegeli, se formaient dans les pays germaniques des *Liedertafeln,* petits ensembles vocaux répondant au désir de faire participer à la musique la plus grande variété de couches sociales. En Autriche, ces *Tafeln* étaient aussi des foyers de résistance à la tyrannie policière. Manquait un répertoire valable, jusqu'à la venue de Schubert, dont l'œuvre allait en constituer l'essentiel — tant aux amicales schubertiades qu'à la Gesellschaft der Musikfreunde, constituée depuis peu. Et, désormais, en Autriche comme en Allemagne, des groupements de plus en plus nombreux et de plus en plus fournis prendront souvent le titre de *Schubertbund.*

Schubert et la poésie. La fable d'un Schubert purement instinctif, peu cultivé, et plus ou moins dépourvu de sens critique est inacceptable. Plus de 70 poèmes de Goethe, 70 de Schiller (en comptant les pages chorales), 22 de Hölty, 21 de Schlegel, et un vaste panorama poétique allant de la Bible, d'Eschyle (traduit par Mayrhofer), de Shakespeare, d'Ossian au tout jeune Heine, en passant par Walter Scott, Novalis, Rücker, Körner, Grillparzer... — de quoi former une anthologie très complète de la poésie de son époque, et de quelques autres aussi —, quel autre musicien, même « cultivé », peut présenter pareille moisson ?

Reste le problème des poètes « mineurs » — sans parler de Schubert lui-même, auteur de quelques textes non négligeables. D'abord Johann Mayrhofer (47 poèmes) et Wilhelm Müller (45). Le premier a été éloquemment réhabilité par E. G. Porter, qui lui trouve des accents comparables à maints romantiques... anglais ! En tout cas, Schubert lui doit quelques-uns de ses plus beaux thèmes poétiques (*Fahrt zun Hades,* D.526 ; *Lied eines Schiffers an die Dioskuren,* D.360 ; *Nachtstück,* D.672...). Le cas de Müller est un peu différent. Si l'homme était aussi cultivé que Mayrhofer (il enseignait le grec et le latin), sa poésie se veut populaire sinon populiste ; le titre global de ses deux recueils est *Gedichte aus den hinterlassenen Papieren eines Waldhornisten* — ce « corniste » plaçant l'œuvre dans le sillage du célèbre *Des Knaben Wunderhorn,* antérieur de quelques années. Détail émouvant : sans avoir connu Schubert, il l'a pressenti. « Mais patience, écrit-il : il peut se trouver une âme accordée à la mienne, qui entendra la mélodie latente dans mes paroles, et me la restituera » (cité par W. Dahms, *Schubert,* 1913).

Mais que dire de Matthäus von Collin, dont les « bouts rimés » ont inspiré à Schubert deux de ses plus purs chefs-d'œuvre, le lyrique, l'extatique *Nacht und Träume,* D.827, et le surprenant *Der Zwerg,* D.771 ? Que dire aussi de Lappe (*Im Abendrot,* D.799) de Leitner (*Der Winterabend,* D.938) ? On ne peut que s'émerveiller devant cette alchimie schubertienne toujours renouvelée. Ajoutons que devant ces poètes discutables, dont certains étaient de ses amis, d'autres des personnages haut placés, comme ce sympathique Ladislaus Pyrker, patriarche de Venise (*Das Heim-*

Médaille à l'effigie de Franz Schubert, par Karl Perl.

Roger-Viollet

weh, D.851, et *Die Allmacht,* D.852), et dont il avait surtout besoin pour alimenter son intarissable production, Schubert gardait tête claire. Dans une lettre à l'éditeur Schott, il énumère, entre autres œuvres : « Des chants à une voix avec accomp. de piano, poèmes de Schiller, Goethe, Klopstock, etc., et de Seidl, Schober, Leitner, Schulze, etc. », faisant ainsi clairement la distinction entre les « vrais » poètes et les autres.

Cycles et recueils. À *la Belle Meunière,* au *Voyage d'hiver* et au recueil posthume intitulé *Chant du cygne,* D.957, par l'éditeur Haslinger, il convient peut-être d'adjoindre la série des *Wilhelm-Meister-Lieder* (disséminés dans le catalogue Deutsch), avec ses deux volets — du Harpiste et de Mignon. Ce bipartisme se retrouve dans les grands cycles, y compris dans le recueil du *Schwanengesang.*

Die schöne Müllerin débute dans l'attente, l'espoir et l'assouvissement de l'amour. Mais au n° 14, à l'apparition du cruel et bientôt triomphant chasseur, l'horizon s'obscurcit ; et le reste du cycle se déroule sous le signe, plus sensible encore dans la musique que dans les poèmes, de la jalousie, de la tristesse et, enfin, du désespoir.

Dans *Winterreise,* composé en 1827 (févr., pour les n°s 1 à 12, qui mettaient en musique la seule part alors publiée des poèmes ; octobre pour les douze suivants), cette division en deux est plus difficile à saisir. Elle a été principalement mise en lumière par J. Chailley dans sa pénétrante étude *le Voyage d'hiver de Schubert,* dont voici un passage clé : « (En son second cahier), au lieu d'une histoire banale de soupirant évincé, la *Winterreise* devient, comme le faisait pressentir *Irrlicht* (n° 9), le périple de l'homme en marche vers le tombeau, interrogeant le ciel sans obtenir de réponse sur sa destinée en rejetant finalement l'illusion des dogmes pour se réfugier dans le néant... Certains détails, dont les plus transparents se trouvent dans *Der Wegweiser,* laissent transpercer une philosophie d'origine maçonnique parfaitement assimilée par le musicien... » Une vue aussi neuve ne saurait surprendre, venant de l'exégète de *la Flûte enchantée.* Ajoutons qu'il s'appuie sur une analyse détaillée des 24 lieder pris un à un.

Quant au *Schwanengesang,* c'est le hasard qui l'a scindé en deux, en mettant entre les mains de Haslinger deux recueils séparés, l'un sur 7 poèmes assez impersonnels de Rellstab, l'autre sur 6 autres, les plus originaux de l'époque : ceux de Heinrich Heine. Or il s'établit entre ces deux volets une fortuite mais heureuse symétrie. Après les variations sur le thème de l'absence que sont les *Rellstab-Lieder* et la rayonnante évocation, par la musique de Schubert, du monde extérieur et de ses quatre éléments, c'est dans les abîmes du « moi » que le musicien pénètre à la suite de Heine, le dépassant parfois : hallucination d'une ville-fantôme, *Die Stadt,* dont Brahms empruntera les arpèges dans son *2° Quatuor avec piano* ; autre hallucination, celle du *Doppelgänger,* l'une des rares mélodies de terreur, annonçant les *Chants et danses de la mort,* de Moussorgski (et dont le thème, déjà présent en 1821 dans l'introduction lente de la *Symphonie en « mi »,* obséda tant Schubert qu'il le réemploiera dans l'Agnus Dei de sa *Messe en « mi » bémol*). Quant à *Die Taubenpost,* ultime mélodie de Schubert, arbitrairement ajoutée au recueil par Haslinger, elle a, toutefois, un effet euphorisant après les cauchemars. Par son rythme, elle renoue quelque peu avec les ruisseaux et les chevauchées des *Rellstab-Lieder.* Et son mot clé est *Sehnsucht,* « nostalgie » :

celle de Franz Schubert, pour les mondes inconnus de la musique, dont il fut l'explorateur émerveillé.

SCHULLER *(Gunther)*, compositeur, chef d'orchestre et pédagogue américain *(New York 1925)*. Fils d'un violoniste de la Philharmonie de New York, il étudia la composition, la flûte et le cor (1938-1942), jouant, dès 1944, comme corniste un concerto écrit par lui. Il cessa de jouer du cor en 1959. Comme pédagogue, il a enseigné à la Manhattan School of Music (1950-1963), à la Yale School of Music (1964-1967) et au New England Conservatory, qu'il présida de 1967 à 1977. Il a également travaillé à Tanglewood, notamment comme codirecteur artistique (à partir de 1969). Il a, enfin, réalisé de nombreux programmes à la radio et à la télévision et édité des œuvres de Charles Ives, Scot Joplin et Kurt Weill. Comme compositeur, Schuller s'est formé, pour l'essentiel, en autodidacte et s'est toujours largement inspiré du jazz, tout en s'efforçant parfois de le faire bénéficier des acquis sériels. Il a développé la notion· de musique *third stream* («troisième courant»), concevant celle-ci comme un amalgame du jazz et des tendances les plus savantes et les plus avancées. Son œuvre la plus célèbre est l'opéra *The Visitation,* d'après Kafka (créé à Hambourg en 1966).

SCHUMANN *(Robert Alexandre),* compositeur allemand *(Zwickau 1810- Endenich, près de Düsseldorf, 1856).* Bien qu'évoluant dans un milieu éclairé et sensible à l'art (son père est un libraire érudit; sa mère une excellente pianiste), Robert Schumann ne montre guère de dons précoces. À neuf ans, toutefois, entendant *la Flûte enchantée* et un récital de Moschelès, il désire devenir virtuose du clavier. Son père l'oblige alors à acquérir des bases intellectuelles sérieuses et à passer son *Abitur.* Mais Schumann, lecteur avide des classiques, attentif à l'art autant qu'à la nature, se tourne vers la musique, fondant, à douze ans, un orchestre de collégiens, écrivant même un *Psaume CL.* En 1826, ayant découvert les romans de Jean-Paul Richter, dont il se fait consciemment le «double», il se recroqueville et devient taciturne. Crise de croissance qu'accentuent (1828) le suicide de sa sœur, puis la mort de son père, enfin un amour impossible pour Agnès Carus, femme d'un ami médecin. Sa mère et son frère aîné, devenu chef de famille, lui intiment alors d'étudier son droit à Leipzig, où il s'installe après un voyage en Franconie et à Munich (où H. Heine lui réserve un accueil glacial qui le navre). Agnès Carus lui vient en aide, le présentant à Wieck dont l'enseignement précis, rigoureux jusqu'au despotisme, inculque quelque rigueur au jeune artiste romantique (en lui révélant Bach notamment). Bientôt las de la cité saxonne, Schumann s'installe à Heidelberg en 1829, y glane ses premiers succès d'estrade et, après un voyage en Suisse et Italie (pays qui n'aura d'ailleurs aucune influence sur lui, au contraire de nombreux artistes allemands), revient à Leipzig afin de poursuivre ses leçons avec Wieck. Ce dernier a, en effet, convaincu la mère de Schumann des capacités musicales de ce dernier et s'est engagé à faire de lui un brillant pianiste.

Ayant jusque-là hésité entre poésie, littérature et musique, Schumann, désormais sûr de lui, se consacre tout entier à son art : fugue et contrepoint avec Dorn, piano avec Wieck, orchestration avec Müller. Déjà auteur de quelques *Valses, Quatuor* et *Concerto pour piano* (inachevés), révélé au public de Heidelberg par ses *Variations Abegg,* issues des moules classiques, mais déjà typiquement romantiques, il écrit son opus 2, *Papillons,* d'après Jean-Paul Richter, puis, pour parfaire sa technique pianistique, se lance dans une expérience folle qui, par ligature de l'annulaire droit et sous prétexte de développer les autres doigts, entraîne finalement l'ankylose, puis la paralysie de sa main. Affolé et voyant sa carrière de virtuose anéantie, au seul profit de la composition, Schumann vit, à l'automne 1833, une profonde dépression qu'accentue la mort de son frère Julien et de sa belle-sœur. Dans la nuit du 17 octobre, il se voit devenir fou, crise qui préfigure tragiquement celle de 1854 et dont il lui restera la phobie des étages élevés et des objets tranchants. Plongé plusieurs mois dans une atonie apeurée, il regagne, guéri, Leipzig à la fin de l'hiver 1833-34 et se lancera immédiatement dans la création et rédaction de la *Neue Zeitschrift für Musik,* où, avec quelques amis d'abord mais le plus souvent seul, il mène l'assaut des Davidsbündler («Compagnons de David») contre les Philistins de l'art — Cramer, Czerny, Thal-

Bulloz

cience de son seul et véritable amour : Clara Wieck. Il rompt alors avec Ernestine, qui ne lui en tiendra pas rigueur, écrit pour Clara les sonates op. 11, 14 et 22, toutes gonflées de passion. C'est alors que meurt sa mère (4 février 1836), que Wieck quitte la *Revue musicale* et interdit tout commerce entre sa fille et Robert. Nouveau coup pour Schumann, déjà secoué par les dissensions chez les Davidsbündler et par la mort d'Henriette Voigt et qui, une fois de plus, se réfugie dans la composition : *Fantaisie* op. 17, un des chefs-d'œuvre du piano (« Charte du romantisme musical », a-t-on pu dire), *Fantasiestücke, Novelettes, Scènes d'enfants, Kreisleriana,* autant de pages où transparaît en filigrane son amour pour Clara et où s'affirment la puissance de sa vision ainsi que la profondeur de son sentiment poétique et romantique. Wieck ayant (faussement) consenti au mariage à la double condition que

*Portrait et autographe de Robert **Schumann** (Musée de Carpentras).*

*Clara **Schumann** (Zwickau R. Schumann Museum).*

Deutsche Fototek, Dresde

berg, Ruckgaber, Meyerbeer —, dénoncés comme pédants, timorés, conservateurs et fossoyeurs de la grande et vraie musique incarnée par Mozart, Haydn, Beethoven. Publication d'une importance capitale, où Schumann se fait critique de son temps et où, sous des pseudonymes divers, se reconnaissent ses amis rédacteurs, lui-même se désignant sous le double vocable d'Eusebius (rêveur mélancolique) et Florestan (impétueux et passionné). Au même moment, il s'éprend d'Henriette Voigt (son « âme en *la* mineur »), puis d'Ernestine von Frincken, allant, avec cette dernière, jusqu'à d'éphémères fiançailles qui nous vaudront au moins le *Carnaval* op. 9 et les *Études symphoniques* op. 13.

En avril 1835, il prend lucidement cons-

SCHUMANN

Schumann ait des revenus suffisants et s'éloigne de Leipzig, le compositeur se rend à Vienne, en proie à une nonchalence morbide. Puis, soudain, dans un accès de fièvre, il compose coup sur coup l'*Arabesque*, les *Blumenstücke*, la grande *Humoresque* terminée le 11 mars 1839, enfin les *Nachtstücke* op. 23 et le *Carnaval de Vienne* op. 26. Clara ayant usé de ses droits légaux pour faire plier son père, le mariage, finalement, fut célébré à Schönefeld le 12 septembre 1840.

Pressentant cette issue heureuse, Schumann, depuis le printemps, composait dans l'exaltation : 1840 est, en effet, l'année des lieder (136 sur un total de 246), dont *l'Amour et la vie d'une femme, les Amours du poète, Liederkreis, les Deux Grenadiers, les Myrten*, les *Romances et ballades* op. 45, 49 et 53, ainsi qu'un premier recueil de *Lieder und Gesänge*.

Menant une vie modeste à Leipzig, écrivant en commun avec Clara leur émouvant *Journal à deux voix*, Schumann s'adonne à la composition. En 1841, « année symphonique », voient le jour — outre son premier enfant, Marie — la *1ʳᵉ Symphonie, Ouverture, Scherzo et Final*, la *Fantaisie pour piano et orchestre* (devenue en 1845 le célèbre *Concerto*), la *4ᵉ Symphonie*, qui trahissent la quiétude mais aussi la passion du musicien. En 1842, la musique de chambre est à l'honneur avec les 3 *Quatuors* op. 41, l'admirable *Quintette* en *mi* bémol, et le *Quatuor avec piano*. En 1843, année marquée par la naissance d'Élisa, il compose *le Paradis et la Peri*, mais, devant les difficultés financières, décide une tournée de concerts en Russie, où Clara triomphe en jouant parfois certaines de ses œuvres. De retour à Leipzig, il est repris de vertiges, de rhumatismes, et, gagné par une lassitude croissante, prend en horreur Leipzig, surtout lorsque, après le départ de son ami Mendelssohn, le Gewandhaus lui préfère Gade. À l'automne 1844, il quitte donc Leipzig pour Dresde. Aussitôt installé, Schumann cherche à recréer une vie musicale, fait « une cure de contrepoint » *(4 Fugues*, op. 72 ; *Fugues sur le nom de Bach)*, tente de lier amitié avec Richter, Reinich ou Wagner. Peines perdues. La composition reste une fois de plus son seul dérivatif *(2ᵉ Symphonie)* ; mais, à l'instar de tous les cyclothymiques, il lui faut du changement : c'est à nouveau un séjour (décevant) à Vienne. De retour à Dresde, il veut s'imposer — comme tous

*Robert **Schumann** (Conservatoire de musique de San Pietro a Maiello, Naples).*

les romantiques — à travers l'opéra. Il écrit donc *Genoveva*, dont l'avancement est constamment retardé par de multiples soucis familiaux (une fille et trois fils, dont un mourra immédiatement, naîtront à Dresde) ; surtout par de nouveaux troubles physiques — phobies, hallucinations, désordres auditifs — et le choc éprouvé à la mort de Mendelssohn (4 nov. 1847). S'étant rétabli, il compose de nombreux lieder *a capella* pour la Liedertafel locale, dont il prend la direction, puis, en 1848, de nouvelles œuvres pour le piano *(Vision d'Orient*, pour 4 mains ; *l'Album pour la jeunesse)*, ainsi que *Manfred*. Surnommée « l'année féconde », 1849 verra l'éclosion de lieder pour voix solo, duos, chœur ; d'œuvres pour piano, les opus 78, 85 notamment ; du *Requiem pour Mignon*, de plusieurs *Scènes de Faust*. Le 25 mai 1850, le théâtre de Leipzig monte *Genoveva*. Le « succès d'estime » qui est réservé à la pièce désespère Schumann qui, las de Dresde, vient s'installer à Düsseldorf. Impression réconfortante et roborante au début, qui lui dicte le *Requiem* op. 90, les *6 Lieder* de Lenau, en octobre le *Concerto pour violoncelle,* en novembre la *3ᵉ Symphonie* («*Rhénane*»). Cette volonté d'innover, doublée d'une hâte à produire, ne cacherait-elle pas l'irrémédiable ?

Dès cette époque, en effet, Schumann semble conscient du peu de temps qu'il lui reste pour créer. D'où cette frénésie à écrire, vite, encore lucidement : en 1851 des ouvertures pour *la Fiancée de Messine, Jules César, Hermann et Dorothée;* puis, pour piano, les *Scènes de bal,* les *Phantasiestücke,* op. 111 ; des lieder également sur textes d'Élisabeth Kühlmann ou Mörike ; de la musique de chambre (*3ᵉ Trio,* op. 110 ; *2 Sonates pour piano-violon,*

Robert et Clara Schumann, par Erald Kaiser. Dessin (1847).

Roger-Viollet

tourmentées, aux thèmes distendus). L'année 1852, malgré le repos imposé par Clara, verra naître le *Pèlerinage de la rose,* la *Messe,* le *Requiem* op. 148. Mais, de plus en plus, il éprouve de «pénibles souffrances» et note dans le *Journal :* «Triste épuisement de mes forces.» Le 28 octobre 1852, le mot «résignation» y apparaît. Schumann, dès lors, semble accepter de ne plus exprimer les états sublimes que l'enthousiasme lui avait révélés naguère, parce qu'il ne peut plus aller au-delà du langage qu'il possédait et parce qu'il consent à se réfugier dans la folie, dans sa folie. En mai 1853, une brève résurgence de confiance en lui sera à l'origine du *Concerto,* puis de la *Fantaisie pour violon et orchestre.* Il écrira encore quelques pièces (l'opus 134 ; les *Contes de fée,* pour clarinette, alto et piano) ; puis, une dernière fois, il se tourne vers le piano : *Chants de l'aube* op. 133. Mais c'est l'aube de la nuit. Le 13 février 1854, le délire l'assaille ; le 27, après quelque accalmie, il veut se rendre, de lui-même, à l'asile d'Endenich. Quittant alors subitement son foyer, il se jette dans le Rhin : acte de démence ou, au contraire, dernier acte de désespoir lucide ? Mystère. Repêché par des mariniers, il sera conduit cinq jours plus tard à Endenich. C'est là qu'après d'atroces souffrances — physiques et morales, car il est conscient de son état — il mourra, le 29 juillet 1856. Après l'enterrement, deux jours plus tard, dans le cimetière de Bonn, Clara affronta la vie avec courage et, restée seule avec sept enfants — quatre garçons, trois filles —, se multiplia en concerts jusqu'à sa mort, en 1896, afin d'imposer définitivement au monde l'œuvre de son mari.

Un «romantique» au plein sens du terme, qui fait se dérouler sa vie et son œuvre sur les seuls plans de l'intériorité, de la passion : tel apparaît bien Robert Schumann. L'introspection, l'étude, comme la culture volontaire de tous les phénomènes, intérieurs ou extérieurs, sont pour lui les données fondamentales de la création poétique. Il a fait sien l'idéal que Jean-Paul Richter définissait dès 1804 : être à la fois «poétique, pictural, musical», trouver au sein de l'univers l'harmonie des choses et des êtres et, à travers leur vie cachée, révéler leur vraie nature comme leur sens secret. D'où l'immense part réservée au rêve, à la fantaisie (*Phantasiestücke, Noveletten, Fantaisie* op. 17), à la vie profonde de la nature, de la forêt *(Waldszenen),* à l'enfance qui sait garder et recréer le merveilleux *(Album pour la jeunesse, Kinderszenen).* D'où, surtout, la part faite à l'inspiration, à cette force intérieure, qui, sous l'effet de la passion, explose et débouche sur l'œuvre d'art. Moment de fièvre saisi au vol, qui trouve sa « cristallisation », sa pérennité, dans la composition (mais aussi le plus souvent dans la souffrance), comme l'avait bien vu le peintre Friedrich : « Toute œuvre d'art authentique est conçue dans une heure mystique et enfantée dans une heure joyeuse, souvent à l'insu de l'artiste, sous l'impulsion intime du cœur. »

Partir à la recherche du « moi des profondeurs » revient alors souvent à forcer les portes d'un autre soi-même, caché à la multitude et qui s'impose comme le miroir véritable de l'artiste. Ce Doppelgänger, Schumann l'a constamment auprès de lui, conscient de cette dualité en Florestan et Eusebius, et qu'il décrit ainsi dans son *Journal* « à la fois pauvre et riche, abattu et vigoureux, las de la vie et plein d'ardeur ». Cassure, dédoublement en deux entités faustiennes, dont la prise de conscience conduit à l'écartèlement et à l'exaspération de l'être et crée précisément le tragique de sa destinée. Dès lors, la sensibilité déjà aiguë du musicien se fait à la fois naturelle et morbide, et la désagrégation de son moi qui le conduira à la folie n'est peut-être, finalement et en dehors de toute hérédité possible, que la conséquence même de l'acuité d'un regard partant à la découverte des plus secrets replis

*Clara **Schumann** en 1853, par J. J. Bonaventure Laurens (Bibl. Inguimbertine, Carpentras).*

*Page autographe de la 3ᵉ sonate pour piano et violon de Robert **Schumann.***

Larousse

de l'âme : ce n'est pas sans danger que l'homme s'embarque pour l'exploration de soi-même.

D'où le langage, la forme de la création schumannienne. L'écriture, d'une criante personnalité, se contente paradoxalement de la grammaire du temps. L'harmonie est héritée de Beethoven ; seuls la ligne de la mélodie et l'agrégat des accords expriment l'unicité de l'expression, la personnalité du musicien. La forme, en revanche, acquiert des caractères nouveaux. Secrètement hanté par le classicisme, Schumann a cherché à utiliser le cadre de la sonate

(opus 11, 14, 22 notamment) et même dans les pages apparemment les plus libres (*Fantaisie* op. 17), l'on perçoit une volonté organisatrice, cette fameuse « règle qui corrige l'émotion ». Mais ce moule classique, recherché, utilisé et vécu comme un rempart salvateur face aux débordements de l'imagination, éclate, en fait, de toutes parts (à un moindre degré dans les *Symphonies*), sous la pression de la passion, de la vie et de la poésie intérieure. C'est pourquoi Schumann se meut le plus à l'aise dans la fantaisie, la variation, chacune révélant un visage nouveau, dans les pièces brèves surtout («Stücke») réunies ou non en recueils. C'est pourquoi, également, il aborde le lied avec tant de bonheur puisque là se fondent les harmonies des sons et du verbe, allant même jusqu'à leur donner les dimensions d'un cycle *(Dichterliebe)* et où, tout en restant lui-même, il sait conserver à chacun des poètes sa propre personnalité. Jamais strophiques, donc mouvantes comme la vie même, ses admirables compositions pour la voix, qui font de lui l'un des deux pôles du lied germanique, dénotent une compréhension poétique exceptionnelle, fruit de sa culture, certes, mais aussi de sa propre émotivité que vient sublimer une texture musicale devenue spontanément sous sa plume description pittoresque, état d'âme, kaléidoscope de sensations et d'émotions.

Ainsi se trouve expliquée chez Schumann la mouvance de la forme, de la facture même (œuvres pour piano ou musique de chambre), parcourue de frissons, soupirs, d'envolées lyriques ou d'abattements subits, prenant tour à tour le ton de l'épopée ou de la confidence, la musique restant toujours explication de l'indicible, révélatrice du caché, voire de l'inconscient. Toute l'œuvre de Schumann n'est en effet qu'une longue, troublante, dévorante confession : voilà bien ce qui le rend si humain et si proche de nous, merveilleux «poète-musicien» happé par les forces de la nuit, de la forêt, de l'enfance, du merveilleux. Épris de poésie, de littérature, de philosophie, Schumann a cherché à transmuer en sons les forces disparates de son siècle, poussant jusqu'à leur ultime limite, par soif d'authenticité, les contradictions de son époque et celles de sa propre nature. Il ne pouvait, ainsi, vivre autrement que dangereusement. Sa folie, dès lors — comme celle de nombreux artistes contemporains, Hölderlin, Hoffmann, Heine, Wackenroder, Novalis —, semble bien née de cette constante hypertension, de cette double aspiration à saisir le quotidien et l'inexprimable, autant que d'avoir voulu, jusqu'à en mourir, assumer son destin de pur musicien romantique. «Ma musique, avait-il écrit, n'est pas une besogne de manœuvre ; le métier n'y a point de part ; mais elle a coûté à mon cœur plus qu'on ne saurait imaginer.» Sa grandeur vient d'en avoir accepté le terrible enjeu.

SCHÜTZ *(Heinrich),* compositeur allemand *(Köstritz 1585 - Dresde 1672).* Fils de Christoph Schütz (qui tenait enseigne à *la Grue d'or),* le jeune Heinrich reçoit une éducation soignée dans laquelle la musique n'est pas oubliée. En 1591, toute la famille s'établit à Weissenfels (où les parents du musicien viennent d'acquérir une autre hôtellerie, à l'enseigne de *l'Archer).* Là, l'enfant a comme professeur le cantor Georg Weber et l'organiste Heinrich Collander, tous deux de bonne réputation. Sous leur autorité, il fait de rapides progrès, surtout comme chanteur, au point que le landgrave de Hesse, Maurice dit le Lettré, ayant passé une nuit dans l'auberge familiale, est tellement impressionné par le petit sopraniste qu'il propose immédiatement aux parents de parfaire l'éducation de l'enfant dans sa chapelle musicale, promettant de l'élever et de l'instruire «dans tous les arts et les plus nobles vertus chrétiennes». Après quelques réticences, Christoph Schütz consent à la séparation, et Heinrich entre comme pensionnaire au Collegium Mauritianum de Cassel (1599).

Bien qu'ayant très vite perdu sa voix de «déchant», par suite de la mue, le jeune Schütz devient rapidement l'un des meilleurs éléments de l'établissement, tout en y recevant une excellente culture générale (outre la musique, les mathématiques, la théologie, le grec, le latin et le français). À vingt ans, à l'instigation de ses parents (qui ne pouvaient envisager l'état de musicien pour leur fils), Heinrich commence des études de droit à l'université de Marburg et y apporte beaucoup de zèle, au point de ne plus songer momentanément à son art. Pourtant, en 1609, il ne résiste pas à l'offre de Maurice de Hesse, lui proposant une bourse de 200 thalers par an «pour poursuivre des études musicales sérieuses» auprès du «célèbre Giovanni Gabriel *(sic),* qui se trouve toujours en vie à Venise».

Schütz arrive auprès d'un tel maître au printemps de la même année, et l'entente entre les deux hommes s'avère tellement positive pour le jeune Allemand que seule la mort de Gabrieli mettra fin au séjour de l'élève dans la République.

Un recueil paraît d'ailleurs en 1611, à Venise, un recueil qui, curieusement, n'est pas le fait du compositeur religieux, mais du polyphoniste profane : le *Premier Livre de madrigaux* à cinq voix, travail d'école où les promesses de l'élève sont tenues au-delà de toute espérance. Schütz assi-

*Heinrich **Schütz**, maître de chapelle à la cour de Dresde, par Ch. Romstet.*

mile avec une réelle maîtrise et un ton superbement personnel le style virtuose des chefs de file du genre : Marenzio, mais aussi Monteverdi, sinon Gesualdo et ses *stravaganze.*

Gabrieli étant mort en août 1612, en laissant à son « disciple bien-aimé » un anneau « en gage de sa très vive affection », Schütz regagne l'Allemagne au début de l'année suivante. Après s'être remis sans grand enthousiasme aux études de droit à Leipzig (où il se lie, néanmoins, avec le cantor de Saint-Thomas, Sethus Calvisius),

il entre comme second organiste dans la chapelle de Maurice de Hesse. Une carrière musicale commence qui, exemple presque unique de longévité, ne prendra fin que près de soixante ans plus tard !

Malheureusement pour le landgrave, dans le même temps où il cherche à s'attacher définitivement les services du jeune musicien, le hasard fait que celui-ci se produit à la cour du prince Électeur de Saxe Johann-Georg, pour un intérim, et qu'il y plaît à un tel point que, à quelques mois de là, Maurice le Lettré reçoit une nouvelle demande de service pour son protégé. Désormais, Schütz ne retournera pratiquement plus jamais à la cour de Cassel, malgré les lettres de protestations de son ancien maître, qui, dans ce différend, avait évidemment affaire à plus puissant que lui.

À Dresde, Schütz remplace, en fait, le grand Hans-Léo Hassler († 1612), et, dès 1617, il est nommé maître de la chapelle ducale (la première d'Allemagne après celle de Bavière). À ce titre, il occupe une situation «aussi prestigieuse que lourde de responsabilités», supervisant les répétitions, conduisant les concerts à la chambre comme à l'office, veillant au bon entretien et au remplacement des instruments, se tenant informé de la production des rivaux, auditionnant les futurs élèves, attentif aux desiderata de chacun, chantre ou instrumentiste. Et par-dessus tout, il y a les exigences de la composition et la commande d'œuvres nouvelles.

À toutes ces tâches, il apporte une conscience exemplaire, bénéficiant, en contrepartie, d'un réel bien-être au plan financier et matériel (du moins tant que la Saxe se tiendra à l'écart de la guerre de Trente Ans). À cet égard, cette première décennie d'activité à Dresde est certainement la période la plus heureuse de la vie du compositeur, et aussi la plus riche en succès. En 1617, à l'occasion de la venue de l'empereur Matthias, Schütz écrit un grand ballet mythologique, dans l'esprit du ballet de cour (malheureusement, cette partition a été détruite, comme beaucoup d'autres, par l'incendie qui ravagea la bibliothèque électorale en 1760). Puis, à l'automne de la même année, les fêtes commémoratives du centenaire de la Réforme sont célébrées avec éclat, avec, comme page maîtresse, le *Magnificat latin,* où le *Sagittarius* reconduit avec brio les techniques vénitiennes du concert polychoral avec instruments.

En 1619 paraît le très important recueil des *Psaumes de David,* qui, dans le même esprit que le *Magnificat latin,* magnifient la glorieuse leçon reçue de Giovanni Gabrieli (il se peut d'ailleurs que certains psaumes aient été composés dès le séjour vénitien de 1609-1613). Puis, à Bayreuth, Schütz rencontre un mécène averti, le prince Posthumus de Reuss, qui deviendra, pour lui, un ami fidèle et lui commandera le *Requiem* de 1636. Et parallèlement à de nombreux déplacements où le musicien

accompagne le prince Électeur, d'autres ouvrages capitaux du musicien voient le jour : *l'Histoire de la Résurrection* (1623), premier type d'oratorio connu en Allemagne, à l'imitation du genre né en Italie, puis les *Cantiones sacrae* (1625), où Schütz revient, malgré le recours *ad libitum* à la basse continue, à la manière du grand motet renaissant hérité de Lassus, mais en le transposant complètement au plan expressif et en insistant sur l'interprétation subjective des textes et l'élan individualiste de la prière, dans la perspective du madrigal spirituel défendu par Schein dans sa *Fontaine d'Israël.*

Dans le même temps, Schütz s'est marié à Magdalena Wiedeck (1619), et de leur union sont nées deux filles, Anna Justina et Euphrosyne. Malheureusement ce bonheur conjugal est de courte durée, car sa

Frontispice de l'opéra Daphné *de Heinrich Schütz.*

DAPHNE.
Auff deß Durchlauchtigen/
Hochgebornen Fürsten vnd Herrn/
Herrn Georgen/ Landtgrafen zu Hessen/
Grafen zu Catzenelnbogen/ Dietz/
Ziegenhain vnd Nidda;
Vnd
Der Durchlauchtigen / Hochgebor-
nen Fürstinn vnd Fräwlein/ Fräwlein Sophien
Eleonoren/ Hertzogin zu Sachsen/ Gülich/Cleve
vnd Bergen/ Landtgräfinn in Thüringen/
Marggräfinn zu Meissen/ Gräfinn zu
der Marck vnnd Ravenspurg/
Fräwlein zu Ravenstein
Beylager:
Durch Heinrich Schützen/ Churfürstl.
Sächs. Capellnmeistern Musicalisch in den
Schawplatz zu bringen/
Auff mehrentheils eigener erfindung
geschrieben von
Martin Opitzen.

In Verlegung David Müllers/
Buchführers in Breßlaw.

Crea

*Portrait d'Heinrich **Schütz** en 1670. Miniature anonyme à l'huile*
(Deutsche Staatsbibliothek, Berlin).

femme meurt en septembre 1625. Schütz cherche une consolation à ce deuil dans la composition du *Psautier de Becker,* destiné au culte (1628). Mais, auparavant, le musicien profane avait écrit le premier opéra allemand, la tragi-comédie pastorale *Daphné,* représentée en 1627 au château de Hartenfels, à l'occasion du mariage de la fille du prince Électeur avec le landgrave de Hesse-Darmstadt. L'œuvre, également perdue, réussissait sans doute la synthèse du drame lyrique et du récitatif à l'italienne avec le *Liedstil* allemand.

La guerre de Trente Ans, cependant, va

atteindre la Saxe, et les premiers touchés par les impératifs de l'économie de guerre sont, bien entendu, les musiciens de la chapelle. Schütz se résout à adresser, le jour des Rameaux 1628, une émouvante supplique au duc pour défendre la cause de ses administrés, dont la plupart n'ont pas perçu de salaire depuis de longs mois. Mais la démarche reste sans effet, et le *Sagittarius,* prenant prétexte d'une promesse faite par Johann-Georg au lendemain de la création de *Daphné,* demande et obtient l'autorisation de retourner à Venise parfaire en toute tranquillité « le petit talent qu'il a reçu de Dieu », auprès du « subtil » Monteverdi, et, le 1er novembre 1628, il retrouve avec émotion les canaux, palais et *campi* de la République.

Lors de son premier séjour auprès de Gabrieli, Schütz avait surtout étudié la polyphonie religieuse et son correspondant profane, le madrigal. Auprès du maître de l'*Orfeo,* c'est au *stile nuovo* qu'il s'attaque, travaillant le récitatif, l'arioso et tous les modes de chant concertant. Paru à Venise, en 1629, le *Premier Livre de symphonies sacrées* consigne, en quelque sorte, les acquisitions de ce second séjour. Jamais, sans doute, Heinrich ne sera aussi « italien » que dans ce recueil éclatant de modernité et de jeunesse.

Revenu à Dresde à la fin de 1629, le compositeur retrouve une charge réduite au minimum, avec des crédits de plus en plus rognés par la guerre. Faire subsister sa chapelle, et pour tout dire, survivre, devient son unique souci. Alors que meurt, à Leipzig, l'ami affectionné Schein, cantor à Saint-Thomas (1630), la vie musicale se fige à la cour électorale, la Saxe devenant le champ de bataille privilégié où s'affrontent impériaux, Suédois et protestants.

Dans ces conditions, il n'est pas étonnant que le *Sagittarius,* découragé par une situation aussi hostile, ait sollicité et obtenu, courant 1633, un nouveau congé pour se rendre au Danemark et y préparer, entre autres, le mariage du prince héritier local avec Magdalena Sybilla, fille du prince Électeur. Grand amateur de musique, le roi Christian réussit à garder auprès de lui le compositeur jusqu'en mai 1635, et le comble de cadeaux à son départ, lui arrachant la promesse d'un prompt retour. Revenu en Saxe, Schütz retrouve sa chapelle dans une inactivité quasi totale. Il parvient pourtant à publier quelques œuvres en 1636 : d'abord les *Musikalische Exe-*

quiem (autrement dit le *Requiem*), composés à la demande de Posthumus de Reuss ; ensuite, la première partie des *Petits Concerts spirituels.* Ces dernières pages, Heinrich les a écrites poussé par une espèce de nécessité intérieure et en y mettant toute sa ferveur, mais la ferveur d'un croyant bouleversé par les violences et les misères de la guerre. Aussi bien, constatant, quelques mois plus tard, qu'il n'est plus d'aucune utilité à personne en tant que *Cappellmeister,* il se décide à demander un nouveau congé pour regagner la cour de Copenhague, où il est impatiemment attendu pour réorganiser la musique royale. Les documents manquent sur ce deuxième séjour, mais l'on sait que, parti en août 1637, Schütz était de retour à Dresde à l'automne 1638, après un détour par Wolfenbüttel, pour saluer la duchesse amie, Sophie-Élisabeth.

En 1639, paraît le *Deuxième Recueil de petits concerts spirituels,* où, sous l'angoisse de l'expression, brûle toujours la petite flamme de l'espérance et où l'art du musicien reste nourri de la leçon de la monodie monteverdienne. Conscient cependant des rigueurs et des privations engendrées par l'époque, Schütz promet, dans sa préface, des œuvres plus importantes pour des jours meilleurs. Immobilisé par une grave maladie, pendant l'hiver 1640-41, le compositeur, sitôt rétabli, attire une nouvelle fois l'attention de Johann-Georg sur la situation désespérée du Corpus musicum, qui, selon lui, se trouve « à l'article de la mort », et réclame de toute urgence le recrutement de jeunes chanteurs et instrumentistes. Mais le souverain reste indifférent à cet appel, et le compositeur n'a d'autre solution que de reprendre — avec moins d'empressement qu'auparavant, car il eût sans doute préféré œuvrer sur place à la restauration de la chapelle ducale — le chemin du Danemark. Il y restera deux ans (1642-1644), mis à part un bref intermède en Saxe, y sera nommé maître de chapelle, et, au terme de ce troisième et dernier séjour, remettra en guise d'adieu au prince héritier un exemplaire manuscrit de ses *Symphonies sacrées no 2.* Dans ce livre, imprimé à Dresde en 1647, les techniques modernes héritées toujours de Monteverdi (déclamation monodique, chant soliste virtuose, traitement émancipé des voix) se fondent sans heurt à la tradition allemande en une synthèse hautement personnelle.

Page autographe de l'Oratorio sur la Nativité (début) d'Heinrich Schütz.

À son retour définitif en Saxe, le *Sagittarius* ne trouve pas une situation améliorée, bien au contraire. La guerre se prolongeant, l'argent fait toujours défaut et le compositeur, à présent sexagénaire, doit batailler quotidiennement pour obtenir quelques subsides pour ses malheureux administrés.

Dès ce moment, l'aspiration du musicien à une retraite paisible va devenir le leitmotiv de ses doléances. Pourtant, il continue, malgré sa lassitude, à assumer les responsabilités de sa charge avec le même sérieux que naguère et trouve le moyen de faire éditer quelques nouvelles

œuvres essentielles. Vers 1645, il revient à l'oratorio avec *les Sept Paroles du Christ en croix*, où il transpose génialement le nouveau style religieux et dramatique de l'école romaine (Luigi Rossi et Carissimi). Et, en 1648, c'est la publication de la *Geistliche Chormusik*, « somme » monumentale du savoir du *Sagittarius* qui marque, dans une certaine mesure, le retour à la grande tradition communautaire et objective du motet luthérien.

Cette même année 1648 voit la fin d'un cauchemar : la signature des traités de Westphalie apporte la paix tant désirée à l'Allemagne. Cette paix ne ramène pas pour autant de l'argent dans les caisses du prince Électeur et Schütz doit toujours batailler pour trouver quelque crédit pour sa chapelle. Bien plus — et malgré le succès rencontré par l'édition de la troisième partie des *Symphonies sacrées* en 1650 —, le prince héritier, cédant aux modes du jour, suscite un rival au vieux maître en la personne de l'Italien Bontempi. Schütz se fâche alors tout net et déclare qu'il n'acceptera jamais d'être commandé, devant ses musiciens, par un homme trois fois plus jeune que lui et de surcroît un castrat ! Devant cette explosion, le prince Électeur n'insiste pas, et l'affaire en reste là. De toute façon, la seule chose qu'espère à présent le *Sagittarius*, c'est de voir ses droits à la retraite enfin reconnus. Mais il lui faudra attendre encore deux ans pour obtenir satisfaction, à la mort du vieux prince en octobre 1655.

Début 1656 donc, le compositeur vend sa maison de Dresde sans abandonner tout à fait ses fonctions officielles à la cour ; il conserve son titre de premier maître de chapelle à titre honoraire (avec appointements à l'appui) et il est entendu que, deux ou trois fois l'an, il reste à la disposition du duc de Saxe pour des cérémonies exceptionnelles.

Désormais, le *Sagittarius* va consacrer les quinze dernières années de son existence à la composition, car il craint que la mort ne le surprenne « avant qu'il ne se soit mis en paix avec lui-même comme créateur ». Ainsi est écrite, de 1657 à 1671, une dernière moisson de partitions capitales : les *12 Chants spirituels* (1657), l'*Histoire de la Nativité* (1664) qui renouvelle complètement le genre de l'oratorio par le biais du style *parlando*, les 3 passions, dont la *Passion selon saint Luc* (peut-être composée dès 1653), la *Passion selon saint Jean* et la *Passion selon saint Matthieu* (1666), fruits d'une réflexion sans précédent et d'un archaïsme volontaire dans la narration de l'évangéliste (sorte de grégorien réinventé d'une rare sobriété expressive).

Puis, ayant donné son chant du cygne avec le *Magnificat allemand* de 1671, le vieux maître s'éteint à Dresde le 6 novembre 1672, unanimement reconnu comme la première autorité musicale de son pays, le pédagogue qui aura formé dans les rangs de la chapelle électorale— véritable pépinière de talents — les chefs de file de la nouvelle génération : Christoph Bernhard, C. C. Dedekind, Adam Krieger, les deux Kittel, Hofkonz, Gaspar Ziegler, etc. Et c'est sous le porche de l'ancienne Frauenkirche qu'il fut inhumé, treize ans avant que ne naisse Jean-Sébastien Bach, dont on peut dire sans risque d'erreur que le *Sagittarius* est le véritable père spirituel.

L'évolution du style chez Schütz est étroitement liée aux influences qu'il a reçues (et qu'il a toujours transposées, en fait, à des fins très personnelles) et aux choix auxquels il s'est trouvé confronté durant sa très longue carrière. Au départ, le disciple de Giovanni Gabrieli, ébloui par le séjour vénitien, cède aux tentations individualistes du *stile nuovo*. Ainsi, les *Psaumes de David* oublient-ils dans une large mesure l'héritage polyphonique traditionnel pour la puissance et la gloire de l'école de Saint-Marc et les jeux de timbre du langage concertant.

Les *Cantiones sacrae* de 1625, malgré leurs références à l'art a cappella, poursuivent dans le même sens en privilégiant une ferveur subjective, et pour tout dire piétiste, caractéristique de la foi de leur auteur. Avec les *Symphonies sacrées* de 1629, nouveau tournant esthétique et expressif dans la production du musicien, qui met en évidence l'influence déterminante jouée par Monteverdi, lors du second séjour à Venise en 1628-29. Si, auparavant, Schütz avait pu donner l'illusion de rechercher la splendeur des sonorités comme un but en soi *(Psaumes de David),* il était toujours resté fidèle aux racines collectives de sa foi luthérienne. À présent, le climat qui domine est celui d'une « confession éminemment individuelle » (A. A. Abert). La monodie triomphe, avec la déclamation lyrique à l'italienne, tant dans ce *Premier Livre de symphonies sacrées* que dans les *Petits Concerts spirituels* de

1636-1639, à cette différence près, comme le fait toujours remarquer A. A. Abert, que Schütz tend à intérioriser le discours monodique, là où Monteverdi et ses continuateurs privilégient tout naturellement le trait dramatique. Et, malgré un indiscutable retour de l'élément germanique et luthérien dans ce recueil, les *Symphonies sacrées n° 2* de 1647 appartiennent encore à cette période postmontéverdienne du compositeur, sans doute celle où le *Sagittarius* est le plus proche de la spiritualité transalpine, voire « catholique » de son illustre modèle.

Puis, passé 1648 (et déjà les *Sept Paroles du Christ en croix,* refusant la « théâtralité sacrée » des oratorios de Carissimi, s'engageaient plus avant dans la méditation des textes que l'*Histoire de la Résurrection* de 1623), commence le grand retour du compositeur ayant dépassé la soixantaine à ses origines religieuses, voire culturelles. Le novateur opère alors comme un repli sur lui-même et redécouvre la valeur d'un art objectif et communautaire, en conformité de pensée avec l'assemblée luthérienne. Ce revirement qui s'accompagne d'un retour à la grande tradition polyphonique du xvie siècle (dont le meilleur exemple nous est fourni par la *Geistliche Chormusik* de 1648) ne signifie pas, bien sûr, que Schütz renonce soudain aux acquisitions et trouvailles du langage moderne, au style monodique comme à l'interprétation personnelle des Écritures, lui qui avait montré la voie à suivre à tous ses contemporains dans ce domaine. Seulement, cette modernité, l'auteur la confronte désormais aux nécessités du sentiment et de la prière collectifs, le musicien individualiste s'effaçant de plus en plus devant le porte-parole de la communauté des croyants, pour des actes de foi d'une portée universelle. Et rien n'est plus émouvant, tant dans l'*Oratorio de Noël* de 1664 que dans les *Passions a cappella* et le *Magnificat allemand* de 1671, que cette modestie du vieux maître (l'« archicantor » comme l'appelaient ses contemporains), qui vient mettre la liberté formelle et expressive si brillamment conquise autrefois, au service de l'immense foule des hommes de bonne volonté. Par là, cette œuvre exceptionnelle rend aujourd'hui de singuliers accents œcuméniques et invite même les confessions et les races à communier dans une compréhension mutuelle. À ce titre, l'humaniste Schütz, de la quête subjective des débuts «aux aspirations individualistes décantées de la vieillesse», a bien mérité notre admiration et notre reconnaissance.

SCHWARZ *(Jean),* compositeur français *(Lille 1939).* Après des études musicales à Paris et à Versailles, il partage son activité entre la pratique du jazz (comme batteur) et l'étude de la musique non-européenne, comme chargé de recherches du C. N. R. S., attaché au département d'ethnologie du musée de l'Homme, à Paris. Il rejoint plus tard le Groupe de recherches musicales, dont il reste jusqu'en 1981 membre permanent. Dans le domaine électroacoustique, il a composé, au G. R. M. ou avec ses moyens privés, un certain nombre de pièces pour bande magnétique seule : *Erda* (1972), la suite *Il était une fois* (1973), *Symphonie* (1974), *Don Quichotte* (1975-76), *Gamma* (1978), etc., et des œuvres «mixtes» comme *Anticycle* (1972), pour bande et percussionniste (œuvre utilisant des enregistrements d'instruments à percussion non-européens), *Klavierband* (1978), pour piano et bande, *Gamma Plus* (1979), pour synthétiseurs joués en direct et bande, ainsi que des musiques pour la scène et le ballet, notamment pour la danseuse-chrorégraphe Carolyn Carlson (*Year of the Horse,* 1978). Citons encore *Die vier Jahreszeiten* (1983).

On lui doit aussi des séquences musicales électroacoustiques et des effets spéciaux sonores pour des films de long métrage : *Comment ça va,* de Jean-Luc Godard, *Histoire d'A,* de Charles Belmont, *Providence,* d'Alain Resnais, etc. Il a tenté des expériences de confrontation de musiciens improvisateurs de jazz avec des éléments musicaux préenregistrés sur bande : *Surroundings* (1978-79) et *And Around* (1981). Il aime le son électronique carré et rythmique, un peu dur, et ses œuvres font souvent référence à la musique extra-européenne et au jazz.

SCOTT *(Cyril),* compositeur, poète et musicographe britannique *(Oxton 1879-Eastbourne 1970).* Ses premières tentatives de composition datent de l'âge de sept ans. À douze ans, il partit pour Francfort, où il travailla au conservatoire avec Uzielli (piano) et Humperdinck (composition). Revenu à Liverpool, où il fut élève pour le piano de Steudner-Welsing, il repartit à Francfort pour travailler la composition avec Ivan Knorr. Avec plusieurs camarades, dont Percy Grainger, il constitua le groupe de Francfort.

L'influence du poète Stefan George élargit son horizon. En 1898, il se fixa à Liverpool. En 1900, sa Première Symphonie était jouée à Darmstadt. De la même période datent ses premiers poèmes. Entre 1901 et 1909, il écrivit des œuvres pour piano, des mélodies, un Quatuor avec piano, sa 2e Symphonie (1903). Passionné de religions orientales et de théosophie, il chercha à en donner une application musicale en écrivant une Sonate pour piano et violon, et une Sonate pour piano sans armature de clef ni mesure (1910).

Parmi ses œuvres passées à la postérité, il faut retenir ses pièces pour piano et ses mélodies, écrites dans un style se rattachant à l'impressionnisme, qui l'a fait surnommer le «Debussy anglais». Scott a également composé deux opéras, *The Alchimist* (1925) et *Maureen O'Hara* (inachevé). On lui doit aussi un livre intitulé *Music, its secret influence through the ages* (1933).

SCRIABINE *(Alexandre N.),* pianiste et compositeur russe *(Moscou 1872-id 1915)* Né d'un père diplomate et d'une mère pianiste qui meurt un an après sa naissance, il entra à l'école des Cadets de Moscou, mais très vite renonça à la carrière militaire pour la musique. Admis au même moment au conservatoire de Moscou dans les classes de Safonov (piano), Arensky (harmonie, contrepoint), Taneev (composition), il y obtient un premier prix de piano en 1892. Sans attendre cette récompense, il avait entrepris une carrière de pianiste qui attira sur lui l'attention de Belaïev, alors même qu'il composait encore sous l'influence de Chopin. Sa vie durant, il poursuivit ses tournées de concerts (exclusivement consacrés à ses œuvres) que seules interrompent ses années d'enseignement (piano) au conservatoire de Moscou (1898-1903). Ses premières tournées en Europe lui apportèrent la révélation de Wagner, de Liszt (qui lui proposa un élargissement des procédés d'écriture pianistique), de Strauss, Debussy et Ravel. Il trouva en Vera Ivanova Issakovitch (qu'il épousa en 1897) une fervente propagandiste : même après leur séparation en 1905, après que Scriabine eût rencontré Tatiana de Schloezer, elle devait continuer à jouer ses œuvres. À son départ du conservatoire de Moscou, il résida à l'étranger entre ses tournées (États-Unis, 1906-1907), d'abord en Suisse puis en Belgique, où il côtoya les cercles théosophiques de Bruxelles, qui confirmèrent son penchant au mysticisme. Rentré à Moscou en 1911, il ne devait s'en éloigner que pour des concerts londoniens (1913 et 1914). Un mal infectieux, consécutif à une piqûre de mouche charbonneuse à la lèvre, l'emporta en 1915.

« Il se pourrait bien qu'il soit fou », notait Rimski-Korsakov, après avoir entendu au piano Scriabine jouer des passages du *Poème de l'extase.* Il est vrai que la personnalité de Scriabine est complexe, pleine de contradictions même; sa remise en question du système tonal, sa volonté d'organiser ou de réorganiser la musique s'entourent de considérations philosophico-mystiques et d'un sentiment romantique exalté confinant à la morbidité et l'emphase qui explique le jugement de « décadence » qui a été jeté sur sa musique à partir de 1925-1930. La musique est pour lui « une force théurgique d'une puissance incommensurable appelée à transformer l'homme et le cosmos tout entier » (Marina Scriabine). Il rejoint, là, la conception de l'art de symbolistes tel Ivanov, un compagnon des dernières années, ou, sans le savoir, la pensée du poète romantique allemand Novalis. La musique est donc pour lui un moyen de libération et cette idée a pu nourrir les points de vue marxistes auxquels il adhère passagèrement lors de son séjour en Suisse, fondant son socialisme sur la pitié et l'amour de l'homme. Il refuse néanmoins « toute concession au grand nombre » et tout emprunt au folklore; en cela, son art reste essentiellement aristocratique.

Il est un novateur et son originalité s'exerce d'abord dans le domaine harmonique, bien que les autres aspects de son langage en soient difficilement dissociables. En effet, parti de l'influence de Chopin (*cf.* les *24 Préludes* et, en général, toute son œuvre jusqu'en 1903), il découvre à travers Wagner l'hyperchromatisme. En outre, Wagner l'oriente vers des œuvres orchestrales de style néoromantique (*cf.* la *1re* et la *2e Symphonie*). La libération de la tonalité n'intervient qu'à l'issue de cette étape intermédiaire et prend la forme de l'accord mystique (*do, fa dièse, si bémol, mi, la, ré,* pour *Prométhée*), c'est-à-dire d'un accord de 6 sons, formé de quartes

Alexandre **Scriabine.**

justes et altérées et fondé sur la résonance harmonique. Par ce biais, Scriabine évite le piège de l'attraction tonale. Il lui accorde, en outre, une valeur mystique dans la mesure où il le comprend comme un « principe unificateur » et un moyen de refléter « l'harmonie des mondes ». Dans ses dernières sonates, toute armure disparaît même à la clef : la mobilité de l'œuvre devient une dimension de l'atonalité. Mais, dépassant Wagner, à qui il reproche d'avoir maintenu l'autonomie du texte et de la musique, Scriabine tente la fusion des arts et des sens, car « le mystère » ne peut être qu'un acte total. Dans cette optique, il utilise pour *Prométhée* (1910) des projections colorées établies sur la base d'une table de correspondances du spectre des hauteurs sonores et du spectre des couleurs (*do* = rouge, *sol* = orange, *ré* = jaune brillant, *la* = vert, *mi* = blanc bleuâtre, etc.).

Il s'agit en somme d'un clavier lumineux dont il imputa l'échec, lors de la création de *Prométhée*, au mauvais fonctionnement de la machine de l'Anglais Remington. Ses recherches devaient trouver leur aboutissement dans le *Mystère* que la mort ne lui permit pas d'achever. Selon son ami Oscar von Riesemann, il envisageait de « faire circuler l'air de la nature elle-même dans l'acte à la fois artistique et liturgique du *Mystère :* le bruissement des feuilles, le scintillement des étoiles, les couleurs du lever et du coucher de soleil devaient y trouver place » avec la participation active du public. Stockhausen ne dit pas, ne fait pas autre chose depuis *Sternklang,* Cage non plus.

Cette rupture avec le monde occidental annonce les nouvelles relations Orient-Occident dans la musique à partir des années 60, une fois dépassé le stade des emprunts conscients (Messiaen). En effet, outre les recherches de timbres (célesta, cloches, clochettes, tam-tam dans *le Poème de l'extase* [1905-1907], gong dans *Prométhée*), Scriabine, à partir de 1905, après avoir découvert Nietzsche et Schopenhauer, se tourne vers la philosophie hindoue, parallèlement au théosophisme : alors commencent « l'ascension vers le soleil » et l'accession « par l'extase à la fusion avec le cosmos », dont les œuvres de 1903 à 1915 sont les préliminaires. La fougue, la violence, si caractéristiques de son style, l'amènent d'autre part à faire éclater le cadre formel de la sonate, soit qu'il rejette le schéma de la forme sonate pour le monothématisme (cf. *4ᵉ Sonate,* 1904, 2ᵉ partie), soit qu'il se tourne (dernières *Sonates, 3ᵉ Symphonie, Poème de l'extase, Prométhée*) vers une construction continue en un mouvement qui, seule, par l'absence de cloisonnement, peut rendre compte de l'élan de sa pensée. Alors qu'à sa mort en 1915 Scriabine était considéré comme le chef de file des modernistes et qu'un public sans cesse grandissant s'enthousiasmait pour ses œuvres, alors même qu'il exerçait une influence certaine sur Miakovski, Medtner, Szymanovski, Krioukov ou Feinberg, il est aujourd'hui toujours aussi méconnu ou mal compris parce qu'il y a eu, trop longtemps, polarisation sur son discours souvent obscur ou primaire. Néanmoins, au-delà de ce débordement, ce « romantique total » (B. de Schloezer) ne clôt pas seulement une époque, il mérite toute

notre attention si nous nous penchons sur les sources de la musique du xxᵉ siècle.

SEARLE *(Humphrey),* compositeur et musicologue anglais *(Oxford 1915 - Londres 1982).* Il fit ses études au Royal College of Music (1937) et à Vienne avec Webern (1937-38), qui exerça sur lui une influence durable. Il travailla à la BBC, de 1938 à 1948 (exception faite des années de guerre), et fut conseiller musical à Sadler's Wells, de 1951 à 1957. S'étant toujours intéressé à la musique de Liszt, il joua un rôle prépondérant dans la fondation de la Société Liszt, et en devint secrétaire honoraire en 1950. Presque toutes ses œuvres, depuis 1946, font usage du dodécaphonisme sériel, qu'avait déjà approché en 1943 sa *Night Music* op. 2, pour orchestre de chambre, en l'honneur du soixantième anniversaire de Webern. Sa *Passacaglietta in nomine Arnold Schönberg* op. 16, pour quatuor à cordes (1949), pour le soixante-quinzième anniversaire de Schönberg, est

Humphrey Searle.

en même temps un hommage à la mémoire de Webern.

Sa *Sonate pour piano* op. 21 (1951), pour le cent quarantième anniversaire de Liszt et créée le jour même de cet événement, est en un seul mouvement, comme la Sonate en *si* mineur du maître hongrois, et étroitement modelée sur celle-ci. Dans cette œuvre apparaît le côté romantique de Searle. On peut en dire autant de ses 5 symphonies (1953, 1958, 1960, 1962 et 1964), en particulier de la première (op. 23), sérielle, généreuse d'expression, et en un seul mouvement. La 5ᵉ Symphonie (op. 43) est de nouveau dédiée à la mémoire de Webern. On lui doit encore les opéras *The Diary of a Madman,* d'après Gogol (1958), *The Photo of the Colonel,* d'après Ionesco (1964), et *Hamlet,* d'après Shakespeare (1965-1968), diverses pages d'orchestre, de la musique de chambre, de la musique vocale dont la trilogie formée de *Gold Coast Customs,* d'après E. Sitwell (1949), de *The Riverrun,* d'après Joyce (1951), de *The Shadow of Cain,* d'après E. Sitwell (1951), et de nombreux livres et écrits, parmi lesquels *The Music of Liszt* (1954, rév. 1966) et *Twentieth Century Counterpoint* (1954).

SEIBER *(Matyas),* compositeur et pédagogue anglais, d'origine hongroise *(Budapest 1905 - parc national Kruger, Afrique du Sud, 1960).* Élève de Kodály à Budapest (violoncelle et composition), il décida, compte tenu du caractère conservateur de la vie musicale hongroise, de faire carrière à l'étranger, jouant sur les paquebots, créant une classe de jazz au conservatoire Hoch de Francfort, pratiquant son instrument au sein du Quatuor Lenzevski et dans divers orchestres symphoniques.

En 1935, il s'installa en Angleterre, et, en 1942, à l'invitation de Michael Tippett, commença à enseigner au Morley College. Il forma toute une génération de compositeurs anglais et étrangers, parmi lesquels Peter Racine Fricker, Don Banks, Anthony Milner, Peter Schat, Hugh Wood, et Ingvar Lidholm. En 1945, il fonda les Dorian Singers, spécialisés aussi bien dans l'interprétation des œuvres du xviᵉ siècle que du xxᵉ. Il mourut d'un accident de voiture lors d'une tournée de conférences dans les universités sud-africaines. Sa musique, souvent influencée par le jazz, reflète aussi son admiration pour Bartók, Berg et Schönberg.

Il parvint à la renommée avec la cantate *Ulysse,* pour ténor, chœurs et orchestre, d'après Joyce (1946-47, créée en 1949). On lui doit aussi, entre autres, 3 quatuors à cordes (1924, 1934-35, 1948-1951), 1 musique de scène pour une production radiophonique du *Faust* de Goethe (1949), *Fantasia concertante,* pour violon et cordes (1943-44), *Elegy,* pour alto et cordes (1953), *Tre pezzi,* pour violoncelle et orchestre (1956), *Improvisations,* pour jazz band et orchestre (1959), une sonate pour violon et piano (1960).

SENFL *(Ludwig),* compositeur suisse *(Bâle? 1486?-Munich 1542 ou 1543).* Sur les gravures 25 et 26 du *Triomphe* de Maximilien Iᵉʳ, de Hans Burgkmair, figure aux côtés de Georf Slatkonia, le directeur de la chapelle, Ludwig Senfl. Ce dernier fut, en effet, l'un des compositeurs attitrés de la cour itinérante de l'empereur. Membre de la chapelle impériale d'Augsbourg jusqu'à sa dissolution, il gagna alors Vienne (avec 13 autres chanteurs et interprètes) et devint l'élève (et le transcripteur) d'Isaac avant de le remplacer après son départ pour Florence (1512). Après le licenciement de la chapelle par Charles Quint

Ludwig Senfl, par F. Hagenauer (Strasbourg, Iʳᵉ moitié du XVIᵉ).

CLAVDIN

CLAVDII DE SERMISY, REGII SACELLI
Submagiftri, Noua & Prima motettorum editio.

INDEX VIGINTI OCTO MOTETTORVM.

SEX VOCVM		Afpice domine	xiij	Partus & integritas	xj
O Maria ftans fub cruce	Fo. j	Alleluya Angelus domini	xiiij	Regi feculorum	ix
		Cantate domino	xvij	Verba mea	iiij
QVINQVE VOCVM		Congratulamini mihi omnes	xvij	Veni fanɛte fpiritus	xv
Quis eft ifte qui progreditur	ij	Domine deus omnipotens	vij		
Quare fremuerunt gentes	iiij	Girum celi	xij	TRIVM VOCVM	
Regina celi letare	ij	Gaudent in celis	xvj	Aue fanɛtifsima Maria	xviij
		Miferere mei domine	v	Benedictum fit	xx
QVATVOR VOCVM		Mifericordias domini	viiij	Da pacem domine	xx
Aftiterunt reges	xi	Michael archangele	xvij	Euntes ibant & flebant	xix
Audite reges	xij	Nos qui viuimus	ix	Regi feculorum	xviij
		Noe Quem vidiftis	xiij	Spes mea ab vberibus	xix

Liber Primus. ❧ SVPERIVS. ❧
Cum gratia & priuilegio Regis
PARISIIS in vico Cythare.
EX OFFICINA PETRI ATTIGNANT ET HVBERTI IVLLET,
Typographorum Muſices Criſtianiſsimi Francorum Regis.
M. D. xlij.

*Page de titre du Premier livre de motets de Claudin de Sermisy,
publié à Paris en 1542 (Bibl. Nat., Paris).*

(1520), il se consacra au *Liber selectarum cantionum* (1520), recueil de chants renfermant le répertoire complet des motets de la cour, et acheva le *Choralis constantinus* d'Isaac ainsi que le *Livre d'Odes* d'Horace d'Ofhaimer. En 1523, il fut appelé à la cour de Munich comme « intonator », et malgré ses sympathies pour la Réforme, demeura à Munich jusqu'à sa mort.

Très appréciée et admirée, passant pour la plus importante de l'Allemagne à son époque, son œuvre comporte des messes ou fragments pour l'ordinaire ou le propre, des motets, des psaumes, mais aussi des lieder, qui lui valurent une part importante de sa célébrité. Le cantus firmus est à la base de ses compositions polyphoniques, qui, parfois, empruntent à la technique de la parodie ou de l'ostinato. Le premier, il a proposé de traiter polyphoniquement le choral (il fut vers 1530 en relation avec Luther, qui le pria notamment d'écrire un motet sur l'antienne *In pace*). Senfl est le maître incontesté du contrepoint dans l'Allemagne de la première moitié du XVIe siècle.

SERMISY *(Claudin de),* compositeur français *(? v. 1495 - Paris 1562).* On ne dispose d'aucune information sur sa jeunesse. On sait qu'il était, en 1508, enfant de chœur à la Sainte-Chapelle et, peu après (av. 1515), chantre à la chapelle royale. Nommé chanoine de Notre-Dame-de-la-Rotonde à Rouen, il échange cette position en 1524 contre une position similaire à Cambron près d'Abbeville. En 1532, il est déjà sous-maître de la chapelle royale et cumule, dès l'année suivante, ce poste avec celui de chanoine de la Sainte-Chapelle. Il conservera ces deux positions vraisemblablement jusqu'à sa mort, bien qu'on lui ait octroyé en 1554 la prébende de Sainte-Catherine de Troyes. Il jouissait d'une très grande réputation et ses contemporains le considéraient comme l'un des grands maîtres de leur époque, à l'égal de Josquin. Il a écrit autant de musique sacrée que profane, de qualité égale, ce qui est remarquable pour un musicien de sa génération. Il semble s'être consacré plus particulièrement à la musique sacrée à la fin de sa vie, la plupart de ses chansons ayant été écrites avant 1536. Il est, dans ce domaine, l'auteur de 12 messes environ (en général à quatre voix), dont une Messe de requiem, d'une soixantaine de motets (de 3 à 6 voix, mais surtout à 4 voix), d'une Passion selon saint Matthieu et de pièces diverses (Magnificat, fragments de messes, etc.). Ses messes sont en majorité des messes parodies. Il s'inspire souvent de ses propres œuvres, motets (Missa «Domini est terra», Missa «Tota pulchra est», etc.) ou chansons, bien qu'il utilise également des œuvres d'autres compositeurs (Missa «Voulant honneur», sur une chanson de Sandrin, par ex.). Sa Passion est une des plus anciennes passions polyphoniques qui nous aient été conservées. Le style polyphonique de ses messes et motets est bien sûr hérité de l'école franco-flamande et en particulier de Josquin (groupement des voix 2 par 2, imitations, etc.), mais il l'allège en faisant intervenir des passages plus homophoniques et en simplifiant ses mélodies, ce qui favorise la clarté du texte et trahit l'influence du style de la chanson sur sa musique sacrée. Ses chansons, en général assez courtes et à 4 voix, ont eu une vogue immédiate. Écrites sur des poèmes de François Ier, Bonaventure des Périers et, surtout, Clément Marot, elles se caractérisent par des phrases aux mélodies bien dessinées et au rythme très varié et ont souvent en commun un début homophonique, une écriture plutôt syllabique et un usage très discret du figuralisme.

SEROCKI (Kazimierz), compositeur polonais (Torun 1922 - Varsovie 1981). Après des études au conservatoire de Łódź et à l'École supérieure de musique de Varsovie avec K. Sikorski, il travailla à Paris, en 1947-48, la composition avec Nadia Boulanger et le piano avec Lazare Lévy. Il se tourna tout d'abord vers le folklorisme et le néoclassicisme, écrivant des ceuvres qu'il devait plus ou moins renier par la suite : Triptyque pour orchestre de chambre (1948), Symphonie n° 1

(1952), Symphonie n° 2 pour soprano, baryton, chœurs et orchestre (1953), Concerto pour trombone (1953). En 1956, il participa à la création de l'Automne de Varsovie, et, peu après, fut un des premiers en Pologne à adopter le sérialisme. De son évolution à cette époque témoignent Musica concertante, pour orchestre (1958) ; Épisodes, pour 50 cordes et 6 percussions (1959) ; et, surtout, Segmenti, pour 12 instruments à vent, 5 instruments à cordes et 4 percussions (1961). Suivirent A piacere, pour piano (1962-63), inspiré du Klavierstück XI de Stockhausen, Fresques symphoniques, pour grand orchestre (1964), Continuum, pour 6 percussionnistes (1966), Forte e piano, pour 2 pianos et orchestre (1967). Parallèlement naquirent plusieurs œuvres vocales, dont Niobe, pour récitant, récitante, chœurs et orchestre (1966) et Poèmes, pour soprano et orchestre de chambre (1968-69). Au cours de sa dernière décennie, Serocki, qui n'aborda jamais l'opéra, n'écrivit que de la musique instrumentale, mettant toujours davantage l'accent sur le paramètre «timbre». Citons notamment Dramatic Story, pour grand orchestre (1971), Fantasia elegiaca, pour orgue et orchestre (1971-72), et Pianophonie, pour piano, orchestre et live-electronic (1976-1978).

SEROV (Alexandre), critique musical et compositeur russe (Saint-Pétersbourg 1820 - id. 1871). Juriste de formation et de métier, il fut autodidacte en musique. Ses rencontres avec Vladimir Stassov, puis avec Glinka (1842) l'incitèrent à se consacrer activement à la musique. Mais ce n'est qu'en 1851 que débuta son activité de critique dans les revues Sovremennik («le Contemporain») et Pantheon. Ses premiers articles concernèrent Spontini, Mozart, Beethoven, le chant populaire russe et Glinka, dont il se fit l'exégète. Polémiste de talent, il fut en Russie un pionnier de la critique musicale «engagée». En 1858, il envoya une violente riposte à Fétis à la suite des articles de ce dernier sur Glinka. Ayant, en 1858-59, entendu en Occident les opéras de Wagner, il s'appliqua activement à son retour en Russie à faire connaître l'art et les principes de ce maître. Il soutint, en leurs débuts, les compositeurs du groupe des Cinq, mais se brouilla avec eux par la suite. En 1867, il fonda la revue Musique et Théâtre, qui ne connut qu'une année d'existence. En tant que compositeur, Serov est passé à la postérité grâce à ses trois opéras, *Judith* (1862), *Rognéda* (1865), et *la Puissance du mal* (1871), qui sont chacun représentatifs d'un courant esthétique propre à l'école nationale russe : l'orientalisme et la dimension épique dans *Judith,* qui encouragea Moussorgski à commencer son *Salammbô;* le haut Moyen Âge russe dans *Rognéda,* dont l'influence s'est exercée sur Rimski-Korsakov; la critique sociale dans *la Puissance du mal,* qui s'inscrit dans la succession de *la Roussalka* de Dargomyjski. Mais les conceptions musico-dramatiques de Serov, en dépit de son admiration pour Wagner, le rapprochaient surtout du grand opéra français.

SESSIONS *(Roger),* compositeur et pédagogue américain *(Brooklyn 1896-Princeton, New Jersey, 1985).* Il fut l'élève d'Horatio Parker à Yale University, puis de Nadia Boulanger et d'Ernest Bloch dont, après avoir enseigné à Smith College depuis 1917, il devait devenir l'assistant à Cleveland (1921). Il débuta en 1923 par une musique de scène pour *The Black Maskers* d'Andrlev, dont la puissance dramatique s'exprimait dans une langue originale, en dépit des influences avouées d'Ernest Bloch et de Stravinski.

Il passa ensuite en Europe huit années (1925-1933), au cours desquelles il s'intéressa spécialement à Schönberg et à Alban Berg, mais aussi à Richard Strauss et à Hindemith. Le résultat fut une synthèse de ces différents éléments, dont aucun n'est déterminant, mais dont chacun a contribué à l'essor d'une personnalité scrupuleuse et à sa libre expression. Prix de Rome en 1928, il présenta à New York, de 1928 à 1931, avec Copland, les « Copland-Sessions Concerts ». À son retour définitif aux États-Unis, il devint enseignant au département de Musique de Princeton (1935-1944). Les pages qu'il écrivit alors sont fidèles à une esthétique néoclassique (*Pastorale* pour flûte solo, *Concerto pour violon*) qui devait évoluer, à partir de la *2e Symphonie* (1946) et de la *2e Sonate pour piano* (1946), vers un chromatisme de plus en plus dissonant, caractéristique de sa période atonale. Son opéra *The Trial of Lucullus* (1947), son second Quatuor et sa *3e Symphonie* (1957) marqueront les étapes de son évolution vers un dodécaphonisme proche de celui d'Alban Berg.

Ses activités de président de la section américaine de la Société internationale de musique contemporaine et de professeur à Berkeley (1944-1952), Princeton (1953-1965), Berkeley (1966-67) et Harvard (1968-69) ne semblent pas avoir nui à une carrière de compositeur qui a suivi une démarche régulière pendant près d'un demi-siècle. Proclamé par les uns chef des compositeurs américains progressistes, et par les autres « le Brahms américain », il a réalisé par des moyens strictement personnels une œuvre d'une puissance et d'une saveur remarquables sur laquelle il a toujours refusé de s'expliquer, mais où il est facile de reconnaître, en marge de sa solide culture classique, l'intelligente assimilation des influences qu'il a su admettre. On lui doit notamment 9 symphonies (de 1927 à 1978).

SÉVERAC *(Déodat de),* compositeur français *(Saint-Félix-de-Caraman 1872-Céret*

Déodat de Séverac.

P. Petit

1921). Né dans un village du Lauraguais, fils d'un peintre de talent qui lui a transmis son attachement au terroir, il commence ses études musicales à Toulouse et les poursuit, de 1897 à 1907, à la Schola cantorum de Paris, où il est l'élève de Vincent d'Indy, de Charles Bordes et d'Albéric Magnard. Sa thèse de fin d'études, *la Centralisation et les Petites Chapelles,* plaide la cause d'un art national, fidèle au génie propre des diverses provinces. Cette cause, dont une de ses premières œuvres, le recueil pour piano *le Chant de la Terre* (1900), l'avait déjà illustrée, dans un langage coloré et vivant. La saveur originale et la luminosité du talent du musicien s'affirment avec plus de vigueur encore dans la suite *En Languedoc,* dans les *Baigneuses au soleil,* dans *Cerdana,* œuvres composées entre 1904 et 1911. Agrémentée de mordants et d'appoggiatures, l'écriture brillante et audacieuse de ces pages pianistiques a séduit, à juste titre, des virtuoses tels que Ricardo Viñès et Blanche Selva. Mieux que dans son poème lyrique *le Cœur du moulin* (1908), c'est dans ses pièces pour piano que Déodat de Séverac traduit avec une sincérité touchante, et une poésie familière qui lui est propre, l'amour qu'il porte aux hommes et au paysage de chez lui.

Revenu dans son pays, où il trouve sa voie et son équilibre, et où le réchauffent le soleil et l'amitié, Déodat de Séverac dédie en 1918, « à la mémoire des maîtres aimés Chabrier, Albéniz et Charles Bordes », sa suite pour piano *Sous les lauriers roses.*

SHIELD *(William),* compositeur anglais *(Swalwell, Durham, 1748 - Londres 1829).* Il écrivit de nombreux opéras avec dialogues parlés, dont *Rosina* (1782) et *The Woodman* (1791), et s'intéressa de près à la musique populaire de différents pays, en particulier de Russie. Il connut Haydn à Londres en 1794, recevant de lui le trio *Pietà di me,* et en 1818, comme « Master of the King's Music », écrivit la dernière ode destinée à un monarque britannique.

SIBELIUS *(Johan Julius* CHRISTIAN, dit *Jean),* compositeur finlandais *(Tavastehus 1865 - Järvenpää 1957).* Après avoir entrepris des études de droit, il s'inscrivit en 1886 à l'Institut musical fondé en 1882 à Helsinki par Martin Wegelius, et y resta trois années au cours desquelles il écrivit

notamment diverses pages de musique de chambre tout en espérant, pour un temps, devenir violoniste virtuose. Il fit à cette époque, à Helsinki, la connaissance de Ferruccio Busoni. Il passa l'hiver 1889-90 à Berlin comme élève du théoricien Alfred Becker, puis l'hiver 1890-91 à Vienne, où il étudia avec Robert Fuchs et Carl Goldmark, et composa ses premières partitions orchestrales, une *Scène de ballet* et une *Ouverture en «mi» majeur,* tout en ébauchant sa première grande œuvre, la symphonie pour solistes, chœurs et orchestre *Kullervo* (op. 7), d'après la mythologie finlandaise du Kalevala. La première audition de *Kullervo,* le 28 avril 1892 à Helsinki, fonda sa renommée en Finlande. Quelques semaines après ce premier triomphe, Sibelius épousa Aino Järnefelt *(1871-1969),* ce qui le fit entrer dans une des plus anciennes familles de Finlande.

La première période créatrice de Sibelius, dite « romantico-nationale », vit naître également le poème symphonique *En Saga* op. 9 (1892, rév. 1901), la *Suite de Lemminkainen* op. 22, également d'après le Kalevala et dont le deuxième volet n'est autre que le célèbre *Cygne de Tuonela,* ainsi que la *Symphonie n° 1* en *mi* mineur op. 39 (1899) et la *Symphonie n° 2* en *ré* majeur op. 43 (1902). Ceci sans oublier plusieurs pages liées aux revendications autonomistes de la Finlande, qui faisait alors partie, comme grand-duché, de l'empire des tsars : la plus célèbre est *Finlandia* op. 26 (1899), qui à l'origine faisait partie des *Scènes historiques* op. 25. À noter également qu'avant de se tourner pour l'essentiel vers la musique d'orchestre, Sibelius avait espéré se faire un nom dans l'opéra. Mais à la suite notamment d'une visite à Bayreuth en 1894, il avait abandonné un ambitieux projet en ce sens, intitulé *la Construction du bateau* (d'après le Kalevala) et dont le prélude, remanié, devait devenir *le Cygne de Tuonela.* Seul devait suivre en 1896 un modeste opéra en un acte toujours inédit, *la Jeune Fille dans la tour.*

Les premières pages d'orchestre de Sibelius éditées et entendues hors de Finlande furent la musique de scène pour *le Roi Christian II* op. 27 (1898). En 1897, il avait reçu du gouvernement une rente annuelle qui, dix ans plus tard, devait être transformée en pension à vie (sans suffire pour autant ni à le faire vivre, ni à éponger ses nombreuses dettes). Sa réputation

Ambassade de Finlande

*Jean **Sibelius**.*

internationale commença par l'Allemagne, mais non sans qu'auparavant, il ait accompagné en 1900 l'Orchestre symphonique d'Helsinki dirigé par Robert Kajanus à l'Exposition universelle de Paris. En 1901, il participa avec Richard Strauss à Heidelberg au 37e Festival de la Société des musiciens allemands, et en 1903, il effectua le premier de ses six séjours en Angleterre (le dernier eut lieu en 1921).

En 1904, Sibelius s'installa à Järvenpää, à une trentaine de kilomètres au nord d'Helsinki, dans une maison entourée d'arbres qu'il devait habiter jusqu'à sa mort plus d'un demi-siècle plus tard. De cette époque datent le célèbre *Concerto pour violon* op. 47 (1903, rév. 1905), la musique de scène pour *Kuolema* op. 44, dont est tirée la fameuse *Valse triste* (1903), et la musique de scène pour *Pelléas et Méli-*

sande op. 46 (1905). L'installation à Järvenpää marqua le début d'une nouvelle phase stylistique, plus universelle, plus concentrée, plus « classique » que la précédente, et illustrée notamment par les poèmes symphoniques *la Fille de Pohjola* op. 49 (1906) et *Chevauchée nocturne et Lever de soleil* op. 55 (1907), et surtout par la *Symphonie no 3* en *ut* majeur op. 52 (1904-1907), véritable porche de la grande maturité de Sibelius. En 1909, lors du quatrième voyage en Angleterre, fut terminé le quatuor à cordes *Voces intimae* op. 56, l'unique partition de chambre de grande envergure du compositeur.

Suivirent une série d'œuvres qui comptent parmi les plus austères et les plus radicales de Sibelius, et dont la genèse fut peut-être partiellement due à la crainte que celui-ci éprouva alors de mourir d'un cancer : la *Symphonie no 4* en *la* mineur op. 63 (1910-11), le poème symphonique *le Barde* op. 64 (1913), le poème pour soprano et orchestre *Luonnotar* op. 70 (1910-1913). De la même ascèse relèvent les trois *Sonatines* pour piano op. 67 (1912), qui sans doute constituent le meilleur de ce que Sibelius destina à un instrument pour lequel, de son propre aveu, il n'éprouvait pas de grandes affinités. À l'occasion de son unique voyage aux États-Unis (1914), juste avant le déclenchement de la Première Guerre mondiale, Sibelius composa un de ses plus beaux poèmes symphoniques, *les Océanides* op. 73. Durant la guerre, ses voyages se limitèrent à la Scandinavie. Le 8 décembre 1915, jour de son 50e anniversaire, eut lieu à Helsinki la création de la version primitive (en quatre mouvements) de sa *Symphonie no 5* en *mi* bémol majeur op. 82 (rév. 1916, version définitive et seule publiée 1919).

Le 6 décembre 1917, après la révolution russe, la Finlande proclama son indépendance, puis fut plongée jusqu'en avril 1918 dans la guerre civile : Sibelius dut abandonner Järvenpää, et se réfugier à Helsinki dans la clinique psychiatrique dirigée par son frère. La paix revenue, il reprit ses voyages et ses tournées : Angleterre (où il rencontra pour la dernière fois Busoni) en 1921, Norvège et Suède en 1923, Suède en 1924, Italie en 1924 et en 1926. Les œuvres importantes de ces ultimes années créatrices furent la *Symphonie no 6* op. 104 (officiellement en *ré* mineur, 1923), la *Symphonie no 7* en *ut* majeur op. 105 (1924, créée sous la direction du compositeur non à Helsinki comme les six précédentes, mais à Stockholm), la musique de scène pour *la Tempête* de Shakespeare op. 109 (1925-26), et le poème symphonique *Tapiola* op. 112 (1926).

Ensuite, il n'y eut plus d'œuvre majeure. Sibelius passa ses trente dernières années dans le silence. Une *Symphonie n° 8* fut entreprise et menée à bien vers 1932-33, puis détruite. À moins qu'elle ne se trouve « enfouie » quelque part en Finlande : mais c'est très peu probable, et les rumeurs en ce sens ont toujours été démenties. Avec les années 30 débuta pour Sibelius, dans les pays anglo-saxons, une période de grande renommée et de grand prestige marquée notamment par des livres de Cecil Gray (*Sibelius*, Londres, 1931) et Constant Lambert (*Music Ho!*, Londres, 1934) et le festival de ses œuvres organisé à Londres en 1938 par sir Thomas Beecham.

Sibelius lui-même quitta son pays pour la dernière fois en 1931, se rendant à Berlin « pour y travailler » (certainement à la *8e Symphonie*). On ne le vit, malgré les invitations qu'il avait reçues, ni au festival londonien de 1938, ni à celui d'Édimbourg de 1947. Il sortit de sa retraite le 1er janvier 1939 pour diriger à la Radio d'Helsinki, à l'intention de l'Exposition universelle de New York, son *Andante festivo* de 1922, passa toute la Seconde Guerre mondiale à Järvenpää, malgré plusieurs offres d'accueil aux États-Unis, et mourut quelques semaines après avoir dicté à son gendre, le chef d'orchestre Jussi Jalas, un accompagnement pour orchestre à cordes destiné à *Come Away, Death,* premier de ses deux lieder op. 60 (1909) sur *la Nuit des rois* de Shakespeare.

Peu de grands compositeurs ont suscité des jugements aussi contradictoires que Sibelius. Voici en effet un artiste qui d'une part, depuis son entrée en scène vers 1890, n'a cessé de faire parler de lui, et qui reste un des rares au xxe siècle à avoir suscité d'abondants commentaires d'ordre strictement musical (nombreuses analyses des sept symphonies), mais qui d'autre part a été largement passé sous silence, du moins jusqu'à une époque récente, dans les milieux dits d'avant-garde, et dont le nom, dans de très sérieuses histoires de la musique du xxe siècle, n'est même pas mentionné. Trop souvent, Sibelius n'a été commenté qu'en termes pitto-

resques ou mythologiques. D'où la fausse idée d'un Sibelius aussi isolé de la musique de son temps que la Finlande du reste de l'Europe. En réalité, durant toute sa vie active, Sibelius fut un grand voyageur, et ce qui se faisait autour de lui, non seulement il le connut parfaitement, mais il en tint compte. La solitude n'en exista pas moins pour lui, et il la ressentit durement, mais elle se situa à un niveau fort différent, et beaucoup plus intéressant.

Pour en revenir aux jugements contradictoires portés sur lui, trois citations suffiront à les illustrer : « Le plus grand symphoniste depuis Beethoven » (Cecil Gray en 1931) ; « L'éternel vieillard, le plus mauvais compositeur du monde » (René Leibowitz en 1955) ; « Le principal représentant, avec Schönberg, de la musique européenne depuis la mort de Debussy » (Constant Lambert en 1934). La réaction contre Sibelius connut son point culminant vers l'époque de sa mort, à l'issue de la grande vague sérielle du second après-guerre, et alors qu'on commençait à réagir également contre cette vague (en Angleterre, on se sentit en outre coupable d'avoir, depuis 1930, prôné Sibelius au détriment de Schönberg, Berg, Webern et même Stravinski). Aujourd'hui, le recul du temps permet d'y voir clair, et les problèmes actuels de la musique redonnent toute sa valeur à l'attitude saine d'un Constant Lambert, qui dans *Music Ho!* (1934) eut la clairvoyance de citer comme chefs-d'œuvre récents à la fois les *Variations pour orchestre* de Schönberg (1928) et la *7e Symphonie* de Sibelius (1924).

En tant que musicien national, Sibelius est à rapprocher de Janáček ou de Bartók, en ce sens qu'il fut de ceux qui, pour se libérer de l'emprise germanique, eurent recours à l'antidote debussyste. Ses relations avec la Finlande ne furent d'ailleurs jamais d'ordre folklorique, il n'y a pas chez lui de citations de thèmes populaires, ni même, malgré les couleurs souvent très subtilement modales, et non tonales, de sa musique, de folklore recréé comme chez Bartók. Mais après avoir entendu, à Londres en 1909, les *Nocturnes* pour orchestre de Debussy, Sibelius nota dans son journal : « J'ai dormi, et me suis échappé de Finlande juste à temps. » Cette phrase reflète ce vers quoi, du moins en partie, il se sentait attiré, mais aussi les problèmes qu'avait suscités en lui le fait d'être originaire d'un pays « excentrique ».

Ackermann

*Jean **Sibelius**, par A. Mitterfellner (collection particulière).*

Cela dit, entre la Finlande et lui, il n'y eut jamais rupture. Comme tous les grands créateurs, Sibelius mit le national et l'universel en relation dialectique, et il faut ajouter qu'il échappa non seulement au provincialisme, mais au cosmopolitisme au sens stravinskien, au sens « entre-deux-guerres » du terme.

La plupart des poèmes symphoniques n'en ont pas moins comme source d'inspiration le Kalevala, vaste épopée nationale de plus de 75 000 vers publiée en 1049, et qui exerça sur les artistes finlandais de la seconde moitié du xixᵉ siècle et du début du xxᵉ une très grande influence : à une époque où la Finlande s'efforçait d'affirmer son identité nationale face aussi bien à la Suède qu'à la Russie, peintres, sculpteurs ou musiciens (dont Sibelius) y puisèrent largement. Enfin et surtout, il existe des affinités entre la musique de Sibelius et le rythme de la langue finnoise. Celle-ci met l'accent sur la première syllabe des mots ou sur le début d'une phrase, le reste se déroulant ensuite plus vite, de façon plus égale et moins intense, et avec un bref sursaut terminal. On observe la même chose dans une mélodie typiquement sibelienne comme le thème conclusif du premier mouvement de la *2ᵉ Symphonie,* avec sa note tenue initiale, son alternance régulière de deux notes, et son sursaut terminal avec quinte descendante incisive :

Ce microcosme à la fois statique (la note tenue) et dynamique (le reste) peut servir de point d'appui pour explorer la synthèse unique de statisme et de dynamisme en laquelle réside la profonde originalité de Sibelius, et qui fait de sa production un phénomène fondamental de civilisation : des pages comme le premier mouvement de la *5ᵉ Symphonie,* ou comme la *7ᵉ Symphonie* tout entière, adoptent en effet pour leur structure globale, c'est-à-dire à une échelle beaucoup plus vaste, le même type de démarche. Depuis le romantisme, le problème du statisme et du dynamisme se posait de façon cruciale. Le xixᵉ siècle, avec ses phénomènes de repli en soi et de mise en valeur émotionnelle de l'instant (Schumann), eut un effet considérable sur le rythme de l'action musicale. Haydn et Beethoven, par le biais de la forme sonate, avaient doté la musique d'une énergie proprement musculaire, d'un sens du mouvement incluant la notion tout à fait nouvelle de dépaysement (ce qui, comme l'a fait remarquer Robert Simpson, aurait donné le vertige à tout musicien de la génération de J.-S. Bach), d'une dimension authentiquement vectorielle.

À partir de Schubert, grand inventeur de formes s'il en fut, le rythme de l'action musicale eut tendance à ralentir, ce qui devait déboucher notamment sur la découverte cruciale par Wagner du fait qu'une forme musicale pouvait être suffisamment élargie pour embrasser tout un acte d'opéra. Formellement, l'acte III de *Parsifal,* l'œuvre de Wagner qui avec *Tristan* fit la plus profonde impression sur le jeune Sibelius, n'est qu'une immense et unique modulation de *si* majeur à *la* bémol majeur. Ces ralentissements ne furent possibles que dans la mesure où parallèlement s'affaiblissaient les fonctions tonales. Le prélude de l'acte III de *Parsifal* évolue d'abord dans une vague région entre *si* bémol mineur et *si* majeur, et c'est ce type d'imprécision, transplanté à grande échelle, qui permit à Wagner de procéder par vagues successives et d'accumuler la tension à un rythme très lent.

Au xxᵉ siècle, on aboutit ainsi, avec Schönberg, à la négation de la tonalité, et aussi, surtout avec Webern, à la négation du type de mouvement qu'avait engendré la tonalité. Avec certaines pages de

SIBELIUS

Debussy, Bartók et surtout Stravinski, la liquidation du sens du mouvement issu du classicisme viennois eut tendance à se traduire par des musiques de ballet donnant parfois l'impression, par-delà leur agitation, d'un trépignement sur place, et apparaissant aussi statiques que du Webern. Il est évident que de telles observations demandent à être nuancées, et n'impliquent en soi aucune condamnation esthétique, mais il reste que dans ce contexte, la personnalité de Sibelius prend un relief singulier.

Fasciné en ses débuts par Liszt et par Berlioz, et assez influencé par les Russes, Sibelius réalisa à un moment donné que sa musique devait être davantage qu'une réponse colorée au Kalevala, et à la longue, il se détourna de cette source d'inspiration, du moins sous ses aspects les plus extérieurs. Il réussit à exorciser le spectre du romantisme, et devint le type même de l'artiste romantique discipliné. Ses œuvres majeures ne dédaignent ni les images les plus évocatrices, ni les sentiments personnels les plus intenses, mais les présentent avec une précision microscopique, avec la plus extraordinaire objectivité, sans réduire à eux le monde, en les plaçant dans la perspective d'une réalité plus vaste, elle aussi bien présente. À ce titre comme à d'autres, Sibelius s'oppose à son contemporain Gustav Mahler, comme en témoigne la fameuse conversation qu'ils eurent ensemble à Helsinki en 1907 : « Quand nous en vînmes à parler de l'essence de la symphonie, je dis que j'admirais sa sévérité de style, et la logique profonde qui crée entre tous ses motifs une unité interne. L'opinion de Mahler était juste à l'opposé : Non, la symphonie doit être comme le monde, elle doit tout embrasser. »

Quant au peu de goût que, très tôt, Sibelius déclara éprouver à l'égard de Wagner, il n'alla pas sans une sorte de fascination qui certainement dura toujours, mais fut sans doute symptôme de la prise de conscience du fait que Wagner avait détourné sinon sa propre attention, du moins celle de beaucoup de ses « fidèles », d'une des plus précieuses conquêtes des classiques et en particulier de Beethoven, à savoir ce sens dynamique du mouvement qui avait fait l'âge d'or de la symphonie. Ce problème précis, si l'on en juge par ses œuvres, Sibelius le perçut assez tôt, mais ne le maîtrisa qu'en plusieurs étapes. Typique en tout cas est sa fameuse phrase sur Beethoven, que tout bien pesé on pourrait appliquer à lui-même : « Je suis conquis aussi bien par l'homme que par sa musique. Il est pour moi une révélation. C'est un titan. Tout était contre lui, et pourtant il a triomphé. »

La grande force de la musique de Sibelius est que de ses profondeurs statiques, jamais synonymes d'immobilité totale, surgit inexorablement une force motrice considérable, les deux allant dans les meilleurs cas *(Symphonie n° 7)* jusqu'à se mêler inextricablement. La succession des sept symphonies de Sibelius permet d'observer la croissance de sa maîtrise du mouvement et de son autodiscipline. Les deux premières ont encore des côtés XIXe siècle. Le romantisme de la *Première* (1899) est plutôt individuel et légendaire, celui de la *Deuxième* (1902) collectif et national. Dans le premier des quatre mouvements de la *Première,* on trouve déjà, trait typique, une longue pédale de *fa* dièse s'étendant sur soixante-huit mesures, mais n'interrompant en rien le cours dynamique des événements, car à cette pédale se superpose de façon autonome une grande activité motrice. Très neuf apparaît le premier des quatre mouvements de la *Deuxième,* qui consolide progressivement, non sur le plan thématique mais sur le plan dynamique et sonore, un discours apparaissant au début comme une mosaïque éparse.

La *Troisième* (1907), écrite entre *Salomé* et *Elektra* de Richard Strauss et au moment où Schönberg s'apprêtait à franchir le pas de l'atonalité, est un acte de courage avec sa tonalité d'*ut* majeur nettement affirmée, son orchestration économe, son climat allégé et éclairci. Le premier de ses trois mouvements, d'une immense énergie, est projeté dynamiquement de l'avant dès ses premières mesures. Il est malheureusement impossible d'analyser ici en détail cette forme sonate si subtile, en particulier par ses métamorphoses thématiques, ni la façon dont la coda, plus lente, est soudée à ce qui précède. Après un andantino en *sol* dièse mineur, le finale, création capitale ne se référant à aucun schéma formel préexistant, constitue le premier grand exemple chez Sibelius de synthèse du rythme lent wagnérien et de la dynamique beethovenienne. En un sens, c'est une immense pédale d'*ut* majeur, sauf en son centre, lors d'un bref passage sans tonalité définie et servant à reprendre haleine. Mais la lenteur sous-jacente de ce mouvement n'empêche pas un tempo très rapide. Fondamentale est sa construction globale, en quatre parties. La première, très courte, tient lieu d'introduction, les deux suivantes, séparées par une de ces rafales dont Sibelius avait le secret, de scherzo, et la quatrième, progression inexorable sur un ostinato rythmico-mélodique, de finale proprement dit, en même temps que de conclusion à toute la symphonie. Fondamental est aussi le fait que chacune des quatre parties tend à donner *a posteriori* à la précédente ou aux précédentes un caractère introductif très marqué. Enfin et surtout, ces quatre parties n'ont pas d'existence propre : entendues isolément, elles n'auraient aucun sens. La quatrième, dominée par les cuivres, sert d'exutoire à la tension accumulée, mais de perpétuels coups de boutoir quasi stravinskiens lui insufflent en même temps l'énergie nécessaire pour aller jusqu'au bout. Le sommet atteint, tout est dit, et la musique s'arrête net.

Avec d'une part son soubassement harmonique quasi immuable, ou plutôt sa tonalité d'*ut* majeur examinée sous différents angles avant d'éclater à la fin en pleine lumière, et d'autre part sa superstructure dynamique mettant en relation morcellement et direction vectorielle, contraction et expansion, le finale de la *Troisième* est le terrain d'un gigantesque rapport de forces, et un extraordinaire témoignage de l'art qu'avait Sibelius de « mettre les choses ensemble » (Brian Ferneyhough). La multitude d'événements qu'il contient se comprime en neuf à dix minutes seulement, et correspond à une seule grande respiration, malgré ses brusques ruptures de plan, malgré les brusques dénivellations du discours.

Il y a plusieurs façons d'être d'avant-garde. Les œuvres de Sibelius de 1910-1914, années cruciales qui virent naître aussi *Pierrot lunaire* ou *le Sacre du printemps*, sont celles qui par certains aspects se rapprochent le plus de l'avant-garde de l'époque. L'ascétique *Quatrième* (1911), dont l'élément fondamental (tonalement disruptif) est le triton (ou quarte augmentée), utilise de manière quasi sérielle les relations d'intervalles comme matière première architecturale, et le poème symphonique *le Barde*, par sa brièveté et ses sonorités, peut faire penser à Webern. Mais cela n'empêcha pas Sibelius d'écrire

*Jean **Sibelius**, musicien national ; ses relations avec la Finlande ne furent jamais d'ordre folklorique.*

à propos de cette *Quatrième*, partition aphoristique et anti-rhétorique que d'aucuns devaient qualifier de musique cubiste, de musique du XXIe siècle : « Elle se révèle comme une protestation contre ce qu'on fait aujourd'hui. Rien, absolument rien qui évoque le cirque. » Ce cirque était moins *Petrouchka* que la musique allemande et ses débordements. Mais, autre paradoxe, c'est à cette époque que Sibelius fasciné déchiffra au piano *Elektra*, et que dans son journal, il qualifia *Das klagende Lied* de Mahler de « musique géniale », cela avant de répondre en 1914 à un journaliste qui à son arrivée aux États-Unis lui demandait qui, à son avis, était le plus grand compositeur vivant : « Schönberg, mais j'aime aussi ma propre musique. »

Une autre phrase de Sibelius permettra d'y voir plus clair : « L'erreur de notre temps a longtemps été sa foi en la polyphonie. On a souvent cru qu'il suffisait, pour donner une valeur à un tout, d'empiler des banalités les unes sur les autres. Certes, la polyphonie est une force tant qu'il y a de bonnes raisons derrière, mais je pense qu'à cet égard, il y a eu depuis quelque temps une sorte d'épidémie chez les compositeurs. » De fait, malgré le splendide tissu polyphonique du début de la

Sixième ou du début de la *Septième,* on ne trouve jamais ou presque chez Sibelius de contrepoint au sens traditionnel, au sens « fugue d'école ». Ce fut de sa part un acte de clairvoyance, mais aussi de courage, car on a là une des raisons de sa condamnation comme réactionnaire par Adorno, pour qui toute musique se mesurait et se jugeait en définitive à l'aune de la tradition germanique. La musique de Sibelius est topologique, fondée sur des variations topologiques de tension, sur des déformations continues du matériau et de la masse orchestrale, à la limite aussi étirée en longueur que celle de Varèse l'est en hauteur. Elle tourne le dos aux configurations polyphoniques du passé de la même façon qu'aujourd'hui l'étude des surfaces tourne le dos à la géométrie euclidienne. C'est ce qui explique que dans le premier des quatre mouvements de la *Quatrième,* page réussissant en trois minutes seulement la synthèse d'un tempo très lent, au rythme wagnérien, et d'une forme sonate aussi concise et aussi riche que du Webern, on puisse trouver un développement central monodique, mais n'en correspondant pas moins, dans sa contraction et dans son étirement, à un paroxysme de tension. Ce trait inouï, il fallait attendre les années 60, en particulier Ligeti, pour qu'en apparaisse vraiment la descendance.

Sibelius déclara un jour que « ce qui est essentiellement symphonique, c'est le courant irrésistible qui parcourt le tout, cela par opposition au pittoresque ». Le premier des trois mouvements de la *Cinquième* (1919), la plus immédiatement puissante des sept symphonies de Sibelius, est une nouvelle synthèse de rythme wagnérien et de dynamisme beethovenien, mais les deux cette fois ne sont pas (comme dans le finale de la *Troisième*) superposés, ou du moins pas uniquement. On passe ici de l'un à l'autre, sans que soit mise pour autant en question l'unité organique de l'ensemble, qui reste un immense rapport de forces et une seule grande respiration. Il y a quatre parties, qui toutes débouchent sur un sommet d'intensité. Les deux premières (de tempo modéré) sont semblables, la deuxième apparaissant comme la consolidation de la première. La troisième est gageure : une sorte de torsion y étire le matériau en longueur, on est aux limites de l'atrophie, la musique semble devoir se perdre dans le vague faute d'énergie

motrice. Mais un immense sursaut, relié à ce qui précède par des notes tenues, crée par ses rafales et ses coups de boutoir une tension dramatique telle qu'un scherzo de type beethovenien en apparaît comme le seul exutoire possible.

Dans toute l'histoire de la symphonie, il n'y a pas de transition — et Wagner ne peut-il pas se définir comme un musicien de la transition ? — plus magistrale que celle-là. Le dynamisme surgit sans crier gare, avec toute la brillance de *si* majeur et comme dans un train rapide un paysage de campagne à la sortie d'un tunnel, or on a l'impression que depuis le début, il était présent. Ce n'est pas dû au fait, pourtant important, que, d'un bout à l'autre du mouvement, les thèmes restent les mêmes, quoique soumis à de perpétuelles métamorphoses, mais à la maîtrise de Sibelius dans l'écriture par couches superposées se mouvant à des vitesses différentes et dont tantôt l'une, tantôt l'autre, prend le dessus. L'art de Sibelius est un art de fusion, et la plasticité des thèmes donne chez lui aux jalons thématiques proprement dits beaucoup moins d'importance qu'aux variations de tempo et aux ruptures de plan dynamiques.

On a beaucoup épilogué sur le silence de Sibelius au cours de ses trente dernières années, et sur la destruction de la *Huitième.* Une des raisons de cette destruction fut sa peur de décevoir et lui-même, et ses admirateurs. Sibelius fut certainement inhibé par sa position dans le siècle, et sa réaction fut totalement opposée à celle, superbement indifférente, de Richard Strauss. Le sérialisme ne signifia rien pour lui, et pour cause, mais il ne faut pas prendre à la légère sa phrase selon laquelle « Alban Berg est la meilleure œuvre de Schönberg ». Sans doute se reconnut-il en ces « formes à transformation », en ce « sens du développement continu avec énormément d'ambiguïté » que Pierre Boulez a déclaré récemment tant apprécier chez Berg. En tant que symphoniste, Sibelius, comme Mahler, ne pouvait renoncer à la tonalité, et les procédés si efficaces auxquels il eut recours pour assurer la continuité dynamique en l'intégrant à une lenteur cosmique, ou mythique, balayant tout sur son passage — longues pédales, notes tenues surgissant des profondeurs de l'orchestre avant de donner naissance à des thèmes ou à des paragraphes entiers —, eurent même

J. Sibelius : «*C'est curieux, plus j'observe la vie, et plus je me sens convaincu que le classicisme est la voie de l'avenir.*»

comme résultat une certaine fixation tonale (phénomène qu'en soi on retrouve d'ailleurs chez Mahler).

Mais un des moyens de Sibelius pour produire la tension est justement le refus de la modulation à portée de main, et c'est de ce refus héroïque de reconnaître à certaines notes leur fonction tonale que découlent les couleurs souvent modales de sa musique. La parfaite *Sixième* (1923), en quatre mouvements, et dont la tranquillité de surface cache de puissants orages intérieurs, requiert une analyse à la fois tonale et modale, les deux se complétant ou s'opposant. Elle n'est en *ré* mineur qu'officiellement, et *si* mineur y joue aussi un rôle essentiel. Ayant recours notamment aux modes dorien et lydien, elle les traite parfois comme des tonalités, et parvient en outre à faire apparaître *ut* majeur non comme une tonalité, mais comme le mode de *do*.

On a rarement remarqué que Sibelius s'est tu à peu près au même moment qu'Edgard Varèse, définitivement et non provisoirement, mais en toute probabilité pour la même raison : l'épuisement du matériau à sa disposition. «Quand nous voyons ces rochers, nous savons pourquoi nous pouvons traiter l'orchestre comme nous le faisons» (Sibelius à son élève et ami Bengt von Törne, à propos des rochers qui parsèment la Baltique et le golfe de Finlande). On croirait entendre Varèse parler de la ville, des machines et de la civilisation industrielle. Sibelius d'autre part déclara une fois : «Qu'on me donne pour composer soit les immensités de Finlande, soit les pavés d'une grande ville : là seulement, on peut parler de solitude.» La musique de Varèse et celle de Sibelius ont en commun la haine de la campagne et l'amour de la nature, pour Varèse bruits de civilisation créés par l'homme, pour Sibelius rapport de forces élémentaires dont l'homme est absent. Tel est le message fondamental, chez Sibelius, de *Tapiola,* composé la même année (1926) qu'*Arcana* de Varèse. On sait ce que Varèse pensait des violons, instruments pour lui d'un autre âge. Sibelius ne renonça jamais aux cordes, mais en tira des sonorités distordues, des effets de rouleau compresseur annonçant les clusters des générations suivantes. En outre, ce sont des cuivres que proviennent le plus souvent chez lui les coups de boutoir et les tenus qui sont autant de ressorts du discours (*cf.* en particulier le prélude de *la Tempête*).

Dans les années 60, les postsériels ont découvert chez Mahler l'alliance des grandes masses et de la clarté, la notion d'objet sonore, une vue critique du passé et une pensée thématique menée à terme (*cf.* la *6e Symphonie* de Mahler, 1904). Sibelius, pour sa part, donna aux thèmes et aux jalons thématiques de moins en moins d'importance, ses thèmes ont souvent l'air de flotter et de se déformer à un autre rythme que celui qui globalement porte la musique. «D'où l'allure paradoxale de sa forme symphonique, qui commence dans la dispersion, la pure successivité, et dans une relative indifférence aux jalons thématiques. Tous ces linéaments seront repris et absorbés par le processus unificateur de la dynamique, qui les investit peu à peu, les intègre et les dispose, par approfondissements successifs, dans un rapport de convenance mutuelle» (Hugues Dufourt). Bien sûr, Sibelius tire ses effets inouïs d'un orchestre dépassant à peine en effectifs celui de Beethoven, et il n'alla pas aussi loin que Bartók, dont il portait très haut les quatuors à cordes, dans l'émancipation de la dissonance, ni que Mahler dans l'exploration du contrepoint préschönbergien. Mais son apport au niveau syntaxique, dans le renouvellement de la forme musicale organique, est unique, ou du moins dans le prolongement immédiat de ce qu'avait fait Debussy, et en prise directe avec les problèmes de la musique dans les années 70 et 80.

La *Septième* (1924), apothéose panconsonante d'*ut* majeur composée au moment où Schönberg publiait ses premières œuvres dodécaphoniques sérielles, est une architecture d'un seul bloc, comme la *Symphonie de chambre* op. 9 de Schönberg (1906). Mais dans cet opus 9, chaque mesure et chaque grand épisode se défi-

*Inauguration de la statue de **Sibelius** à Hämmenlinna en 1964.*

nissent de façon précise par rapport aux thèmes, aux mouvements ou aux parties de mouvement traditionnels. Rien de tel dans la *Septième,* faite de plusieurs masses en train de se heurter, et qui à la fois élargit l'instant aux dimensions d'une totalité et impose à l'éternité ses propres proportions et sa propre conception du temps. Remarquable est son contrôle simultané de plusieurs tempos différents. L'épisode lent qui ouvre l'œuvre est d'une ampleur telle qu'on s'attend à une durée totale d'une heure au moins, mais, par la vertu de la dialectique contraction-expansion, cette durée se réduit à une vingtaine de minutes.

La *Septième* est le seul ouvrage auquel puisse s'appliquer la fameuse phrase de Schönberg : « Il reste beaucoup de chefs-d'œuvre à écrire en *ut* majeur. » Mais elle utilise surtout cette tonalité comme couleur, en particulier par le truchement d'un thème de trombone intervenant à plusieurs reprises avec une majesté et une grandeur olympiennes telles qu'elles finissent par baigner la partition tout entière. Vers le centre, et jusqu'au-delà du troisième quart, l'énergie motrice domine. Elle semble soudain brisée net, par une de ces variations ambivalentes de tempo dont Sibelius avait le secret, mais n'en subsiste pas moins fortement à un niveau sous-jacent durant l'apothéose terminale. La fin, assez abrupte, comme imposée par une main de fer, est un véritable manifeste : une progression *si-do* (sensible-tonique), surgissant d'une masse assez compacte et s'élevant portée par la pureté des seules cordes. La *Septième*, pendant sibelien du premier mouvement de la *9e Symphonie* de Mahler (1909), exige de ses interprètes et de ses auditeurs la plus extrême concentration. Malgré *Tapiola*, qui devait suivre, on ne peut s'empêcher de penser, en l'écoutant, à deux professions de foi de Jean Sibelius. À celle-ci, tout d'abord : « C'est curieux, plus j'observe la vie, et plus je me sens convaincu que le classicisme est la voie de l'avenir. » Et surtout à cette autre, reflet de cette force morale qui lui permit d'aller de l'avant : « Voyez les grandes nations européennes, et ce qu'elles ont enduré. Un état de barbarie y aurait succombé. Je crois en la civilisation. »

SILCHER *(Philipp Friedrich)*, compositeur et folkloriste allemand *(Schnait, Wurtemberg, 1789 - Tübingen 1860)*. Il reçut de son père les bases de la formation musicale, et travailla ensuite à Fellbach avec l'organiste Auberlen, tout en gagnant sa vie comme instituteur. Une rencontre avec Weber en 1809, puis des leçons avec Konradin Kreutzer et Hummel achevèrent de le convaincre de se consacrer à la musique. En 1817, il devint directeur de musique de Tübingen et maître de chapelle à l'École évangélique. Adepte de l'enseignement musical fondé sur le chant populaire d'après les méthodes de Pestalozzi qu'il rencontra, et de Naegeli avec qui il collabora, il s'occupa à rassembler

et à faire éditer de nombreux chants populaires allemands. Il contribua à la formation de sociétés chorales et rédigea plusieurs ouvrages à l'intention d'un large public, dont le traité *Harmonie-und Komposition-Lehre* (1851). Il composa lui-même un grand nombre de lieder, de chœurs, ainsi que quelques pièces et variations instrumentales.

SIMPSON *(Robert)*, compositeur anglais *(Leamington 1921)*. Il se tourna d'abord vers la médecine, puis étudia l'harmonie et le contrepoint avec Herbert Howells (1942-1946). Il travailla au département musical de la BBC de 1951 à 1980, donnant au bout de trente ans sa démission sur des questions de programmation. Simpson est essentiellement un symphoniste. Après quatre symphonies de jeunesse détruites par lui, et dont l'une avait fait usage de techniques sérielles, il en écrivit neuf en trente-cinq ans (1951, 1956, 1962, 1971-72, 1972, 1976, 1977, 1981, 1986), et ces œuvres le situent dans la descendance d'une part de Haydn et Beethoven, d'autre part et surtout de Nielsen et Sibelius.

La plus évidente de ces influences est celle de Nielsen en particulier dans le traitement de la tonalité. Comme celles du compositeur danois, les symphonies de Simpson font usage de la « tonalité évolutive », sont organisées autour de plusieurs pôles tonaux dont on ignore, avant la fin, lequel prendra le dessus. À noter cependant qu'à l'époque de sa Symphonie n° 1, dont les pôles tonaux sont *mi* bémol et *la*, Simpson ne connaissait rien de Nielsen. On lui doit aussi, entre autres, une *Sonate pour piano* (1946), *Variations et Finale sur un thème de Haydn* pour piano (1948), un *Concerto pour violon* (1957-1959) un *Concerto pour piano* (1967), un *Quintette avec clarinette* (1968), un *Quatuor pour cor, piano, violon et violoncelle* (1976) et onze *Quatuors à cordes* (de 1952 à 1990).

Parmi ses écrits et ses livres, d'une grande pénétration et d'une grande intelligence, il faut citer *Carl Nielsen, Symphonist* (Londres, 1952, 2e éd. rév. 1979), *Sibelius and Nielsen* (Londres, 1965), *The Essence of Bruckner* (Londres, 1967, 2e éd. 1977) et *Beethoven Symphonies* (Londres, 1970).

SINDING *(Christian)*, compositeur norvégien *(Kongsberg 1856 - Oslo 1941)*. À la suite de Grieg, Svendsen et Backer-Grøndahl, Sinding prolonge l'époque la plus brillante de l'histoire de la musique norvégienne dans ses aspects les plus divers puisqu'il écrit quatre symphonies, un Concerto pour piano et trois pour violon, le célèbre *Rondo infinito* pour orchestre, de la musique de chambre, des pièces pour piano et près de deux cent cinquante mélodies. Sinding est un pur produit du romantisme norvégien passé par l'école de Leipzig. C'est son *Quintette avec piano* (1882-1884) qui le révèle. À Leipzig il rencontre Grieg, Halvorsen et Tchaïkovski mais c'est l'influence de Wagner qui sera la plus forte et marquera son œuvre symphonique (*2e Symphonie,* 1907).

SINOPOLI *(Giuseppe),* compositeur et chef d'orchestre italien *(Venise 1947).* Il commence ses études musicales à l'âge de douze ans, d'abord à Messine (orgue et harmonie), puis à partir de 1965 au conservatoire B.-Marcello à Venise (harmonie et contrepoint). En 1968, il suit les cours de K. Stockhausen à Darmstadt. En 1969, il rencontre F. Donatoni dont il est l'élève en 1970 à Sienne, puis le collaborateur en 1972-73. Parallèlement, il fait des études de médecine générale et de chirurgie à l'université de Padoue, s'intéressant plus particulièrement à la psychologie de la perception. En 1971, il termine ses études de médecine par une thèse sur certains problèmes anthropologiques et psychiatriques. L'année suivante, il est nommé professeur de musique contemporaine et de musique électronique au conservatoire B.-Marcello à Venise. À la même époque, il s'installe à Vienne, où il suit les cours de direction d'orchestre de H. Swarowski, analyse l'*Harmonielehre (Traité d'harmonie)* de Schönberg et réalise une étude de l'opéra *Lulu* commandée par la Fondation Alban-Berg. En 1974-75, il fonde l'Ensemble Bruno-Maderna à Venise.

Joué à partir de 1975 dans les principaux festivals internationaux, il s'impose simultanément comme un des chefs d'orchestre les plus importants de sa génération. Après ses débuts de chef d'opéra en 1977 au théâtre la Fenice à Venise, il dirige avec un grand succès *Macbeth* de Verdi à la Deutsche Oper de Berlin, et c'est à la demande de l'Opéra de Munich et de l'Opéra de Berlin qu'il écrit son premier opéra, *Lou Salomé,* créé en 1981 à Munich. En 1984, il devient premier chef de l'orchestre Philharmonia de Londres.

SKALKOTAS *(Nikos),* compositeur et violoniste grec *(Khalkis 1904 - Athènes 1949).* Après des études brillantes de violon au conservatoire d'Athènes sous la direction de Tony Schulze, il obtint une bourse qui lui permit d'aller en 1921 à Berlin et d'étudier le violon à la Hochschule für Musik avec Willy Hess. À partir de 1925, il se consacra à la composition. Ses principaux maîtres furent Philipp Jarnach (1925-1927) et Arnold Schönberg (1927-1931). Il retourna en Grèce en 1933 où il vécut toute sa vie durant en tant que violoniste dans l'orchestre d'Athènes et aussi dans deux autres orchestres. Il continua à composer jusqu'à sa mort dans un isolement accru par l'indifférence, voire l'hostilité, des milieux musicaux grecs.

Skalkotas, malgré le temps relativement court consacré à la composition, laissa un nombre considérable d'œuvres. Parmi celles composées pour orchestre, il convient de distinguer trois concertos pour piano (1931, 1938, 1939), un concerto pour violon (1938), un concerto pour violon, alto, vents et contrebasses (1940), deux suites symphoniques (1935, 1944-1949), la seconde atteignant environ 75 minutes, trente-six danses grecques (1936-1949), dix « sketches musicaux » pour orchestre à cordes (1940) et la symphonie en un mouvement intitulée *le Retour d'Ulysse* (1943).

Sa musique de chambre compte, entre autres, une sonate pour violon seul (1925), la deuxième sonate pour violon et piano (1940), quatre sonatines pour violon et piano (1929, 1935), quinze petites variations (1927), quatre suites (1936, 1940, 1941), trente-deux pièces (1940) et quatre études (1941) pour piano, quatre quatuors à cordes (1928, 1929, 1935, 1940), un trio à cordes (1935), huit variations sur un thème populaire grec pour trio avec piano (1938), un duo pour violon et alto (1938) et un octuor pour quatuor à cordes, flûte, hautbois, clarinette et basson (1931). Enfin, sa musique vocale comprend des œuvres comme les seize mélodies pour contralto et piano (1941) et *Métoú Maïoú tá máya* (« les Sortilèges de mai ») pour orchestre, contralto et chœur (1944-1949).

Le style de Skalkotas est imprégné de l'esthétique de Schönberg, mais il faut souligner qu'il porte toujours le cachet de la personnalité du compositeur grec. Ainsi, la série dodécaphonique de Schönberg se transforme souvent en une multitude de séries indépendantes servant de base à la structure de l'œuvre. Tel est le cas de la symphonie en un mouvement *le Retour d'Ulysse* où l'on trouve dix-huit séries superposées par quatre, créant une intensité poussée aux limites, et des blocs sonores superposés mais suffisamment transparents pour qu'ils soient perceptibles. Les formes classiques prennent souvent des proportions gigantesques et sont parfois mixtes. Ainsi, le quatrième mouvement de la deuxième suite symphonique est en forme sonate-variation, remarquable par la transparence de son écriture.

En dehors de la technique dodécaphonique et sérielle, Skalkotas composa aussi dans un style atonal libre (par exemple, le duo pour violon et alto). Souvent une grande variété de styles et de techniques se retrouvent miniaturisés dans une même œuvre, comme les trente-deux pièces pour piano. Ici, l'on retrouve des formes et des styles baroques, classiques et romantiques à côté de rythmes fortement influencés par le jazz ou la musique populaire grecque, le tout dans une écriture libre, proche de la technique dodécaphonique mais indépendante.

Les rythmes de Skalkotas sont souvent aussi très libres ou fluctuants. Ainsi, les 3/4 du menuet de la troisième suite pour piano deviennent souvent 2/4 et même 5/4. Quant au « thème et variations » de cette même suite, le rythme est totalement libre ; cela n'empêche pas, dans un espace très restreint, une progression d'une extraordinaire intensité, à l'instar de la variation beethovenienne.

SMETANA (*Bedřich* [*Frédéric*]), compositeur tchèque *(Litomyšl, Bohême, 1824-Prague 1884)*. Enfant prodige bénéficiant d'une ambiance familiale humaniste, avec un père maître brasseur et violoniste amateur, il jouait déjà si bien du violon à quatre ans qu'il remplaça son père dans l'exécution d'un quatuor de Haydn au second violon. À six ans, il transcrivait au piano *la Muette de Portici* d'Auber. En 1835, son père abandonne le métier de brasseur et s'installe comme exploitant agricole à Růžkova Lhotice au pied du mont Blaník. Après ses études secondaires, Smetana se rend à Prague en 1843 pour se perfectionner en piano. Décidé à devenir un artiste malgré les réticences de son père, il est engagé comme professeur de musique chez le comte Léopold Thun où l'am-

Vue du pont Charles IV à Prague.

biance l'amène à composer nombre d'œuvres aujourd'hui disparues. Il connaissait évidemment Mendelssohn, Hummel, Henzelt et même Schumann, dont les œuvres étaient alors fréquemment jouées à Prague.

Les événements révolutionnaires de 1848 le transforment en fervent propagandiste du nationalisme en Bohême. Aidé par Liszt et Clara Schumann, il fonde en 1849, à Prague, une école de musique privée où le tchèque est la langue obligatoire, marquant ainsi son opposition à l'enseignement officiel de culture allemande. Il milite alors dans le groupe armé Concorde et devient l'ami des radicaux-démocrates de la capitale. Il fait ainsi la connaissance de Karel Sabina, écrivain politique, qui devait écrire le livret de ses deux premiers opéras. Alors que, dans ses dix premières années de compositeur, il écrivait ballades, polkas, impromptus, des *Feuillets d'album* schumanniens... pour le piano, l'ambiance révolutionnaire fait de lui un auteur de marches, telles celles de la Légion des étudiants de

*La musique de **Smetana** ouvre la voie
à l'école moderne tchèque.*

Prague, de la garde nationale et un chant
guerrier, ou des ouvertures, plus joyeuses
que solennelles.

Le 27 août 1849, Smetana épouse
Catherine Kolářová, jeune femme de vingt-
deux ans, ravissante et enjouée. Elle lui
donna quatre filles, dont seule Sophie, la
troisième, dépassa la petite enfance. Sa
femme, pulmonaire, devait rapidement lui
donner de profonds soucis. Son école de
musique périclite, alors que ses tournées
de concerts en tant que pianiste n'atteignent pas la notoriété espérée. Il songe
à s'expatrier. Dans l'espoir de voir l'empereur François-Joseph Ier se faire sacrer roi
de Bohême, il écrit une symphonie triomphale à l'occasion du mariage du jeune
empereur avec Élisabeth de Bavière. Utilisant des citations de l'hymne autrichien dû
à Haydn, il espérait une réponse à son
envoi à Vienne, qui ne vint jamais.

Mais Bedřiška, sa fille aînée, disparaît. Il
dédie à sa mémoire son trio pour piano,
violon et violoncelle dont le ton de *sol*
mineur ajoute au sentiment de désespoir

et de détresse. On y entend des mélodies
étranges, des bruits sourds d'une marche
funèbre, tandis que le final conclut dans le
ton énergique de *sol* majeur.

À l'automne 1856, Smetana rencontre à
nouveau Liszt qui lui conseille de partir
pour Göteborg, en Suède. Il dirige ainsi
l'Harmoniska Sällskapet de Göteborg de
1856 à 1861. Mais sa femme Catherine
disparaît et les succès remportés par ses
trois pèmes symphoniques, *Richard III, le
Camp de Wallenstein* et *Hakon Jarl,* hommage vibrant à Liszt, ne suffisent pas à
atténuer son mal du pays.

Rentré définitivement à Prague, il
s'aperçoit que la vie musicale nationale
bohémienne prend son essor. Il prête son
concours à toutes les tentatives fructueuses ou non en ce sens. Il prend la direction
de l'association chorale Hlahol, puis d'une
école de musique avec F. Heller *(1824-
1912).* Il devient en 1866 le chef régulier
du théâtre provisoire devenu le Théâtre
bohémien de Prague. La première de son
opéra *les Brandebourgeois en Bohême* est
un événement national tant par l'emploi de
la langue tchèque que par le sujet.

Mais sa popularité ne devient immense
qu'avec la version définitive de son opérette devenue opéra-comique *la Fiancée vendue,* véritable hymne national
de Bohême, dont l'ouverture est un
chef-d'œuvre aujourd'hui universellement
connu. Cette veine nationale lui inspire
Dalibor (1868), opéra tragique racontant la
lutte nationale contre la domination étrangère. Mais le style musical étant jugé trop
wagnérien, il est accusé de trahison! Il
écrit alors *Libuše* (1872), glorification de
la nation tchèque et de son éternité historique, alors que son opéra-comique *les
Deux Veuves* (1874) forme un tableau inimitable de la vie et de l'amour, scherzo
rayonnant prenant ses racines mélodiques
dans les polkas et les danses de Bohême.

Mais Smetana éprouve des vertiges,
sent son ouïe se détériorer. Il se réfugie
alors chez sa fille Sophie à Jabkenice. Il
ne reviendra plus à Prague que pour soutenir ses partisans et assister à la création
de ses nouveaux opéras et pièces symphoniques. Son génie, issu du folklore bohémien, prend toute son universalité dans
son cycle *Ma Vlast (Ma patrie),* dont les six
volets sont comme la description imagée,
champêtre, dansante de tout un peuple.

Malgré les influences de Chopin sur ses
œuvres de piano de jeunesse, de Liszt, puis

de Wagner, la musique de Smetana est profondément originale par son héroïsme, son humour, sa tension permanente. Sa souplesse mélodique, sa rythmique de plus en plus complexe bien que naturelle en sont les marques extérieures. Mais il serait injuste de ne voir en Smetana que le père de l'opéra national tchèque. Il a effectivement permis au patrimoine bohémien d'atteindre l'audience internationale, en effectuant une exceptionnelle synthèse entre une forme néoromantique et un individualisme culturel jusqu'alors préservé. Mais il ne faut pas négliger l'apport de Smetana dans le domaine de la musique de chambre ; deux quatuors à cordes dont le second en *ré* mineur annonce la complexité harmonique d'un Janáček, des pièces pour piano telles que *Macbeth et les Sorcières* (1859-1876) ou *Rêves* (1875) qui

précèdent Liszt dans l'annonce du xxᵉ siècle. De même, ses dix cycles de chœurs pour voix d'hommes atteignent une puissance expressive, une perfection de forme qui leur permettent d'ouvrir la voie à l'école moderne tchèque.

SMYTH *(Dame Ethel),* compositrice anglaise *(Marylebone 1858 - Woking 1944).* Elle étudia au conservatoire de Leipzig et en privé avec Heinrich von Herzogenberg, et s'imposa à Londres avec une messe en *ré* (1893). Elle se tourna ensuite vers l'opéra, donnant notamment, à Leipzig en 1906 puis à Londres en 1909, *The Wreckers*. Elle s'identifia par la suite à la cause des suffragettes, ce dont témoigne en particulier *The Boatswain's Mate* (Londres, 1916).

SOLER *(Padre Antonio),* compositeur espagnol *(Olot, Catalogne, 1729 - El Escorial 1783).* Il fit ses études à l'école de chant de Montserrat, où l'organiste était Benito Valls, et, vers 1750, devint « maestro de capilla » à Lérida. Il rejoignit ensuite la communauté des moines de l'Escorial, et reçut les ordres mineurs en 1752. La même année, il composa son premier villancico à huit voix. Pour sa profession de foi en 1753, il écrivit un *Veni Creator*. Il put encore étudier à Madrid avec Domenico Scarlatti (mort en 1757), dont il fut le plus grand disciple, et, en 1762, fit paraître un grand ouvrage théorique qui devait susciter de nombreuses controverses, *Llave de la modulación*. En 1765, alors qu'il avait déjà composé quatre livres de sonates pour clavier, il entama avec le Padre Martini une correspondance suivie. Expert en mathématiques et en construction d'orgue, il mit au point pour le prince Gabriel d'Espagne, son élève, un instrument à clavier appelé *afinador* ou *templante* et destiné à illustrer les différences entre les diverses sortes de tons ou de demi-tons.

Comme Domenico Scarlatti, le Padre Soler est connu presque exclusivement par ses sonates pour clavier. Elles sont au nombre de 120 (par opposition aux 555 de Scarlatti), et beaucoup parmi les plus tardives ont trois ou quatre mouvements, parfois avec fugue, rondo ou menuet. On y trouve davantage de pièces de tempo modéré que chez Scarlatti et, sur le plan de l'écriture, moins d'acciaccaturas et davantage de basses d'Alberti (ce qui indique le piano-forte plutôt que le clavecin).

*Buste de **Smetana** par J. V. Myslbeck.*

Larousse

Mais leur virtuosité et leur utilisation de rythmes de danses ibériques sont aussi grandes. Sur le plan instrumental, Soler est également l'auteur d'un célèbre *Fandango* de 450 mesures, de six concertos pour deux orgues destinés au prince Gabriel, et de six quintettes pour deux violons, alto, violoncelle et orgue (1776). Sa production vocale est immense (plusieurs centaines d'œuvres religieuses) mais encore pratiquement inexplorée. Particulièrement séduisants apparaissent ses villancicos en langue vulgaire *A Belen a ver* (1753), *Dos gitanas y un gitano* (1765), *Con garbo muchachos* (1772) et *Los negros vienen de zumba* (en dialecte nègre, 1758).

SOR (ou SORS Y SORS) [*Fernando*], guitariste espagnol *(Barcelone 1778 - Paris 1839)*. Il est sans doute le plus célèbre guitariste de l'histoire. Entré à l'âge de sept ans au monastère de Montserrat, il y étudie le violon, le violoncelle et l'orgue avant de se consacrer exclusivement à la guitare et à la composition. Très vite célèbre et applaudi dans toutes les capitales, il sillonne longtemps l'Europe entière puis se fixe à Paris où le monde musical le surnomme le «Paganini de la guitare». Ami de Méhul et de Cherubini, il subit surtout l'influence de Mozart et de Haydn. Son œuvre, sans être d'un intérêt comparable, constitue cependant une part essentielle de la littérature de l'instrument, à la fois par ses dimensions (soixante-sept numéros d'opus pour la guitare) et par le fait qu'on y décèle les premières tentatives réussies d'une écriture à plusieurs voix,

*Fernando **Sor,** sans doute le plus célèbre guitariste de l'histoire.*

Ministère espagnol de l'Éducation

ainsi qu'une approche de la grande forme (sonates, thèmes et variations, etc.) jusqu'alors réservée aux autres instruments. Outre son œuvre pour guitare, la production de Sor compte plusieurs opéras, de la musique de chambre, trois symphonies, des pièces pour piano, et de nombreuses autres partitions.

SPOHR *(Louis)*, compositeur, chef d'orchestre et violoniste allemand *(Brunsvick 1784 - Cassel 1859)*. Il entra dès 1779 dans la chapelle de la cour de Brunsvick. Après de premières tournées de concerts, il dirigea la chapelle de la cour de Gotha (1805-1812), puis fut nommé en 1813 chef d'orchestre au Théâtre an der Wien à Vienne, où il composa son premier succès dramatique, *Faust* (Prague, 1816). Il était alors considéré comme le premier violoniste allemand et avait déjà accompli avec sa femme, célèbre harpiste, de nombreuses tournées. De sa renommée témoigne, entre autres, le concerto pour violon op. 47, dit *in modo di scena cantante* (1816). Directeur de l'Opéra de Francfort de 1817 à 1819, il devint, en 1822, sur la recommandation de Weber, maître de chapelle à la cour de Cassel, où il devait finir ses jours. Sous sa direction, la vie musicale prit à Cassel un grand essor, en particulier dans le domaine de l'opéra. Il y créa son second succès dramatique, *Jessonda* (1823), et y donna *le Vaisseau fantôme* de Wagner en 1843, puis *Tannhäuser* en 1853. À l'occasion du vingt-cinquième anniversaire de son arrivée, il fut fait *Generalmusikdirektor*. Mais ses relations avec la cour se tendirent, et c'est contre son gré qu'il fut mis à la retraite en 1857. Ses dernières années furent, en outre, assombries par une fracture du bras gauche qui lui interdit de jouer du violon.

Compositeur très fécond, il écrivit notamment 10 symphonies (de 1811 à 1857), 17 concertos pour violon et 4 pour clarinette, un célèbre quadruple concerto pour quatuor à cordes et orchestre, une très grande quantité de musique de chambre, dont plusieurs pièces faisant appel à la harpe, près de 100 lieder, des oratorios et 10 opéras. Ces ouvrages font de lui un des principaux représentants du romantisme allemand dans l'esprit de Mendelssohn. D'où, à la fois, le très grand succès qu'il rencontra de son vivant, en particulier en Angleterre (où il eut même une renommée posthume appréciable), et l'oubli presque total dans lequel il tomba par la suite. Vers 1830-1840, on vit parfois en lui l'héritier le plus authentique de Haydn, Mozart et Beethoven. Il effectua dans le domaine du chromatisme des recherches assez poussées, mais n'en déboucha pas moins, très souvent, sur le néoclassicisme. Cela dit, ses meilleures œuvres de musique de chambre, comme le célèbre *Nonet* op. 31 pour violon, alto, violoncelle, contrebasse, flûte, hautbois, clarinette, basson et cor, l'*Octuor* op. 32 ou le *Septuor* op. 147, témoignent non seulement de son grand talent, mais aussi de tout un courant musical — courant quelque peu provincial, mais synthétisant non sans bonheur les côtés les plus brillants de la tradition en matière d'opéra et de musique instrumentale, que plus que tout autre il sut personnifier. Parmi ses écrits, une méthode de violon (*Violinschule*, 1832) et une intéressante autobiographie posthume en 2 volumes (*Selbstbiographie*, 1860-61).

SPONTINI *(Gaspare)*, compositeur italien *(Maiolati, Ancona, 1774 - id. 1851)*. Voué à l'état ecclésiastique, il s'en détourna grâce à sa passion pour l'orgue, étudia à Naples dès 1793 et fut encouragé par Cimarosa et Piccinni. En 1796, il donnait à Rome *I Puntigli delle Donne*, mais, peu fait pour le genre bouffe, réussissait davantage avec son opera seria *Il Teseo riconosciuto* (1798). Après avoir écrit une quinzaine d'ouvrages légers, il vint s'établir à Paris, où sa *Finta filosofa*, jugée naguère trop sévère à Naples, conquit le public français en 1804. Il donna alors des opéras-comiques où il adoptait la manière des Grétry, Cherubini et Méhul, puis une cantate d'un ton nouveau (*L'Eccelsa Gara*, 1806), qui lui valut d'être nommé directeur de la musique de l'Impératrice. C'est à elle qu'il dut de triompher des attaques de Grétry et de Lesueur et qu'il put faire jouer à l'Opéra sa *Vestale* en 1807. Plus audacieuse encore, sa partition de *Fernand Cortez* (1809) ne s'imposa véritablement que dans son remaniement de 1817, année où il opta pour la nationalité française. En 1810, il avait pris la direction du Théâtre-Italien, où il donna pour la première fois *Don Giovanni* en version originale et, après y avoir fait créer *Olympie* (1819), il quitta Paris, pour s'établir à Berlin où ses idées réformatrices obtinrent un accueil favorable; il y donna notamment un chef-d'œuvre grandiose, *Agnes von Hohen-*

*Gaspare **Spontini**, par Aubry-Leconte.*

stauffen (1829, remanié 1837), eut avec la presse des démêlés qui conduisirent Ludwig Rellstab en prison et dut, en 1842, laisser son poste à Meyerbeer. Ayant été fait membre de l'Institut en 1831, il regagna Maiolati et s'intéressa à la réforme de la musique religieuse.

Représentant typique du cosmopolitisme musical de l'ère napoléonienne, considéré à tort par la postérité comme le témoin d'un « style empire » assez glacé, il sut, mieux que Cherubini, adapter sa veine mélodique italienne à la grandeur de la tragédie lyrique française et au nationalisme de l'opéra romantique allemand naissant, dont il fut le véritable initiateur. Ses audaces d'écriture, son chromatisme, inattendu à l'aube du XIXᵉ siècle, son orchestration innovatrice eurent, durant tout le siècle, une forte influence sur Berlioz, sur Verdi et sur Wagner qui le portait en grande estime. En 1845, Spontini déclarait précisément à ce dernier « qu'aucune partition n'avait été écrite, depuis sa Vestale,

qui n'ait pillé ses innovations ». Jugement excessif, sans doute, mais plus fondé qu'il n'y parut alors.

STAMITZ (STAMIC), famille de musiciens originaires de Bohême .
— 1. **Johann Anton,** violoniste et compositeur *(Nemecky Brod 1717-Mannheim 1757).* Il étudia avec son père, puis au collège des jésuites de Jilhava (1728-1734) et à l'université de Prague (1734-35). Probablement en 1741, il fut engagé à la cour de Mannheim, et y devint premier violon en 1743, puis *Konzertmeister* en 1745 ou 1746, et enfin directeur de la musique instrumentale en 1750. Sous sa direction, l'orchestre de Mannheim devint l'un des plus réputés d'Europe et la ville l'un des principaux lieux de développement de la symphonie préclassique (v. MANNHEIM [ÉCOLE DE]). En 1754, il se rendit à Paris, débutant au Concert spirituel (où l'on avait déjà joué au moins une de ses symphonies) le 8 septembre, et resta dans cette ville, où parurent alors ses *Trios d'orchestre* op. 1, environ un an. La plupart de ses ouvrages publiés le furent d'ailleurs dans la capitale française.

Il écrivit des concertos, de la musique de chambre et 8 œuvres vocales, dont 1 messe en *ré,* célèbre de son vivant (et donnée à Paris le 4 août 1755), mais son importance réside surtout dans ses symphonies, dont 58 ont survécu, et dans ses 10 trios pour orchestre, pour cordes seules, et qui occupent une position intermédiaire entre la musique orchestrale et la musique de chambre (ils peuvent se jouer avec un ou plusieurs instruments par partie). Les symphonies les plus anciennes sont pour cordes et 2 cors, les suivantes font appel en outre à 2 flûtes, à 2 hautbois ou même (pour les plus tardives) à 2 clarinettes, et pour 5 d'entre elles à 2 trompettes et timbales. Plus de la moitié des symphonies, et 9 des 10 trios pour orchestre, sont en 4 mouvements avec menuet en 3ᵉ position. Il cultiva le crescendo et fit progresser l'art de l'orchestration ainsi que le travail thématique, mais, loin d'en avoir été l'inventeur, il adapta à la symphonie naissante ces traits de style largement originaires d'Italie. En cela, et par l'impulsion qu'il donna à l'école de Mannheim, dont il fut le premier grand représentant, il joua un rôle considérable. Il fut redécouvert au début du XXᵉ siècle, surtout grâce à Hugo Riemann, mais il n'est plus possible aujourd'hui de voir en lui, comme le fit ce dernier, le principal prédécesseur de Haydn.

— 2. **Carl,** compositeur, violoniste et altiste *(Mannheim 1745-Iéna 1801)*. Fils du précédent, il étudia avec son père, puis avec Cannabich, Holzbauer et Richter, et, de 1762 à 1770, fut second violon dans l'orchestre de Mannheim. En 1770, il se rendit à Paris, où il fut protégé par le duc de Noailles, avec lequel il voyagea en Europe. Son départ définitif de Paris intervint sans doute en 1777. Après cette date, il fut surtout virtuose itinérant, séjournant dans de nombreuses villes d'Allemagne. Il écrivit beaucoup de musique de chambre, mais sa réputation repose surtout sur ses quelque 50 symphonies et sur ses 38 symphonies concertantes (pour un nombre d'instruments solistes allant de 2 à 7). On lui doit aussi de nombreux concertos (pour violon, clarinette, flûte, basson), ainsi que des ouvrages pour viole d'amour.

— 3. **Anton,** compositeur, violoniste et altiste *(Nemecky Brod 1750-Paris ou Versailles entre 1789 et 1809)*. Frère du précédent, il se rendit avec lui en 1770 à Paris, qu'il ne quitta sans doute jamais plus, et où il écrivit la plupart de ses œuvres (symphonies, concertos, musique de chambre).

STANFORD (sir *Charles Villiers*), compositeur, pédagogue et chef d'orchestre britannique *(Dublin 1852-Londres 1924)*. Il étudia à Cambridge, ainsi qu'à Leipzig avec Reinecke (1874 et 1875) et à Berlin avec Friedrich Kiel (1876), et assista en 1876 au premier festival de Bayreuth. Il dirigea le London Bach Choir de 1885 à 1902 et enseigna la composition au Royal College of Music dès sa fondation en 1883, ainsi que la musique à Cambridge à partir de 1887 (il occupa ces deux postes jusqu'à sa mort). Comme pédagogue, son influence fut considérable, et il forma à peu près tous les compositeurs anglais des deux générations suivantes (Vaughan Williams, Holst, Coleridge-Taylor, Ireland, Bridge, Butterworth, Bliss, Moeran). De la part qu'il prit avec Elgar ou Parry dans le renouveau de la musique en Grande-Bretagne à partir de la fin du xixe siècle témoignent aussi ses activités de compositeur, en particulier dans le domaine religieux (*Morning, Communion and Evening Services* en *si* bémol op. 10, 1879). On lui doit notamment des oratorios (*The Resurrec-*

tion d'après Klopstock, 1875), des ouvrages pour la scène, dont 10 opéras, de la musique d'orchestre, dont 7 symphonies, de la musique de chambre et de piano et des chants où transparaissent souvent ses origines irlandaises.

STEFFANI *(Agostino)*, compositeur italien *(Castelfranco, près de Venise, 1654-Francfort-sur-le-Main 1728)*. Remarqué à treize ans par le prince électeur de Bavière, il resta à Munich de 1667 à 1688, non sans effectuer un séjour d'études de deux ans à Rome (1672-1674). Il se rendit également à Paris, où il assista sans doute à la création de *Bellérophon* de Lully, et à Turin (1678-79). En 1681, il devint directeur de la musique de chambre du nouveau prince électeur de Bavière, Maximilien II, et donna la même année son premier opéra, *Marco Aurelio*. Quatre autres opéras, dont deux perdus, furent encore écrits à Munich entre 1685 et 1688.

C'est pour le compte de la cour de Munich que, parallèlement à ses activités de musicien, Steffani, qui avait été ordonné prêtre en 1680, commença sa carrière diplomatique.

De 1688 à 1703, il fut au service du duc Ernst-August de Hanovre, d'abord surtout comme musicien (il composa probablement durant cette période huit opéras italiens), ensuite surtout comme diplomate, et de 1703 à 1709 au service de l'Électeur palatin à Düsseldorf (il se consacra alors surtout à la diplomatie). En 1706, Agostino Steffani devint évêque de Spiga, et, de novembre 1708 à avril 1709, séjourna à Rome comme médiateur entre le pape et l'empereur alors en guerre. Nommé en 1709, après cette mission, nonce apostolique en Allemagne du Nord, il passa ses dernières années principalement à Hanovre, et mourut alors qu'il se rendait une nouvelle fois en Italie.

Comme compositeur, il écrivit, outre ses opéras, de la musique sacrée, mais son importance réside surtout dans ses duos de chambre pour soprano et alto, soprano et ténor ou soprano et basse (telles sont du moins les combinaisons vocales les plus fréquentes qu'on y rencontre) avec basse continue. Ces œuvres, composées pour la plupart avant 1702, marquèrent profondément le jeune Haendel. Elles comprennent jusqu'à six mouvements et traitent en général des douleurs de l'amour non partagé.

STENHAMMAR *(Wilhelm),* compositeur et pianiste suédois *(Stockholm 1871 - Göteborg 1927).* Admirateur de Beethoven et de Wagner, il se rattache davantage à la tradition germanique qu'à l'école nationale romantique du Nord. Son œuvre comprend un grand nombre de mélodies, parmi les plus belles de toute la littérature musicale suédoise (*Visor och stämningar* op. 25, 1906-1909), 6 quatuors à cordes écrits entre 1894 et 1916, quelques œuvres pour piano, 2 sonates (pour piano, 1890 ; pour violon et piano, 1899-1900), 2 concertos pour piano et orchestre, les 2 très célèbres *Romances,* pour violon et orchestre (1910), 2 symphonies (1902-03) et 1911-1915), des œuvres chorales, 2 opéras, *Gildet på Solhaug* (1892-93) et *Tirfing* (1897-98) et des musiques de scène.

STOCKHAUSEN *(Karlheinz),* compositeur allemand *(Mödrath, près de Cologne, 1928).* Issu d'une famille rhénane de souche paysanne, il a vécu une prime jeunesse pauvre et difficile, marquée par l'avènement du régime hitlérien, la guerre et les conséquences de la défaite de l'Allemagne nazie. Sa mère, atteinte de dépression, fut internée dans un hôpital psychiatrique, où elle fut officiellement exécutée, sur ordre du gouvernement, en 1941. Son père, instituteur, s'engagea comme volontaire en 1939 et disparut en Hongrie. Orphelin, le jeune Stockhausen travaille dans un hôpital de guerre, puis comme ouvrier agricole dans une ferme. Il apprend le piano chez l'organiste du village, le violon et le hautbois dans une école d'État, joue du jazz pour survivre « physiquement, mentalement et spirituellement » aux épreuves et aux horreurs qu'il côtoie jusqu'à l'âge de dix-huit ans. De 1946 à 1947, il suit les cours d'un *gymnasium* (lycée), rentre au conservatoire de Cologne en 1947 dans la classe de piano de Hans-Otto Schmidt-Neuhaus, un élève d'Eduard Erdmann. Il suit également des études de musicologie, de philosophie et de philologie à l'université de Cologne, prépare une licence d'éducation musicale (1948-1951) sous la direction de Hermann Schroeder et obtient son diplôme avec félicitations. Pendant toute cette période, il travaille pour subsister (pianiste de jazz dans des bars de Cologne, accompagnateur de l'illusionniste Adrion, ouvrier d'usine, directeur d'une troupe d'opérette, etc.) et prie beaucoup (il est de religion catholique).

Heinz Karrine

Karlheinz **Stockhausen.**

Il commence à étudier la composition avec le compositeur suisse Frank Martin. La rencontre d'Herbert Eimert, critique musical au *Kölnisches Rundschau,* lui fait connaître la seconde école de Vienne (Schönberg, Berg, Webern). L'été 1951, il participe pour la première fois aux cours de Darmstadt, où il découvre la musique de Karel Goeyvaerts, celle de Pierre Boulez et surtout celle d'Olivier Messiaen, dont le *Mode de valeurs et d'intensités* l'impressionne fortement. À la fin de cette même année, il épouse Doris Andreae, dont il aura quatre enfants. En 1952, il séjourne à Paris où il suit les cours d'Olivier Messiaen (esthétique et analyse), ayant au préalable composé ses toutes premières œuvres, qui relèvent déjà d'un système sériel généralisé à tous les paramètres : *Kreuzspiel*, *Formel*, *Spiel*, les premières versions de *Schlagtrio* et de *Punkte*. Il aborde aussi la musique expérimentale avec le Groupe de musique concrète de la R.T.F. animé par Pierre Schaeffer. En 1953, il compose sa première œuvre de musique électronique (*Étude I* pour sons sinusoïdaux), achève *Kontrapunkte* et les *Klavierstücke I à IV*, participe à la fondation du Studio de musique électronique de Cologne, dont il deviendra le collaborateur permanent (et même le directeur artistique, en 1963). De 1954 à 1956, parallèlement à ses activités de composition et de recherche, il étudie la phonétique et les nouvelles techniques de communication avec le professeur Werner Meyer-Eppler à l'université de Bonn. Il enseigne (depuis 1953) aux cours d'été de Darmstadt. Entre 1954 et 1960, il produit une série d'œuvres décisives, où il s'affirme comme un des deux grands leaders de la musique contemporaine (l'autre étant Pierre Boulez) : les *Klavierstücke V à X*, où le pointillisme sériel disparaît au profit de structures sérielles globales ; *Zeitmasse*, pour cinq vents, où le compositeur résout le problème de l'indépendance des tempos d'un groupe d'exécutants vis-à-vis du chef qui

Stockhausen *pendant une répétition.*

Keystone

Karlheinz **Stockhausen**
dirigeant
une de ses œuvres.

Kontakte,
musique de **Stockhausen,**
chorégraphie
de Jacques Garnier
par la Compagnie du Silence
au théâtre de la Ville
en 1977.

Fragment de la partition
Elektronische Studie II
de **Stockhausen**
(éditions Universal, Vienne).

Bernard Perrine

les dirige; *Gesang der Jünglinge,* première réussite de l'association d'éléments « concrets » (la voix humaine) et des sons électroniques; le *Klavierstük XI* première œuvre aléatoire avec la *Troisième Sonate* de Boulez, où est introduite la « forme ouverte »; *Gruppen* et *Carré* qui exploitent la « forme de groupes », la spatialisation et résolvent avec virtuosité les problèmes de relation son-temps-espace; *Zyklus,* œuvre à la fois « ouverte » et « directionnelle »; *Kontakte,* superbe synthèse entre les timbres traditionnels de la musique instrumentale et les timbres électroniques fixés sur bande magnétique. Dans toutes ces œuvres, Stockhausen pose comme premier principe « l'identification de la structure du matériau à la forme, c'est-à-dire l'unicité du matériau et de la forme ».

En 1958, Stockhausen fait une première tournée de 30 concerts-conférences aux États-Unis et au Canada; depuis, il sera amené à parcourir de nombreux pays dans les 5 continents, soit comme compositeur, soit comme chef et interprète — notamment, depuis 1959, avec un petit groupe d'interprètes amis. En 1962, sa pensée créatrice connaît un premier apogée avec *Momente* (1re version), où à la forme ouverte, à la spatialisation du matériau sonore s'ajoutent de nouvelles techniques de collage, de citation, et s'affirme le concept de *momentform* (« forme momentanée »). Entre 1964 et 1967, il poursuit, avec *Mikrophonie I, Mixtur, Mikrophonie II, Telemusik* et *Prozession,* une recherche sur la transformation instantanée des sons électroniques; il devient le promoteur d'une nouvelle « musique électronique/instrumentale » vivante. Ayant fondé en 1964 un groupe de quelques interprètes rompus au « live electronic » il donne dans le monde entier des concerts de *musique électronique instrumentale,* dont il tire le concept de *musique intuitive (cf. Aus den sieben Tagen).*

De 1963 à 1968, il devient le directeur artistique des Cours de musique nouvelle de Cologne; il enseigne également à l'université de Philadelphie, à l'université de Davis (Californie), devient professeur de composition à l'École supérieure de musique de Cologne. En 1967, il épouse en secondes noces l'artiste plasticienne Mary Bauermeister dont il aura deux enfants.

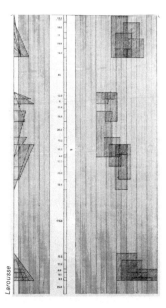

En 1970, pendant cent quatre-vingt-trois jours, à raison de cinq heures et demie par jour, il exécute ses propres œuvres avec 20 solistes de 5 pays différents, dans l'auditorium du pavillon d'Allemagne à l'Exposition universelle d'Osaka (Japon), devant près d'un million d'auditeurs.

À partir de *Hymnen* (1966-67), de *Stimmung* (1968) et de *Mantra* (1970) jusqu'à aujourd'hui, l'évolution de la pensée compositionnelle de Karlheinz Stockhausen se révèle considérable, allant sans cesse de pair avec une simplicité de style accrue, une conception de plus en plus subjective et même liturgique de la musique, un prophétisme à la fois sophistiqué et naïf. Ses compositions ne sont plus des œuvres au sens traditionnel, mais deviennent de véritables rituels. Depuis 1977 (date de l'achèvement de *Sirius*), Stockhausen n'envisage plus qu'une seule immense œuvre, *Licht* («Lumière») — dont l'exécution durera une semaine entière et qui devrait être terminée en l'an 2002. Trois «journées» intégrales ont déjà été créées à la Scala de Milan, en 1981 *(Jeudi)*, 1984 *(Samedi)* et 1988 *(Lundi)* respectivement. «Je crois vraiment aux nouveaux maté-

Stockhausen, *considéré comme l'un des phénomènes artistiques les plus grands et les plus originaux de notre temps.*

riaux, aux ondes alpha de l'homme, aux vibrations qui permettront dans quelques années — pas dans cent ans, dans vingt ans tout au plus — de moduler une onde avec un homme pour le faire voyager en dehors de notre système solaire. Car, comme tous les scientifiques, je veux faire le voyage cosmique ; il n'est pas question de rester sur cette île pour toujours, ce serait trop bête, il y a trop de problèmes idiots à régler sur notre Terre. Je crois à la découverte perpétuelle des formes musicales, des vibrations sonores et des ambiances qui permettront à l'homme de s'émerveiller à nouveau, de saisir le miracle qui lui donne raison de continuer à vivre. Et quand je vois un nouveau synthétiseur, un nouveau computer, je ne comprends pas ces techniciens qui se satisfont de résoudre avec lui de tout petits problèmes, alors qu'il

y a des milliers de possibilités qui nous permettraient d'avancer tellement plus vite... » (1977).

Chef de file, pendant plus de vingt ans, du mouvement international avec Pierre Boulez, Stockhausen, peut d'ores et déjà être considéré comme un des phénomènes artistiques les plus grands et les plus originaux et comme une des personnalités musicales les plus puissantes du xxe siècle. « Sa prospection inquiète et fébrile se poursuit toujours : au moment même où un problème atteint sa résolution, les interrogations se multiplient » (Jean-Pierre Guézec). Issu du rêve romantique germanique le plus pur (celui de Schumann davantage sans doute que celui de Wagner), se remettant sans cesse en question, il accomplit une trajectoire assez vertigineuse dont les aspects idéaliste, intellectuel et même métaphysique ne doivent pas masquer la rigueur spéculative et la prodigieuse richesse technique.

STOLZ *(Robert),* compositeur et chef d'orchestre autrichien *(Graz 1880 - Berlin 1975).* Benjamin des chefs d'orchestre quand il débuta au Théâtre an der Wien à l'âge de douze ans, il allait en devenir le doyen quatre-vingts ans plus tard. Robert Stolz tint en effet la baguette pratiquement jusqu'à sa mort, spécialisé dans l'interprétation du grand Johann Strauss, qu'il avait personnellement connu. Il a, d'autre part, composé une cinquantaine d'opérettes, viennoises comme il se doit. La première, en 1909, s'appelait *Die lustigen Weiber von Wien ;* la dernière, en 1949, *Frühling in Prater.* C'est à mi-chemin, en 1921, qu'il signa son chef-d'œuvre : *Die Tanzgräfin.*

STRADELLA *(Alessandro),* compositeur italien *(Rome 1644 - Gênes 1682).* D'ascendance noble, il fut chantre à San Giovanni dei Fiorentini, puis à l'Oratorio del Crocifisso. Appelé à Venise en 1676, après avoir été expulsé de Rome pour complicité dans une escroquerie, il revint dans sa ville natale, accompagné de la cantatrice Ortensia Grimani, mais dut s'enfuir à nouveau, poursuivi par des tueurs à gages au service du mari de la dame. Blessé gravement par ceux-ci à Turin, il reprit son existence errante, toujours menacé par la vengeance de l'époux jaloux, pour finir poignardé à Gênes en compagnie de sa maîtresse. Malgré cette dimension de musicien maudit qui devait lui valoir les sympathies des romantiques (et de fait, Niedermeyer et Flotow, entre autres, devaient tirer des opéras de son existence aventureuse), Stradella est surtout important à nos yeux pour l'œuvre qu'il laisse (et dont la plus large part est conservée à l'état de manuscrits dans de nombreuses bibliothèques italiennes et européennes).

Dilettante quant à sa formation, il apparaît cependant comme l'un des maîtres les plus inventifs de son temps, faisant valoir un mélodisme intense, un dynamisme et un lyrisme qui permettent de l'identifier rapidement. Il a abordé tous les genres du XVIIᵉ siècle, les formes instrumentales, comme celle toute nouvelle du *concerto grosso,* dont il peut être considéré comme le codificateur, sinon le créateur, et, bien entendu, les formes vocales comme la *cantate* et *l'oratorio* qu'il marque éga-

lement de sa griffe personnelle. Puissamment expressif, l'oratorio *San Giovanni Battista* est, à cet égard, un authentique chef-d'œuvre où Stradella joue en fresquiste des contrastes d'atmosphère, des effets de couleurs et de rythmes. Et, grâce au recul que permet aujourd'hui la musicologie, nous percevons mieux la place primordiale que le compositeur occupe dans l'évolution de l'école italienne entre Carissimi et Alessandro Scarlatti, sans parler de son intuition déjà romantique de la confession dramatique.

STRAUS *(Oscar),* compositeur et chef d'orchestre autrichien *(Vienne 1870 - Bad Ischl 1954).* Il travailla à Vienne avec Gradener et à Berlin avec Max Bruch. C'est à Berlin que fut joué son premier opéra *Die Waise von Cordona* (1894). Il fut ensuite chef d'orchestre successivement à Bratislava, Brno, Toeplitz, Hambourg et

Oscar Straus,
le compositeur de Rêve de Valse
et des Trois valses.

Mayence. En 1900-1904, il travailla à Berlin comme pianiste compositeur au cabaret *Uberbrettl.* En 1904, il regagna Vienne, où fut créée sa première opérette *Die lustigen Niebelungen,* amusante parodie wagnérienne, et où triomphèrent *Ein Walzertraum* (1907) et *Der Tapfere Soldat* (1908). En 1939, il vint se réfugier en France, puis aux États-Unis. En 1937, *Die drei Walzer* avait été monté aux Bouffes-Parisiens. Cet opéra utilisait en partie de la musique de Johann et Joseph Strauss, avec lesquels Oscar Straus n'avait aucun lien de parenté. En 1948, il revint vivre à Bad Ischl.

Sa dernière œuvre fut *Bozena* (1952). Il écrivit également de nombreux lieder et des musiques de films, dont *la Ronde* (1950).

STRAUSS, musiciens autrichiens, le père et le fils, tous les deux prénommés Johann, et dont, pour cette raison, on confond souvent les œuvres, d'autant qu'ils ont été successivement, à leur époque, des « rois de la valse viennoise ».

— 1. **Strauss** (*Johann* père), compositeur autrichien *(Vienne 1804 - id. 1849).* De milieu modeste et violoniste de formation, il fonde avec son ami Lanner un quatuor qui joue dans les brasseries. Ce quatuor s'agrandit bientôt jusqu'à devenir un petit orchestre de bals, de brasseries, de concerts-promenades. Johann Strauss fonda ensuite son propre orchestre, diffusant ses propres valses. C'est à cette occasion qu'il parfait ses connaissances dans les techniques d'écriture. Il devient le « roi de

Johann **Strauss** *fils jouant un galop endiablé. Illustration de J. C. Schöller.*

A. Meyer

Johann Strauss fils, par A. Eisenmenger.

la valse », voyage énormément, est invité dans les cours. En 1846, il atteint la consécration officielle avec sa nomination comme directeur des bals de la cour d'Autriche à Schönbrunn. Affaibli depuis longtemps par la maladie (il avait eu une crise de méningite en 1839), il meurt de la scarlatine à Vienne en 1849, et ses obsèques sont l'occasion de grandes manifestations publiques. Son œuvre, parmi laquelle la célèbre *Marche de Radetzky*, est souvent attribuée à son fils. Elle comprend évidemment des valses (environ 150), mais aussi 14 polkas, 28 galops, 35 quadrilles, 19 marches, donc exclusivement des œuvres de danse et de divertissement.

— 2. **Strauss** *(Johann* fils), compositeur autrichien *(Vienne 1825-* id. *1899).* Son père s'opposa à ce qu'il suive comme lui la carrière musicale, bien qu'il lui eût offert des cours de piano. Il dut donc étudier pour devenir employé de banque. Après le divorce de ses parents, il monte, contre leur gré, son propre orchestre de musique légère, au casino Dommayer, devenant ainsi concurrent de Johann Strauss père qui essaie de le contrer. Mais peu avant la mort de ce dernier, il se réconcilie avec lui. Il se voit nommé, en 1848, chef de la musique municipale de Vienne, lors de la révolution qui avait mis son père dans une légère disgrâce. Quand ce dernier meurt en 1849, le fils fusionne les deux orchestres et

entreprend de nombreuses tournées en Europe. La fatigue l'oblige, en 1853, à confier la baguette de cet orchestre à son frère Joseph, ingénieur, et à ne plus diriger que pendant l'été. En 1862, il épouse la cantatrice Jetty Treffz. Elle mourra en 1877, et il épousera successivement Angelika Dietrich en 1878, et Adèle Deutsch en 1889. Il est nommé en 1863 directeur des bals de la cour. Il délaisse alors complètement, pour raisons de santé, la direction de son orchestre, le confiant à ses frères Joseph *(1827-1870)* et Edouard *(1835-1916),* et se consacre à la composition de musique légère. Ce serait Offenbach qui l'aurait incité à s'attaquer à la composition d'œuvres plus ambitieuses, comme des opérettes. Mais sa troisième opérette, *la Chauve-Souris,* ne s'impose pas tout de suite. Fêté à son tour comme roi de la valse viennoise, ami de Brahms et estimé de nombreux compositeurs, il meurt en 1899 d'une pneumonie et on lui fait des funérailles nationales, en l'enterrant aux côtés de Brahms et de Schubert.

Parmi ses 15 opérettes, les plus connues sont *Die Fledermaus (la Chauve-Souris)* [1874], sur un livret original de Haffner et Genée ; *Cagliostro* (1875) ; *Une nuit à Venise* (1883), *Der Zigeuner Baron (le Baron tzigane)* [1885], livret de von Schnitzer ; *Wiener Blut* (« Sang viennois ») [1899] d'après sa célèbre valse, sur un livret de Léon et Stein. Il s'attaqua même à l'opéra avec *Ritter Pasman* (1892), sur un livret de Docsy. Mais ses œuvres les plus populaires sont ses valses viennoises, 170 environ sont cataloguées, certaines admirables et grandioses, dont *An der schönen blauen Donau* (« le Beau Danube bleu ») [1867] ; *Künstlerleben* (« Vie d'artiste ») [1867] ; *Wein, Weib und Gesang* (« Du vin, des femmes et des chansons ») [1869] ; *Wiener Blut* (« Sang viennois ») [1873] ; *Frühlingstimme* (« Voix du printemps ») [1883] ; *Kaiser Walzer* (« Valse de l'Empereur ») [1889]. On lui doit aussi environ 80 quadrilles, 140 polkas, 45 marches, 32 mazurkas, etc.

Ses œuvres sont considérées comme la quintessence de la musique viennoise, et ont marqué de manière ineffaçable toute la musique : de Mahler à Ravel, en passant par Berg, beaucoup de musiciens « sérieux » lui ont rendu hommage.

STRAUSS *(Richard),* compositeur et chef d'orchestre allemand *(Munich 1864-*

Garmisch 1949). Son père, Franz, était un corniste réputé, appartenant au Théâtre de la cour de Munich. Il apprit les rudiments de la musique avec divers membres de sa famille (le piano avec sa mère, le violon avec son oncle), puis la composition avec F. W. Meyer. Ses premières œuvres, écrites lorsqu'il était très jeune, témoignent de l'influence de Mendelssohn et de Schumann. À l'âge de seize ans, il rencontre Hans von Bülow qui lui fait découvrir Wagner. À dix-huit ans, il assiste à la création de *Parsifal* qui fait sur lui une impression définitive. Bülow dirige les premières œuvres marquantes de Richard Strauss, dont son premier concerto pour cor (1885), avec son père comme soliste.

La même année Bülow le recommande à Meiningen, où il est nommé chef d'or-

*Richard **Strauss**.*

Une scène de Till Eulenspiegel, *musique de Richard **Strauss**, chorégraphie de George Balanchine (New York City Ballet).*

chestre. En 1886, il part pour l'Italie d'où il rapportera son poème symphonique *Aus Italien,* œuvre originale et colorée où sa personnalité s'affirme d'emblée. À son retour, il accepte le poste de troisième chef d'orchestre à Munich. Il y reste trois ans, durant lesquels il compose deux nouveaux poèmes symphoniques, *Macbeth* et surtout *Don Juan* qui passe pour son chef-

*Richard **Strauss** a été son propre librettiste pour ses deux premiers ouvrages lyriques.*

d'œuvre dans le domaine de la musique orchestrale. En 1889, il quitte Munich pour Weimar où on lui offre le poste de Kapellmeister. *Mort et Transfiguration* est de cette même année. Une grave maladie l'oblige à interrompre pendant quelques mois son activité. Durant sa convalescence, il voyage en Grèce et en Italie, où il ébauche son premier opéra *Guntram.* Très influencé par Wagner, cet ouvrage fait fiasco à Weimar, lors de sa création en 1894. Richard Strauss s'y intéresse de nouveau à la fin de sa vie et le remanie. En 1894, il dirige *Tannhäuser* au Festival de Bayreuth, puis revient à Munich, comme

premier chef d'orchestre. Il y reste jusqu'en 1898. De cette période datent *Till Eulenspiegel, Ainsi parla Zarathoustra* et *Don Quichotte* (variations pour violoncelle et orchestre qui constituent, en même temps, une suite de tableaux descriptifs retraçant la vie du héros de Cervantès). Son sens particulier de la polyphonie s'épanouit dans ces trois œuvres à programme de façon exceptionnelle. En 1898, Richard Strauss est nommé chef de l'Orchestre royal de Prusse à Berlin. Il y termine *la Vie d'un héros,* autobiographie symphonique, dans laquelle sa maîtrise du coloris orchestral atteint un sommet.

Son deuxième opéra, *Feuersnot,* marque un nouveau retour à Wagner, mais, cette fois, le succès remporté à Dresde en 1901 répond aux espérances du compositeur. À noter que Richard Strauss a été son propre librettiste pour ses deux premiers ouvrages lyriques. Cependant la réputation internationale du compositeur commence à s'établir : en 1904, il dirige à New York la première de sa *Symphonie domestique,* qui correspond à la partie familiale de son autobiographie symphonique, sans pour autant renoncer au grandiose.

Enfin, en 1905, c'est le triomphe, mitigé de scandale, obtenu par *Salomé,* où Richard Strauss avait mis en musique une pièce particulièrement osée, écrite en français par Oscar Wilde. Désormais, soit pendant la seconde moitié de son existence, Strauss se consacre presque exclusivement au théâtre dont il devient le compositeur majeur de la première moitié du xxᵉ siècle. Avec *Elektra,* il poursuit plus avant cette veine du réalisme légendaire passant par Freud, en s'attaquant à une tragédie de Hugo von Hofmannsthal.

Convaincu que la musique de Strauss apportait à ses préoccupations un approfondissement, Hofmannsthal consacre les trente années qui lui restent à vivre à écrire des livrets pour Richard Strauss. Et ce fut là, pour le compositeur, un apport qu'on ne saurait sous-estimer. Cependant, après avoir atteint dans *Elektra* une violence et une intensité inconnues dans l'opéra, Strauss effectua avec *le Chevalier à la rose* la plus extraordinaire volte-face. C'en est fait désormais du wagnérisme qu'il s'est efforcé d'abord de dépasser. Enjambant à reculons le romantisme, il reprend la tradition viennoise de l'opéra de caractères que Mozart avait, avec *les Noces de Figaro,* porté à un degré de

Manuscrit autographe de la Symphonie alpestre *de Richard* **Strauss**
(offert par l'auteur à la B. N. de Paris).

perfection jamais dépassé. Dans *le Chevalier à la rose,* Strauss recherche un style néobaroque qu'on retrouve, sous une autre forme, dans *Ariane à Naxos,* où le mélange des genres (commedia dell'arte et opera seria) donne lieu à une synthèse essentiellement moderne. L'œuvre, écrite pour un orchestre réduit à une trentaine de musiciens, trouve son origine dans la musique de scène composée pour une traduction en allemand, par Hofmannsthal, du *Bourgeois gentilhomme* de Molière. L'opéra de Strauss était primitivement destiné à remplacer la cérémonie turque, située à la fin de la pièce. Un prologue lyrique composé ultérieurement fut joué ensuite à la place

GENEVIÈVE VIX
" SALOMÉ "

*Salomé de Richard **Strauss**. Maquette d'affiche de J. Carlu pour la reprise à l'Opéra avec Geneviève Vix dans le rôle en 1926. (Bibl. de l'Opéra, Paris.)*

de la comédie de Molière. *La Légende de Joseph,* composée pour Diaghilev, constitue une des rares incursions de Richard Strauss dans le domaine du ballet. C'est une de ses œuvres les moins intéressantes avec la *Symphonie alpestre,* énorme partition qui semble destinée au cinéma avant la lettre.

En 1919, Strauss est nommé à la direction artistique de l'Opéra de Vienne. Il inaugure son poste avec la création de *Die Frau ohne Schatten* («la Femme sans ombre»), sur un livret d'Hofmannsthal, qui demeure son opéra le plus ambitieux par des préoccupations symbolistes et métaphysiques. Citons encore le ballet viennois

Schlagahers et *Intermezzo,* une comédie bourgeoise inspirée par une aventure personnelle de Strauss, où il se met lui-même en scène avec sa femme, l'ex-cantatrice Pauline de Ahna.

En 1925, le compositeur quitte l'Opéra de Vienne, commet le moins bon des opéras de sa maturité, *Hélène d'Égypte,* et une version remaniée d'*Idoménée* de Mozart. En 1933, il se rachète avec *Arabella* qui retrouve avec bonheur la manière viennoise du *Chevalier à la rose.* C'est le dernier livret qu'écrivit pour lui Hofmannsthal, qui mourut en 1929. Richard Strauss ne parviendra jamais à le remplacer et, en dépit des réussites musicales évidentes, ses derniers opéras manqueront du sens théâtral particulier d'Hofmannsthal. Cela n'est pas tout à fait vrai pour *Die schweigsame Frau,* fort adroitement adapté par Stefan Zweig, d'après Ben Jonson. Strauss y aborde avec bonheur un genre nouveau pour lui : l'opera buffa

dans la manière de *Don Pasquale.* Malheureusement, Stefan Zweig devra s'exiler devant la montée du nazisme et c'est Josef Gregor, poète davantage prolixe que dramaturge, qui lui fournira ses trois livrets suivants, *Der Friedenstag,* opéra politique à thèse, *Daphné* et *Die Liebe der Danae* que la mythologie grecque inspire de nouveau. Du point de vue musical, le climat pastoral de *Daphné* est merveilleusement créé et contribue, malgré l'artifice des situations, à en faire une œuvre marquante.

C'est pourtant dans sa dernière œuvre lyrique, *Capriccio,* que Richard Strauss, à près de quatre-vingts ans, parvient à se surpasser. Composé sur un livret qu'il écrivit en collaboration avec son ami, le chef d'orchestre Clemens Krauss, *Capriccio* constitue un dernier hommage à cette culture française que Richard Strauss honora plusieurs fois au cours de sa carrière. Que le musicien ait consacré

*Le Chevalier à la rose de Richard **Strauss**, costume d'Alfred Roller. (Bibl. de l'Opéra, Paris.)*

*Dessin satirique de G. Villa représentant la tête de Richard **Strauss**, en Jokanaan, sur un plateau.*

*Portrait de Richard **Strauss** par Max Liebermann.*

H. Roger-Viollet

Richard **Strauss** :
le contraire d'un compositeur « engagé ».

la thèse défendue par Richard Strauss avec un brio qui fait de *Capriccio* l'œuvre théâtrale majeure de sa dernière période. Il lui reste pourtant à composer en 1945 *Metamorphosen*, étude pour 23 instruments à cordes, qui est peut-être le chef-d'œuvre musical de toute sa vie, en même temps que le point final mis consciemment au romantisme par un des plus grands compositeurs du xxᵉ siècle. Quelques mois avant sa mort, survenue en 1949, Richard Strauss écrira ses 4 dernières mélodies pour soprano et orchestre qui constituent le plus bel adieu possible à cette vie qui l'avait tant comblé.

En cette époque de révolution du langage musical que fut la première moitié du xxᵉ siècle, il faut constater que Richard Strauss ne fut en aucune façon un novateur comme Schönberg où Stravinski. Du point de vue de l'esthétique et du style, son importance est cependant considé-

*Richard **Strauss** dirigeant l'une de ses œuvres.*

H. Roger-Viollet

cette période, particulièrement tragique de l'histoire universelle (*Capriccio* fut donné à Munich en 1942), à mettre en musique un sujet qui est la querelle esthétique des gluckistes et des piccinnistes, peut paraître surprenant.

Richard Strauss était évidemment le contraire d'un compositeur « engagé ». Dans ce cas particulier, on peut même dire qu'il avait cherché le dérivatif le plus frivole possible pour l'éloigner d'un monde en train de s'effondrer.

Quel est l'élément primordial de l'opéra : la musique ou les paroles ? La réponse est : leur juste équilibre. Telle est rable. En prolongeant une tradition héritée du XIXᵉ siècle, il réalise une synthèse essentiellement moderne : celle d'un romantisme à la poursuite de l'idéal classique. Cet idéal, il l'atteindra dans ses meilleures œuvres, alors que ses moins bonnes compositions, dans lesquelles les procédés transparaissent, sont presque toujours sauvées par la sincérité et la générosité de l'inspiration, unies à la noblesse et à l'élégance de la forme. Hitler, qui avait chosi d'opposer la musique de Richard Strauss à la musique dite « décadente » de compositeurs comme Schönberg et son école, en avait fait, bien malgré lui, le musicien national de son régime. Loin de profiter de cette position, Strauss s'en servit pour aider les artistes persécutés.

STRAVINSKI *(Igor),* compositeur russe, naturalisé français, puis américain *(Oranienbaum, près de Saint-Pétersbourg,* *1882 - New York 1971).* Fils de Féodor Stravinski, célèbre basse du théâtre Marie à Saint-Pétersbourg, Igor Stravinski mène à bien (1905) des études juridiques, tout en travaillant l'écriture musicale avec Rimski-Korsakov (1902-1908). Les premières œuvres révélatrices de sa personnalité, le *Scherzo fantastique* et *Feu d'artifice,* sont créées au concert Ziloti (hiver 1908-1909) en présence de Diaghilev. Cette rencontre marque les débuts d'une collaboration qui ne prendra fin qu'avec la mort de Diaghilev en 1929 et oriente Stravinski vers le ballet. Bien plus, en lui commandant *l'Oiseau de feu* (1909-10) Diaghilev non seulement révèle Stravinski au grand public, mais encore il impose d'emblée sur le plan international la nouvelle musique russe. Venu à Paris assister à la création de son ballet, Stravinski partage dès lors son temps entre Clarens (Suisse), où il passe l'hiver, et la propriété de sa femme à

*Igor **Stravinski** en 1934, à l'époque de sa naturalisation française.*
Il postula le fauteuil de Paul Dukas à l'Institut.

Meurisse

Stravinski *par René Auberjonois*
à l'époque de l'Histoire du soldat *(1916).*

Stravinski *par Pablo Picasso*
en 1920.

Oustiloug (Volhynie), où il réside l'été. C'est là qu'il met en chantier *le Sacre du printemps,* un tableau de la Russie païenne, entrecoupé par la composition d'un concert pour piano qui devient, sur les conseils de Diaghilev, une évocation de la fête populaire de la Semaine grasse sur la place de l'Amirauté à Saint-Pétersbourg et du drame du personnage le plus célèbre au théâtre de marionnettes, *Petrouchka* (1911), qui voit le triomphe de Nijinski. Le scandale du *Sacre* (1913) au Théâtre des Champs-Élysées, scandale sans doute plus chorégraphique que musical si l'on tient compte du succès de sa création en concert l'année suivante, projette Stravinski au premier rang de l'actualité : avec Schönberg, il devient, dans une optique tout à fait différente, le symbole du musicien révolutionnaire.

Et pourtant, cette œuvre historique n'aura pas de postérité. Suivant dans leurs déplacements les Ballets russes, qui quittent définitivement la Russie en 1912 et se fixent à Monte-Carlo, Stravinski se lie avec Debussy, Ravel, Satie, Falla et Casella. Alors que dans son refuge vaudois, il travaille aux *Noces* (1914-1917) et à *Renard,* « une histoire burlesque, chantée et jouée, faite pour la scène » (1916-17), il fait la connaissance du poète suisse Ramuz (1915). Une collaboration s'instaure par le biais du livret français des ouvrages en chantier et sans doute Ramuz est-il à l'origine de l'*Histoire du soldat,* dont il fut le librettiste, une œuvre destinée au théâtre ambulant pour récitant et 7 instruments, sur le thème de la lutte du bien et du mal pour la possession de l'âme humaine traité avec un humour un peu grinçant.

La révolution de 1917, qui surprend Stravinski en Suisse, lui fait perdre sa fortune, et le coupe de son pays natal jusqu'en 1962. Il décide alors de s'installer en France (1920). Ce déracinement n'est pas étranger à l'élargissement de ses sources d'inspiration musicale vers un cosmopolitisme européen et une recherche rigoureuse d'universalité qui s'accompagne d'un goût de plus en plus marqué pour les problèmes religieux. Avec *Pulcinella* (1919), une commande de Diaghilev sur des thèmes de Pergolèse, s'ouvre la période dite « néoclassique » qui le conduit jusqu'au *Rake's Progress* (1948-1951).

À partir de 1923, pour des raisons matérielles, Stravinski tente de faire une carrière de pianiste (qui motive la composition d'œuvres pour son instrument) et de chef d'orchestre qui le conduit aux États-Unis dès 1925 et l'amène à enregistrer ses propres ouvrages dès 1927. Naturalisé français en 1934, il postule (1936) un fauteuil à l'Académie des beaux-arts : on lui préfère Florent Schmitt. Convié en 1939-40 par l'université Harvard à donner une série de cours sur la *Poétique musicale,* il se fixe à Hollywood le temps de la Seconde Guerre

mondiale. Il y reste jusqu'à sa mort (1971) après avoir choisi, en 1945, la nationalité américaine. C'est dans le cadre des échanges culturels soviéto-américains qu'il retournera en U.R.S.S. en 1962 : voyage triomphal où il est salué comme « le plus grand compositeur de notre temps », alors même que, depuis 1953 et sous l'influence de R. Craft, il a adopté la technique sérielle que précisément un Kabalevski ou un Khatchatourian venaient de condamner comme contraire à la nature humaine !

On a coutume de diviser l'œuvre créatrice de Stravinski en 3 périodes : russe, néoclassique et sérielle. De fait, de *l'Oiseau de feu* aux *Noces,* Stravinski puise dans son patrimoine culturel tant sur le plan des thèmes traités que des éléments mélodiques ou rythmiques. Toutefois, même si, en 1914, il entreprend un

Projet de décor d'A. Benois pour le Rossignol *(1914) d'Igor* **Stravinski,** *chorégraphie de B. Romanov*

B.N. Paris. Coll. A. Tcherkessa-Benois

voyage à travers la Russie pour recueillir une documentation qu'il utilise notamment dans *Noces, Pribaoutki,* les *Berceuses du chat, les 4 chœurs a cappella,* pour voix de femmes, même s'il a eu recours aux cahiers dans lesquels Rimski-Korsakov a consigné sa collecte ethnomusicologique de 1876-1878 *(cf. Petrouchka),* il recrée plus qu'il n'emprunte le matériau musical folklorique (un seul thème populaire authentique dans *Noces,* par ex.) et le transcende jusqu'à l'abstraction. En effet, comme le remarque Boris de Schoelzer, « ni la polyphonie de l'art stravinskien, ni sa structure tonale, ni sa complexité harmonique, ni ses rythmes syncopés ne sont de provenance russe : toutes ces particularités marquent l'aboutissement de certaines traditions occidentales ». Son goût pour les intervalles distendus, pour le triton comme centre harmonique *(cf. l'Oi-*

seau de feu, Petrouchka), l'écriture par blocs (le *Sacre)* le conduit à instaurer avant Milhaud une polytonalité triomphante. Théoriquement, il atteint l'atonalité non pas dans le *Sacre,* mais déjà dans la danse de *l'Oiseau de feu* et la scène infernale de Kastchei, toutefois, loin de nier la dissonance, il la perçoit comme un enrichissement. Quant à la sauvagerie soulignée par Debussy, elle repose sur la nouveauté de son apport rythmique : usage de la syncope, rythmes non symétriques, déplacements des accents, ruptures continuelles, simultanéité des dessins rythmiques avec des oppositions de mesures ternaires et binaires (polyrythmie).

Mais ce primitivisme, Stravinski l'obtient aussi par des contrastes de dynamiques et par l'accroissement des effectifs instrumentaux (38 vents dans l'orchestre du *Sacre).* Pourtant, il a retenu la leçon de

Schönberg (il assiste à la création du *Pierrot lunaire* à Berlin en 1912) au niveau de la concision de la forme (*3 Poésies de la Lyrique japonaise,* 1912 ; *3 Pièces pour quatuor à cordes,* 1914 ; *3 Pièces pour clarinette seule,* 1919), de la recherche instrumentale dans le cadre de la musique de chambre, souvent dans des combinaisons inhabituelles *(Renard, Histoire du soldat, Noces).* De plus, lui, qui devait écrire plus tard une *Circus Polka* (1942) pour les éléphants de Barnum et Barley et des *Scènes de ballets* (1944) pour

Billy Roose, le producteur de shows de Broadway, remet dès cette période en question les genres : si la valse de Josef Lanner ou la rengaine *Elle avait un' jamb' de bois* peuvent dans *Petrouchka* procéder du collage, l'influence du jazz sur l'*Histoire du soldat* (on y trouve aussi un paso-doble, un tango et une valse) est d'une autre nature. Ce ragtime est déjà une quête d'expression collective et d'universalité et préfigure *Ragtime* pour 11 instruments, *Piano Rag music* et *Ebony Concerto* (1946), pour l'ensemble de Woody

Larousse

Une scène de Petrouchka, *musique d'Igor **Stravinski,** chorégraphie de M. Fokine, par le Ballet national néerlandais.*

Manuscrit autographe de l'Oiseau de feu *d'Igor **Stravinski** (Bibliothèque Nationale, Paris).*

L'Oiseau de feu, *musique d'Igor **Stravinski**,
chorégraphie de M. Fokine par le Ballet national néerlandais.*

Hermann. Une si forte personnalité pouvait-elle se tourner vers le pastiche? La démarche de Stravinski, à partir de 1919, a certes plongé public et critiques dans la plus grande perplexité. Elle se présente, en effet, comme une suite de « retour à » inaugurée par *Pulcinella* sur des thèmes de Pergolèse, dont il s'efforce de sauvegarder la personnalité même lorsque, sur le plan de l'harmonie ou de l'instrumentation, il la charge d'une note personnelle. Avec la *Symphonie pour instruments à vent* (1920) dédiée à la mémoire de Debussy, Stravinski revient à ses sources ancestrales « comme un adieu à ce monde perdu » que prolonge *Mavra* (1922), opéra bouffe en 1 acte d'après un conte de Pouchkine basé sur la convention stylistique de Glinka, mais surtout de Tchaïkovski.

L'*Octuor pour instruments à vent* (1922-23) marque un retour à la musique de chambre pure, mais surtout souligne des préoccupations polyphoniques qui subsisteront jusque dans les œuvres sérielles. Stravinski abandonne les recherches basées sur la couleur au profit d'un contrepoint linéaire qui accorde toute son importance à Bach (en dépit de tonalités équivoques, de changements de mesure). Ce souci du dessin qui ordonne la matière le conduit aussi à mettre en avant un instrument susceptible de rendre ce triple travail (ligne, accord, rythme), le piano, dont l'écriture fréquemment à deux voix rappelle le cantor de Leipzig (Stravinski a transcrit l'un de ses chorals d'orgue pour voix et instruments) dans le *Concerto pour piano et orchestre d'harmonie* (1923-24) ou, à cause de l'ornementation de l'adagietto de la *Sonate pour piano* (1924), le style des clavecinistes français du XVIIIe siècle (Rameau, servant, d'autre part, de réfé-

B.N.

Pourtant dans ce cadre, il ne saurait renoncer à combiner polyphonie classique et bitonalité (*cf. Concertino pour cordes*, 1920; *Symphonie en «ut», Sonate pour 2 pianos*, 1943). *Orphée* (1947), un ballet pour Balanchine, marque le retour à la musique du Moyen Âge et de la Renaissance que Monteverdi lui a fait découvrir (il a travaillé aussi sur Gesualdo), d'où l'emploi de formations *ad libitum* dans l'esprit de l'époque, une certaine austérité polyphonique et un langage modal. *La Messe* (1945-1947) participe au même esprit avec ses références à Machaut et même au-delà à Byzance, notamment avec les sections alternées solos/réponses du chœur dans le gloria. Déjà dans la *Symphonie des psaumes* (1930) était sensible une volonté de remonter aux sources de la musique occidentale par l'emploi d'une forme de psalmodie, d'un chant de faible ambitus dans l'esprit du grégorien, l'utilisation de modes ecclésiastiques ainsi que du latin, élément de distanciation garant d'objectivité mais aussi matériau rituel. Ce sujet biblique est le pendant d'*Œdipus rex*,

*Peinture de J.-E. Blanche, représentant Tamara Karsavina dans l'*Oiseau de feu *(1910). Musique d'Igor **Stravinski**.*

*Igor **Stravinski** par Michel Larionov (1917). (Coll. A. Meyer/Ziolo.)*

rence à *Apollon Musagète*). Le caractère intime du *3e Brandebourgeois* guide plus tard (1938) l'esprit du contrepoint du *Concerto en «mi» pour orchestre (cf.* aussi pour *2 Piano-forte solos).* D'où le sommet polyphonique de la fugue à 4 voix du second mouvement de la *Symphonie des psaumes* (1930) qui s'achève en une double fugue entre les chœurs et l'orchestre. Ce retour est aussi un retour aux formes classiques tripartites (*Octuor, Concerto pour piano et orchestre d'harmonie, Capriccio*, 1929; *Concerto pour violon*, 1931; *Symphonie en «ut»*, 1939-40, avec un premier mouvement de forme sonate et un scherzo), dont il essaie progressivement de tempérer la sévérité par un climat de gaieté sereine. Le plus parfait produit reste la *Symphonie en 3 mouvements* (1945), où Stravinski retrouve l'énergie créatrice de Beethoven.

A. Meyer

*Igor **Stravinski** par Jacques-Émile Blanche, 1915. (Musée d'Orsay, Paris.)*

thème mythologique emprunté à Sophocle, traduit et arrangé par Cocteau et retraduit en latin par Jean Daniélou comme l'exigeait Stravinski : un opéra-oratorio mais plus resserré (sans ouverture, interludes et récitatifs) d'une simplicité extrême qui confine à l'inexpression, presque un documentaire. Enfin *The Rake's Progress* est une ultime tentative pour sauver la tradition lyrique de Mozart *(Don Juan)* à Gou-

nod en passant par Gluck et Verdi. Sans doute, cette série de « retour à » correspond-t-elle au-delà de la légitime curiosité et de la virtuosité de l'analyse stylistique qu'elle suppose à une sorte d'appropriation qui témoigne du désir de Stravinski de se trouver de nouvelles racines, en s'occidentalisant.

Ce voyage de l'intérieur est « un acte de culture en même temps qu'un acte d'invention ». Il semble bien, d'autre part, que ce modèle ne soit jamais chez lui un aboutissement, donc pas un pastiche, mais le point de départ d'une recherche, celle de l'objectivité stylistique dans le cadre de l'universalité de la forme et de l'esprit qui explique aussi son attirance pour des sujets « hors temps » quasi rituels. L'œuvre de Stravinski recèle une unité profonde qui ne s'explique que par la recherche des archétypes et des styles, « l'expression collective d'une époque », qui concrétise son aspiration au « supra-individuel ». Comment comprendre, dès lors, qu'à la suite de son voyage en Europe pour assister à la création de son *Rake's Progress* à Venise (1952), au théâtre de la Fenice, dans le cadre du Festival de musique contemporaine, Stravinski ait adopté la pensée sérielle ? Certes, l'amitié qui le liait depuis 1947 à Robert Craft, fervent admirateur du dodécaphonisme, n'y est pas étrangère (ils accomplissent tous les deux le pèlerinage à Mittersill sur la tombe de Webern). Ainsi, voit-on à partir de la *Cantate,* sur des poèmes anonymes des xve et xvie siècles, Stravinski se familiariser et utiliser progressivement la technique sérielle dans son propre travail de composition à travers les *3 Chansons pour Shakespeare* (1953), le *Septuor* (2e mouvement, 1952-53), les *Canons funèbres* (1954), sur des poèmes de Dylan Thomas, et le *Canticum Sacrum* (1956) ou encore *Threni* (1958), une œuvre religieuse sur le texte des Lamentations de Jérémie, fidèle à la pensée sérielle et dont tout le matériau est issu de la série dodécaphonique.

Parallèlement, il découvre en 1954 *le Marteau sans maître* qu'il salue comme « la seule œuvre marquante d'une période exploratrice » alors même que Boulez se moque de sa conversion sérielle. Mais si Stravinski utilise jusque dans ses dernières œuvres la sérialité, il ne renonce jamais à sa propre pensée et, de ce fait, on peut dire qu'il a été un disciple dissident des Viennois : ainsi le *Septuor* et *Agon,* où coexistent sérialité et modalité. D'autre part, la sérialité, l'aboutissement suprême de l'esprit de variation, rencontre son souci d'écriture polyphonique, contrapuntique, dominé comme dans *Agon* par la fugue et le canon (*cf.* aussi *Double Canon,* un hommage à Dufy, 1959). Les *Variations pour orchestre* peuvent être, sur ce point, l'œuvre la plus significative : Stravinski y met en relation les notions de

série (et sa combinatoire) et de variations en prenant pour bases référentielles les *Variations Goldberg* de Bach. Il renonce d'ailleurs si peu aux formes anciennes (*Agon* regroupe gaillarde, pavane, branle, etc.) que dans le *Requiem Canticles* (1965-66), les 4 formes basques de la série font office dans l'introït de cantus firmus. Précisément, il semble bien que Stravinski se soit, dans sa période néoclassique comme dans sa période sérielle,

*L'œuvre de **Stravinski** recèle une unité profonde, « l'expression collective d'une époque ».*

Lipnitzki

*Costume de Léon Bakst pour Tamara Karsavina
dans l'Oiseau de feu d'Igor **Stravinski.**
Chorégraphie de Michel Fokine (Paris, 1910).
(Bibliothèque de l'Arsenal, Paris.)*

attaché aux mêmes ordonnances rituelles de la forme et du langage; il a toujours manifesté un souci de rigueur au détriment de l'élément subjectif. En somme, le choix de la sérialité chez lui (outre l'enrichissement harmonique qu'il y trouve) s'éclaire par sa période dite néoclassique, mieux, il en est un prolongement : dans sa quête des archétypes, Stravinski choisit le seul phénomène musical collectif du xxe siècle. Ainsi, son œuvre apparaît-elle non plus faite d'une succession d'adhésions et de désengagements mais dans sa profonde unité.

STRIGGIO *(Alessandro)*, compositeur italien *(Mantoue, v. 1535-* id. *1592)*. Originaire de Mantoue, il restera toujours en relation avec les Gonzague, en particulier à la fin de sa vie. La plus grande partie de sa carrière musicale se déroule cependant à Florence à la cour des Médicis, où il est, à partir de 1560 environ jusqu'en 1584, le principal compositeur avec Francesco Corteccia, et collabore aux différentes productions officielles (intermèdes pour *La Cofanaria* en 1565, *I Fabii* en 1568, *La Vedova* en 1569, etc.). Instrumentiste à corde renommé à l'époque, il doit surtout sa réputation à ses 7 livres de madrigaux (dont 5 à 5 voix, 2 à 6 voix), publiés de 1558 à 1597 et dont la popularité s'étendit à l'étranger. Fidèle à l'esthétique de son temps, il use d'une écriture contrapuntique très élaborée et riche en modulations, tout en faisant un usage restreint du chromatisme. Ses derniers madrigaux, cependant, laissent pressentir l'avènement du style monodique.

Il a, par ailleurs, écrit 1 messe à 5 voix, *Missa in dominicis diebus,* et 1 motet à 40 voix pour 4 chœurs, *Ecce beatam lucem.*

Son fils **Alessandro** *(Mantoue 1573-Venise 1630),* diplômé en droit et secrétaire du duc de Mantoue à partir de 1611, est surtout connu pour les livrets qu'il écrivit pour Monteverdi : *La Favola di Orfeo* (1607), sans doute aussi *Tirsi e Clori* (1615) et *Il Lamento d'Apollo,* perdu.

SUK *(Josef),* violoniste, pédagogue et compositeur tchèque *(Krecovice 1874-Benesov 1935).* Fils d'instituteur, musicien et mélomane, il apprend le violon dès l'âge de quatre ans. Admis dans la classe de violon d'Antonin Bennewitz au conservatoire de Prague en juillet 1885, il travaille l'harmonie (Josef Foerster) et la composi-

tion (Antonín Dvořák), et devient le camarade, puis l'ami, de Vitezslav Novak. Admis dans l'intimité de Dvořák à Vysoka, il fait la connaissance de sa fille Otilka. Il fonde avec Karel Hoffmann, premier violon, Oskar Nedbal, alto, et Otto Berger, violoncelle, le Quatuor tchèque, sous la direction du célèbre violoncelliste et professeur Hanus Wihan.

Ce quatuor donne son premier concert le 19 janvier 1893 à Vienne. Suk restera le deuxième violon de cet ensemble jusqu'à son concert d'adieu, le 20 mars 1933. De 1893 à 1905, il écrit de nombreuses pièces pour le piano, *Six Pièces* op. 7, *Feuillet d'album, Pièces* op. 12, *Impressions d'été* op. 22b, ainsi que la célèbre *Sérénade pour cordes* op. 6, sous l'influence directe de son maître, devenu son beau-père, depuis son mariage avec Otilka. Le 1er mai 1904, alors que Suk vient de se faire applaudir par le public tchèque pour son immense poème symphonique *Praga,* Dvořák meurt subitement. Le 5 juillet 1905, Otilka meurt, à son tour, de tuberculose. Désormais Suk n'est plus le chantre du printemps et de l'amour. Son style devient d'une grande complexité polyphonique et polyrythmique. En mémoire de sa femme et de son beau-père, il écrit un immense chant funèbre, une *Symphonie* en *ut* mineur, *Asraël,* dont l'ossature thématique est constituée par le *thème du destin,* qui s'unit à celui de la mort, telle la malédiction de *Roduz* et *Mahulena.* Cet immense poème en 5 mouvements forme le premier pilier d'une tétralogie qui comporte aussi *le Conte d'été* op. 29 (1909), *Maturation* op. 34 (1917) et *Épilogue* op. 37 (1933).

Suk est pourtant le fondateur de l'école tchèque moderne et, avec Novak, celui qui a su faire passer la forme du quatuor, comme celle du poème symphonique, de Brahms et Strauss à Janáček, Hába et Martinů. La puissance méditative, la vitalité, la tendresse expressionniste de *Maturation* s'opposaient, à l'époque de la création de l'ouvrage, à la musique «blanche» d'un Stravinski et aux principes de non-répétition de l'école viennoise. Aujourd'hui, Suk attend sa réhabilitation, tout comme l'autre école de Vienne, celle allant d'Hauer à Franz Schmidt.

SULLIVAN (sir *Arthur*), compositeur et chef d'orchestre anglais *(Lambeth, Londres, 1842-Londres 1900).* Il écrivit dans de nombreux genres beaucoup d'œuvres sérieuses qui le firent parfois considérer comme le principal compositeur anglais de son temps (*Irish Symphony*, 1866 ; *Ouverture di ballo*, 1870). Mais presque aucune de ces œuvres ne lui a survécu, et c'est à ses ouvrages scéniques à la veine légère, en particulier à ceux qu'il produisit avec comme librettiste W. S. Gilbert, qu'il doit son immortalité. Parmi ces ouvrages (plus ou moins dans la descendance d'Offenbach) de « Gilbert Sullivan », citons *HMS Pinafore, or The lass that loved a sailor* (1878), *The Pirates of Penzance* (1879), *Iolanthe* (1882), *The Mikado* (1885), *The Yeomen of the Guard* (1888) et *The Gondoliers* (1889).

SUPPE *(Franz von)*, compositeur autrichien *(Spalato, Dalmatie, 1819 - Vienne 1895)*. Après avoir montré des dispositions musicales précoces, il commença des études de médecine. Mais une rencontre avec Donizetti le ramena à la musique. Il tra-

*Franz von **Suppe**.*

Rap

vailla alors avec Ignace von Seyfried, un disciple de Haydn, et fut engagé au Josephstadt Theater de Vienne comme chef d'orchestre et, surtout, comme compositeur et arrangeur de vaudevilles. Il le quitta bientôt pour le Théâtre An der Wien, pour lequel il devait écrire la plupart de ses opérettes. Parmi ses plus grands succès, il faut citer *Dix Filles et Aucun homme* (1862), *Fatinitza*, extraite de *la Circassienne* de Scribe (1876), et *Boccaccio* (1879). Ses partitions, nourries de valses viennoises, témoignent d'une forte influence italienne au niveau de l'écriture vocale et montrent d'ingénieuses trouvailles instrumentales. Suppe fut, avec Johann Strauss, le plus heureux et le plus fécond des compositeurs de la belle époque viennoise. Seules, cependant, certaines de ses ouvertures sont vraiment passées à la postérité : *Poète et Paysan, Cavalerie légère*.

SÜSSMAYR *(Franz Xaver)*, compositeur autrichien *(Schwanenstadt, Haute-Autriche, 1766 - Vienne 1803)*. Il étudia avec son père, puis au monastère de Kremsmünster (1779-1787), et, en 1788, s'installa à Vienne comme professeur de musique. En 1790 ou 1791, il fit la connaissance de Mozart, qui lui enseigna la composition. Après la mort de Mozart, il étudia le style vocal avec Salieri, et, de 1794 à sa mort, fut maître de chapelle au Burgtheater pour l'opéra allemand, obtenant un succès dans le genre du singspiel avec *Der Spiegel von Arkadien* (1794), *Die edle Rache* (1795), *Der Wildfang* (1797) ou encore *Soliman der Zweite oder Die drei Sultaninnen* (1799). On se souvient principalement de lui pour la part qu'il prit dans l'achèvement du *Requiem* de Mozart (V. EYBLER). Il composa aussi probablement les récitatifs non accompagnés *(secco)* de *la Clémence de Titus*.

SVENDSEN *(Johan)*, compositeur et chef d'orchestre norvégien *(Oslo 1840 - Copenhague 1911)*. Considéré comme le premier symphoniste norvégien, il étudie à Leipzig de 1863 à 1867, où, encore étudiant, il écrit 2 de ses principaux ouvrages : l'*Octuor à cordes* op. 3 et la *1re Symphonie en « ré » majeur*. Sa *2e Symphonie en « si » bémol majeur* date de 1876, après un séjour à Paris, où, semble-t-il, la découverte de Berlioz l'avait fortement impressionné. D'une écriture vigoureuse, ses œuvres, *Norsk Kunstnerkarneval* (1874), *Carnaval à*

Paris (1872), la célèbre *Romance pour violon* (1881), *Roméo et Juliette* (1876), les 4 *Rhapsodies norvégiennes,* sont le témoignage d'un maître de l'orchestration et elles lui valurent un très grand succès auprès de ses contemporains, notamment à Paris, où il vécut quatre ans (1868-1870, 1878-1880). En 1883, Svendsen fut nommé chef de l'orchestre du Théâtre royal de Copenhague et il y termina sa carrière.

SWEELINCK *(Jan Pieterszon),* organiste et compositeur néerlandais *(Deventer 1562-Amsterdam 1621).* Fils de Peter Swybertszoon, organiste de la Oude Kerk d'Amsterdam, et de Elsken Sweling, descendante d'une famille connue d'orfèvres de Cologne, il adopte le nom de sa mère dès ses premières publications. Il reçoit son enseignement de son père, puis, après la mort de celui-ci (1573), de W. J. Lossy, à Harlem. En 1577, il est nommé, en succession de son père, aux orgues de la Oude Kerk, poste qu'il occupera jusqu'à sa mort. Mais, l'année suivante, la ville d'Amsterdam se rangeant dans le camp de la Réforme calviniste, la place de l'orgue dans les cérémonies religieuses devient presque nulle. Une courte improvisation à l'orgue précède encore et suit le sermon chaque jour; en dehors de cette intervention liturgique, le fonctionnaire municipal qu'est l'organiste de la Oude Kerk utilise l'instrument qui lui est confié dans un esprit profane; il organise des concerts d'orgue quotidiens qui font, bientôt, de lui le personnage le plus en vue de la société musicale d'Amsterdam. Il forme également un Collegium musicum vocal et instrumental, composé d'amateurs qui exécutent ses œuvres. Sa réputation se répand à l'étranger; il semble avoir été en rapport particulièrement étroit avec les musiciens anglais. Il reçoit de nombreux élèves, dont les plus célèbres sont M. Praetorius, S. Scheidt, H. Scheidemann. John Bull lui rend hommage lors de sa mort en écrivant une fantaisie sur un de ses thèmes favoris. Sweelinck laissa cinq enfants; son fils aîné Dirck lui succéda aux orgues de l'Oude Kerk et fut un compositeur apprécié.

L'importance de Sweelinck se manifeste dans trois domaines. Il fut un remarquable compositeur pour le clavier, pour l'orgue en particulier. Dans ce domaine, il doit beaucoup à l'école anglaise, mais ses constructions sont plus élaborées et il s'attaque à des formes complexes et largement développées. On peut considérer que ses fantaisies pour le clavier sont, avec leur utilisation d'un contrepoint à 3 voix, un des premiers exemples de fugues pleinement développées. Il est également le premier à avoir utilisé la forme de la variation de choral. Ses innovations furent répandues par ses élèves — on le surnomma le «faiseur d'organistes». Autour de chacun d'eux se forment des centres musicaux importants, Halle pour Scheidt, la cour de Brunswick pour Praetorius, Hambourg pour Scheidemann. À travers ce relais se forme toute l'école d'orgue de l'Allemagne du Nord, dont les noms les plus célèbres seront Buxtehude et Bach.

L'œuvre de Sweelinck restera inédite de son vivant. Elle circulera à l'état de manuscrits dont l'aire de diffusion dès le XVIIe siècle nous permet de mesurer l'importance du musicien et de son influence. On trouve, en effet, des copies de ses œuvres d'Uppsala à Padoue, de Paris à Oxford ou au fond de la Hongrie.

C'est pourtant par son œuvre vocale que Sweelinck fut d'abord le plus universellement connu. La plus grande part de cette œuvre est composée sur des textes français. Trois collections de chansons françaises sont éditées entre 1592 et 1594; elles sont suivies de 4 livres de psaumes (qui incluent la totalité du Psautier genevois) de 1604 à 1621 et des *Rimes françoises et italiennes* en 1612. Les *Cantiones sacrae,* enfin, paraissent en 1619. Une partie de cette production s'est perdue, mais il nous reste 254 pièces vocales. Elles représentent l'expression ultime de l'art de la polyphonie hollandaise; marquées de nombreux italianismes, elles tendent vers un classicisme, au sein duquel trouvent place des rémanences de divers genres plus anciens, motet, madrigal, chanson, villanelle.

SZOKOLAY *(Sándor),* compositeur hongrois *(Kunágota 1931).* Il reçoit sa première éducation musicale à l'école de Békéstarhos, puis vient suivre la classe de Ferenc Szabo et de Ferenc Farkas à l'Académie de Budapest. Entre 1951 et 1957, il enseigne le solfège dans le secondaire. Jusqu'en 1961, il est producteur musical à la radio de Budapest. Depuis, il se consacre à la composition, ayant reçu le prix Erkel en 1960 et 1965, et le prix Kossuth en 1966. Il marque une préférence pour les œuvres scéniques et la musique vocale, dans lesquelles il peut user de sa verve dramatique, de son goût pour l'*ostinato* rythmique et pour les ornements rythmiques archaïsants, ce qui n'est pas sans rappeler parfois C. Orff. Mais, contrairement au compositeur bavarois, il ne recherche pas que l'effet produit par des percussions multiples, mais se sert, à bon escient, de toutes les formes musicales nécessaires à l'expression dramatique. Ainsi dans les *Noces de sang (Vérnász,* 1962-1964), *Sámson* (1973), il adapte chaque forme (rondeau, sonate, caprice, passacaille, trio, variations, etc.) au climat cherché pour soutenir l'action. Il réserve même des formes mélodiques strictement dodécaphoniques aux instants essentiels (dernier adieu des *Noces,* scène finale de *Samson...* et intégralité d'*Hamlet).* Tout comme Berg, dont le *Wozzeck* reste un modèle pour lui, il a su s'identifier successivement à l'univers de ses librettistes, García Lorca *(Vérnász),* Shakespeare *(Hamlet,* 1966-1968) et László Németh *(Samson).* Un *Quatuor à cordes* de 1973 prouve que Szokolay n'est pas seulement un homme de théâtre, mais aussi un créateur complet. Parmi ses œuvres récentes, un *Concerto pour orchestre* (1982).

SZYMANOWSKA (*Maria Agata,* née WOLOWSKA), pianiste et femme compositeur polonaise *(Varsovie 1789 - Saint-Pétersbourg 1831).* Elle travailla à Varsovie avec Lisowski et Gremm. Les tournées qu'elle fit en Europe, de 1823 à 1826, remportèrent un grand succès. Goethe écrivit des poèmes en son honneur. Cherubini la remarqua à Paris et lui dédia une sonate. En 1822, elle fut nommée pianiste de la cour de Russie. Elle a composé des polonaises, des mazurkas, des nocturnes, 24 préludes et études. Son écriture pianistique dénote l'influence de Hummel et de Field (dont elle n'a pas été élève, contrairement à une version accréditée), et annonce directement celle de Chopin.

SZYMANOWSKI *(Karol),* compositeur polonais *(Timochovka 1882 - Lausanne 1937).* Ce musicien issu d'une famille noble polonaise installée en Ukraine commença à étudier la musique avec son père, dès l'âge de sept ans, puis dans une école de musique d'Elisavetgrad dirigée par son oncle le pianiste Gustav Neuhaus, alors que ses frères et sœurs faisaient tous de

la musique, de la peinture ou de la poésie. Son frère Feliks devint pianiste et compositeur, sa sœur Stanislawa cantatrice. Quelques pièces instrumentales, les opéras de jeunesse *Roland* et *la Cime d'or* — dont les manuscrits sont aujourd'hui égarés —, constituaient le bagage du jeune compositeur au moment de son arrivée à Varsovie en 1901, où il étudia avec le compositeur Noskowski, se lia d'amitié avec Arthur Rubinstein, Grzegorz Fitelberg et Pawel Kochanski, qui devinrent ses premiers interprètes. Il s'intéressa aux œuvres de Wagner et de Strauss, et fonda le groupe Jeune Pologne, aux côtés de Szeluto, Karlowicz, Rozycki et Fitelberg, pour rechercher de nouvelles voies et combler le vide créé dans la musique polonaise depuis la mort de Chopin; on étudiait à fond la musique moderne d'Europe. Les concerts des artistes du groupe furent mal accueillis par les critiques conservateurs. L'histoire de Szymanowski lui-même est

Maria **Szymanowska.**

*Karol **Szymanowski**.*

celle d'une lente maturation, de la période des influences reçues de Reger, Strauss, Scriabine, Debussy ou Stravinski, à l'affirmation d'un style personnel. Dans sa première période, alors que ce style n'était pas encore défini, il avait lui-même qualifié sa *1re Symphonie* (1906-1907) de monstre harmonique. Toutefois, la *2e Symphonie* (1910-11) et la *2e Sonate pour piano* (1909-10) remportèrent un grand succès à Vienne, où l'éminent critique Richard Specht en salua l'originalité, la force passionnée. Les éditions Universal proposèrent un contrat au compositeur. Szymanowski lutta contre les tendances des musiciens contemporains qui prenaient pour des œuvres d'avant-garde celles qui n'étaient hardies que par leur forme ou leur technique, sans contenir d'idées nouvelles ; il se fit le champion de la musique en tant que moyen d'expression, bâtissant ses ouvrages sur des thèmes précis, créant

un impressionnisme bien à lui où l'accent est mis sur la mélodie, véhicule de l'expression.

Passionné de culture arabe et orientale, découvrant la Sicile, l'Afrique du Nord, il abandonna parfois le système tonal afin d'utiliser des gammes orientales, imaginant de nouveaux coloris instrumentaux. Il composa deux cycles de mélodies sur des vers du poète persan du xive siècle Mohammed Hafiz, *les Chants d'amour de Hafiz* en 1911 et 1914. Pianiste virtuose, il n'en œuvra pas moins pour le développement de la technique violonistique. Des traits impressionnistes s'insèrent de manière toute spéciale dans le recueil pour violon et piano intitulé *Mythes* (1915), comprenant *Fontaine d'Aréthuse, Narcisse* et *Dryades et Pan,* où le quart de ton est employé. De 1916 date le cycle pour piano des *Masques,* dont la perfection n'a d'égale que sa difficulté d'exécution. La période de la Première Guerre mondiale fut très fertile, l'intérêt du musicien pour les possibilités expressives tirées de l'Orient trouva un point élevé d'accomplissement dans la *3e Symphonie,* dite « le Chant de la nuit », pour ténor ou soprano, chœurs et orchestre, créée à partir de vers de Djelal ed Din Roumi, le plus grand poète mystique persan. Écrit d'un seul tenant, inspiré par une rencontre avec le poète Micinski, le *1er Concerto de violon* (1917) est dominé par une étonnante richesse d'invention, une parure orchestrale d'un raffinement inouï. Pawel Kochanski prodigua ses conseils éclairés lors de la composition des deux concertos de violon de Szymanowski et en écrivit les cadences. Sa sensualité, son expression passionnée, la tension, le mystère contenus dans sa musique achevèrent de distancer Szymanowski des musiciens qui avaient pu l'influencer, alors que son champ d'activité créatrice s'étendait à toutes les formes.

Les thèmes méditerranéens et orientaux dominent ses opéras *Hagith* (1913) et le *Roi Roger* (1918-1924). Le livret du *Roi Roger,* ouvrage qui représente une somme de culture, est dû au grand poète Jarosław Iwaszkiewicz et au compositeur lui-même. Au cours de cette même époque, Szymanowski écrivit un grand roman érotique, *Ephebos,* dont le manuscrit devait disparaître dans un incendie, à Varsovie, en 1939. Sa vie connut un tournant lorsque les biens de famille furent balayés par la révolution d'Octobre. Après la guerre, le

Manuscrit autographe de la Troisième Symphonie *de Karol* **Szymanowski.**

compositeur se rendit à deux reprises en tournée, via Londres, aux États-Unis, aux côtés de Kochanski et de Rubinstein. Il eut à cette même époque la révélation des Ballets russes, de Stravinski et de Diaghilev. Rentré en Pologne, il prépara le ballet *Harnasie* (1923-1931), sur des motifs populaires polonais. C'est la période où, atteint de tuberculose pulmonaire, il profita de séjours forcés à Zakopane pour étudier les chants, les danses et la musique des Tatras. L'œuvre la plus émouvante de toute sa production reste le *Stabat Mater* (1925-26). À partir de 1926, il assura la direction du conservatoire de Varsovie, où l'attitude

de professeurs hostiles à ses idées novatrices, ajoutée à un labeur écrasant, contribua à ruiner sa santé déjà précaire et l'amena à démissionner. Dans une situation financière catastrophique, il dut rassembler ce qui lui restait d'énergie pour effectuer de longues tournées, jouant la partie de soliste de sa *Symphonie concertante pour piano et orchestre* (1932).

Les créations des dernières années ont une structure tonale claire. Synthèses de la musique du nord et du sud de la Pologne, les *Mazurkas* pour piano (1925) s'élèvent au-dessus des caractères régionaux ; ce sont les seules mazurkas du

Karol Szymanovski.

répertoire qui ne visent pas à l'imitation de Chopin. Dans le *2ᵉ Quatuor à cordes* (1927), le *2ᵉ Concerto de violon* (1932-33) et la *Symphonie concertante,* le folklore, transcendé, parvient à un classicisme de portée universelle. De nouvelles pages chorales virent le jour : les *Six Chants de Kurpie* (1926), le *Veni Creator* (1930), les *Litanies à la Vierge Marie* (1930-1933), partition qui devait rester inachevée, de même qu'un *Concertino pour piano,* dont le manuscrit disparut lors de la destruction de Varsovie en 1945. Szymanowski eut le temps d'assister au succès de son ballet *Harnasie,* à Prague en 1935, à Paris en 1936 ; il s'éteignit dans un sanatorium de Lausanne le 29 mars 1937.

Si sa musique connut une éclipse, c'est finalement à la faveur du renouveau de la musique polonaise d'après 1956 que s'est révélée la dette envers un maître qui élabora un style de musique nationale, de même que Chopin avait défini un style au XIXᵉ siècle. On n'a pu qu'explorer avec profit, et on explorera encore longtemps, l'apport de Karol Szymanowski sur le plan de la technique instrumentale, de l'harmonie, de la conception chorale et orchestrale, tout en saluant sa richesse expressive et l'élévation de sa pensée.

TAGORE *(Rabindranāth),* poète et compositeur indien *(Calcutta 1861-Santiniketan, près de Calcutta, 1941).* Il composa environ deux mille cinq cents chansons dans le style classique et populaire, certaines inspirées par des chants d'origine anglaise. Elles furent publiées après sa mort, et les deux États de l'Inde et du Bangladesh adoptèrent chacun une de ces chansons comme hymne national. On lui doit aussi des écrits sur la tradition musicale indienne, et la création d'une forme de drame musical chanté et dansé, le *Nrtya-Natya.*

TAILLEFERRE *(Germaine),* compositrice française *(Saint-Maur-des-Fossés 1892-Paris 1983).* Elle entre au Conservatoire de Paris en 1904, et, avec ses condisciples Auric, Honegger, Milhaud, elle demande des conseils à Kœchlin. En 1917, elle rencontre Erik Satie, qui, l'année suivante, à l'occasion d'un concert, présente ses *Jeux de plein air* pour deux pianos, et dont l'influence est manifeste dans le ballet *Marchand d'oiseaux* (1923). Membre du groupe des Six, elle collabore aux *Mariés de la tour Eiffel,* et reçoit de Ravel, entre 1925 et 1930, des cours d'orchestration. La *Cantate de Narcisse* (1937), écrite sur l'invitation de Valéry, témoigne de son évolution vers le dépouillement.

Elle se situe dans une tradition française qui va de Couperin à Chabrier en passant par Grétry, et où se mêlent les influences de Debussy, Ravel, Satie et Stravinski. Elle a écrit notamment, outre de nombreuses œuvres instrumentales, un Quatuor à cordes (1918), l'opéra-comique *Il était un petit navire* (1951), des musiques de scène et de film, et *Concerto de la fidélité* pour voix élevée et orchestre (1981).

TAIRA *(Yoshihisa),* compositeur japonais *(Tōkyō 1938).* Ses études musicales se déroulent à Tōkyō (université des Arts) et à Paris (André Jolivet, Henri Dutilleux et Olivier Messiaen), où il obtient en 1971 le prix Lili-Boulanger et où il se fixe pour plusieurs années. Assez tôt à l'écart de la tendance postwebernienne, il revendique une esthétique basée sur le chant, la nature, l'émotion liée à une profération du son dans le silence.

On lui doit notamment un Quatuor à cordes (1962), *Hiérophonie I* pour quatre violoncelles (1969), *II* pour quinze instrumentistes (1970), *III* pour orchestre (1969), *IV* pour quatre flûtes avec un seul exécutant (1971) et *V* pour six percussionnistes (1974-75), *Sonomorphie I* pour piano (1970), *II* pour cinq musiciens (1971) et *III* pour grand orchestre (1974-1976), *Ignescence* pour deux pianistes et un percussionniste (1972), *Chromophonie* pour orchestre (1973), *Luisances* pour deux ondes Martenot, guitare électrique et percussion (1973), *Pentalpha* pour cinq solistes (1974), *Convergence I* pour marimba solo (1975), *II* pour contrebasse solo (1976) et *III* pour violon solo (1976), *Méditations* pour grand orchestre (1975-1977), *Iris* pour grand orchestre (1978), *Erosion I* pour flûtiste et orchestre (1980), *Delta* pour 12 instruments (1981-82), *Moksa Vimoksa* pour orchestre (1983), *Polyèdre* pour orchestre (1987).

TAKEMITSU *(Toru),* compositeur japonais *(Tōkyō 1930).* Il étudie la musique en autodidacte, ainsi qu'avec le compositeur Yasuji Kiyose. En 1950, il fonde à Tōkyō un atelier interdisciplinaire où se rencontrent, pour collaborer, des musiciens, des poètes et des peintres : le Jikken Kobo (atelier expérimental) auquel la Sony Corporation apporte une aide, notamment avec un studio de musique électroacoustique où lui-même compose des œuvres qui ont été parmi les premières du genre au Japon : *Relief statique* (1954), *Vocalism A-I* (1955), etc.

Sous l'influence de Webern, Messiaen, Debussy, mais surtout à partir de sa propre expérience de jeune Japonais au sortir de la guerre, quand la musique occidentale a envahi le Japon, il crée un style, extrêmement éclectique et souple, où interviennent aussi bien les instruments occidentaux que les instruments traditionnels japonais, et la musique électroacoustique. Ce style assume et met en jeu le choc des cultures occidentale et japonaise comme une « fertile antinomie » où les deux blocs, les deux types de pensée « se combattent ». Quant à la forme, elle est, comme chez Debussy, toujours réinventée, se présentant comme le « résultat direct et naturel que les sons imposent d'eux-mêmes et que rien ne prédétermine au départ ».

Takemitsu a abondamment composé pour le cinéma, notamment pour les films *Harakiri* (1963) et *Kwaidan* (1965) de Masaki Kobayashi, *la Femme de sable* (1963) de Teshigara, *Dodes' caden* (1970) de Kurosawa, et *la Cérémonie* (1971) d'Oshima.

Parmi ses œuvres de concert, on peut citer *Pause Uninterrupted,* pour clarinette (1950), *Requiem,* pour orchestre à cordes (1957), *Solitude sonore,* pour orchestre (1958), *le Son-Calligraphie* I à III, pour huit cordes (1958-1960), *Landscape ,* pour quatuor à cordes (1960), *Music of Trees,* pour orchestre (1961), *Piano Distance,* pour piano (1961), *Ring,* pour flûte, guitare et luth (1961), *Coral Island,* pour soprano et orchestre (1962), *Corona,* pour un ou plusieurs pianos (1962), *Water Music,* pour bande magnétique (1963), *Arc,* pour piano et orchestre (une de ses œuvres les plus jouées dans le monde, 1963-1966), *Éclipses,* pour biwa et shakuhachi (1966), *The Dorian Horizon,* pour dix-sept cordes (1966), *Novembersteps,* pour biwa, shakuhachi et orchestre (1967), *Greens (Novembersteps II),* pour orchestre (1967), *Textures,* pour orchestre (1967), *Stanza,* pour instruments solistes et voix de femme (1969), *Cross Talk,* pour deux bandonéons et bande magnétique (1968), *Eucalyptus,* pour flûte, harpe, hautbois et cordes (1970), *Seasons,* pour percussions

(1970), *Voice,* pour flûte solo (1971), *Winter,* pour orchestre (1971), *Cassiopeia,* pour orchestre (1971), *Gémeaux,* pour hautbois, deux orchestres avec deux chefs (1971-72), *Stanza II,* pour harpe et bande magnétique (1971), *Blue Aurora,* pièce de théâtre musical pour Toshi Ichiyanagi (1971), *In Motion,* œuvre audiovisuelle (1972), *Quatrain,* pour violon, clarinette, piano et orchestre (1973), *Autumn,* pour biwa, shakuhachi et orchestre (1973), *Gitimalaya,* pour orchestre (1975), *A flock descends into pentagonal garden,* pour orchestre (1977).

TALLIS *(Thomas),* compositeur anglais *(v. 1505 - Greenwich 1585).* Il séjourna et travailla dans plusieurs monastères (entre autres comme maître de chœur ou organiste à l'abbaye de Waltham) jusqu'à la dissolution royale de 1540. Quelque temps après, il devint gentilhomme et principal organiste et compositeur de la chapelle royale. Il composa pour l'Église anglicane sous Édouard VI, puis selon le rite catholique avec Marie Tudor, pour revenir à la religion réformée par Élisabeth Ire. Doyen des musiciens anglais, il obtint, pour lui et son disciple Byrd, le monopole de l'édition musicale, tout en restant organiste de la chapelle royale. Ce n'est pourtant que plus tard que ce monopole devait devenir fructueux, lorsque le genre du madrigal connut auprès du public la popularité que l'on sait.

Tallis, qui garda la foi catholique, a donc composé indifféremment pour les deux cultes, apparemment avec la même facilité (mais la présence du motet latin dans la liturgie anglicane aidait à cette ambivalence). Ses *Messes* sont d'un maître de la polyphonie et usent d'un contrepoint imitatif, assez proche de celui de Lassus. Également remarquables par la profondeur de leur inspiration et l'élan spirituel sont les deux *Lamentations* et le grand motet *Spem in alium,* page spectaculaire à quarante voix réelles, écrite à l'occasion du 40e anniversaire de la reine Élisabeth (1573). Pour la liturgie nouvelle de l'Église réformée d'Angleterre, il a composé des « services », ses psaumes et une douzaine d'anthems, toujours dans la grande tradition sacrée de la Renaissance (que l'héritier Byrd, qui tint à rendre hommage à l'art de Tallis, en une déploration qui compte parmi les plus belles de toute l'histoire de la musique, maintiendra vivante jusqu'au début du XVIIᵉ siècle). Enfin, le virginaliste n'est pas, chez lui, sans talent avec des variations virtuoses sur le *Felix Namque.*

TANEÏEV *(Sergueï Ivanovitch),* compositeur, théoricien et pédagogue russe *(Vladimir 1856 - Dioudkovo, près de Moscou, 1915).* De 1866 à 1875, il fréquenta le conservatoire de Moscou dont il fut l'un des premiers élèves. Il y travailla avec Tchaïkovski (harmonie, composition), Hubert (contrepoint) et Nicolas Rubinstein (piano). Ses conceptions de l'histoire de la musique furent influencées par celles du critique Hermann Laroche. En 1876-77, Taneïev effectua une tournée de pianiste virtuose en Europe occidentale, séjourna en France et rencontra Pauline Viardot, Saint-Saëns, Gounod, Fauré et Vincent d'Indy. En 1878, il fut nommé professeur au conservatoire de Moscou et enseigna successivement l'harmonie, l'instrumentation, le piano, la composition, la fugue et les formes musicales. Il compta parmi ses nombreux élèves Scriabine, Rachmaninov, Medtner, Liapounov, Glière, et encouragea, à titre personnel, les débuts du jeune Prokofiev. De 1885 à 1889, il fut directeur du conservatoire. Il le quitta en 1905 à la suite de désaccords avec le nouveau directeur Safonov. Il fut ensuite l'un des fondateurs du Conservatoire populaire de Moscou (1906) et de la Bibliothèque de théorie musicale (1908).

Esprit universel, Taneïev était ouvert aux sciences les plus diverses : mathématiques, philosophie, histoire, linguistique (il étudiait l'espéranto). Il était un proche de la famille de Léon Tolstoï. Passionné par les problèmes de théorie musicale, il passa de nombreuses années à étudier le contrepoint, auquel il consacra deux traités : *le Contrepoint mobile de style rigoureux* (1909) et *la Science du canon* (inachevé). Il s'intéressa également à la musique populaire russe ainsi qu'à certaines musiques ethniques (caucasiennes), et s'efforça d'élaborer un style contrapuntique spécifiquement russe. Cependant sa musique se distingue fondamentalement de celle de la tendance nationaliste de l'école russe. S'il se rapprocha de Rimski-Korsakov et de Glazounov, l'esthétique de Moussorgski lui resta étrangère. Ses premières œuvres furent influencées par Tchaïkovski (*1ʳᵉ Symphonie,* 1874, premiers chœurs a capella, *Trio à cordes,* 1880). Mais son style s'affirma vite.

Son écriture musicale se distingue par une prédominance de la polyphonie. Ses grandes œuvres vocales sont écrites sur des textes à fond éthique et religieux. Dans son seul opéra, *l'Orestie* (1894), Taneïev évite la séduction facile d'une stylisation de la musique antique et traite le sujet dans une optique universellement humaine, à l'image de Gluck. Sa philosophie religieuse trouve son expression dans ses deux grandes cantates *Saint Jean Damascène* (1884, sur un poème d'Alekseï Tolstoï) et *Après la lecture d'un psaume* (1915, sur un texte de Khomiakov). Ses nombreux chœurs a capella ainsi que ses quatuors sont remarquables par leur science de la conduite des voix. Cependant, le sérieux et parfois l'austérité de sa musique ont pu le desservir auprès des mélomanes. Il n'en reste pas moins injuste que Taneïev, en tant que compositeur, ait été éclipsé d'une part par la gloire de son maître Tchaïkovski, d'autre part par celle de ses disciples Rachmaninov et Scriabine.

TANSMAN *(Alexandre),* compositeur français d'origine polonaise *(Łódź 1897-Paris 1986).* Il fit ses études musicales au conservatoire de Łódź. À vingt ans, il faisait exécuter une *Sérénade symphonique* de sa composition. Il alla se perfectionner à Varsovie avec Rytel, et suivit en même temps les cours à la faculté de droit. En 1919, il obtint deux prix de composition. La même année, il quitta la Pologne pour la France. À Paris il se rapprocha de Ravel, Roussel, Florent Schmitt, Migot et du groupe des Six.

Les chefs d'orchestre V. Gloschmann, Koussevitski, Stokowski, Toscanini dirigèrent ses œuvres : *Intermezzo sinfonico* (1920), *Danse de la sorcière* (1923), *Symphonie en « la » mineur* (1926), concertos pour piano. Il effectua une tournée aux États-Unis en 1927, et en Extrême-Orient en 1932-33. De ces années datent sa Symphonie concertante, sa Partita pour cordes, son ballet *la Grande Ville.* Pendant la guerre, il vécut à Hollywood où il devint l'ami de Stravinski, dont il avait déjà ressenti l'influence. Il lui consacra un ouvrage (1948), et par la suite écrivit à sa mémoire une *Stèle* pour voix et instruments (1972).

Dans le domaine dramatique, il a écrit les opéras *la Nuit kurde* (1925), *le Serment* (1954), et l'opéra-comique *Georges Dandin* d'après Molière.

Ses références sont diverses : d'où un

*Alexandre **Tansman**.*

Ses parents le destinaient à vivre dans les ordres, et il fut envoyé en 1709 à l'université de Padoue pour y étudier les lettres, mais se maria secrètement, en 1712, avec la jeune Elisabetta Premazore, avant de commencer à gagner sa vie comme violoniste d'orchestre. On lui attribue une jeunesse dissipée de bretteur, et en tout cas de proscrit, puisqu'il dut se réfugier à Assise après mariage secret. On dit que c'est là qu'il jouait derrière un rideau pour ne pas être reconnu, faisant l'admiration des auditeurs par sa sonorité, et qu'il reçut des leçons d'un franciscain tchèque. C'est là aussi que le diable lui serait apparu pour lui suggérer l'effet instrumental qu'il devait exploiter dans la sonate dite du « Trille du Diable ».

Il fréquenta aussi les cercles de Corelli et Geminiani. En 1721, il était premier violoniste à la basilique de Saint-Antoine à Padoue, ville où il devait, après ses voyages, revenir se fixer à partir de 1728.

*Giuseppe **Tartini**. Portrait anonyme.
(Château Sforza, Milan.)*

Giorcelli

style qui fait voisiner tonalité, polytonalité et atonalisme. Outre Stravinski, avec lequel il a en commun la rigueur, le dépouillement et l'éclectisme, il a été influencé par Ravel et surtout Milhaud, auquel l'apparentent de fréquentes références à divers folklores.

Ses origines hébraïques et polonaises ont naturellement trouvé une large place dans son œuvre (*Rhapsodie hébraïque,* 1932 ; *Isaïe le prophète,* oratorio, 1951), et l'image de Chopin est présente dans son style pianistique comme dans sa sensibilité : quatre danses polonaises, mazurkas pour piano, *Hommage à Chopin.* Mais on trouve aussi chez lui l'attrait de l'Orient, avec ses *Mélodies japonaises* (1919). Il a également écrit de la musique de scène (*Huon de Bordeaux,* 1923) et de film (*Poil de carotte,* 1932 ; *Paris underground,* 1945).

TARTINI *(Giuseppe),* compositeur et violoniste italien *(Pirano 1692 - Padoue 1770).*

Manuscrit autographe *du* Concerto pour violon en la majeur *de* **Tartini** *(Bibl. du Conservatoire de musique, Paris).*

Entre 1723 et 1726, il reste à Prague, attaché au service du prince Kinsky, chancelier de Bohême.

En 1728, à Padoue, il fonde une académie de musique nommée École des nations et où il enseigne, à côté de l'art violonistique, le contrepoint et la composition. Particulièrement réputé pour sa technique d'archet, il attire des élèves de tous les pays, dont Pugnani, Naumann, La Houssaye et surtout Nardini. Son style était célèbre pour son expressivité, mais selon certains il se mit en vieillissant à pratiquer une ornementation de plus en plus chargée.

Son *Trattato delle appoggiature* fut un des premiers traités d'ornementation de l'époque. Ses autres écrits importants sont

sa fameuse *Lettre à Maddalena Lombardini* de 1760, où il s'adresse à une de ses élèves, en lui énonçant ses principes d'exécution et d'ornementation, et qui reste un document instructif sur les techniques de jeu violonistique de l'époque (Tartini préconise notamment l'emploi d'un archet plus léger et de cordes plus volumineuses).

Mais surtout, il publia en 1754 son fameux *Trattato di musica secondo la vera scienza dell'armonia,* qu'il devait rééditer dans une version nouvelle en 1767. Le système harmonique qui y est exposé, et qui suscita des polémiques, notamment de la part du Padre Martini, est basé entre autres sur la théorie des « sons résultants » (terzi tuoni), et fait appel à des notions d'algèbre et de géométrie, ainsi qu'aux notions platoniciennes, pour expliquer la génération harmonique. Rousseau, dans son *Dictionnaire de musique*, l'oppose à celle de Rameau : « Monsieur Rameau fait engendrer les dessus par la basse ; Monsieur Tartini fait engendrer la basse par les dessus », ce qui revient à tirer l'harmonie de la mélodie.

Des œuvres de Tartini, il nous reste environ 125 concertos parmi les 200 qu'il aurait composés. On a conservé de même 160 sonates sur 200 attestées, certaines ayant été éditées de son vivant. Citons encore l'*Arte del arco*, recueil de variations sur une gavotte de Corelli, 50 sonates en trio, des symphonies et des concertos de violoncelle.

TAVENER *(John),* compositeur anglais *(Londres 1944).* Il a fait ses études à la Highgate School, puis à la Royal Academy of Music avec Lennox Berkeley (1961-1965). Il se fit connaître avec la cantate *Caïn et Abel* (1965), puis surtout avec la cantate biblique *The Whale* (1965-66, créée en janvier 1968 au premier concert du London Sinfonietta). Il a continué depuis lors à privilégier le domaine religieux, notamment avec le *Celtic Requiem* (1969), le *Little Requiem for Father Malachy Lynch* (1972) et le *Requiem for Father Malachy* (1973). Il s'est inspiré de saint Jean de la Croix, en particulier dans *Ultimos ritos* (1972), et sur le plan musical, surtout du dernier Stravinski. Son style est éclectique mais indéniablement personnel. On lui doit encore l'opéra *Therese* (1973-1976, créé à Covent Garden en 1979), *The Last Prayer of Mary Queen of Scots* pour soprano et cloches à main (1977), *Akhmatova : requiem* (1979-80), *Palin* pour piano (créé en 1981).

TAVERNER *(John),* compositeur anglais *(Tattershall, Lincolnshire, v. 1490-Boston, Lincolnshire, 1545).* En novembre 1526, il est nommé *informator choristarum* à Cardinal (auj. Christ Church) College. Il est impliqué assez gravement dans les querelles religieuses qui agitent le collège. Ses prises de position en faveur des propagateurs de la doctrine luthérienne ne lui valent, de la part du cardinal Wolsey, que de légères réprimandes ; elles ne l'empêchent pas de composer pour le culte traditionnel. On lui doit huit messes (dont la plus célèbre est la messe *Western Wynde* à quatre voix), des alléluia, des antiennes et psaumes, un Te Deum.

Son œuvre, presque uniquement destinée à l'église, est marquée par l'emploi d'une polyphonie complexe et par une grande vigueur d'expression.

Vers 1530, il quitte Oxford. Les dernières années de sa vie restent mystérieuses. Il est certain qu'en 1538 on le retrouve comme agent de Thomas Cromwell dans les commissions chargées de préparer la dissolution des monastères. Il semble que sa participation aux campagnes anticatholiques ait été plus active et ait même atteint la délation systématique. Il faut toutefois se méfier des légendes qui en font un personnage majeur de cette époque troublée. Les dernières années de sa vie, à partir de 1540, se passent à Boston où il vit en paix en assurant des fonctions administratives au service de la ville. Il ne semble pas qu'il ait poursuivi sa vocation musicale au-delà des années passées à Oxford.

TCHAÏKOVSKI *(Petr Ilitch),* compositeur russe *(Votkinsk 1840-Saint-Pétersbourg 1893).* Fils d'un ingénieur des mines ayant

*Petr Ilitch **Tchaïkovski** en 1863.*

épousé Alexandra d'Assier, descendante d'une famille française émigrée à la suite de la révocation de l'édit de Nantes, il était destiné à la magistrature. Ce n'est donc qu'à l'issue de ses études de droit et après avoir occupé un poste de secrétaire au ministère de la Justice qu'il se tourne vers la musique et décide (1862) de devenir un musicien professionnel. Il s'inscrit au conservatoire, suit trois ans durant les cours de Rubinstein (orchestration) et Zaremba (composition) et travaille, outre le piano, la flûte et l'orgue ; il admire Mozart, Beethoven, Glinka, Meyerbeer, Weber, Schumann et Liszt.

Sa nomination comme professeur d'harmonie (1866-1877) au conservatoire de Moscou, dirigé par Nicolas Rubinstein, résout ses problèmes matériels. Elle lui vaut, en outre, l'honneur d'accueillir officiellement en 1867 Berlioz, lors de son second voyage en Russie. En 1868, il entre en relation avec le groupe des Cinq, mais, s'il sympathise avec Balakirev, il ne se départit jamais d'une certaine méfiance face à Rimski-Korsakov et d'une franche hostilité à l'égard de Moussorgski dont la personnalité se situait à l'opposé de la sienne.

De cette époque datent aussi ses premières compositions (notamment trois symphonies, le *1er Concerto pour piano*, dédié à H. von Bülow, des opéras — *Voïévode, Ondine, Opritchnik, Vakoula* et *le Lac des cygnes*). Les thèmes populaires nourrissent parfois son discours (cf. la *2e Symphonie*, particulièrement le final, ou *Snegourotchka*). Tchaïkovski les travaille avec une science plus occidentale, encore que son emprunt dans *Snegourotchka* soit plus respectueux que la transposition que lui fait subir Rimski-Korsakov dans une œuvre du même nom.

Curieusement, ses rapports avec le groupe des Cinq l'amènent à se tourner, en apparence du moins, vers l'Occident, à l'initiative de Stassov qui, réservant à ses amis les sujets russes, impose à Tchaïkovski des sujets occidentaux. Il est à l'origine d'œuvres pour lesquelles il lui suggère même des plans détaillés, en l'occurrence *Roméo et Juliette, la Tempête, Manfred*. Pourtant, Tchaïkovski saura cultiver un caractère très profondément russe lié à une certaine mélancolie jusque dans ces cantilènes et mélodies qui plairont tant : « Je suis russe, russe jusqu'à la moelle des os », écrit-il un jour à son frère.

M. Mezentsev

Tchaïkovski. Tableau de N. Kouznetsov, 1893. (Galerie Tretiakov, Moscou.)

À partir de 1875, il élargit le cercle de ses relations musicales : il se lie d'amitié avec Saint-Saëns, fréquente Liszt, Bizet dont *Carmen* l'a enthousiasmé, Massenet, et tente en vain de rencontrer Wagner à l'issue de son voyage à Bayreuth. Mais 1876 est l'année clé car N. Rubinstein le met en relation avec la richissime Mme von Meck (qui engagea en 1879 Debussy comme professeur de piano d'une de ses filles). Elle va devenir son égérie et son mécène sans que jamais ils ne se rencontrent (convention de départ), mais leur correspondance assidue au fil des quatorze années que durent leurs relations permet de suivre pas à pas cette singulière « idylle ». Les sommes régulières qu'elle met à sa disposition le placent à l'abri de tout problème financier : il se dégage alors de ses obligations de pédagogue et retrouve, après l'épisode d'un mariage raté (1877), un certain goût pour les voyages et la vie mondaine (Clarens, Paris, Venise, Rome, Florence, San Remo). C'est la période des grandes œuvres.

Ses débuts de chef d'orchestre se situent en 1886, mais, dès 1888, il part pour une tournée de concerts en Europe avant de franchir l'Atlantique : ses œuvres trouvent là-bas un accueil enthousiaste et, le 5 mai 1891, il inaugure le Carnegie Hall. Fait docteur honoris causa de l'université de Cambridge (en même temps que Max Bruch, Saint-Saëns et Grieg) en juin 1893, il meurt le 28 octobre de la même année, condamné au suicide par un jury d'honneur à la suite d'une affaire de mœurs, au lendemain de la création de la *Symphonie pathétique,* son testament spirituel et musical.

Sans doute, le souci de la vérité d'expression, de la sincérité comme de la simplicité est-il lié, chez Tchaïkovski au thème fondamental — nous pourrions dire unique — de ses œuvres symphoniques et lyriques : le destin de l'homme, la lutte que celui-ci mène pour essayer de le maîtriser et son échec. Comment, en effet, lire

Serenade, par le Ballet national néerlandais.
*Musique de **Tchaïkovski**, chorégraphie de George Balanchine.*

autrement le poème symphonique *Fatum* (1868), ses trois dernières symphonies et cette Messe funèbre qui constitue le final de la *Pathétique* et consacre la défaite de l'homme devant le Destin? Comment comprendre autrement des personnages comme Lenski, Hermann, Jeanne d'Arc même? Il y a, chez lui, un désir passionné de traduire le tragique et les passions humaines avec une générosité et une hypersensibilité quasi pathologiques. Lui-même n'en était pas dupe («Quel vieux pleurnicheur je fais!»), mais voyait en la musique la seule consolatrice valable, et on peut se demander si, dans cet hyper-romantisme, Mme von Meck n'a pas cru

Serge Lido

Tchaïkovski en 1889, portrait gravé portant sa signature.

Piene Tschaïkowsky

trouver l'écho de ses déceptions et de ses aspirations?

Si ses mélodies ne sont que la traduction d'un état d'âme, la symphonie n'est pour lui rien d'autre que «la confession musicale de l'âme», son épanchement, car il n'admet pas une musique qui ne soit seulement qu'un jeu de sons sans but. L'ampleur du cadre formel lui convient : il lui permet de laisser s'y épanouir les longues mélodies qui le caractérisent, les thèmes larges et décoratifs, et évoluer d'une manière naturelle, spontanée, d'amples développements. Il sollicite volontiers les cordes et ne force jamais le volume sonore ; son orchestre, certes, moins bril-

La Belle au bois dormant,
*par le Ballet international
du marquis de Cuevas (1960).
Musique de **Tchaïkovski,**
version de R. Helpmann,
décors et costumes de R. Larrain.*

lant que celui de Rimski-Korsakov, peut être d'une grande richesse comme dans *Manfred,* le type même de la symphonie romantique à programme dans la ligne de Berlioz dont il semble s'être franchement inspiré. Bien que sa symphonie ne soit qu'une exacerbation de l'écriture romantique allemande postmendelssohnienne — toute nouveauté étant pour lui manifestation d'ignorance —, Tchaïkovski est assurément le meilleur symphoniste russe de sa génération.

Dix opéras, dont les sujets varient du thème historique *(la Pucelle d'Orléans)* au drame psychologique *(Eugène Onéguine ; la Dame de pique),* constituent sa contri-

bution au lyrique. Refusant la conception wagnérienne comme le réalisme de Moussorgski, Tchaïkovski choisit une conception formelle plus proche de celle d'un Glinka — une succession d'airs et d'ensembles liés par un récitatif —, mais dans un climat qui se veut poétique. Le récitatif ne doit, en effet, être qu'un élément de liaison entre les grands moments de l'opéra

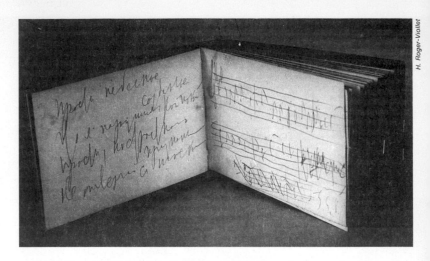

Carnet d'esquisses de **Tchaïkovski** *pour son opéra* la Dame de pique, *présenté en 1928 à l'occasion du 35ᵉ anniversaire de la mort du compositeur.*

(« Un opéra construit sur la forme d'un récitatif mélodique est un opéra sans musique »).

La Dame de pique, de son côté, est nettement marquée par *Carmen,* c'est-à-dire par une œuvre où la musique est, pourrait-on dire, toujours en situation. Le lyrisme un peu facile de Tchaïkovski peut expliquer le succès qu'il a rencontré et qui s'appuie sur une nostalgie passée : celle des années 1850-1860 en Russie ; il est d'ailleurs significatif que, au lendemain de la révolution, on essaya de condamner ses opéras comme ayant une mentalité petite-bourgeoise. On pourrait aujourd'hui formuler la même opinion à propos de sa musique de ballet (*le Lac des cygnes,* 1876 ; *la Belle au bois dormant,* 1889 ; *Casse-Noisette,* 1892). Ce serait injustement oublier qu'il a participé, après Léo Delibes, à une restauration de la musique de ballet qui devenait une œuvre en soi de qualité indépendante, avant d'être avec Diaghilev une œuvre d'avant-garde.

TCHEREPNINE, famille de musiciens russes. — 1. **Nicolas Nicolaïevitch,** compositeur et chef d'orchestre *(Saint-Pétersbourg 1873 - Issy-les-Moulineaux 1945).* Il fut élève de Rimski-Korsakov au conservatoire de Saint-Pétersbourg, puis y fut lui-même professeur (1908-1918) de la classe de direction d'orchestre qu'il avait lui-même créée. Il eut parmi ses élèves Prokofiev, ainsi que nombre de futurs chefs d'orchestre de renom, dont A. Gauk et N. Malko. Lui-même était en outre chef d'orchestre du théâtre Mariinski. En 1909-1912, il dirigea plusieurs spectacles de Diaghilev, dont son propre ballet *le Pavillon d'Armide* (1909). Il fut aussi l'un des orchestrateurs du *Carnaval* de Schumann. En 1918, il fut appelé en Géorgie et dirigea pendant trois ans le conservatoire de Tiflis. En 1921, il vint s'installer à Paris où il fut, à partir de 1925, directeur du Conservatoire russe fondé par des musiciens émigrés. En 1922, il termina et orchestra l'opéra inachevé de Moussorgski *la Foire de Sorotchintsy* qui fut représenté à Monte-Carlo.

— 2. **Alexandre Nicolaïevitch,** compositeur et pianiste, fils du précédent *(Saint-Pétersbourg 1899 - Paris 1977).* Il étudia la musique avec son père, avec L. Kachperova (piano) et au conservatoire de Saint-Pétersbourg avec Sokolov (harmonie). Il suivit son père en Géorgie, puis à Paris, et se fit rapidement connaître comme pianiste virtuose et comme compositeur. À Paris il se perfectionna avec P. Vidal (contrepoint) et I. Philipp (piano). Il avait alors déjà écrit de nombreuses pièces pour piano, dont son *1er Concerto* op. 12, et de la musique de chambre. En 1923, il composa à la demande d'Anna Pavlova son premier ballet, *Fresques d'Ajanta,* créé à Londres la même année, et, en 1925, son premier opéra, *01-01,* d'après *les Jours de notre vie* de L. Andreïev, drame inspiré de la vie estudiantine. En 1926, il effectua une tournée aux États-Unis. En 1927, la création de sa *1re Symphonie* à Paris provoqua un scandale. 1930 vit la composition d'un nouvel opéra, *le Mariage de Sobéide,* sur un texte de Hofmannsthal. En 1933, il compléta et orchestra l'opéra inachevé de Moussorgski, *le Mariage.*

Alexandre Tcherepnine en 1959.

Les années 30 furent celles de nombreux voyages : dans les pays balkaniques, en Égypte, en Palestine, et surtout, en 1934-1937, en Extrême-Orient. Ce séjour eut une influence primordiale sur son œuvre. À Shanghai, il rencontra la pianiste Lee Hsien Ming, qui allait devenir son épouse. Jusqu'en 1948, ils vécurent à Paris. En 1945-46, Tcherepnine composa, en collaboration avec A. Honegger et T. Harsanyi, le ballet *Chota Rostaveli,* sur un argument de Lifar. En 1948, il s'installa aux États-Unis où il devint professeur de musique à l'université De-Paul à Chicago. Parmi les œuvres importantes composées à partir de cette date, il faut citer les *2e, 3e* et *4e Symphonies,* l'opéra *The Farmer and the Nymph, la Flûte perdue* pour récitant et orchestre, *l'Oraison symphonique* pour orchestre. En 1967, il fut invité pour une tournée en U.R.S.S.

TELEMANN *(Georg Philipp),* compositeur allemand *(Magdeburg 1681-Hambourg 1767).* Ses dates témoignent de la prodigieuse longévité de Georg Philipp Telemann, sans doute le compositeur le plus fécond de toute l'histoire de la musique (environ six mille œuvres dont, à la fin de sa vie, il était bien incapable de dresser la liste). Né à Magdeburg, neuf ans après la mort de Schütz, et quatre ans avant Bach, il meurt à Hambourg trois ans avant la naissance de Beethoven, et alors que l'Europe a déjà applaudi (et quelque peu oublié) un enfant prodige nommé Wolfgang Amadeus Mozart, et le prince Esterhazy entendu une bonne trentaine de symphonies de son maître de chapelle Joseph Haydn.

Fils d'un pasteur, il s'oriente dans sa jeunesse non seulement vers la musique, mais aussi vers le droit, la géométrie, le latin, le grec. Dès l'âge de douze ans, il écrit et fait représenter avec succès un opéra, et se met à composer abondamment en prenant comme modèles des musiciens tant allemands (Rosenmüller) qu'italiens (Corelli, Caldera). Mais il est surtout autodidacte. Après avoir fait, à Halle en 1701, la connaissance de Haendel, il se rend à Leipzig pour y poursuivre ses études de droit.

« Découvert » comme compositeur par le bourgmestre Romanus, il écrit tous les quinze jours une cantate pour l'église Saint-Thomas, dont le cantor est Johann Kuhnau. Il interrompt bientôt ses études

*Georg Philipp **Telemann.***

Non content de fournir la métropole hanséatique en opéras, en musique sacrée et en musique de concert, il fonde en 1728 puis dirige *le Maître de musique fidèle (Der getreue Music-Meister),* la première revue musicale allemande, approvisionne régulièrement diverses cours princières en œuvres nouvelles et inédites, et trouve le temps de cultiver soigneusement son jardin (pour lequel Haendel lui envoie les oignons de tulipe et de jacinthe les plus rares) tout en se livrant à une étude approfondie des penseurs, des poètes et des écrivains des «lumières».

Il compte, dans ses dernières années, parmi les pionniers de genres nouveaux comme le quatuor à cordes, et son ultime partition achevée, la cantate *Ino* (1765), offre de curieuses ressemblances avec Gluck.

Telemann, qui de son vivant éclipsa tous ses contemporains par sa célébrité, tomba après sa mort dans un oubli profond : «La postérité (fit) payer cher à Telemann l'insolente victoire que, de son vivant, il remporta sur Bach. Cet homme, dont la musique était admirée dans tous les pays d'Europe, depuis la France jusqu'à la Russie, et que (...) le sévère Mattheson déclarait le seul musicien qui fût au-dessus de l'éloge, est aujourd'hui oublié, dédaigné. On ne cherche même pas à le connaître» (Romain Rolland en 1919).

La situation, depuis, a changé. Telemann a été redécouvert, grâce surtout au microsillon. «Bach-*si* mineur, Telemann-*ut* majeur», déclarait déjà au siècle dernier le musicologue Philipp Spitta. Le caractère extraverti et la verve sympathique de Telemann appelaient cette boutade. D'autant que Bach et lui-même assumèrent de façon fort différente leur position européenne. Bach, génie de la synthèse et de l'unification des tendances et des courants les plus divers, s'oppose nettement à Telemann, qui sut également s'adapter et tirer profit de tout, mais à la manière d'un caméléon, en changeant chaque fois d'habit pour ainsi dire.

Il s'attaqua ainsi tous les genres pratiqués à son époque, et grâce à sa curiosité et à son inlassable vivacité d'esprit, en laissa des spécimens qu'on peut sans hésiter ranger au nombre des meilleurs. On lui doit environ cent oratorios dont *le Jugement dernier (Der Tag des Gerichts,* 1762), des cantates profanes comme *les Heures du jour (Die Tageszeiten,* 1759), quarante-

de droit, et s'étant tourné définitivement vers la musique, prend la direction de l'Opéra de Leipzig et fonde le Collegium Musicum, organisation de concerts publics. En 1705, il devient maître de chapelle du comte Erdmann von Promnitz, à Sorau. Il écrit pour son maître, passionné de musique française, des œuvres inspirées de Lully et de Campra, et l'accompagne dans ses domaines de Pologne, où il entre en contact avec la musique populaire et les danses slaves.

En 1706, il est à Eisenach où il rencontre Bach, dont il deviendra le parrain du deuxième fils, Carl Philipp Emanuel. En 1712, il s'installe à Francfort-sur-le-Main, et en 1721 à Hambourg, où il devient cantor au Gymnasium Joanneum et directeur de la musique dans les cinq églises principales de la ville. Il y restera fixé jusqu'à sa mort, non sans avoir brigué contre Bach la succession de Kuhnau à Leipzig (1722), ni effectué encore de nombreux voyages, dont un à Paris en 1737.

Manuscrit autographe de la Chaconne de Lilliput
et du Voyage de Gulliver *de G. Ph.* **Telemann.**

quatre *Passions,* quarante opéras dont *Pimpinone* (1725), intermezzo bouffe précédant de huit ans *la Servante maîtresse* (*La Serva padrona,* 1733) de Pergolèse, douze séries de cantates pour tous les dimanches et toutes les fêtes de l'année, six cents ouvertures à la française et d'innombrables concertos et pièces de musique de chambre faisant partie ou non de la fameuse *Musique de table* (*Tafelmusik,* 1733), des pièces pour clavecin, des lieder.

Nul plus que lui, sans doute, ne chercha à répondre aux exigences contradictoires de l'ancienne polyphonie et du style galant, d'où ses triomphes (passés et actuels), et aussi ses limites.

TESSARINI *(Carlo),* violoniste et compositeur italien *(Rimini v. 1690 - ? apr. 1766).* Rares sont les informations concernant ses activités, qui semblent avoir été centrées autour d'une carrière de virtuose international. Violoniste à Saint-Marc de Venise en 1720, il dirige en 1729 les Concerts du conservatoire et est violoniste à la cathédrale d'Urbino de 1733 à 1757 environ, avec plusieurs interruptions de durée variable. Il est à Brünn de 1735 à 1738 et à Rome en 1740-1742. De 1744 à 1750, la dédicace de ses œuvres permet de penser qu'il séjourna quelque temps à Paris et il donne, en 1747, plusieurs concerts aux Pays-Bas (Arnhem et Amsterdam), où il retourne vers 1761. On perd sa trace après un concert donné à Arnhem en 1766.

Ses œuvres (vingt opus), qui incluent des sonates, duetti, trios, sinfonie et concerti presque exclusivement pour cordes et surtout pour violon, sont incontestablement influencées par Vivaldi et nécessitent une technique instrumentale éprouvée. Il a, par ailleurs, écrit un traité de violon, *Gramatica di musica...* (1741), témoignage précieux sur la technique de cet instrument au XVIIIᵉ siècle.

TESSIER *(Roger),* compositeur français *(Nantes 1939).* Installé à Paris en 1959, cofondateur de l'Itinéraire (1972), il est devenu en 1982 directeur artistique du festival « Musiques du XXᵉ siècle » d'Angers, inauguré en juillet 1983. Il a, de plus en plus, orienté ses recherches vers le son lui-même *(Ojma* pour trio à cordes, 1976 ; *Isomerie* pour 15 cordes, 1979 ; *Mobile/Immobile* pour 16 instruments, 1980 ; *Diffractions* pour ensemble instrumental amplifié et transformé et instruments électroniques, 1982).

THALBERG *(Sigismond),* pianiste et compositeur autrichien *(Genève 1812 - Naples 1871).* Formé à l'École polytechnique de Vienne, élève de Mittag, Sechter et Hummel, il donna très jeune de nombreux récitals privés. On l'opposa comme rival à Liszt, qui ne pouvait le souffrir, et, après une sévère critique de ce dernier contre une de ses compositions, l'affaire se conclut par une joute finale, à Paris en 1837, où Liszt remporta la palme. Thalberg fit des tournées couronnées de succès au Brésil (en 1855 et 1863), et en Amérique du Nord (1856). Pendant ses dernières années, il mena une vie retirée dans sa villa près de Naples, où il s'occupait de ses vignes. Il avait épousé en 1843 la veuve du peintre Boucher.

Thalberg était réputé pour son legato, et on peut lui attribuer l'invention d'une technique reprise par Liszt, et consistant à faire chanter une mélodie dans le médium avec les deux pouces, tout en jouant des

*Sigismond **Thalberg** (Musée Carnavalet).*

accords, des arpèges et des traits dans les graves et les aigus. Son jeu de virtuose lui valut de nombreux admirateurs, mais il était peu apprécié auprès de connaisseurs comme Chopin. Son œuvre est avant tout composée de nombreuses pièces pour piano solo (études, caprices, fantaisies sur des thèmes d'opéras, sonates), d'un *Concerto pour piano* op. 55, de cinquantequatre lieder et de deux opéras *(Florinda,* 1851 ; *Cristina di Svezia,* 1865).

THEILE *(Johann),* compositeur allemand *(Naumburg 1646* - id. *1724).* Étudiant en droit à l'université de Leipzig, il apprit l'art du chant, fut joueur de viole et profita des leçons de Heinrich Schütz, retiré à Weissenfels. Il enseigna ensuite la musique à Stettin et à Lübeck. Maître de chapelle du duc de Holstein à la cour de Gottorf, de 1673 à 1675, il gagna Hambourg l'année suivante et c'est son singspiel, *Adam und Eva, oder der erschaffene, gefallene, und wieder aufgerichtete Mensch,* qui fut joué pour l'ouverture du célèbre opéra du Marché-aux-Oies *(Gänsemarkt).* Par la suite, il fut nommé maître de chapelle à la cour de Wolfenbüttel (1685), où il succédait à Rosenmüller, puis à la cour de Merseburg (1691). Revenu à Naumburg en 1694, il travailla un certain temps pour la cour de Berlin. Attaché à l'Opéra de Naumburg, après 1700, il a formé de nombreux musiciens, parmi lesquels Dietrich Buxtehude.

Son œuvre, outre la musique lyrique, comprend vingt messes, une *Passion selon saint Matthieu,* des cantates, des pièces instrumentales, et aussi des traités théoriques sur le contrepoint (*Contrapuncts-Praecepta,* etc.). Élève, comme il est dit plus haut, de Schütz, il doit à ce dernier son goût pour la conservation des vieilles règles de composition et a ainsi écrit plusieurs messes *in stile antico.* Enfin, il fonda une école de contrapuntistes pour l'Allemagne du Nord et du Centre, d'où le surnom de «père du contrepoint» qu'il reçut de ses contemporains. Mais ce respect du répertoire ancien et l'amour de l'œuvre archaïsante ne l'empêchèrent pas d'écrire pour l'église dans le style concertant du temps.

THOMAS *(Ambroise),* compositeur français *(Metz 1811 - Paris 1896).* Fils d'un maître de musique, il entra en 1828 au Conservatoire de Paris où il fut l'élève de Kalkbrenner (piano), Dourien (harmonie), Barbereau (contrepoint) et Lesueur (composition). Il obtint un premier prix de piano en 1829 et le premier prix de Rome en 1832. Il passa trois ans à la villa Médicis, où il rencontra Berlioz, qui admira ses premières compositions. En 1837, il débuta à l'Opéra-Comique avec *la Double Échelle,*

*Ambroise **Thomas**,
assis,
lorgnon en main,
assistant
à une répétition
de* Françoise
de Rimini.
*Dessin
à l'encre de chine
de Toulouse-Lautrec.
(Musée d'Albi.)*

*Portrait d'Ambroise **Thomas**
par H. Flandrin, en 1834.*

et bientôt à l'Opéra avec le ballet *la Gipsy* (1839), puis avec une comédie musicale, *le Comte de Carmagnola* (1841). S'ils furent accueillis avec sympathie, ces ouvrages ne se maintinrent cependant pas. Les premiers vrais succès de Thomas furent *le Caïd* (1849), spirituel pastiche de la musique bouffe italienne, et *le Songe d'une nuit d'été* (1850). En 1851, il fut admis à l'Institut en succession de Spontini.

Pendant quinze ans, il connut, comme compositeur, des fortunes diverses. C'est en abandonnant le style léger de l'opéra-comique au profit du sérieux et de la grandeur qu'il connut ses deux véritables triomphes : *Mignon* (1866) et *Hamlet* (1868).

En 1871, il fut nommé directeur du Conservatoire, où depuis plusieurs années il secondait A. Adam comme professeur de composition. Il se révéla un administrateur habile, consciencieux mais autoritaire et d'esprit étroit dans ses jugements esthétiques. Il se montra l'adversaire de compositeurs dont les audaces lui paraissaient

inadmissibles (Franck, Lalo, Bizet, Fauré). Cette attitude lui valut plus tard beaucoup d'animosité.

Après avoir subi l'influence italienne, Thomas a fait un effort pour s'en affranchir et s'affirmer comme un compositeur français doté d'un solide métier. Mais bien que *Mignon* et *Hamlet* se soient longtemps maintenus à l'affiche, le compositeur, adulé de son vivant, est devenu aussitôt après sa mort le symbole du conformisme. Outre ses vingt ouvrages lyriques et ses trois ballets, il a laissé de nombreuses compositions vocales profanes et religieuses, quelques œuvres de musique de chambre, de piano et d'orgue, et des recueils de leçons de solfège.

THOMSON *(Virgil),* compositeur américain *(Kansas City 1896 - New York 1989).* Issu de l'université Harvard, il fut l'élève de Nadia Boulanger et vécut en France de 1925 à 1940, étroitement mêlé à la vie intellectuelle et artistique parisienne. C'est toutefois dans le folklore purement américain des negro spirituals qu'il a trouvé l'inspiration de son premier opéra, *Four Saints in Three Acts,* sur un livret de Gertrude Stein (1934). Parmi les œuvres les plus marquantes de ce musicien presque classique, citons aussi la partition du film *Louisiana Story,* la *Missa pro defunctis,* et l'opéra *Lord Byron* (1972). Virgil Thomson a été également critique musical du *New York Herald Tribune* (1940-1954).

TINCTORIS *(Johannes),* compositeur et théoricien de la musique *(Nivelles v. 1435-? 1511).* Sans doute chantre à Cambrai vers 1460, il est de 1474 à 1476 à la cathédrale Saint-Lambert de Liège avant d'entrer (1476) au service de Ferdinand Ier d'Aragon, roi de Naples, comme chantre et chapelain pour plus de quinze ans. De 1481 à 1483, on le trouve néanmoins à Liège et en 1487 il effectue un voyage à la cour de Bourgogne et à celle de Charles VIII afin d'y recruter des chantres pour Ferdinand. Il vit à Rome en 1492 et encore en Italie en 1495, mais on ignore le lieu de sa mort en 1511.

C'est lors de son séjour à la cour de Naples qu'il rédige ses douze traités dédiés au roi Ferdinand, à sa fille Béatrice et à de grands musiciens contemporains. Ils constituent une sorte de somme des connaissances musicales de son temps. Certes, Tinctoris y apparaît comme un disciple du néopythagorisme (*cf.* notamment le traité des *Proportions*, exposé de la méthode d'approche des proportions mathématiques à la notion musicale où il se laisse emporter par un enthousiasme spéculatif et hyperrationnel).

Mais s'il développe longuement la signification magique et incantatoire de la musique comme sa valeur éthique, il admet cependant que la musique peut avoir pour seul but de divertir et qu'elle peut apporter la gloire à ceux qui sont experts en cet art. Ce sont là des idées neuves.

TINEL *(Edgar),* compositeur et pédagogue belge *(Sinay 1854 - Bruxelles 1912).* Il reçut de son père, organiste à Sinay, ses premières leçons de musique. Il fut élève du conservatoire de Bruxelles dès 1863 (Mailly, Brassin, Dupont, Samuel, Kufferath, Gevaert). Son succès au concours de piano de 1873 lui ouvrit une carrière de virtuose qui le conduisit d'abord à voyager. Prix de Rome (1877), directeur de l'École de musique religieuse de Malines, il y entreprit une importante réforme des maîtrises, en rehaussant le niveau de la musique d'église. Il fut inspecteur des écoles de musique (1889), professeur de contrepoint et fugue au conservatoire de Bruxelles (1896), puis directeur de cet établissement à la mort de Gevaert (1909). Il fut également maître de chapelle à la cour (1910). Parmi ses nombreux élèves, citons Arthur Meulemans, Joseph Ryelandt, Francis de Bourguignon.

TIPPETT *(Michael),* compositeur anglais *(Londres 1905).* Il a hérité des traits et du tempérament celtiques de son père, natif de Cornouailles. Au Royal College of Music de Londres, il s'imprègne du répertoire classique : Palestrina, la polyphonie de la Renaissance anglaise, qui le marquera particulièrement, Bach, Haendel, et surtout Beethoven, à la musique duquel, selon sa propre expression, « il se soumet entièrement ». Après s'être perfectionné, notamment en contrepoint, il est enfin satisfait de lui avec le beethovenien *Premier Quatuor à cordes* (1934-35), marqué, comme les suivants, par l'intérêt exclusif qu'il porte aux questions de forme. Après une *Première Sonate pour piano* (1936-37), remplie d'airs folkloriques anglais, il s'estime arrivé totalement à maturité avec le *Concerto pour double orchestre à cordes* (1938-39), sa partition instrumen-

tale demeurée la plus jouée, amalgamant des tournures mélodiques et des rythmes caractérisant la musique anglaise depuis Purcell, et certains autres, syncopés, typiquement américains.

Jusqu'en 1945, deux passions dominent sa vie : l'art de l'éducation et la politique. Il prend la direction de la musique au Morley College, où il crée de nombreuses œuvres, anciennes et contemporaines, inconnues jusqu'alors ; profondément affecté par les ravages de la « Grande Dépression », il dirige un orchestre de musiciens chômeurs. Trotskiste, un moment engagé au sein du parti communiste, il se rend compte qu'il est, avant tout, un individualiste, d'une farouche indépendance. En 1942, objecteur de conscience, il est condamné, malgré le soutien de Vaughan Williams, à trois mois de prison, qu'il jugera positifs, « test » nécessaire à ses croyances. De cette sombre époque, datent le *Deuxième Quatuor à cordes* (1941-42) [à l'intense andante dont il nota le thème pendant les journées de Munich, en 1938], la *Première Symphonie* (1944-45), réponse aux souffrances de la guerre, le *Troisième Quatuor à cordes* (1946), d'un lyrisme passionné, reflétant l'influence directe des six quatuors de Bartók.

Tippett exprime la compassion qu'il ressent pour les opprimés en un oratorio, qu'il veut « populaire », au vrai sens du terme, *A Child of Our Time* (1939-1941), dont le texte qu'il a rédigé lui-même sur les conseils de T. S. Eliot (comme il le fera désormais pour la plupart de ses œuvres), est une protestation passionnée contre les conditions qui rendent toute persécution possible, et poussent un être pacifique à commettre un acte de violence. La phrase finale de l'oratorio (« Je connaîtrai mon ombre et ma lumière, ainsi serai-je en mon entier ») résume la conviction fondamentale de Tippett : l'homme n'atteindra la sagesse que par la connaissance du Bien et du Mal dans sa nature, et l'harmonie intérieure que par leur réconciliation.

Ce concept de recherche personnelle de la plénitude spirituelle, ou processus d'« individuation », décrit par Jung, Tippett l'entreprend précisément à l'époque avec un analyste jungien. Il le voit alors, sur le plan musical, comme relié à une nécessaire redécouverte des valeurs classiques et morales, remarquablement réussie jusqu'alors, culminant dans son visionnaire opéra-comédie *The Midsummer Marriage*

(1946-1952), où son classicisme sonne de façon absolument naturelle, avec un lyrisme plus brillant, dans un resplendissant *la* majeur.

L'influence directe du foisonnement contrapuntique, et la lumineuse opulence de cet opéra (et spécialement celle du monde magique des célèbres «Danses rituelles», à l'acte II) se retrouvent dans la stravinskienne *Deuxième Symphonie* (1956-57), néoclassique (le climat de l'adagio évoque Charles Ives), et surtout dans la complexe *Fantaisie concertante sur un thème de Corelli* (1953), évoquant le mysticisme de la nature, très représentative de la tradition pastorale dans la musique anglaise, celle de Vaughan Williams, Elgar, Delius, avec laquelle il présente une forte continuité (Tippett restera toujours un homme de la terre; il vivra, à partir de 1951, retiré à la campagne).

Au milieu des années 50, Tippett réalise qu'il ne peut aller plus loin dans cette voie sans se répéter, éprouve aussi le besoin d'étendre son vocabulaire musical. Avec *King Priam* (1958-1961), son deuxième opéra, dont la partition ressemble à une énorme mosaïque, il opère un changement abrupt et complet, une rupture décisive avec le passé : prédominance de l'harmonie sur le contrepoint ; pas de progression tonale claire, la musique ne se développant pas (Tippett ne retournera d'ailleurs plus à la tonalité traditionnelle).

Les possibilités mosaïques formelles de ce nouveau style sont explorées dans la *Deuxième Sonate pour piano* (1962), le *Concerto pour orchestre* (1962-63), et aboutissent aux superpositions étincelantes d'une de ses partitions les plus ambitieuses et les plus profondes, l'oratorio *la Vision de saint Augustin* (1963-1965), consacré à l'une de ses préoccupations philosophiques majeures : le temps.

Dans son troisième opéra *The Knot Garden* (1966-1970), Tippett accomplit une riche synthèse de tous ses styles antérieurs, avec certaines innovations, et surtout, une véritable «américanisation» de sa musique.

Celle-ci marquera la *Troisième Symphonie* (1970-1972), dont la «Première Partie» se caractérise par l'opposition entre une musique dynamique (l'obsession de Tippett pour les allégros beethoveniens, qui se retrouve d'ailleurs dans la *Troisième Sonate pour piano* de 1972-73) et statique, suspendue dans les airs, et dont la

*Michael **Tippett** :*
«Je connaîtrai mon ombre et ma lumière,
ainsi serai-je en mon entier».

«Deuxième Partie» est consacrée à une réflexion sur la signification et l'actualité du message prodigué par l'*Hymne à la joie,* de Beethoven et Schiller (dont sept mesures sont citées) au siècle des camps de la mort et du goulag ; à sa place, Tippett offre une «ode à la compassion», sous forme d'une série de blues, chantés par la soprano solo, se terminant sur une citation de Martin Luther King : «Nous ressentons un immense pouvoir de compassion, pour guérir, pour aimer», clef de son quatrième opéra *The Ice Break,* nouvelle œuvre de signification contemporaine où l'on retrouve les allusions au jazz et au blues, les arabesques mélodiques à l'ornementation exubérante, les harmonies de quartes, les appels de cors, les scintillements de célesta et de glockenspiel.

Avec la *Quatrième Symphonie* (1976-77), en un seul mouvement, d'une sauvage grandeur, Tippett retourne à une conception abstraite, purement instrumentale : partition virtuose, directement inspirée par les qualités de l'Orchestre symphonique de Chicago, mais avec comme programme le cycle de la vie humaine.

Après un *Quatrième Quatuor* (1977-78) de la même veine, le *Triple Concerto pour violon, alto et violoncelle* (1980) explore de nouveaux domaines instrumentaux (sons inspirés par la musique de Bali). Tippett a achevé en 1983 une nouvelle partition qui apparaît comme le couronnement de son œuvre, *The Mask of Time,* pour quatre solistes, chœurs et orchestre, d'après Milton et Shelley (création en 1984), et en 1984 une *Quatrième Sonate* pour piano. En 1989 est créé à Houston son cinquième opéra, *New Year.*

Ayant débuté de façon conservatrice par une récréation de la tonalité classique, Tippett a graduellement abandonné le système tonal pour pratiquer une atonalité essentiellement diatonique, et a créé ainsi un monde propre, poétique et passionné, aisément reconnaissable, jamais conventionnel ni superficiel, dont l'individualisme exubérant contraste avec la « dé-personnalisation » sécrétée par le langage international du sérialisme.

Tippett est, par ailleurs, sûrement le seul compositeur contemporain, avec Zimmermann, qui ait été le plus radicalement influencé par le jazz, et en ait approché l'essence, car il s'est senti concerné par cette musique des opprimés, lui, qui, comme Zimmermann, Hartmann, Chostakovitch, Britten, a consacré sa vie à une conception généreusement humaniste de l'art. Le ton exalté, extatique, de ses musiques les plus originales le place, avec Messiaen, parmi les seuls authentiques visionnaires contemporains : comme il l'écrit lui-même dans son recueil de textes *Moving into Aquarius,* il s'est assigné une immense tâche, et a réussi à « créer des images des profondeurs de l'imagination, et à leur donner une forme visuelle, intellectuelle ou musicale (...) dans une époque de médiocrité et de rêves évanouis, des images d'une beauté généreuse, exubérante ».

TISNÉ *(Antoine),* compositeur français *(Lourdes 1932).* Élève de Darius Milhaud et de Jean Rivier au Conservatoire de Paris (composition), il a obtenu le deuxième prix de Rome et le prix Lili-Boulanger en 1962, et le prix de la fondation Serge-Koussevitski en 1965. En 1968, il est devenu inspecteur principal de la musique au ministère des Affaires culturelles. Dans un style éclectique, il a écrit trois concertos pour piano (1959, 1961 et 1963), deux symphonies (1959-60 et 1964), un Concerto pour flûte (1965), un pour violoncelle (1965) et un pour violon (1969), *Cosmogonies* pour trois orchestres (1967), *Impacts* pour ondes Martenot et deux orchestres (1970), *Arches de lumière* pour orchestre (1972), *Arborescences* pour orchestre (1972), *Célébration* pour trois chœurs et trois orchestres (1975), *Dolmen* pour orchestre de chambre (1977), *Reliefs irradiants de New York* (1980). Ses nombreux séjours à l'étranger ont considérablement élargi son horizon expressif.

TITELOUZE *(Jehan* ou *Jean),* organiste et compositeur français *(Saint-Omer, alors dans les Pays-Bas espagnols, 1563 - Rouen 1633).* Il est vraisemblablement originaire d'une famille catholique chassée d'Angleterre par la Réforme. En 1585, il est organiste de l'église Saint-Jean à Rouen. Il succède à François Josseline comme organiste de la cathédrale en 1588, et en 1604, obtient la naturalisation demandée en 1595. En 1610, il est nommé chanoine de la cathédrale de Rouen. Expert en facture d'orgue, il est appelé en consultation dans de nombreuses églises, jusqu'à la cathédrale de Poitiers. Il fait agrandir l'orgue de la cathédrale de Rouen par Crespin Carlier. Virtuose, compositeur, pédagogue, c'est aussi un théoricien et un érudit : il est lié avec le père Mersenne, et prend part à ses travaux.

Il a laissé deux importants cahiers de musique : *Hymnes pour toucher sur l'orgue avec les fugues et recherches sur leur plain-chant* et *Magnificat* ou *Cantique de la Vierge pour toucher sur l'orgue, suivant les huit tons de l'église* (Ballard, Paris, respectivement en 1623 et 1626). Son style est marqué par la référence au plain-chant, par la connaissance des polyphonies pratiquées en Angleterre, Italie, Espagne et en France, par la souplesse et la liberté qui viennent en équilibrer la rigueur. Son influence fait de lui le véritable père de l'école française d'orgue.

TOMÁŠEK *(Vaclav Jan Křtitel),* compositeur, pianiste, pédagogue tchèque *(Skuteč*

1774 - Prague 1850). Il commença à composer dès l'âge de quatre ans, étudia le chant et le violon à Chrudim (1783-1785), et en 1790 se rendit à Prague, où il donna des leçons de piano tout en étudiant à partir de 1794 les mathématiques, l'histoire et l'esthétique à l'université. En 1797, il se tourna vers le droit. En 1806, il entra au service du comte Buquoy, et occupa ce poste, qui lui laissait largement le temps de voyager et de travailler pour lui-même, pendant seize ans. Sa maison de Prague devint une sorte de conservatoire non officiel, et il y reçut des musiciens tels que Clementi, Forkel, l'abbé Vogler, Paganini, Ole Bull et Clara Schumann. De 1845 à 1850, il fit paraître dans le périodique praguois *Libussa* des Mémoires du plus haut intérêt. Il commença le culte de Mozart, et fut un des premiers à apprécier Beethoven.

Brillant pianiste, il écrivit pour son instrument des pièces tournant le dos à la virtuosité plus ou moins creuse de l'époque, et qui influencèrent aussi bien son élève Vorisek que Schubert, Schumann ou Dvořák : 42 *Eglogues* en sept recueils de six pièces chacun (op.35, 1807 ; op.39, 1810 ; op.47, 1813 ; op.51, 1815 ; op.63, 1817 ; op.66, 1819 ; op.83, vers 1823) ; 15 *Rhapsodies* (6 op.40, 1810 ; 6 op.41, 1810 ; 3 op. 110) ; pièces diverses. On lui doit aussi quelques pages scéniques et chorales, de la musique de chambre dont 3 quatuors à cordes (1792-93), 3 symphonies (en *ut,* 1801 ; en *mi* bémol, 1805 ; en *ré,* 1807), 2 concertos pour piano (en *ut,* 1805 ; en *mi* bémol), et surtout de nombreux lieder dont près des trois quarts sur des textes en allemand (Goethe, Schiller, Heine, Hölty, Gellert). Il en envoya certains à Goethe, avec qui il échangea une correspondance suivie et qu'il rencontra en 1822 et en 1823. Ses autres lieder sont en langue tchèque.

TOMASI *(Henri),* chef d'orchestre et compositeur français *(Marseille 1901 - Paris 1971).* Après des études musicales dans sa ville natale, il se perfectionne au Conservatoire de Paris auprès de Caussade (harmonie), d'Indy (direction d'orchestre) et Vidal (composition). Premier prix de direction d'orchestre et premier prix de Rome à vingt-six ans, il se voit également attribuer le prix Alphen et le prix des Beaux-Arts de la ville de Paris. Aussitôt, il est appelé à diriger les Concerts du journal,

Henri Tomasi en 1956.

puis à créer le poste de Radio-Colonial, et, désormais, il mènera de front une carrière internationale de chef d'orchestre appelé, par la suite, à partager avec Inghelbrecht la direction de l'Orchestre national, et celle de compositeur.

On lui doit notamment *Don Juan de Manara,* drame lyrique d'après Milosz (1935), *l'Atlantide,* drame lyrique et chorégraphique d'après Pierre Benoit (1951), le drame lyrique *Sampiero Corso* (1956), et *le Silence de la mer,* drame lyrique d'après Vercors (1959).

Dans le domaine du folklore librement adapté, citons *Tam-Tam,* poème symphonique (1931), *Vocero,* poème symphonique et chorégraphique (1932), *Chants laotiens* pour baryton ou contralto et orchestre (1934), *les Santons,* pastorale provençale pour soliste et chœurs sur un argument de René Dumesnil (1939), *Sinfonietta provençale* (1958), *Symphonie du tiers monde,*

Albert Justin

à la mémoire d'Hector Berlioz (1967), *Chant pour le Vietnam,* poème symphonique (1969), et des arrangements a cappella de *Chants populaires de l'île de Corse* (1971).

TOMKINS, famille de compositeurs anglais, — 1. **Thomas I** *(Loswithiel 1545-Gloucester 1627).* — 2. **Thomas II** *(Saint Davids, Pembrokeshire, 1572 - Martin Hussingtree, Worcestershire, 1656).* Fils du précédent, il fut le disciple de Byrd et devint organiste de la cathédrale de Worcester en 1596. Nommé organiste de la chapelle royale en 1621, il publia, l'année suivante, un recueil de vingt-quatre *Madrigaux (songs)* à trois, quatre, cinq et six voix. Aucune autre de ses œuvres ne fut éditée de son vivant, mais en 1668, son fils Nathaniel publiait l'ensemble de sa production religieuse, sous le titre *Musica Deo Sacra* (dont cinq services et quatre-vingt-quinze *anthems*).

La musique de Thomas II est le plus souvent tournée vers le passé. Ses *full-anthems* reconduisent avec beaucoup de talent la manière polyphonique de Byrd. Par contre, les *verse-anthems* (pour solo, duo, trio ou quatuor vocal) sont proches, par la mobilité de leur ligne mélodique, du premier style baroque. Comme madrigaliste, Tomkins fait montre d'une invention très personnelle, digne des plus grands (Weelkes ou Wilbye). Ses œuvres pour clavier mêlent la virtuosité à la touche lyrique et aux rythmes les plus savants.

Mais c'est peut-être dans les fantaisies et pièces pour violes que Tomkins est le plus étonnant. Marqué, comme il est dit plus haut, par l'enseignement de Byrd, il y perpétue plus que partout ailleurs, les techniques et les formes chères à son maître génial. Partisan de l'accident chromatique pour mieux souligner l'expression dramatique, il recourt avec bonheur à l'*In Nomine,* mais brille aussi dans les danses (gaillardes, pavanes) et, tout comme ses aînés les plus célèbres, dans la variation à partir d'un thème populaire. Ce qui ne l'empêche pas, sous cette fidélité exemplaire à la tradition, de se montrer polyphoniste aventureux, le dernier grand représentant, en tout cas, de l'école élisabéthaine et jacobéenne.

Il faut également citer **John** *(1586-1636),* **Gilles** *(† 1668),* **Robert** et **Nathaniel** *(1599-1681),* respectivement demi-frère, frères et fils de Thomas II et tous musiciens de renom, surtout le dernier, organiste, comme son père, en la cathédrale de Worcester.

TON-THAT-TIÊT, compositeur d'origine vietnamienne *(Hué 1933).* Il s'est établi en France. Sa musique est d'inspiration métaphysique et se réfère souvent à la philosophie chinoise. On lui doit notamment *Incarnations structurales,* pour flûte, violon et harpe, *Vang Bong Thoi Xua, Hy Vong 14,* pour clavecin et cor anglais, et un important ensemble d'œuvres pour diverses formations, et instruments solistes, formant un cycle en sept parties, *Chu-Ky,* dont la forme et l'écriture sont inspirées par les cycles cosmiques et leurs lois.

TORELLI *(Giuseppe),* violoniste et compositeur italien *(Vérone 1658 - Bologne 1709).* On sait peu de chose sur ses débuts, sinon qu'il aurait étudié à Vérone avec Giuliano Massaroti. En 1684, il vint à Bologne et fut admis comme violoniste à l'Académie philharmonique. En même temps, il travailla la composition avec Perti, qui fut aussi par la suite le maître de G. Martini. De 1686 à 1696, il fut membre de l'orchestre de la basilique San Petronio, où il joua de la « violette » et de l'alto. De cette période datent les éditions de ses premières sonates en trio et de ses sinfonie à deux, trois ou quatre instruments (1686, 1687, 1692). Il écrivit également de nombreuses œuvres pour la trompette (sinfonie, concertos), cet instrument étant à l'honneur à Bologne.

En 1696, l'orchestre de San Petronio fut dissous, et Torelli quittant l'Italie séjourna, avec son ami le chanteur castrat Pistocchi, à Berlin, à Ansbach et à Vienne. Ses concertos op. 6 sont dédiés à l'Électrice de Brandebourg. Au cours de son séjour à Vienne il fit jouer son oratorio *Adam chassé du paradis terrestre,* une de ses rares œuvres vocales. En 1701, il revint à Bologne et reprit son poste à San Petronio, dont l'orchestre venait d'être reconstitué et placé sous la direction de Perti. C'est en 1709, l'année de sa mort, que furent publiés ses concertos op. 8.

Les termes de sinfonia, concerto ou sonate par lesquels Torelli désigne ses œuvres n'impliquent pas des formes différentes. Les œuvres publiées lors de la première période bolognaise gardent la forme de la sonate d'église (lent, vif, lent, vif), les mouvements vifs étant d'écriture contrapuntique, et souvent, pour le dernier mouvement, de caractère dansant. Dans les œuvres ultérieures, où il s'attache à mettre en valeur les possibilités techniques du violon, Torelli se révèle comme le véritable créateur du concerto de soliste, tandis qu'il partage avec Stradella et Corelli la paternité du concerto grosso, adoptant la forme en trois mouvements (vif, lent, vif) qui deviendra classique.

TOURNEMIRE *(Charles),* organiste et compositeur français *(Bordeaux 1870-Arcachon 1939).* Il fut élève de César Franck et de Charles-Marie Widor au Conservatoire de Paris. En 1898, il succède comme organiste de Sainte-Clotilde, à Paris, à César Franck et Gabriel Pierné. En 1919, il est nommé professeur de la classe d'ensemble du Conservatoire de Paris. Il mène une brillante carrière internationale de concertiste, et se montre remarquable improvisateur. En 1933, après avoir dirigé la rénovation et la transformation de l'orgue de Sainte-Clotilde (confiées à Beu-chet-Debierre), il inaugure une série de concerts annuels pour en couvrir les frais.

À côté de compositions diverses, musiques chorales, orchestrales (huit symphonies), musique de chambre, opéras *(Les dieux sont morts,* Paris, Opéra, 19 mars 1929 ; *Nittetis),* l'essentiel de son œuvre est écrite pour l'orgue : *Ite missa est* (op. 24), *Triple Choral* (op. 41), *Trois Poèmes* (op. 59), *Sei fioretti* (op. 60), *Petites Fleurs musicales* (op. 66), *Sept Chorals-Poèmes pour les sept paroles du Christ* (op.67), mais surtout son ouvrage majeur, *l'Orgue mystique* (51 offices de l'année liturgique, op. 55-57). Il exprime sa conception du rôle liturgique de l'organiste dans son volume inachevé, *De la haute mission de l'organiste à l'église.* Il a publié *César Franck* (Paris, 1931) et *Précis d'exécution, de registration et d'improvisation à l'orgue* (Paris, 1936).

TRAETTA *(Tommaso),* compositeur italien *(Bitonto 1727 - Venise 1779).* Élève de Porpora et de Durante à Naples, il y débuta dans l'opera seria *(Farnace,* 1751), puis, nommé à Parme, subit l'influence culturelle française qui y régnait ; influencé par Rameau dont il entendit les œuvres, il écrivit sur des poèmes adaptés des originaux français *Ippolito ed Aricia* (1759) et *I Tindarini* (1760, d'après *Castor et Pollux),* répondant ainsi aux impératifs de la réforme de l'opera seria formulés par Algarotti en 1755.

Invité à Vienne par le comte Durazzo, il y présenta son *Ifigenia in Tauride* (écrite probablement en 1758) et donna *Armide* (1761) et *Sofonisbe* (1762), œuvres dont devaient s'inspirer Calzabigi et Gluck.

C'est à Vienne qu'il connut Métastase dont il devait bientôt récuser l'esthétique ; succédant à Galuppi, il fut nommé auprès de Catherine II à Saint-Pétersbourg où il demeura de 1768 à 1775, et où il fit jouer sa nouvelle *Antigona* en 1772, chef-d'œuvre de sobriété, par la majesté d'un récitatif obbligato où l'expressivité de l'orchestre atteint le point extrême d'une évolution amorcée dès son *Farnace,* par l'importance des chœurs mêlés à l'action, la présence des danses et la puissance dramatique des airs et des scènes librement articulées.

On doit encore à Traetta deux oratorios et quelques intermezzos qui semblent annoncer ceux de Piccinni, mais c'est dans le domaine de l'opera seria qu'il s'imposa

*Charles **Tournemire**,*
à l'orgue de Sainte-Clotilde.

comme une des figures majeures du siècle, son œuvre ayant opéré la jonction entre l'art de Rameau et ceux de Gluck et de Mozart.

TREMBLAY *(Gilles)*, compositeur canadien *(Arvida, Québec, 1932)*. Il a fait ses études au conservatoire de Montréal avec Claude Champagne, puis à Paris (1954-1961) avec Olivier Messiaen, Yvonne Loriod, Andrée Vaurabourg-Honegger et Maurice Martenot. Il a aussi travaillé au Groupe de recherches musicales et à Darmstadt. Nommé professeur d'analyse et de composition au conservatoire de Montréal en 1962, il a occupé ce poste jusqu'en 1966. En 1972, il a effectué un voyage de plusieurs mois en Extrême-Orient, séjournant notamment à Bali. En 1958, Yvonne Loriod créa à Cologne *Phases et Réseaux* pour piano (1956-1958), et, en 1963, *Cantique de durées* pour orchestre (1960) fut entendu pour la première fois au Domaine musical sous la direction d'Ernest Bour.

Tremblay manifeste, dans ses œuvres, une prédilection marquée pour les vents et pour la percussion. La voix n'intervient que dans *Kékoba* pour soprano, alto, ténor, percussion et ondes Martenot (1965), et dans *Oralléluiante* pour soprano et huit exécutants (1975). On lui doit encore, pour ensemble instrumental, *Champs I* (1965, rév. 1969), *Souffles (Champs II)* [1968], *Vers (Champs III)* [1969], *« ... le Sifflement des vents porteurs de l'amour... »* (1971), et *Solstices* (ou *Les jours et les saisons tournent*) [1971]; et pour orchestre, *Jeux de solstices* (1974) et *Fleuves* (1976), qui cite en exergue le poème *le Fleuve en l'arbre* de son ami, le poète québécois Fernand Ouellette. En 1967, il a sonorisé le pavillon du Québec (stéréophonie en 24 canaux) lors de l'Exposition universelle de Montréal.

TROJAHN *(Manfred)*, compositeur allemand *(Cremlingen 1949)*. Il a fait ses études à Brunswick (1966-1970), obtenant notamment un diplôme de flûte en 1970, puis à Hambourg avec K. H. Zöller et D. de la Motte (composition), et obtenu le premier prix du Forum international des compositeurs (U.N.E.S.C.O.) en 1978 ainsi que le prix de Rome en 1979. Il relève du courant appelé en Allemagne, très souvent sans raison, « nouvelle simplicité ». Il conçoit l'œuvre non pas comme un processus ouvert, mais comme un « objet fixe délimité dans le temps », ce en quoi il s'oppose à l'avant-garde des années 60 et 70. À l'objectivisme exacerbé des postcagiens, il oppose une subjectivité qui ne craint pas les regards en arrière, en particulier vers les symphonies monumentales du XIXe siècle, les harmonies traditionnelles et les polyphonies tonales.

On lui doit notamment *Risse des Himmels* pour soprano, flûte et guitare (1968-1974), *les Couleurs de la pluie* pour six flûtes (1972), *Kammerkonzert* pour huit instruments (1973), une *Symphonie no 1* *(Makramee,* 1973-74), *Architectura caelestis* pour huit voix de femmes et orchestre (1974-1976), *Madrigal* pour chœur à huit voix (1975), *Quatuor à cordes* (1976), *Notturni trasognati* pour flûte alto et orchestre de chambre (1977), ... *stiller Gefährt der Nacht* pour soprano, flûte, violoncelle, percussion et piano (1978), une *Symphonie no 2* (1978), *Abschied...,* fragment pour orchestre (1978), *Konzert* pour flûte et orchestre (1977-1979).

TROMBONCINO *(Bartolomeo)*, compositeur italien *(Vérone v. 1470 - Venise ? apr. 1535)*. Il passe la plus grande partie de sa vie à la cour de Mantoue, où s'était fixé son père, Bernardino Piffaro, mais la quitte à plusieurs reprises pour une durée variable. Probablement actif à Florence entre 1494 et 1501, il est au service de Lucrezia Borgia à Ferrare de 1502 à 1508 au moins. Il se fixe vers la fin de sa vie à Venise (1521 ?), où il mourut très certainement. Mis à part quelques pièces sacrées (des *Lamentations,* un *Motet* et des *Laude,* pour la plupart des contrafacta de frottole) écrites dans le style plutôt homophonique du début du XVIe siècle italien, il est surtout célèbre pour ses nombreuses frottole, publiées en partie dans des recueils de Petrucci. Il met également en musique des strombotti*, sonnets, odes, etc. Le choix de ses poèmes est particulièrement soigné et reflète les goûts d'Isabella d'Este, au service de laquelle il se trouve.

TŮMA *(František Ignác Antonín)*, organiste, violoniste et compositeur tchèque *(Kostelec, près d'Orlicí, 1704 - Vienne 1774)*. Son père, Václav, organiste à l'église locale, lui apprend la musique dès son plus jeune âge. Il rentre comme petit chanteur à l'école des jésuites de Prague. On pense qu'il fut l'élève de B. M. Černohorský, car l'influence de ce dernier est manifeste dans son œuvre religieuse. Remarqué par le prince František Ferdinand Kinský, il part avec lui à Vienne, où il peut travailler avec J. J. Fux. À partir de 1722, il occupe différentes places d'organiste, puis de Kapellmeister, dans diverses églises viennoises. En 1731, il est le maître de chapelle de son protecteur, suivant ce dernier entre Vienne et Prague. Il fait ainsi la connaissance de G. Tartini, soliste invité au palais du prince Kinský à Prague. À la mort du prince en 1741, il devient Kapellmeister de l'impératrice Élisabeth-Christine jusqu'en 1750.

Son œuvre profane s'inspire encore de l'école baroque vénitienne. L'influence de Vejvanovský et de l'école de Biber et Schmelzer est sensible dans son écriture pour les cuivres. Ses symphonies regardent vers l'école de Mannheim. Son œuvre religieuse, beaucoup plus importante, dénote l'abandon progressif des règles polyphoniques strictes au profit d'une belle invention mélodique.

TUNDER *(Franz),* organiste et compositeur allemand *(Lübeck 1614-*id. *1667).* Il fait ses débuts à Gottorp, à la cour du duc de Schleswig. On le trouve à Rome, où il étudie avec Frescobaldi ; puis en 1641, il est nommé au poste important d'organiste de l'église Sainte-Marie à Lübeck. Cette église servant, les jours de Bourse, de lieu de rencontre pour les négociants et les magistrats, il prend l'habitude d'y donner des concerts d'orgue. Devant leur succès, il développe les célèbres *Abendmusiken :* ces concerts du soir comprenaient des pièces d'orgue, mais aussi des solos d'instruments et des cantates, car il engage des musiciens et des chanteurs. Son successeur et gendre, Buxtehude, poursuivra et transformera les Abendmusiken de Lübeck. Son œuvre n'a pas été publiée de son vivant. Elle comprend des pièces pour voix, solo ou chœur, avec accompagnement de cordes et orgue, des pièces pour orgue du type variations ou fantaisies de choral, ainsi que des toccatas. Il est un des premiers à utiliser la toccata dans sa fonction de prélude à une fugue.

TURINA *(Joaquín),* compositeur, pianiste et pédagogue espagnol *(Séville 1882-Madrid 1949).* Il fait ses études à Madrid avec José Trago (piano), puis à Paris avec Moskovski (piano) et Vincent d'Indy (composition). Ses premières œuvres datent de

Keystone

*Joaquim **Turina**.*

son séjour en France (1903-1914) : *Quintette, Sevilla, Procesión del Rocío.* Il trouve alors en Albéniz un ami, un guide et un protecteur généreux. C'est grâce à lui notamment qu'il connaît Debussy et Ravel et qu'il s'évade des seules ambitions scholistes pour réaliser une musique « hispano-arabe » authentique. De retour à Madrid, il y passera pratiquement le reste de sa vie dans une activité multiple — compositeur, directeur d'orchestre au théâtre Real (notamment pour l'orchestre des Ballets russes), professeur (directeur du conservatoire de Madrid), pianiste, critique musical et commissaire général de la musique (de 1939 à sa mort).

Si l'on excepte les œuvres de la période parisienne écrites dans une esthétique post-franckiste, toute la production de

Turina s'inspire des chants populaires et des rythmes espagnols et plus spécialement andalous. L'influence d'Albéniz fut décisive dans l'orientation de sa carrière. Ses pièces pour piano doivent également à l'exemple d'*Iberia* la fermeté de leur dessin et leur vie intense, d'esprit rapsodique. Mais l'influence des maîtres français ne fut pas moindre dans le coloris de ses pages orchestrales et dans l'expression d'un lyrisme qui fût exactement l'écho de sa sensibilité délicate. Ces différents éléments se sont superposés à la discipline dindyste (culte de la forme cyclique qu'on retrouve dans presque toutes ses œuvres) pour donner à la palette de Turina sa physionomie originale.

TYE *(Christopher)*, compositeur anglais *(? v. 1500 - ? 1572)*. Choriste au King's College de Cambridge de 1508 à 1513, il fut ensuite musicien de monastère et la rupture avec Rome le mit dans l'obligation de trouver un nouveau mode de vie et de travail. Maître de chœur à la cathédrale d'Ely en 1541, il semble avoir été le maître de musique d'Édouard VI et bénéficié de ses faveurs. Peu d'années après, il entrait dans les ordres et devait être ordonné prêtre en 1559. Il conserva, par ailleurs, son emploi à la cathédrale d'Ely jusqu'en 1561. Comme ecclésiastique, il fut recteur de Donington jusqu'en 1571, mais son successeur ayant été nommé en mars 1573, il est probable que le vieux maître mourut à la fin de 1572.

Auteur, en 1553, d'une version anglaise, harmonisée à quatre voix, des *Actes des Apôtres,* Tye a pourtant écrit une grande partie de son œuvre religieuse sur des textes latins. Cette œuvre comprend trois messes, des motets et psaumes, mais aussi des services en langue vulgaire et une douzaine d'anthems. À cet égard, Tye eut le grand mérite, en recourant à des textes anglais, d'alléger la prosodie, de lui donner un tour plus naturel et plus populaire.

Mais ce précurseur de la musique anglicane s'est également illustré dans le répertoire instrumental et a laissé d'admirables pièces pour les *consorts* de violes, dont vingt et un *In nomine* qui égalent presque en beauté et en maîtrise d'écriture ceux de Byrd. Aussi bien, avant ce dernier, Tye est avec Tallis le grand nom du premier âge d'or britannique.

VACHON *(Pierre),* violoniste et compositeur français *(Arles 1731-Berlin 1803).* Il se rendit à Paris vers l'âge de vingt ans, faisant ses débuts au Concert spirituel en 1756 dans un concerto de sa propre composition. En 1761, il devint premier violon dans l'orchestre du prince de Conti, à qui il dédia la même année ses six symphonies op. 2. Il composa cinq opéras-comiques entre 1765 et 1773. Après une dizaine d'années passées à Londres, il se rendit en Allemagne, et en 1786, était devenu premier violon de l'orchestre royal de Berlin, poste qu'il conserva jusqu'à sa retraite en 1798. Ses quatuors à cordes, au nombre d'une trentaine, sont de haute qualité, et il fut un des premiers compositeurs français à aborder le genre (de tous ses compatriotes, il s'y montra le plus prolifique).

VALEN *(Fartein),* compositeur et organiste norvégien *(Stavanger 1887-Haugesund 1952).* Il fut l'un des premiers modernistes de son temps et adopta très tôt les principes dodécaphoniques *(Trio* op. 5, 1917-1923), dans le cadre d'une écriture polyphonique riche et complexe. Mais l'essentiel de son œuvre de maturité commence en 1930 avec la *Pastorale* op. 11. Il développa alors un système de contrepoint dissonant très strict qu'on retrouve dans le *2ᵉ Quatuor à cordes* (1931), les *Sonetti di Michelangelo* (1932), *Epithalamion* op. 19 (1933), *le Cimetière marin* op. 20 (1934) et *La Isla de las calmas* op. 21 (1934). Le rôle de Valen a été très important dans l'émancipation des compositeurs norvégiens du xxᵉ siècle, vis-à-vis d'une tradition postromantique qui l'influença dans sa jeunesse et contre laquelle il montra qu'on pouvait réagir sans pour autant rompre totalement avec elle.

VANHAL *(Johann Baptist* ou JAN KŘTITEL),* compositeur tchèque *(Nove Nechanice, Bohême, 1739-Vienne 1813).* Après avoir été organiste à Marsov, il arriva à Vienne vers 1760, et, dans cette ville, il eut comme maître Dittersdorf, son contemporain exact, avant de donner lui-même des leçons à Pleyel. De 1769 à 1771, il séjourna en Italie, où il composa notamment 2 opéras perdus et où il rencontra Gluck et Gassmann. Après son retour à Vienne, il fut sujet à des dépressions nerveuses, et, de 1772 à 1780, séjourna plusieurs fois, pour se remettre, sur les terres du comte Johann Erdödy en Croatie. À partir de 1780, il vécut de nouveau à Vienne en musicien indépendant, délaissant peu à peu la composition d'œuvres importantes au profit de la musique de salon et de ses activités d'enseignant.

Auteur de très nombreuses partitions vocales (messes, requiem, motets) et surtout instrumentales, dont 54 quatuors, 30 concertos, des sonates, des variations et des danses, il joua un rôle de premier plan, à partir de 1765 environ et pour une dizaine d'années, dans l'évolution de la symphonie. Il en laissa 76, dont 13 en mineur, qui, par leurs teintes souvent mélancoliques, font de lui un des meilleurs représentants du *Sturm und Drang* autrichien.

Des diverses étapes de l'évolution de J. Haydn, à qui furent attribués plusieurs de ses ouvrages, celle du *Sturm und Drang* semble l'avoir attiré tout particulièrement. La *Symphonie* en *sol* mineur composée par Vanhal vers 1770 forme avec la *39ᵉ* de Haydn et la *25ᵉ* de Mozart, à peu près contemporaines et composées dans la même tonalité, une remarquable et très intéressante trilogie.

VAN MALDERE *(Pierre)*, compositeur et violoniste belge *(Bruxelles 1729* - id. *1768)*. Peut-être élève de J.-J. Fiocco et de H.-J. de Croes, il entra en 1746 au plus tard dans la chapelle de Charles de Lorraine, gouverneur général des Pays-Bas autrichiens, séjourna grâce à lui à Dublin (1751-1753), et se fit entendre en 1754 au Concert spirituel à Paris. Il devint alors directeur des concerts de Charles de Lorraine, auquel il devait rester attaché jusqu'à sa mort. À la fois parce que Charles de Lorraine était le beau-frère de l'impératrice Marie-Thérèse et parce que le gouverneur général et son protégé séjournèrent en Bohême et en Autriche au début de la guerre de Sept Ans (jusqu'en 1758), les œuvres de Van Maldere furent vite connues et appréciées à Vienne. Après de nouveaux voyages avec Charles de Lorraine, en particulier à Paris, il fut directeur du Grand Théâtre de Bruxelles de 1762 à 1767. Il écrivit des œuvres pour la scène, dont *le Déguisement pastoral* (Schönbrunn, 1756) et *la Bagarre* (Paris, 1763), et de la musique de chambre, mais son importance tient surtout à ses symphonies, qui, par leur forme comme par leur écriture, constituent la partie la plus avancée de sa production. Elles parurent à Paris, Lyon, et Londres à partir de 1760, et certaines furent attribuées à Haydn.

VAN VLIJMEN *(Jan)*, compositeur néerlandais *(Rotterdam 1935)*. Il fut l'élève de Kees Van Baaren alors que celui-ci était encore directeur du conservatoire d'Utrecht. Ses premières œuvres, parmi lesquelles un quatuor et des mélodies sur des textes de Morgenstern, révèlent l'influence de Berg et de Schönberg, ainsi qu'un esprit postromantique (1955-1958). Son quintette à vents (1958) marque son passage du dodécaphonisme strict au sérialisme. Il s'impose sur le plan international avec *Costruzione*, pour 2 pianos, joué à Darmstadt en 1961, et *Gruppi per 20 strumenti e percussione* (1962), œuvre influencée par la *Gruppenform*, telle que l'avait élaborée Stockhausen, et dans la suite de laquelle s'inscrivent notamment *Serenata I*, pour 12 instruments divisés en 3 groupes (1964 ; rév., 1967), *Serenata II*, pour flûte et 4 groupes instrumentaux (1964), *Sonata per pianoforte e tre gruppi strumentali* (1966) et *Per diciassette*, pour 17 instruments à vent (1968). On lui doit encore un concerto pour violon *(Omaggio*

a Gesualdo, 1971), *Axel*, opéra en 3 actes d'après Villiers de L'Isle-Adam, et *Quaterni*, pour ensemble instrumental (1979). Nommé directeur adjoint du conservatoire de La Haye en 1965, il a succédé comme directeur à Kees Van Baaren en 1970. En 1969, il a participé à l'opéra collectif *Reconstruction*. Il a relativement peu composé, mais occupe une place importante dans l'école néerlandaise actuelle.

VARÈSE *(Edgard)*, compositeur américain, d'origine française *(Paris 1883* - *New York 1965)*. Lorsque ce grand créateur solitaire disparut à New York, il était depuis longtemps considéré, malgré les scandales qu'il avait provoqués, comme un de ceux ayant le plus profondément marqué le passage du xxe siècle. Né d'une mère bour-

*Edgar **Varèse**.*

VARÈSE

guignonne et d'un père d'origine italienne, il commença à travailler (en cachette de son père) l'harmonie et le contrepoint à Turin, où sa famille s'était installée en 1892. Ayant regagné Paris en 1903, il entra à la Schola cantorum en 1904 (d'Indy, Roussel), puis au Conservatoire en 1905 (Widor). Il écrivit en 1905 *Prélude à la fin d'un jour,* pour 120 musiciens, et en 1906 une *Rhapsodie romane,* pour orchestre. L'année 1906 le vit aussi fonder la chorale de l'Université populaire du faubourg Saint-Antoine, avec laquelle il donna des concerts publics.

A. Meyer

Edgar Varèse, par Dolbin
(coll. A. Meyer/Ziolo).

De 1907 à 1914, il vécut principalement à Berlin, où il se lia avec Busoni, Richard Strauss, le chef Karl Muck et l'écrivain Hugo von Hofmannsthal. En 1908, il fit à Paris la connaissance de Debussy, à qui il révéla les premières œuvres atonales de Schönberg, et commença *Œdipe et le Sphinx,* opéra sur un livret de Hofmannsthal (il devait y travailler jusqu'en 1914). Le poème symphonique *Gargantua* devait lui

aussi demeurer inachevé, mais un autre, *Bourgogne,* fut créé à Berlin le 15 décembre 1910 (Varèse ne devait détruire le manuscrit qu'en 1962). En 1911, il entreprit *Mehr Licht,* qui, remanié, prit place l'année suivante dans l'opéra *les Cycles du Nord.* Le 4 janvier 1914, il dirigea avec grand succès un concert de musique française à Prague. La guerre le surprit à Paris, et tous ses manuscrits demeurés à Berlin devaient y être détruits par l'incendie d'un entrepôt.

Mobilisé durant six mois, puis réformé, il partit pour les États-Unis en décembre 1915. En 1917, il dirigea à New York le *Requiem* de Berlioz «à la mémoire des morts de toutes les nations», et, en 1919, fonda pour l'interprétation de la musique nouvelle le New Symphony Orchestra : ce fut un échec. En 1921, l'année de l'achèvement d'*Amériques,* sa première composition ayant subsisté, il fonda l'International Composers' Guild, dont le premier concert eut lieu en 1922 et le dernier en 1927. Son manifeste est demeuré célèbre : « Mourir est le privilège de ceux qui sont épuisés. Les compositeurs d'aujourd'hui refusent de mourir. » En six ans d'activité, l'International Composers' Guild devait révéler aux Américains des œuvres telles que *Pierrot lunaire* de Schönberg, *Noces* de Stravinski ou le *Concerto de chambre* de Berg.

Les années les plus fécondes de Varèse s'étendirent de 1920 à 1934 : naquirent alors 8 œuvres maîtresses que rien dans leur écriture n'empêcherait de figurer dans la production du second après-guerre. La première est *Amériques,* pour grand orchestre (1920-21 ; rév., 1929), hymne au lyrisme violent et à la solitude de l'univers industriel moderne. Suivirent *Offrandes,* pour soprano et orchestre de chambre (1921), œuvre plus subjective de ton que d'habitude chez le compositeur ; *Hyperprism,* pour petit orchestre et percussion (1922-23), la plus brève (4 à 5 minutes) de toutes ses partitions instrumentales ; *Octandre,* pour 6 instruments à vent et une contrebasse à cordes (1923), œuvre dont pour une fois la percussion est absente ; *Intégrales,* pour petit orchestre et percussion (1924-25), aux sonorités évoquant plus que jamais la future musique électronique ; *Arcana,* pour grand orchestre (1926-27), sans doute son chef-d'œuvre ; *Ionisation,* pour 37 instruments à percussion (1929-1931) ; et *Ecuatorial,* pour chœur, trom-

Ionisation
d'Edgar **Varèse,**
pour
37 instruments
à percussion
(1929-1931).
Cette œuvre,
liaison entre
l'Orient et l'Occident,
témoigne
de sa quête
des sources primitives
de la musique
et de leur puissance
incantatoire.

pettes, trombones, piano, orgue, 2 ondes Martenot et percussion (1934). Au cours de cette période, Varèse séjourna à Paris une première fois en 1924 et une nouvelle fois en 1927, pour ensuite y vivre durant cinq années consécutives, de 1928 à 1933. Il s'y lia avec Villa-Lobos (1929) et, en 1930, accepta comme élève André Jolivet, que lui avait envoyé Paul Le Flem.

De retour à New York (1933), Varèse y travailla avec le physicien et électronicien Léon Thérémine avant de traverser les années les plus noires de son existence (1935-1949). Brisé par la tension qu'avait occasionnée pour lui le fait d'arracher aux

instruments traditionnels des sons extraordinaires et véritablement inouïs, il apparut alors comme un homme fini, qui avait connu les scandales, mais sur qui maintenant tombait l'oubli. Il continua à travailler à *Espace,* projet remontant à 1929, mais de cette « traversée du désert » ne restent sur le plan de la création que deux témoignages, *Densité 21,5,* pour flûte seule (1936), et *Étude pour « Espace »* (1947), vestige du projet déjà mentionné. En 1935, devant l'échec de ses tentatives pour obtenir un laboratoire acoustique, il songea au suicide. En 1936, répondant à l'appel du désert, il s'installa quelque temps à Santa

807

VARÈSE

Fe, dans le Nouveau-Mexique, et y fit des conférences musicales. De 1938 à 1940, il vécut à Los Angeles, mais ne parvint pas à travailler pour le cinéma. En 1941, à New York, il fonda le New Chorus, devenu en 1942 le Greater New York Chorus, et avec lequel il dirigea beaucoup de musique antérieure à Bach.

En 1948, il donna à la Columbia University de New York une série de cours de composition et de conférences sur la musique du xxᵉ siècle qui marquèrent les débuts de sa « renaissance ». En 1950, il commença la composition des parties instrumentales de Déserts et enseigna à Darmstadt, où il eut pour élève Luigi Nono. En 1952 furent achevées les parties instrumentales de Déserts. Cette œuvre inaugura une brève mais foudroyante résurrection créatrice due notamment à l'apparition de la musique sur bande magnétique (concrète et électronique), dont Varèse s'empara aussitôt. Du début de 1953 à la fin de 1954, il réalisa les interpolations sur bandes magnétiques destinées à Déserts (il devait faire une deuxième version de ces interpolations en août 1960, une troisième en avril 1961 et une quatrième et définitive en août 1961). Déserts, dont la création à Paris le 2 décembre 1954, sous la direction de Hermann Scherchen, déclencha un mémorable scandale, est une œuvre pour orchestre d'instruments à vent et de percussions avec « deux pistes de sons organisés sur bande magnétique ». Suivirent la Procession de Vergès, « son organisé » sur bande magnétique (durée : 2 minutes 47 secondes) destiné à un film sur Joan Miro (1955), Poème électronique, pour le pavillon Philips de l'Exposition internationale de Bruxelles (1958), et Nocturnal, pour soprano, chœur et orchestre (1959-1961), terminé après la mort de Varèse par son élève Chou-Wen-Chung. Aux 14 ouvrages du compositeur vient en outre s'ajouter Nuits (sur un poème d'Henri Michaux), pour soprano, 8 vents, contrebasse à cordes et percussions, également inachevé, mais laissé en l'état.

En considérant le timbre comme un phénomène en soi, en faisant du son un événement, en ouvrant à la musique la dimension spatiale, mais aussi par ses nouveautés radicales en matière de rythme, de mélodie et de forme, Varèse ne fut ni plus ni moins qu'un complément indispensable de la révolution sérielle dans la constitution du paysage musical d'aujourd'hui. Il

ne poursuivit pas la tradition, ni n'en prit le contrepied, mais l'ignora tout simplement, même si dans sa musique on en trouve des traces. Ayant poursuivi des études d'ingénieur électroacousticien, il fut le premier à vouloir faire de la musique avec des sons, et non plus avec des notes, et on a pu dire que si l'électronique avait existé dès 1916, il aurait été le seul musicien capable de s'en servir. Son drame fut que sa pensée et sa poésie précédèrent de trente ans les découvertes de la technologie. Il n'aimait pas les violons, mais manifesta, toute sa vie, une prédilection pour les instruments à vent et pour la percussion, dont il révolutionna l'usage. Le premier, il analysa la structure harmonique du son en la décomposant, et, dès 1920, il déclara « travailler avec les rythmes, les fréquences, les intensités ». Sa méthode d'analyse spectrale du son ne fut pas étrangère à son admiration pour l'alchimie et pour Paracelse, dont il plaça un extrait en exergue d'Arcana. Il restitua à l'harmonie son rôle primitif de résonance et de timbre. L'agrégat sonore ne fut plus pour lui un accord avec des fonctions harmoniques, mais un objet fait de superpositions de fréquences où le timbre crée la différenciation des onces, des plans et des volumes, l'intensité étant un élément d'intégration formelle modelant le son dans l'espace et le temps, et le rythme un élément stable, assurant la cohésion.

Dès 1915, Varèse comprit que l'empire sonore pouvait s'étendre au-delà des limites traditionnelles, et rechercha aussi bien des sons inouïs que des nouveaux moyens techniques. La crise de 1929 ne permit pas aux contacts qu'il avait pris avec la Bell Telephone Company, pour la création d'un laboratoire de musique électroacoustique, d'aboutir. Il lui fallut attendre vingt-cinq ans pour réaliser des œuvres sur bande reculant les frontières du monde sonore, remettant en question le tempérament et la distinction entre son et bruit, posant le problème d'une nouvelle écoute et de la spatialisation du son. En fait, dès 1931, avec Ionisation, il avait mis en relation des « événements ou des processus physiques ou chimiques », et souligné son attirance quasi physique pour le son brut. De plus, cette œuvre, liaison entre l'Orient et l'Occident, témoigne de sa quête des sources primitives de la musique et de leur puissance incantatoire (cf. aussi Ecuatorial). Enfin, la sirène témoigne dans Ionisation

Edgar Varèse : « Mourir est le privilège de ceux qui sont épuisés. Les compositeurs d'aujourd'hui refusent de mourir ».

(comme les bruits d'usine dans la bande sonore de *Déserts*) de l'intégration du quotidien dans l'univers de Varèse, qui se déclara plus d'une fois incapable de vivre hors d'une grande ville (New York).

Il employa aussi les instruments traditionnels de façon inusitée, violentant leur nature : nouveaux modes d'attaque, sons rétrogradés dans *Hyperprism* ou *Intégrales ;* oppositions systématiques de tessitures et d'intensités, jeu sonore des clés dans *Densité 21,5 ;* vents utilisés dans des tessitures d'exception dans *Octandre.* Lui-même inventa des instruments : un tambour à friction (rugissement du lion), une machine à vent. Fasciné par la décomposition de la lumière dans les prismes, il tenta d'écrire une musique prismatique décomposant, faisant éclater les sonorités de manière fulgurante *(Hyperprism).* La percussion joue chez lui un rôle de diffraction

de la lumière des cuivres, dans une forme antiphonale à partir d'une cellule de base constituée d'une appoggiature et d'une note pivot, figure chère à Varèse *(Octandre). Intégrales* alla encore plus loin, car cette œuvre fut conçue « pour une projection spatiale du son » et « pour certains moyens acoustiques qui n'existaient pas encore ». Ce fut, en somme, une œuvre d'anticipation, car, pour Varèse, « la musique de demain sera spatiale », « les sons donneront l'impression de décrire des trajectoires dans l'espace, de se situer dans un univers sonore en relief ». Ces routes du son, il les concrétisa dans le *Poème électronique.* Enfin, pour cet alchimiste, pour ce sculpteur du matériau brut, le silence aussi faisait partie de l'univers organisé des sons : en témoigne l'utilisation qu'il en fit dans les dernières mesures d'*Arcana,* ou mieux encore à la fin de *Déserts,* où ce silence doit être battu. Varèse ne fut pas un précurseur de la musique du XXe siècle, mais l'un de ses grands créateurs.

VAUGHAN WILLIAMS *(Ralph),* compositeur anglais (Down Ampney, Gloucestershire, 1872 - Londres 1958). Artisan principal du renouveau de la musique anglaise au XXe siècle, il étudia au Royal College of Music avec Parry (1890-1892), à Cambridge (1892-1895), puis de nouveau au Royal College of Music avec Stanford (1895-96). Il se rendit ensuite pour quelques mois à Berlin, où il travailla avec Max Bruch. En 1895, il avait rencontré au Royal College of Music Gustav Holst, nouant avec lui une profonde amitié. Il réalisa que l'imitation des modèles étrangers ne le mènerait à rien, et sa personnalité se révéla au contact des chansons populaires de son pays, qu'il étudia et traita à la manière de Bartók et de Kodály en Hongrie, et de la musique élisabéthaine et jacobéenne des XVIe et XVIIe siècles.

Il parvint à maturité relativement tard, mais composa jusqu'à son dernier souffle, abordant à peu près tous les genres, des plus modestes aux plus ambitieux. En outre, il participa étroitement, pendant près de soixante ans, à la vie musicale britannique, témoignant d'un sens de la communauté rare au XXe siècle. Souvent en collaboration avec son ami Cecil Sharp, il réunit en tout plus de 800 chansons populaires (la première, *Bushes and Briars,* en 1903). Sa première œuvre restée dans la

VAUGHAN WILLIAMS

mémoire collective est le chant *Linden Lea,* pour voix et piano (1901). Suivirent notamment les *Songs of Travel,* d'après Robert Louis Stevenson (1901-1904), *In the Fen Countries* (1904) et les 3 *Norfolk Rhapsodies,* pour orchestre (1905-1906), et *Toward the Unknown Region,* pour chœur et orchestre, d'après Walt Whitman (1905-1906). De décembre 1907 à février 1908, Vaughan Williams séjourna à Paris, où il étudia avec Ravel (surtout l'orchestration). Sa période d'apprentissage prit fin avec *A Sea Symphony,* pour soprano, baryton, chœur et orchestre, d'après Whitman (1903-1910), et qui est, en fait, la première de ses 9 symphonies. L'œuvre fut exécutée en 1910. La même année, la *Fantaisie sur un thème de Thomas Tallis* consacra la célébrité du compositeur. Citons encore un quatuor à cordes en *sol* mineur (1908-1909), premier fruit des études avec Ravel, le cycle de mélodies *On Wenlock Edge,* d'après Housman (1908-1909), et une musique de scène pour *les Guêpes* d'Aristophane (1909).

A London Symphony (1912-1914) et l'opéra *Hugh the Drover* (1910-1914), qui renouvela le genre de l'opéra-ballade, sont deux œuvres à la fois ambitieuses et d'un bel élan. De la même époque date *The Lark Ascending,* pour violon et orchestre (1914). Après la guerre, qu'il passa en France et à Salonique, Vaughan Williams enseigna au Royal College of Music et devint directeur du Bach Choir (1920-1928). Naquirent alors de nombreuses œuvres reflétant chez lui certains traits qu'on a pu qualifier de visionnaires, et recouvrant des genres et des modes d'expression fort variés : *A Pastoral Symphony* (1916-1922), la messe en *sol* mineur pour chœur a cappella (1920-21), *Flos Campi* pour alto et petit orchestre (1925), l'oratorio *Sancta Civitas* (1923-1925), le concerto pour violon et cordes (*Concerto accademico,* 1924-25), le concerto pour piano (1926-1931 ; rév. 2 pianos, 1946), le *Benedicite* (1929), et le ballet *Job* (1927-1930). Il faut encore mentionner 3 opéras : *Sir John in Love,* d'après Shakespeare (1924-1928, créé en 1929), *The Poisoned Kiss* (1927-1929, créé en 1936), et surtout *Riders to the Sea,* d'après Synge (1925-1932, créé en 1937). Cette période déboucha sur la *Symphonie nº 4* en *fa* mineur (1931-1934, créée en 1935), dont l'âpreté et la violence sont en contraste total avec la douceur modale et le folklore recréé de la *Pastoral.*

Interrogé sur cette œuvre qui surprit, mais dont on avait pu entendre des prémisses dans les épisodes « sataniques » de *Job,* le compositeur eut cette boutade : « Je ne sais si j'aime ça, mais c'est ce que j'ai voulu dire. »

Suivirent notamment *Dona nobis pacem,* cantate pour soli, chœurs et orchestre (1936), *Five Tudor Portraits,* et *Serenade to Music* (1938), ouvrage pour 16 voix solistes et orchestre d'après Shakespeare écrit pour le jubilé de sir Henry Wood en tant que chef d'orchestre. La lumineuse *Symphonie nº 5* en *ré* majeur, créée en 1943 et dédiée « sans permission » (la Finlande et la Grande-Bretagne étaient officiellement en guerre l'une contre l'autre) à Jean Sibelius, transposa sur un plan plus abstrait le message de la *Pastoral* tout en

*Ralph **Vaughan Williams.***

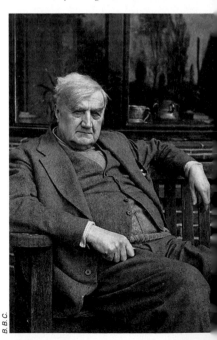

faisant usage d'éléments pris dans un opéra d'après Bunyan entrepris depuis longtemps, mais qui ne devait être achevé qu'en 1949 et créé en 1951, *The Pilgrim's Progress.* Dans le sillage de la *5e Symphonie* se situent, entre autres, *Five Variants of Dives and Lazarus,* pour cordes et harpe (1939), le quatuor à cordes en *la* mineur (1942-1944) et le concerto pour hautbois et cordes (1944).

La *Symphonie no 6* en *mi* mineur (1944-1947, créée en 1948) est souvent considérée comme le chef-d'œuvre de Vaughan Williams. Dramatique et heurtée, elle approfondit le message de la *4e*, et son finale *(Epilogue),* d'un bout à l'autre *pianissimo (senza crescendo),* est l'image même de la désolation. La *Sinfonia antartica* (no 7) fut entreprise en 1949, mais avant son achèvement (1952) et sa création (1953) intervinrent notamment *An Oxford Elegy,* pour récitant, petit chœur et petit orchestre (1947-1949), *Fantasia on the Old 104th,* pour piano, chœur et orchestre (1949), une *Romance,* pour harmonica, cordes et piano (1951) et les *Three Shakespeare Songs,* pour chœur sans accompagnement (1951). En 1953, Vaughan Williams abandonna le poste de premier chef d'orchestre du Leith Hill Festival, qu'il avait occupé depuis 1905 et qui lui avait permis de diriger de mémorables exécutions de Bach, en particulier de la *Passion selon saint Matthieu.* Dans ses dernières années, il écrivit encore la cantate de Noël *Hodie* (1953-54), un concerto pour tuba basse (1954), les *Ten Blake Songs,* pour voix et hautbois (1957), les *Four Last Songs* (1954-1958), une sonate en *la* mineur pour piano et violon (1954), et surtout la *Symphonie no 8* en *ré* mineur (1953-1955, créée en 1956), sorte de concerto pour orchestre témoignant de l'intérêt du compositeur, dans ses dernières années, pour les problèmes de sonorité, et la *Symphonie no 9* en *mi* mineur (1956-57, créée en 1958), d'un pessimisme assez amer.

Il coupa radicalement les ponts avec l'Allemagne et l'Italie, mais sans tomber dans le provincialisme. Au contraire, son ampleur de vue, son nationalisme intelligent, ainsi que sa parfaite connaissance et sa juste appréciation de la société britannique de son temps, dont il réussit à se faire accepter tout en s'attachant sur le plan musical à la faire évoluer à tous les niveaux, lui permirent de donner à son pays ce dont il avait le plus besoin : une tradition contemporaine profonde et authentique, et capable par là de se développer à long terme. Il reste, avant Michael Tippett et Peter Maxwell Davies, le plus grand compositeur qu'ait produit la Grande-Bretagne en notre siècle.

VAUTOR *(Thomas),* compositeur anglais *(? fin XVIe - ? début XVIIe siècle).* En l'absence de toute autre source d'information biographique, on peut seulement déduire de la dédicace de son livre de madrigaux qu'il fut au service de sir George Villiers à Brooksby (Leicestershire), puis à celui de son fils le duc de Buckingham à Goadby. Il obtint, en 1616, le grade de Bachelor of Music à l'université d'Oxford. On ne connaît de ses œuvres qu'un volume de madrigaux, *The First Set, beeing Songs of Divers Ayres and Natures, of Five and Sixe Parts, Apt for Vyols and Voyces* (1619-20), particulièrement intéressants pour leur figuralisme, et qui l'apparentent, stylistiquement, à Weelkes et Wilbye.

VECCHI *(Orazio),* compositeur italien *(Modène 1550 ? - id. 1605).* Il est éduqué à San Pietro de Modène et étudie la musique avec Salvatore Essenga, avant d'être ordonné prêtre. En 1577-78, il accompagne le comte Baldassarre Randoni à Bergame et à Brescia, puis est nommé maître de chapelle de la cathédrale de Salò en 1581. Il exerce les mêmes fonctions à Modène (1584-1586) et à la collégiale de Correggio (Reggio Emilia) de 1586 à 1591, où il est archidiacre en 1591-92. Il effectue, à cette époque, plusieurs séjours à Venise, pour y superviser l'édition de ses œuvres par Gardano et collaborer à la révision du graduel romain. De nouveau maître de chapelle à la cathédrale de Modène en 1593, il participe, par ailleurs, activement à la vie musicale à la cour de Cesare d'Este, qui le nomme « maestro di corte » en 1598, et accompagne en 1600 le cardinal Alessandro d'Este à Rome. Sa fidélité à la ville de Modène (il refuse, en 1603, de succéder à Ph. de Monte à la cour de l'empereur Rudolf II) ne l'empêche pas d'être évincé de son poste en 1604 par un élève envieux, Geminiano Capilupi, et il meurt quelques mois plus tard.

Ce fut un compositeur extrêmement prolifique, à la fois dans les domaines sacré et profane. Ses œuvres religieuses (un livre de motets à 4-8 voix, un livre de messes à 6-8 voix, des lamentations, des hymnes à 4 voix, des *Sacrarum cantionum* 5-8 voix, un *Magnificat*) sont écrites dans un style contrapuntique simple, soucieux de clarté, et il ne néglige pas, dans cette optique, les ressources de l'homophonie. Ce goût pour la simplicité est particulièrement évident dans sa musique profane, qui renferme ses œuvres les plus caractéristiques. Il a publié 6 livres de *Canzonette* (un à 3 voix, quatre à 4 voix, un à 6 voix), 2 livres de madrigaux (un à 5 voix, un à 6 voix), et 4 recueils de pièces récréatives : *Selva di varia recreatione* (1590), *Il Convito musicale* (1597), *Le Veglie di Siena* (1604) et *L'Amfiparnaso* (1597), sans aucun doute son œuvre la plus célèbre. Son intention est de traiter à égalité, tout en les contrastant, le *piacevole* et le *grave*, qui représentent, pour lui, les deux pôles de la vie humaine, et il y parvient en juxtaposant dans la même œuvre une grande variété de formes musicales *(capricci, arie, balli, canzonette, madrigali, serenate, dialoghi, etc.)*, où les éléments pathétiques, parodiques et bouffons foisonnent, en accentuant le plus souvent le côté humoristique. Cette union est particulièrement bien réalisée dans *L'Amfiparnaso*, où l'ensemble des pièces s'insère dans un cadre dramatique (*comedia harmonica* en 3 actes et 1 prologue). Il constitue donc un chef-d'œuvre de synthèse de la musique polyphonique vocale profane italienne du XVIe siècle, à l'heure où le genre dramatique se tourne résolument vers l'ère monodique.

VEJVANOVSKY *(Pavel Josef)*, compositeur tchèque *(Hukvaldy v. 1633 ou v. 1639-Kroměříž [Kremsier] 1693).* Il est parfois désigné sous le nom de Weiwanowski. On retrouve les premiers documents authentiques sur sa vie au collège des jésuites d'Opava, dont il sort en 1660. En 1664, il entre au service de l'évêque d'Olomouc. En 1670, il succède à H. Biber comme maître de chapelle du prince Lichtenstein-Kastelkorn, nouvel évêque d'Olomouc, au château de Kroměříž (Kremsier). Il signait ses compositions du titre de *tubicen campestris*. L'essentiel des manuscrits authentifiés se trouve au château de Kroměříž.

Sa production instrumentale fut très nombreuse, mais l'ensemble de ses manuscrits ne nous est pas parvenu. Il est le plus grand représentant de l'école baroque tchèque et, comme tel, fut profondément influencé par l'école italienne. Ses maîtres semblent avoir été Johann-Heinrich Schmelzer, Pietro-Andrea Ziani et Heinrich Biber. On a retrouvé 33 manuscrits datant de la seule année 1666, année de son mariage avec Anne-Thérèse Miniscator, fille du maire de Kroměříž. Par son style, il relève d'un axe Venise-Vienne. Ses nombreuses sonates sont toutes du type de la canzona italienne ; on y trouve des ébauches de variations, et une écriture particulièrement virtuose pour les instruments à vent. Sa ligne mélodique est souvent pimentée de citations plus ou moins textuelles de thèmes populaires tchèques.

VERACINI, famille de musiciens italiens.
— 1. **Antonio,** violoniste et compositeur *(Florence 1659-id. 1733).* Virtuose fort estimé, il a écrit plusieurs pièces de musique de chambre, ainsi que des oratorios.
— 2. **Francesco Maria,** violoniste et compositeur, neveu et élève du précédent *(Florence 1690-id. 1768).* Enfant prodige, il effectua de brillantes tournées de concerts en Italie, en Angleterre et en Allemagne. Comme compositeur, il écrivit notamment 3 recueils de 12 sonates pour violon, 5 opéras et autant d'oratorios.

VERDI *(Giuseppe),* compositeur italien *(Le Roncole di Busseto 1813-Milan 1901).* Issu d'une famille pauvre, et malgré ses dons évidents, il connut une première formation quelque peu difficile, étudiant et composant déjà au hasard des possibilités d'une petite ville. Grâce au mécénat d'Antonio Barezzi, dont il devait épouser la fille Margherita, il put se rendre à Milan, où, refusé par le conservatoire comme pianiste en raison de défauts techniques rédhibitoires, il y fut au contraire encouragé dans la voie de la composition, et Vincenzo Lavigna lui révéla Mozart et Haydn, cependant que la capitale lombarde et ses théâtres lui permettaient de se familiariser avec les exécutions d'œuvres de Donizetti, Bellini, Vaccai et Rossini.

Il eut la chance exceptionnelle d'obtenir d'emblée une commande de la Scala de Milan, et y fit représenter son premier opéra, *Oberto* (1839), avec un succès suffisant pour se voir aussitôt réclamer une autre œuvre par ce théâtre. Mais, alors qu'il était occupé à la composition de cette nouvelle œuvre — une comédie légère —, sa jeune épouse mourut à la suite de leurs deux enfants ; *Un giorno di regno* (1840) fut un échec à Milan, mais devait, par la suite, connaître quelques succès sur d'au-

*Giuseppe **Verdi** par Charles Geoffroy.*

tres scènes. Grâce à la ténacité de quelques amis, parmi lesquels la cantatrice Giuseppina Strepponi (qu'il épousera en 1859, légalisant ainsi leur longue union), il put surmonter ses épreuves, et il présenta, toujours à la Scala, *Nabuccodonosor* (1842), qui fut un triomphe dû à la violence d'un langage vocal qui marquait la naissance d'un art «populaire» et au large emploi des chœurs symbolisant le peuple (l'influence du *Moïse* de Rossini y est patente); mais ce succès fut aussi fonction des prolongements patriotiques du sujet, la Lombardie ployant alors sous le joug de la répression autrichienne. *Les Lombards* (1843) s'inspirèrent de cette même veine épique d'un grand opéra à fond historique, mais ce n'est qu'avec *Ernani*, d'après Hugo (Venise, 1844), que Verdi put enfin affirmer ses dons dramatiques accordés aux situations typiques du romantisme latin, avec ses amours irréalisables, le sacrifice final du héros — ou de l'héroïne —, ses arrière-plans politiques ou humains, cependant que l'action, resserrée au maximum, accordait encore la priorité aux schémas musicaux d'un type d'opéra toujours tributaire d'une souveraineté vocale quasi inaltérée.

Désormais célèbre, Verdi allait devoir écrire un ou plusieurs opéras par an, sans cesse sollicité par les grandes scènes italiennes, et déjà réclamé à l'étranger. En 1847, il fit créer *I Masnadieri* à Londres (avec Jenny Lind) et à Paris *Jérusalem* (avec Duprez). Durant ces «années de galère», la production de Verdi fut parsemée d'éclatantes réussites et d'échecs : il s'agissait, en fait, d'œuvres parfois inégales en elles-mêmes, mais dont bien souvent le succès ou la chute fut le fait des interprètes, insuffisamment préparés à un langage fort nouveau, et choisis avec plus ou moins de discernement. Ces œuvres du «jeune Verdi», récemment remises en question avec des critères plus objectifs que ceux des générations précédentes, font apparaître la qualité exceptionnelle de nombreuses pages dans *Giovanna d'Arco, I Due Foscari, Attila, Alzira* ou *Il Corsaro,* opéras où l'orchestre joue souvent un très grand rôle, et dont les choix entendus politiques déterminèrent de nombreux choix. *Macbeth*, en 1847, marquait, dans l'évolution dramatique du compositeur, un tournant que confirma *Luisa Miller,* d'après Schiller, en 1849. Ce n'est toutefois qu'avec *Rigoletto*, en 1851, puis en 1853 avec *le Trouvère* et *La Traviata* (dits «la trilogie populaire») que Verdi fut enfin tenu pour le compositeur vivant le plus célèbre de l'Italie, et probablement du monde entier.

Sa situation matérielle assurée, il put désormais consacrer plus de temps à la composition de chaque œuvre, choisir ses sujets avec plus de soin, discuter de plus en plus âprement la rédaction du livret et surtout prendre en main le soin de l'exécution de ses opéras. L'échec initial de *La Traviata* se mua ainsi en un triomphe l'année suivante. En 1855, pour la première Exposition universelle, c'est Verdi qui fut convié à écrire une œuvre nouvelle *(les Vêpres siciliennes)* pour l'Opéra de Paris, mais l'échec de *Simon Boccanegra* à Venise en 1857 lui prouva que le public n'était pas encore disposé à accepter un type d'opéra où la profondeur psychologique l'emportât sur le chant pur, à l'heure où l'engagement politique des œuvres antérieures n'avait plus sa raison d'être.

Le Trouvère *de* **Verdi,** *décor de Luigi Morgeri. (Musée de la Scala, Milan.)*

Alors qu'*Un bal masqué* triomphait à Rome (1859), Verdi, considéré comme l'un des héros du Risorgimento, fut élu député de Busseto et reçu à Turin par Victor-Emmanuel II (V. E. R. D. I. avait été, pour les libertaires italiens, le sigle de Victor-Emmanuel Roi D'Italie). Il revint à la composition pour donner, en 1862, *la Force du destin* à Saint-Pétersbourg, mais le rythme de sa production devait alors se ralentir singulièrement ; après avoir remanié *Macbeth* en 1865, il écrivit en français pour l'Opéra de Paris *Don Carlos* (1867), qui

triompha en version italienne à Londres et en Italie ; mais *Aïda,* créée au Caire en 1871 avec un luxe inouï (et des émoluments jamais offerts à un compositeur), consacrait une gloire mondiale sans rivale. Après un grandiose *Requiem* écrit à la mémoire de Manzoni (1874), Verdi, contesté par la nouvelle vague des musiciens italiens, se réconcilia avec son adversaire de naguère, Arrigo Boito, et, requerrant sa collaboration en tant que poète, fit triompher une version remaniée de *Simon Boccanegra* (1881) et lui confia la rédaction des livrets d'*Otello* (1887) et de *Falstaff* (1893), partitions qui affirmaient la jeunesse étonnante et l'effort de renouvellement de cet octogénaire. Après la mort de Giuseppina Strepponi (1897), Verdi terminait en 1898 ses *Pièces sacrées*. Demeuré sans héritier, il fonda la Maison de repos des musiciens, à Milan, où il mourut le 27 janvier 1901. Après les obsèques sobres qu'il avait désirées, le transfert de ses cendres à cette maison de repos, le 27 février, fut célébré par près de 900 exécutants que dirigeait Arturo Toscanini.

Si la vie du musicien, hormis les déboires et les deuils de sa jeunesse, ne comporte aucun fait saillant, sa carrière de compositeur de soixante années représente un arc évolutif presque unique dans l'histoire de la musique : ses premières œuvres furent créées dans l'ambiance aristocratique de la Lombardie autrichienne encore attachée aux derniers feux du bel canto, et les dernières furent postérieures à l'affaire Dreyfus, à l'invention du cinéma et du disque, alors que Moussorgski, Mahler ou Debussy avaient déjà totalement bouleversé les lois de l'écriture musicale et que le vérisme avait envahi la scène italienne, le bel canto ayant fait place à un chant plus héroïque et déclamatoire. Si l'on oublie les premières œuvres de Verdi démarquant

*Giuseppe **Verdi** par Boldini.*
(Galerie d'Art moderne, Rome.)

Scala

mal les opéras de Mercadante, et en laissant à part le recueillement sublime des *Pezzi sacri*, ainsi que le renouvellement proprement incomparable de *Falstaff*, cette véritable évolution le conduisit de *Nabucco* à *Otello*, soit d'un drame aux structures isolées, avec ses chœurs figés, ses grandes arias triparties (récit-air-cabaletta) et son extrême virtuosité en même temps que sa puissance impétueuse, à la parfaite expression du drame lyrique plus déclamé, à peu près conçu selon la formule du discours continu, avec son harmonie plus originale coulée sur les modèles français et allemand, mais demeurant quelque peu en retrait, ainsi que le nota Stravinski, par rapport au Verdi populaire des premières années.

Pourtant, dans l'un et l'autre cas, la personnalité et la puissance de Verdi empoignent de la même façon, et ce sens de la grandeur est tout autant décelable dans les accents patriotiques et la « vocalité » débridée de *Nabucco,* d'*Attila,* d'*Ernani* ou du *Corsaire* que dans les fines ciselures d'*Aïda* et d'*Otello.* Or, cette grandeur ne réside certes pas dans l'adhésion de Verdi au drame lyrique par renoncement à l'opéra traditionnel, un phénomène largement européen dont le xxe siècle remettra largement en question le bien-fondé ; ni dans la qualité de ses livrets, car il reste à démontrer si les vers de Boito furent plus efficaces que ceux de Piave ou de Cammarano, collaborateurs des premières années. En revanche, la recherche d'une inspiration due à Schiller, Shakespeare, Gutierrez ou Hugo semble plus significative de la part d'un musicien qui désirait avant tout des « situations fortes », où la déraison du romantisme autorisait tout, où la politique même fut d'abord au service de l'humain. Cette recherche de l'efficacité dramatique ne put, toutefois, aller sans causer quelque dommage au support essentiel de l'opéra italien, le chant : ayant voulu plier les impératifs du bel canto à son souci de violence et d'héroïsme dans la caractérisation des personnages — un domaine où Verdi n'eut comme seul maître que Mozart —, il dut peu à peu renoncer à la coloratura que ne savaient plus manier des chanteurs dont il avait requis des effets de puissance alors inconnus, notamment par l'enrichissement d'un orchestre souvent amené à doubler à l'unisson la ligne de chant, ainsi qu'en avaient usé Spontini et Weber.

▲
*Giuseppe **Verdi** dirigeant la répétition
d'une messe à l'Opéra-Comique à Paris.*

Affiche-programme pour Otello *de **Verdi**
représenté au Casino municipal de Nice.*
▼

Dans le domaine vocal, on peut dire que Verdi tenta de concilier l'inconciliable en abaissant peu à peu les tessitures vocales récemment haussées par Bellini et par Donizetti, mais en exigeant de voix plus dramatiques la même souplesse, les mêmes effets de tendresse pathétique et la même maîtrise des nuances dans leur registre aigu. Sur le plan dramatique, l'efficacité verdienne réside d'abord dans la concision du livret, dans l'introspection psychologique de l'humain *(cf. Rigoletto, La Traviata* et surtout *Don Carlos)* et dans la création de conflits où s'interpénètrent les thèmes de l'amour, mais aussi de l'amitié *(Un bal masqué, Don Carlos)* ou de la politique. Les affrontements de Boccanegra et Fiesco, de Philippe II et l'Inquisiteur comptent parmi les grandes réussites dramatiques de tous les temps. C'est sans aucun doute cette concentration sur les personnages qui conduisit Verdi à réduire, dès *Rigoletto,* le rôle de l'orchestre, à moins qu'il ne lui assignât une fonction plus essentielle dans le support de leitmotive (avant l'expérience wagnérienne) d'une sobre efficacité : celle qui

brille essentiellement dans les chefs-d'œuvre étendus de la «trilogie populaire» à *Don Carlos,* autant d'aboutissements suprêmes du drame romantique dans la plus parfaite conjugaison de l'exaltation des passions et d'une riche profusion lyrique.

VERMEULEN *(Matthijs),* compositeur néerlandais *(Helmond 1888-Laren 1967).* Autodidacte, il ne fut qu'encouragé par Diepenbrock et Daniel de Lange qui lui révèlent, par ailleurs, Wagner et, plus tard, Schönberg. Ses premières symphonies, atonales et polymélodiques, se heurtèrent à l'incompréhension et à l'hostilité des chefs d'orchestre. De dépit, il se fixa en France pendant vingt-cinq ans. Critique musical passionné et impulsif, il exerça néanmoins une action stimulante sur la renaissance de la conscience musicale de son pays. Ses dernières œuvres, écrites après la guerre, comportent des sous-titres qui sont autant de programmes en marge de l'actualité *(les Victoires, Les lendemains qui chantent, les Minutes heureuses).* En dehors de ses 7 symphonies, il n'a écrit que quelques pièces de musique de chambre, quelques mélodies et la musique de scène pour *le Hollandais volant* de Nijhoff. Il est l'auteur de plusieurs traités (*2 Musiques, Sound Board, Principes de la musique européenne, la Musique, un miracle,* etc.). Il fut, avec Willem Pijper, le plus important compositeur néerlandais de sa génération.

VICTORIA *(Tomás Luis de),* compositeur espagnol *(Ávila v. 1548/1550-Madrid 1611).* Élève du collège germanique de Rome en 1565, comme plusieurs de ses compatriotes, il semble avoir fait auparavant partie de la maîtrise de sa ville natale, mais les documents précis manquent sur cette première partie de sa vie.

À Rome, Victoria, qui, parallèlement à sa formation musicale, poursuit des études de théologie, a pour principal maître Palestrina et se lie d'amitié avec ses deux fils. L'influence de l'illustre polyphoniste est d'ailleurs si forte sur l'élève que celui-ci va jusqu'à imiter ses manières et son habillement. En 1569, Victoria est chanteur et organiste en l'église Santa Maria di Montserrato, puis, de 1573 à 1578, occupe le poste de maître de chapelle au Séminaire romain (où il remplaçait Palestrina). Son *Premier Livre de motets,* paru en

1572, est dédié à Jacobus de Kerle, maître de chapelle du cardinal Otto von Waldbourg, qui joue sans doute un rôle dans les études musicales du jeune Espagnol.

En 1575, Victoria reçoit les ordres mineurs et est ordonné prêtre; quatre ans plus tard, il entre comme chapelain au service de l'impératrice Marie, fille de Charles Quint et veuve de Maximilien II d'Autriche (il devait conserver cette fonction plus de vingt ans durant, indépendamment d'une autre charge de chapelain qui le lie à San Girolamo della Carità et où il va collaborer avec saint Philippe Neri). Après un retour à Madrid en 1587, il revient en Italie, pour un nouveau séjour à Rome de 1592 à 1594. Il y dédie son *Deuxième Livre de messes,* de 4 à 8 voix, au cardinal Albert d'Autriche, fils de l'impératrice Marie retirée au couvent des Déchaussées royales de Madrid. En 1596, Victoria reprend auprès de celle-ci ses fonctions de chapelain, jusqu'à la mort de sa protectrice, survenue en 1603 (il écrit, à cette occasion, une *Messe de requiem).*

Les dernières années du musicien restent obscures. Toujours attaché au couvent des Déchaussées royales comme chanteur et simple organiste, Victoria, devenu aveugle, paraît avoir voulu terminer sa vie dans l'anonymat le plus total, lui qui, par humilité, n'a jamais recherché de poste officiel à Rome. Aussi bien, quand il meurt en 1611, est-il pratiquement oublié en Espagne, tout autant qu'en Italie.

L'œuvre de Victoria est le monument le plus important de toute la polyphonie ibérique. D'un point de vue quantitatif, cette production — vingt *messes* et quarante-quatre *motets,* entre autres — ne peut soutenir la comparaison avec celles de Palestrina et de Roland de Lassus. Mais elle ne leur est nullement inférieure du point de vue de la qualité d'écriture et les surpasserait même quant à l'intensité du sentiment religieux. À cet égard, et plus encore que les *messes* et *motets,* les deux sommets du polyphoniste sont l'*Office de la semaine sainte* et l'*Office des morts (Officium Hebdomadae Sanctae* et *Officium defunctorum)* qui comptent certainement parmi les moments sublimes et poignants de toute la musique sacrée occidentale. Nourri des principes esthétiques chers à la Contre-Réforme, comme à son modèle Palestrina, Victoria, qui œuvra exclusivement au service de la liturgie catholique, se propose toujours d'édifier, d'émouvoir et d'élever l'esprit de son auditoire « jusqu'à la contemplation des saints mystères » (et, en cela, il rejoint aussi les préoccupations de saint Philippe Neri). Dans cette perspective, sa musique, qui n'emprunte jamais ses thèmes au répertoire profane (les *messes-parodies* en sont absentes), mais seulement au plain-chant ou à des motifs dérivés de lui, reste éprise de naturel et de simplicité. Ainsi récuse-t-elle le style savant, compliqué et parfois surchargé d'imitations des Franco-Flamands, au contraire de son aîné Morales. En fait, elle est l'équivalent exact de l'itinéraire spirituel d'une Thérèse d'Ávila ou d'un Jean de la Croix.

Seul un mystique de l'envergure de Victoria — si proche, par bien des points, des délires visuels du Greco et toujours guidé par le génie de la race — pouvait réussir cette transposition visionnaire de la vie intérieure et rendre les élans sacrés de l'âme espagnole, naturellement portée vers l'adoration, la compassion et la ferveur brûlante.

VIERNE *(Louis),* organiste et compositeur français *(Poitiers 1870 - Paris 1937).* Presque aveugle de naissance, il entre comme pensionnaire à l'Institut des jeunes aveugles de Paris. Durant neuf années, il y apprend la musique, en particulier le piano, l'orgue, le chant choral, et même le violon pour en tenir la partie dans l'orchestre de l'Institut.

César Franck prend Vierne sous sa protection. En 1889, il le fait entrer comme auditeur dans sa classe d'orgue du Conservatoire. À la mort de Franck, l'année suivante, Widor, qui lui succède au Conservatoire, apporte à Vierne formation, conseils, amitié et aide matérielle. En 1892, il le prend comme répétiteur dans sa classe d'orgue : Vierne assurera pendant dix-sept ans, auprès de Widor, puis de Guilmant, ces fonctions de professeur bénévole. Il compte parmi ses élèves M. Dupré, M. Duruflé, B. Gavoty, E. Souberbielle. Cependant, en 1911, il sera écarté de la succession de Guilmant au profit de Gigout. En 1894, Vierne a fini par obtenir, malgré des cabales, le premier prix d'orgue et d'improvisation au Conservatoire. Widor lui confie sa suppléance aux orgues de Saint-Sulpice. En 1900, il est choisi à l'unanimité au concours pour le poste d'organiste à Notre-Dame de Paris. Ses talents d'interprète et d'improvisateur lui valent la célé-

Louis Vierne à l'orgue.

brité et attirent d'innombrables auditeurs à Notre-Dame. La guerre de 1914 lui enlève un fils et son frère René Vierne, organiste de Notre-Dame-des-Champs et auteur d'une *Méthode d'harmonium.* De 1920 à 1930, il donne des séries de concerts internationaux. Cependant, sa santé est usée par des difficultés de toutes sortes ; ses yeux exigent des soins pénibles. À l'âge de soixante-six ans, il donne à Notre-Dame son 1 750e récital : au moment d'improviser, il est terrassé par la mort qui le saisit, selon ses vœux, aux claviers de ses grandes orgues.

Il laisse une œuvre importante. Sa musique pour orgue ne représente qu'une partie, mais la plus originale, de ses compositions. Son style, influencé par celui de son maître Widor, est marqué par l'immense instrument qui lui impose de larges plans contrastés, où apparaissent, en alternance, des thèmes lyriques révélant toute sa sensibilité. Pour orgue, il compose 6 symphonies, de 1898 à 1930. La *3e Symphonie pour orgue* op. 28, écrite en 1911 et dédiée à Marcel Dupré, est considérée comme son chef-d'œuvre. Sont encore écrits pour l'orgue : *24 Pièces en style libre* (1913), *24 Pièces de fantaisie* (1926-27), 2 messes basses (1912, 1934), un *Triptyque* (1929-1931) ; on peut ajouter la *Marche triomphale* avec cuivres et timbales pour la célébration du centenaire de la mort de Napoléon.

Il écrit aussi des pièces pour piano : *Suite bourguignonne* (1899), *Nocturnes* (1916), *Solitude* et *Silhouettes d'enfants* (1918), *12 Préludes* (1921), de la musique de chambre (sonates pour piano et cordes, quatuor, quintette avec piano) ; de la musique orchestrale (1 symphonie, 1907-1908), et vocale (des œuvres lyriques avec orchestre, d'après Victor Hugo, *les Djinns,* 1912, et *Psyché,* 1914), et des mélodies (Verlaine, Leconte de Lisle, Baudelaire, Sully Prudhomme, Richepin).

VIERU *(Anatol),* compositeur roumain *(Iasi 1926).* Il a étudié, de 1946 à 1951, au conservatoire de Bucarest (notamment l'harmonie avec Constantinescu) et, de 1951 à 1954, à celui de Moscou (notamment la composition avec Khatchatourian), et, de 1947 à 1950, il a été chef d'orchestre au Théâtre national de Bucarest. Depuis 1955, il enseigne la composition et l'orchestration au conservatoire de Bucarest. Parti d'un folklore modal, il a adopté ensuite certaines techniques aléatoires. On lui doit notamment 1 concerto pour orchestre (1955), 1 concerto pour violoncelle (1962) et 1 pour violon (1964), 3 symphonies (1966-67, 1973, 1977-78), *Écran* (1969, joué à Royan en 1970) et *Clepsidra I* (1968) et *II* (1972), pour orchestre, 1 concerto pour clarinette (1975) et 1 pour violon et violoncelle (1980), de la musique vocale, et, comme œuvres de chambre ou pour ensemble de chambre, 3 quatuors à cordes (1955, 1956, 1973), *le Crible d'Ératosthène* (1969), 1 sonate pour piano (1976).

VIEUXTEMPS *(Henri),* violoniste et compositeur belge (Verviers 1820 - Mustapha, près d'Alger, 1881). Il prend ses premières leçons avec son père et avec un musicien local. À six ans, il joue en public un concerto de Rode. L'année suivante, Bériot, impressionné par ses dons, l'emmène à Paris et le prend comme élève. En 1831, après le départ de Bériot pour l'Italie, il revient à Bruxelles. En 1833, il fait un voyage en Allemagne où il obtient un grand succès et rencontre Spohr. Il passe l'hiver à Vienne où il travaille le contrepoint avec Sechter, et, en 1834, fait la connaissance de Paganini à Londres. En 1835, il étudie la composition avec Reicha à Paris. De cette époque datent ses premières œuvres. En 1837, il va à Vienne. Il voyage également en Russie (1838) et en Amérique (1844). De 1846 à 1852, il est violon solo du tsar et professeur au conservatoire de Saint-Pétersbourg. Il fait plusieurs tournées aux États-Unis, en 1857-58 avec Thalberg, et en 1870-71. De 1871 à 1873, il enseigne au conservatoire de Bruxelles, où il a Ysaye pour élève.

Chef de l'école belge du violon, il a surtout composé pour son instrument. Si ses transcriptions et fantaisies, écrites pour mettre en valeur la virtuosité de l'interprète, sont aujourd'hui démodées, certains de ses concertos — notamment le 4e en *ré* mineur op. 31, que Berlioz appelait « une magnifique symphonie avec violon principal », et le 5e en *la* mineur op. 37 — sont encore maintenant au répertoire des plus grands violonistes.

VILLA-LOBOS *(Heitor),* compositeur brésilien *(Rio de Janeiro 1887 - id. 1959).* Le père du compositeur, Raul Villa-Lobos, d'origine espagnole, faisait autorité en matière d'histoire, cultivait la musique, ce qui lui permit d'enseigner le violoncelle et la clarinette à son fils. Sa mère, Noemia, continua son éducation après la mort de Raúl en 1899. À Rio de Janeiro, Villa-Lobos connut la musique de salon importée d'Europe, mais aussi celle des musiciens populaires. Sa famille voulait l'orienter vers d'autres activités, mais il persévéra et devint guitariste dans des ensembles de musiciens de « chôros ».

Ses premières compositions datent de ses quatorze ans. Quant aux auteurs classiques, cet autodidacte en avait déchiffré seul les partitions : Bach l'avait attiré dès son plus jeune âge. Devenu violoncelliste dans l'orchestre du théâtre Recreio, il jouait un répertoire des plus variés, constitué d'opéras, d'opérettes et de zarzuelas. En 1905 commença l'ère des voyages à l'intérieur du Brésil. Guidé par un instinct infaillible, il apprit à concevoir l'âme sonore brésilienne, à partir de chants de primitifs indiens, de rythmes des Noirs de Bahia, de chansons populaires urbaines et rurales. S'il fut influencé par Wagner et Puccini pour la mélodie, par Vincent

*Heitor **Villa-Lobos** à sa table de travail.*

__Villa-Lobos__ par Dolbin (1957).

chaleureuses, ainsi que Paul Le Flem et René Dumesnil contribuèrent à asseoir sa renommée. Arthur Rubinstein, ami de la première heure au Brésil, lui trouva un éditeur, Max Eschig. Les *Chants typiques brésiliens, la Famille du bébé,* le *Rude-poema, Amazonas,* le *Nonetto,* les *Chôros,* faisaient partie d'un arsenal sauvage destiné à conquérir les auditoires. Les grands *Chôros,* ses pièces les plus novatrices, dominaient cet ensemble. De retour au Brésil en 1930, il partagea ses activités entre la composition et une œuvre pédagogique importante. Fixé à Rio de Janeiro pour y diriger la Superintendance de l'éducation musicale et artistique, il devait s'affirmer comme un animateur aussi infatigable qu'efficace, dirigeant de nombreux concerts, organisant l'enseignement musical dans les écoles. Ses programmes laissaient toujours une large place à la musique française; des pages d'Honegger, Milhaud, Ravel, Roussel, Schmitt, Poulenc connurent ainsi leur création au Brésil. Il

d'Indy, plus tard par Debussy et par Stravinski, la question des influences allait graduellement perdre son sens chez un créateur qui possédait la musique en lui-même. Les œuvres de Villa-Lobos commencèrent à être jouées en 1915. En 1917, la composition d'*Amazonas* et de *Uirapuru* établit un genre qu'il allait exploiter à diverses étapes de sa vie créatrice, celui du poème symphonique amazonien et primitif, du kaléidoscope sonore débordant de vie rythmique et de virtuosité instrumentale.

Une série de 5 symphonies vit le jour entre 1916 et 1920. Trois d'entre elles furent marquées par les événements mondiaux : la 3e *(la Guerre),* la 4e *(la Victoire),* la 5e *(la Paix).* En 1923, le compositeur vint à Paris, où sa musique, jouée devant des salles souvent houleuses, fut loin de passer inaperçue et lui valut de durables amitiés dans le monde artistique. Florent Schmitt, par ses critiques pertinentes et

820

Villa-Lobos dirigeant l'Orchestre national de la Radiodiffusion française.

fonda le Conservatoire de chant orphéonique et dirigea des ensembles choraux impressionnants, dans des stades. En 1942, quarante mille écoliers chantèrent ensemble sous sa direction.

L'orientation que prenait son art vers l'universalité se cristallisa avec la série des neuf *Bachianas brasileiras,* élaborées, comme les *Chôros,* pour les formations les plus inattendues, tandis que le recueil du *Guide pratique* de pièces pour piano, chant et chœurs contribua à la diffusion du folklore brésilien. Interrompu pendant vingt-quatre ans, le cycle des symphonies reprit en 1944 avec la 6e, inspirée par les montagnes du Brésil, pour se terminer avec la 12e en 1957. À partir de 1940, Villa-Lobos entreprit des tournées de concerts à travers les Amériques ; après la guerre, il partagea sa vie entre le Brésil, les États-Unis et l'Europe, principalement Paris. Dirigeant lui-même ses œuvres, il donna des concerts restés mémorables, effectua des enregistrements, avec l'Orchestre national de la Radiodiffusion française. En 1952, la première audition intégrale de *la Découverte du Brésil* fut ainsi réservée au public parisien. D'autres premières suivirent. Sa musique gagnait en lyrisme et en universalité ; il reçut de nombreuses médailles et distinctions de plusieurs pays d'Europe et d'Amérique. Les dernières années furent également consacrées à parachever une création multiforme : quatuors à cordes, chœurs, poèmes symphoniques, symphonies, opéras. C'est au moment où le catalogue d'Heitor Villa-Lobos approchait du chiffre de mille œuvres que le destin arrêta le cours du fleuve d'inspiration le plus tumultueux et le plus fécond de la musique du xxe siècle.

Deux femmes avaient partagé la vie du compositeur : la pianiste Lucilia Guimarães, qu'il avait épousée en 1913, puis Arminda Neves d'Almeida, dédicataire de presque toutes ses œuvres à partir de 1930 ; portant aujourd'hui son nom, elle assume, depuis 1960, la direction du musée

Villa-Lobos créé par les autorités brésiliennes, dans le cadre du ministère de l'Éducation et de la Culture à Rio de Janeiro. Heitor Villa-Lobos fut le premier musicien brésilien à connaître une renommée mondiale, sa musique est à l'image de l'infinie diversité physique et humaine de son pays, contenant des descriptions typiques et humoristiques, des créations très élevées, dans une recherche instrumentale constante, avec une harmonie très libre, opposant timbres, rythmes et tonalités. En dehors de ses harmonisations, il ne cita jamais de thèmes, traduisant ce qu'il avait assimilé par tous ses sens en un langage personnel. « Le folklore, c'est moi ! », avait-il déclaré. Sa musique orchestrale se situe au sommet de sa production, mais il avait le don de rester lui-même, de conserver la même richesse de sonorité, dans tous les genres abordés. Même lorsque sa musique exprime ce type de mélancolie née sous les tropiques, de terribles torpeurs ou de sourdes luttes, elle laisse volontiers la joie dominer le drame, cette joie jaillissant spontanément d'une contemplation panthéiste de l'univers.

VINCI *(Leonardo),* compositeur italien *(Strongoli, Calabre, v. 1690 ou 1696-Naples 1730).* Il étudia à partir de novembre 1708 au conservatorio dei Poveri di Gesù Cristo de Naples et devint, en 1719, maître de chapelle du prince de Sansevero, puis, en 1725, à la mort d'Alessandro Scarlatti, *pro-vicemaestro* à la chapelle royale, poste qu'il devait occuper jusqu'à sa mort.

Son premier opéra connu, la comédie en dialecte napolitain *Le Doje Lettere,* est de 1719. Dans la même veine, il écrivit notamment *Lo Cecato fauzo* (1719), *Lo Barone di Trocchia* (1721), *Don Ciccio* (1721), *La Mogliera fedele* (1724), mais seule la partition de *Le Zite 'n galera* (1722) a survécu. Son grand domaine fut l'*opera seria.* Là, il sut allier la musique à la poésie en simplifiant la mélodie, tout en témoignant d'un grand souci du détail, attirant ainsi l'attention de l'auditeur sur la beauté de la ligne vocale. De *Publio Cornelio Scipione* (1722) à *Artaserse* (1730), son plus grand succès (livret de Métastase), il ne composa en ce genre pas moins de 24 ouvrages qui font de lui, plus encore que d'Alessandro Scarlatti, le père de l'école napolitaine de la fin du XVIIIe siècle. Citons *Semiramide* (1723), *Ifigenia in Tauride* (1725), *Didone abbandonata* (1726), ou encore *Catone in Utica* (1728).

VIOTTI *(Giovanni Battista),* violoniste et compositeur italien *(Fontanetto da Po 1755 - Londres 1824).* Élève de Pugnani, ce qui fit de lui le dernier grand représentant d'une tradition violonistique remontant à Corelli, il fut violoniste dans l'orchestre de la cour de Turin de 1775 à 1780. En 1780-81, il accompagna Pugnani dans une tournée européenne, puis arriva seul à Paris, débutant au Concert spirituel le 17 mars 1782, et s'imposant immédiatement comme le premier violoniste de son temps. Il resta dans la capitale française jusqu'en 1792, entrant au service de Marie-Antoinette en 1784, dirigeant quelque temps l'orchestre du prince de Rohan-Guéménée, prenant en 1788, grâce au patronage du comte de Provence (futur Louis XVIII), la direction d'un nouveau théâtre d'opéra, le théâtre de Monsieur (plus tard théâtre Feydeau). À l'issue de ces années parisiennes, il avait

Villa-Lobos : « Le folklore, c'est moi ».

Rapho

à son actif dix-neuf de ses vingt-neuf concertos pour violon.

En juillet 1792, il se réfugia à Londres, faisant ses débuts à un concert de Johann Peter Salomon le 7 février 1793. Durant la saison 1794, il participa aux mêmes concerts que Haydn, et pour celle de 1795, assuma la direction d'une nouvelle entreprise, l'Opera Concert (c'est là que furent créées les trois dernières symphonies de Haydn, nos 102 à 104).

Accusé de menées jacobines, il dut quitter l'Angleterre pour Hambourg en 1798, mais en 1801 au plus tard, il était de nouveau à Londres. Il abandonna alors la musique pour se livrer au commerce du vin. Il fut néanmoins l'un des fondateurs, en 1813, de la Royal Philharmonic Society. Ayant fait faillite en 1818, il fut nommé par Louis XVIII directeur de l'Opéra de Paris, mais il démissionna en 1821 et retourna à Londres en 1823.

Comme violoniste, Viotti peut être considéré comme le fondateur de l'école française de violon de la fin du xvIIIe siècle et du début du xIxe (Rode, Kreutzer, Baillot). Le premier des trois fut son élève, les deux autres comptèrent parmi ses disciples, et la *Méthode de violon* de Rode, Kreutzer et Baillot (1803) ainsi que *l'Art du violon, nouvelle méthode* de Baillot (1834) reflètent largement ses principes.

Le jeu de Viotti était large et puissant. Comme compositeur, il écrivit essentiellement pour son instrument. On ne possède de lui aucune œuvre pour le théâtre, et ses quelques airs sont d'importance secondaire. Quant à ses pages pour piano, ce sont des arrangements, sauf peut-être les trois sonates op. 15. Ses duos pour deux violons, ses trios pour deux violons et basses, ses sonates pour violon et basse et ses quatuors à cordes (ces derniers relèvent du genre quatuor concertant et font la part belle au premier violon) ne manquent pas de valeur, mais son importance réside essentiellement dans ses vingt-neuf concertos.

Les dix derniers concertos, écrits à Londres, en particulier le 21e en *mi* majeur (avec lequel il fit ses débuts dans cette ville), le 22e en *la* mineur (ressuscité dans la seconde moitié du xIxe siècle par Joseph Joachim), et le 24e en *si* mineur (1795), témoignent des mêmes qualités dramatiques que les précédents, mais aussi d'une orchestration plus fournie et d'un lyrisme jusqu'alors inhabituel.

VISÉE *(Laurent Robert de)*, compositeur et joueur de théorbe français *(? v. 1650-? v. 1725)*. On suppose qu'il fut l'élève de l'Italien Francesco Corbetta, auquel il dédia par la suite un *Tombeau*. Il a publié trois livres d'œuvres pour la guitare (1682, 1686, 1689). Ainsi qu'il ressort de la préface de son premier livre, dédié à Louis XIV, il était fréquemment invité à se produire devant le roi et le dauphin. En 1709, il fut nommé chanteur de la Chambre. De 1719 à 1721, il fut maître de musique du roi, poste auquel son fils François lui succéda. Les œuvres de Robert de Visée sont des suites constituées de morceaux usuels (allemande, courante, sarabande, gigue), mais se terminant habituellement par une gavotte, une bourrée ou un menuet.

VITALI, famille de compositeurs italiens.
— 1. **Giovanni Battista** *(Bologne 1632-Modène 1692)*. Élève de Maurizio Cazzati, il fut maître de chapelle de San Rosario à Bologne, puis s'établit à Modène, où il dirigea la chapelle du duc d'Este de 1684 jusqu'à sa mort. Il composa des oratorios et des cantates, et surtout de la musique instrumentale nourrie d'influences diverses.
— 2. **Tommaso Antonio,** dit Vitalino, fils du précédent *(Bologne 1663 - Modène 1745)*. Il débuta à douze ans comme violoniste de la chapelle ducale de Modène. Son œuvre de compositeur est peu abondante, mais il forma de nombreux disciples dont son propre fils **Fausto,** maître de chapelle de la cour pendant un quart de siècle.

VIVALDI *(Antonio Lucio)*, compositeur italien *(Venise 1678 - Vienne 1741)*. Fils d'un violoniste attaché à la basilique Saint-Marc de Venise, violoniste lui-même, il fut tonsuré à quinze ans et ordonné prêtre à vingt-cinq. Atteint d'une maladie chronique que l'on suppose être de l'asthme, celui que Venise surnomma « le Prêtre roux », en raison de sa blondeur « vénitienne », sut se faire exempter de ses devoirs ecclésiastiques dès 1703 et put, dès lors, se consacrer à la composition et à l'enseignement. Nommé responsable musical à la Pietà (hospice réservé aux orphelines et enfants illégitimes de la ville), il devait, en dépit d'interruptions parfois très longues (plus de deux ans à Mantoue entre 1718 et 1720), rester fidèle à cette fonction jusqu'en 1740.

Il voyagea pourtant de plus en plus comme virtuose et compositeur (Rome,

1722 et 1724, où il joua devant le pape ; probablement Dresde et Darmstadt ; sûrement Amsterdam, où l'essentiel de son œuvre fut publié ; Florence, Prague, Vienne, enfin, où il mourut, oublié et dans la misère). À la Pietà, il devait former des élèves, entretenir un orchestre (vite réputé dans l'Europe entière), et composer à l'intention des concerts publics que l'hospice offrait le dimanche.

À ces occupations, déjà considérables pour un homme se plaignant sans cesse de sa santé vacillante, il ajouta, dès 1713, une débordante activité d'impresario et de compositeur d'opéras, domaine dans lequel il acquit une autorité suffisante pour susciter des rivalités tenaces et même un pamphlet, rédigé contre lui par Benedetto Marcello (*Il Teatro alla moda,* 1720).

Cette consécration dans tous les genres (car il fut également fécond en matière de musique religieuse) devait conférer au compositeur une gloire internationale sans doute sans précédent dans l'histoire de la musique. Tous les touristes passant par Venise cherchèrent à voir et à entendre le « Prêtre roux », de Edward Wright au violoniste Pisendel en passant par le flûtiste J. J. Quantz, l'épistolier De Brosses ou le roi Frédéric IV du Danemark. Ainsi possédons-nous de nombreux et précieux témoignages sur ce qu'était la vie musicale à Venise dans la première moitié du xviiie siècle et sur l'effet électrisant du jeu et des créations de Vivaldi. Nombre de ses partitions publiées furent ainsi dédiées à des grands de ce monde : Ferdinand III de Toscane (*L'Estro armonico,* 1711), le comte Morzin (*Il Cimento dell'armonia e dell'invenzione,* 1724, recueil contenant *les Quatre Saisons*), Charles VI de Habsbourg (*La Cetra,* 1728). Recueils imprimés et copies manuscrites (notamment des *Concertos*) de Vivaldi circulèrent dans toute l'Europe jusque vers 1750, et on sait que Jean-Sébastien Bach conçut pour ces œuvres, à partir de 1720 semble-t-il, un enthousiasme tel qu'il en recopia ou en transcrivit un grand nombre (la plus connue et la plus intéressante de ces transcriptions étant celle du *Concerto pour quatre violons* op. 3 nº 10 en *Concerto pour quatre claviers* BWV 1065), assurant ainsi, sans l'avoir recherché, la survie de l'œuvre de son modèle.

Il semble que, tout au long de sa vie, Vivaldi ait été considéré comme un artiste hors des normes, volontiers extravagant,

*Antonio Lucio **Vivaldi**. Portrait anonyme. (Museo civico, Bologne.)*

voire scandaleux (ses ennemis avaient matière à se répandre en ragots, notamment sur son goût affiché pour l'argent et l'éclat, sur ses amours vraies ou supposées avec une mezzo-soprano nommée Anna Giro, fille d'un perruquier français nommé Giraud, et pour laquelle il écrivit nombre de pages vocales). Ce tapage entretenu à Venise autour de son personnage explique-t-il son éclipse subite et sa mort misérable dès qu'il eut commis l'imprudence de quitter l'Italie, où les commentaires suscités par sa personne servaient de publicité à sa musique ?

L'importance de son œuvre instrumentale, idéalement symbolisée par la série de quatre concertos suggérés par *les Quatre Saisons,* vient de l'autorité avec laquelle il sut rejeter le concerto grosso de Corelli pour imposer très vite la forme brève (huit à dix minutes) du concerto pour soliste en seulement trois mouvements symétriques (vif-lent-vif). Soliste lui-même,

Vivaldi pratiqua tout naturellement cette forme concertante, alors que la sonate, la symphonie ou le quatuor étaient également à la veille de naître. Esprit aventureux, oreille exceptionnelle, virtuose intrépide improvisant volontiers, chef d'orchestre aussi (l'un des premiers de l'histoire), Vivaldi consacra tout son génie à découvrir sans cesse de nouvelles combinaisons rythmiques et harmoniques et des alliages imprévus d'instruments, à donner un rôle de premier plan aux personnages nouveaux destinés à se faire une place dans l'orchestre, comme le violoncelle (vingt-sept concertos) ou le basson (trente-neuf), sans oublier le hautbois ni la flûte, qu'il traite toujours de façon très personnelle, voire d'autres instruments plus marginaux encore, comme la mandoline ou l'orgue. Des pratiques de Saint-Marc, il hérita en outre le goût de faire dialoguer plusieurs « chœurs » d'instruments.

Ces dons d'invention et les côtés descriptifs de sa musique (dans de nombreuses pages intitulées *le Chardonneret, la Tempête en mer* ou *les Saisons*) placent Vivaldi à l'origine du concept moderne d'« orchestration ». Personne avant lui, en effet, ne s'était soucié à ce point de la couleur et de la spécificité mélodique de chaque instrument, et donc de leur disposition à la fois dans le déroulement de l'œuvre et dans l'espace au moment de l'exécution. D'où par exemple des effets de « masque » ou d'écho sciemment mis en œuvre (peu soucieux de ces spécificités, ne songeant qu'à la riche neutralité polyphonique et n'ayant comme souci que d'enrichir l'harmonie, Bach commit dans ses transcriptions le contresens de modifier l'instrumentation). Seule avant le romantisme, l'œuvre de Haydn devait manifester des intentions analogues. Or Haydn fut vers 1760 le musicien des Morzin, avec

Page autographe d'une Sonata a solo *d'Antonio **Vivaldi**. (Bibl. du Conservatoire.)*

VIVALDI

lesquels Vivaldi avait été très lié : il semble dès lors probable que le jeune musicien autrichien ait étudié les œuvres du Vénitien alors que ce dernier était déjà tombé dans l'oubli. Ce qui est sûr, c'est que Haydn put trouver *les Quatre Saisons* dans la bibliothèque musicale du prince Esterházy.

Cette préoccupation constante de Vivaldi de donner un maximum de vie à tous les instruments se traduit, dans les mouvements vifs, par une grande alacrité de rythmes qui donne tout leur éclat à environ huit cents œuvres dont, immédiatement, on identifie l'auteur. Les mouvements lents sont d'une intensité dont on trouve confirmation dans la production religieuse de Vivaldi, où s'intercalent des chœurs fiévreux et de longs solos vocaux de caractère parfois extatique.

On a retrouvé trace de plus de quatre-vingt-dix opéras de la main de Vivaldi (ou auxquels, selon les habitudes du temps, il a participé partiellement). Ces œuvres dramatiques abordent tous les climats expressifs, de l'aventure profane au récit féerique en passant par l'histoire biblique, traitée dans un style noble pouvant rivaliser avec celui des oratorios de Haendel. *Juditha triumphans,* par exemple, peut être envisagé soit comme opéra, soit comme « oratorio militaire et sacré », ainsi que l'indique le sous-titre du manuscrit daté de 1716. Tout comme la musique religieuse, l'opéra vivaldien doit désormais être exploré avec autant d'attention que l'a été sa musique purement instrumentale.

L'engouement des musiciens et du public envers Vivaldi depuis 1945 semble à la longue avoir nui à l'idée qu'on doit se faire d'un créateur d'une telle envergure. Le fait que le Vénitien ait été pratiquement oublié jusqu'aux travaux de Marc Pincherle (entrepris en 1913) n'est sans doute pas étranger au fait qu'on ait souhaité tout réentendre. Aussi est-il temps désormais d'épurer et de remodeler, notamment en direction de l'œuvre vocale, un répertoire instrumental inutilement pléthorique, afin de restaurer Vivaldi dans son authenticité, dans sa diversité et dans sa grandeur à la fois extatique et réjouie, panthéiste et péremptoire.

Œuvres. L'œuvre de Vivaldi est en cours de publication systématique chez Ricordi. De son vivant, le compositeur avait fait graver quatorze recueils de sonates et de concertos, dont treize numérotés. *Opus 1 : 12 Sonates de chambre pour deux violons*

et basse continue (Venise, 1705 ; Amsterdam, 1713 ; Paris, 1715). *Opus 2 : 12 Sonates pour violon et basse continue* (Venise, 1709 ; Amsterdam, 1710 ; Londres, 1720). *Opus 3 :* L'*Estro armonico* (« le Génie créatif selon l'harmonie »), *12 Concertos pour un, deux, trois et quatre violons* (Amsterdam, 1711). *Opus 4 : La Stravaganza, 12 Concertos pour violon* (Amsterdam, 1713-14). *Opus 5 :* « suite de l'opus 2 » : *4 Sonates pour violon et basse continue* et *2 Sonates pour deux violons et basse continue* (Amsterdam, v. 1716). *Opus 6 : 6 Concertos pour trois violons, alto et basse* (Amsterdam, 1716). *Opus 7 : 12 Concertos pour hautbois et 10 Concertos pour violon, cordes et basse continue* (Amsterdam, 1717). *Opus 8 :* Il *Cimento dell'armonia e dell'invenzione* (« la Rencontre de l'harmonie et de l'inspiration »), *12 Concertos pour violon ou hautbois, cordes et basse continue* (dont *les Quatre Saisons*) [Amsterdam, 1724]. *Opus 9 : La Cetra* (« la Lyre »), *11 Concertos pour violon* et *1 Concerto pour deux violons* (n° 7), *cordes et basse continue* (Amsterdam, 1727). *Opus 10 : 6 Concertos pour flûte traversière, cordes et basse continue* (Amsterdam, 1729). *Opus 11 : 5 Concertos pour violon* et *1 Concerto pour hautbois, cordes et basse continue* (Amsterdam, 1729). *Opus 12 : 5 Concertos pour violon, cordes et basse continue* et *1 Concerto pour cordes (Concerto ripieno,* n° 3) sans soliste. *Opus 13 :* Il *Pastor fido* (« le Berger fidèle »), *6 Sonates pour flûte* (à bec), *musette, vièle, hautbois ou violon et basse continue* (Paris, 1737) ; enfin un recueil sans numéro, parfois désigné, depuis Pincherle, comme « opus 14 » : *6 Sonates pour violoncelle et clavecin* (Paris, 1740). À cet ensemble, publié au XVIIIe siècle, s'ajoutent toutes les publications réalisées depuis d'après les manuscrits retrouvés. Selon un recensement récemment entrepris par le Danois Peter Ryom (catalogue R. V.), on connaissait, en 1977, quelque 768 œuvres ou fragments authentiques, auxquels on ajoute 68 attributions.

VOGLER *(abbé Georg Joseph),* théoricien, pédagogue, organiste et compositeur allemand *(Würzburg 1749 - Darmstadt 1814).* Il étudia le droit à Würzburg, puis la théologie à Bamberg. En 1771, il se fixa à Mannheim, où le prince-électeur le nomma chapelain (1772) puis vice-maître de chapelle (1775) de sa cour. Entre-temps, il avait pu effectuer un voyage d'études en Italie. Parurent alors ses premiers ouvrages théoriques : *Tonwissenschaft und Tonsetzkunst* (Mannheim, 1776 ; réimpr., 1970), *Kuhrpfälzische Tonschule* (Mannheim, 1778), *Betrachtungen der Mannheimer Tonschule* (Mannheim, 1778-1781 ; réimpr., 1974).

Après être allé à Paris et à Londres, il devint en 1784 maître de chapelle à Munich, où le prince-Électeur qu'il avait connu à Mannheim était installé depuis 1778, mais entreprit l'année suivante une tournée de concerts, et en 1786, démissionna pour devenir maître de chapelle de Gustave III de Suède et maître du prince héritier. Il continua néanmoins à voyager, en particulier en Grèce, à Gibraltar et en Afrique du Nord (1792-93). En 1793, il revint en Suède, où il servit quelque temps Gustave IV, puis voyagea de nouveau beaucoup, et en 1807, fut nommé maître de chapelle et conseiller pour les affaires religieuses du grand-duc de Hesse-Darmstadt, postes qu'il devait occuper jusqu'à sa mort.

Comme théoricien, il écrivit sur l'acoustique, l'histoire de la musique et ses conditions d'exécution, et il étudia tout particulièrement la science des accords. Ses voyages témoignent notamment de son intérêt pour les musiques extra-européennes. Il enseigna à Mannheim mais aussi à Stockholm et Darmstadt, et compta parmi ses élèves Weber et Meyerbeer.

Grand improvisateur au clavier, il construisit à Amsterdam en 1789 son orchestrion, sorte de petit orgue portatif au mécanisme simplifié qui lui valut les foudres de certains organistes conservateurs. Il fut aussi un conférencier très demandé. Comme compositeur, il fut moins apprécié. Il écrivit beaucoup d'œuvres vocales sacrées et profanes, des ouvrages scéniques, de la musique orchestrale et de chambre. Citons une musique de scène pour *Hamlet* (1779), le singspiel *Erwin und Elmire,* d'après Goethe (Darmstadt, 1781), le drame lyrique *Gustav Adolph och Ebba Brahe* (Stockholm, 1788), et le mélodrame *Zoroastre* (v. 1796).

VORISEK *(Jan Vaclav),* compositeur tchèque *(Vamberk, Bohême, 1791 - Vienne 1825).* Il travailla avec son père, maître d'école, organiste et chef de chœur, et devint très jeune virtuose du piano. Il étudia aussi le droit, les mathématiques et la philosophie à Prague (1810-1813) tout en complétant sa formation musicale avec Tomasek. Il s'installa ensuite à Vienne, où il travailla le piano avec Hummel et devint fonctionnaire au ministère de la Guerre puis (1818) chef d'orchestre à la Société des amis de la musique *(Gesellschaft der Musikfreunde),* poste qu'il devait occuper jusqu'à sa mort. En 1822, il abandonna son poste de fonctionnaire, et devint organiste adjoint de la cour, puis premier organiste en 1824. Lors de sa dernière maladie, Beethoven (à qui il avait montré en 1814 ses douze *Rhapsodies* pour piano op. 1) lui envoya son propre médecin. Il mourut de tuberculose.

Il écrivit de la musique vocale (lieder, œuvres religieuses), mais son importance réside dans sa production instrumentale, en particulier dans ses pièces pour piano ou avec piano. Ses six *Impromptus* op. 7 (1822) illustrent admirablement un genre que devait reprendre Schubert, et sa *Sonate pour piano et violon* op. 5 (1820) ainsi que sa *Sonate pour piano* en *si* bémol mineur op. 20 (1822-1824) sont des chefs-d'œuvre. Citons, pour piano, la *Fantaisie* op. 12 et le *Thème et Variations* op. 19. Sa *Symphonie* en *ré* est digne des premières de Schubert.

VOSTRAK *(Zbynek),* compositeur et chef d'orchestre tchèque *(Prague 1920).* Il a étudié au conservatoire de Prague (1937-1943), puis a été lecteur à l'Académie de musique et d'art dramatique (1946-47) tout en enseignant au département opéra du conservatoire (1945-1948). Depuis 1963, il est le chef de *Musica viva pragensis,* véritable « Domaine musical » tchèque. Jusque vers 1955, il a écrit dans un style postromantique et néo-classique (opéra-comique *Rohovin Ctverrohy,* 1949). Il a ensuite été influencé par Webern, et a écrit ses premières pièces sérielles en 1962 (opéra *la Cruche cassée,* d'après Kleist, 1963 ; *Trois Essais* pour piano, 1962 ; *Éléments* pour quatuor à cordes, 1964). Depuis 1966, l'influence de Boulez, Cage et surtout Stockhausen est prédominante *(les Échelles de lumière* pour bande, 1967).

Depuis 1970, il a dû peu à peu ralentir son activité de chef d'orchestre, et la nouvelle création tchèque s'est scindée entre les tenants des influences européennes et américaines, dont il est un représentant, et ceux qui veulent vivre dans un contexte plus spécifiquement national.

VRANICKY (Wranitzky), famille de musiciens tchèques.

— 1. **Antonín** (Anton), violoniste et compositeur *(Nova Rise, Moravie, 1761 - Vienne 1820).* Il arriva à Vienne au plus tard en 1783, y étudia la composition avec Mozart, Haydn et Albrechtsberger, et en 1790 au plus tard, entra au service du prince Maximilian Lobkowitz. Lorsque le prince, en 1807, prit la direction des théâtres de la cour et de l'Opéra, il nomma Vranicky à la tête de l'orchestre, poste que ce dernier devait conserver jusqu'à sa mort. Ami de Haydn et de Beethoven, il eut comme élève de violon Schuppanzigh et fit paraître une méthode pour cet instrument *(Violin Fondament,* Vienne, 1804). Comme compositeur, il écrivit surtout des symphonies, des concertos et de la musique de chambre.

— 2. **Pavel** (Paul), violoniste, chef d'orchestre et compositeur, frère du précédent *(Nova Rise, Moravie, 1756 - Vienne 1808).* Il se rendit à Vienne à l'âge de vingt ans, et y étudia avec Haydn et (en 1783) Johann Martin Kraus. Vers 1785, il devint directeur de la musique du comte Johann Nepomuk Esterházy, et vers 1790, premier violon des orchestres des théâtres de la cour (Burgtheater et théâtre de la Porte-de-Carinthie). Comme premier violon ou comme chef d'orchestre, il fut particulièrement apprécié de Haydn et Beethoven, qui lui confièrent expressément l'un *la Création* en 1799, l'autre la première audition de la *Première Symphonie* le 2 avril 1800. Comme secrétaire de la Tonkünstler Sozietät (v. Retour de Tobie), il facilita en décembre 1797 l'admission de Haydn dans cette institution. Il écrivit des œuvres scéniques, parmi lesquelles le singspiel *Obéron* (1789) et le ballet *Das Waldmädchen* (1796), de la musique de chambre dont de nombreux quatuors à cordes, des concertos, des symphonies. L'une d'elles, la *Grande Sinfonie pour la paix avec la République Françoise,* fut interdite par décret impérial du 20 décembre 1797, son titre ayant été jugé trop provocateur.

WAGENAAR, famille de musiciens néerlandais.
— 1. **Johan,** compositeur et pédagogue *(Utrecht 1862 - La Haye 1941).* Il étudia à l'École de musique d'Utrecht et à Berlin, et en 1887, succéda à son ancien maître Richard Hol aux postes de directeur de l'École de musique et d'organiste de la cathédrale d'Utrecht. De 1919 à 1937, il fut directeur du conservatoire de La Haye. Il compta parmi ses élèves Willem Pijper. Influencé par Brahms, Berlioz et Richard Strauss, il écrivit notamment l'ouverture *Cyrano de Bergerac* (1905), le poème symphonique *Saul en David* (1906), la cantate *De Schipbreuk* (1889), les opéras *De doge van Venetie* (1901) et *De Cid* (1915).
— 2. **Bernard,** compositeur, violoniste et chef d'orchestre, fils et élève du précédent *(Arnhem 1894 - York, Maine, 1971).* Il émigra aux États-Unis en 1920 et fut naturalisé en 1927. Il fut violoniste à la Philharmonie de New York (1921-1923), puis enseigna à l'Institute of Musical Art, devenu plus tard la Juilliard School (1925-1968). On lui doit notamment quatre symphonies (1926, 1930, 1936, 1946) et *Song of Mourning* pour orchestre (1944), à la mémoire des patriotes néerlandais tombés durant la guerre.

WAGENSEIL *(Georg Christoph),* compositeur et claveciniste autrichien *(Vienne 1715 - id. 1777).* Élève de Fux, de Gottlieb Muffat et de Matteo Palotta, il obtint une bourse d'études de la cour en 1736, et la même année, fit entendre sa première messe *(Missa spei).* Il fut nommé compositeur de la cour en 1738, fut organiste à la chapelle de la veuve de l'empereur Charles VI de 1741 à 1750, et en 1749, devint professeur de clavecin des enfants de l'impératrice Marie-Thérèse. Dans sa jeunesse, il mena assez haut la tradition baroque, écrivant notamment plusieurs messes, parmi lesquelles la *Missa Domine libera animam meam* (1737) et la *Missa panem quotidiam* (1739), ainsi qu'environ 90 ouvrages liturgiques (entre 1737 et 1755). De 1740 date sa cantate dramatique *I Lamenti d'Orfeo.*

En 1745, il se rendit en Italie, où fut donné son premier opéra, *Ariodante* (Venise, 1745). Suivirent notamment *La Clemenza di Tito* (Vienne, 1746), *Demetrio* (Florence, 1746), *Alessandro nell'Indie* (Vienne, 1748), *Il Siroe* (Vienne, 1748) et *L'Olimpiade* (Vienne, 1749), ainsi que les pasticci *Andromeda* (Vienne, 1750) et *Euridice* (Vienne, 1750). Dans cette dernière œuvre en particulier, il réussit à élaborer de grandes scènes intégrant récitatifs, airs, ensembles et chœurs. En tout, il collabora à 6 pasticci et écrivit 10 opéras, 43 cantates et airs ainsi que 3 oratorios, *Gioas, re di Giuda* (1755), *La Redenzione* (1755) et *Il Roveto di Mosè* (1756).

Son importance ne fut pas moindre dans le domaine instrumental, où il apparaît davantage comme un compositeur préclassique. De ses 96 symphonies, toutes sauf 4 sont en trois mouvements. On lui doit aussi 93 ouvrages de musique de chambre, 3 doubles concertos (2 pour deux violons et 1 pour hautbois et basson), 3 concertos pour flûte, 2 pour violoncelle, 1 pour violon, 1 pour trombone et 93 pour instruments à clavier (1 pour quatre clavecins solistes, 6 pour deux clavecins, 12 pour clavecin ou orgue, 2 pour clavecin ou harpe, 3 pour piano-forte et 69 pour clavecin). Ses pièces pour clavecin, en particulier ses sonates, et sa musique de chambre avec clavecin frayèrent directement la voie au jeune Haydn. À signaler en particulier les *Divertimenti da cembalo* parus à Vienne en quatre groupes de six (1753, 1755, 1761 et 1763), tous dédiés à une archiduchesse d'Autriche.

Wagenseil fut le premier musicien autrichien dont la musique se répandit largement à Paris, à la fois par l'édition (vingt-neuf publications de 1755 à 1781) et au concert (au moins neuf auditions au Concert spirituel de 1759 à 1781). En 1759, il se rendit une dernière fois en Italie. En 1762, Mozart, âgé de six ans, joua un de ses concertos à Schönbrunn. À partir de 1764, malade, il se fit peu à peu remplacer comme professeur de clavecin à la cour par Matthäus Schlöger, puis par ses élèves Joseph Anton Steffan et Leopold Hofmann. Parmi ses autres élèves, Johann Baptist Schenk, qui raconte dans son autobiographie que Wagenseil utilisait, pour son enseignement, le *Clavier bien tempéré* de Bach, et Frantisek Xaver Dusek, l'ami de Mozart.

WAGNER *(Wilhelm Richard)*, compositeur, chef d'orchestre et théoricien allemand *(Leipzig 1813 - Venise 1883)*. Le génie de Wagner apparaît un peu comme l'aboutissement triomphal d'une longue lignée de petits fonctionnaires obscurs, épris de Dieu comme des Muses. Sa mère, Johanna Rosine Pätz *(1778-1848),* douée pour l'art dramatique, épousa le greffier de police Friedrich Wagner *(1770-1813),* acteur amateur lui-même et dont le frère Adolf *(1774-1835),* homme de lettres et théologien, jouissait, dit-on, de l'estime de Goethe. Quant aux frères et sœurs de Richard, Albert *(1799-1874)* allait devenir chanteur et metteur en scène ; Rosalie *(1803-1837),* actrice, devait créer à Leipzig la Marguerite du *Faust* de Goethe ; Louise *(1805-1871)* suivit sa sœur sur les planches ; Clara *(1807-1875)* épousa le chanteur Wolfram, et Ottilie *(1811-1883)* le philologue Hermann Brockhaus, dont Nietzsche allait être le disciple. Seul Julius *(1804-1862)* fut simplement orfèvre.

Friedrich Wagner meurt du typhus quelques mois après la naissance de Richard et Johanna, neuf mois plus tard, se remarie avec Ludwig Geyer *(1778-1821),* acteur, portraitiste et poète, intime des Wagner. Geyer fut-il le véritable père de Richard ? On n'en possède aucune preuve, mais Wagner hésitera toute sa vie : son œuvre abonde en orphelins hantés par la figure du père — d'autant plus inquiétante que Geyer était juif.

H. Roger-Viollet

*Richard **Wagner**.*

De cette union naît, en 1815, Cécile. Ainsi, après la disparition prématurée de Geyer, Richard grandit entre la nervosité de sa mère et les caresses de ses sœurs, dans les froufrous des robes et des costumes. À la piété déiste de Johanna se mêlent les échos des drames de théâtre : tout naturellement, le petit Richard, que chacun dans la famille a voulu ou veut artiste, écrit, met en scène, d'invraisemblables poèmes tragiques où s'entrecroisent Hoffmann, Tieck, Shakespeare, Schlegel, mythes grecs et romains (l'enfant est, déjà, l'infatigable lecteur que l'homme restera jusqu'à sa mort), voire Weber. Il découvre aussi, au Gewandhaus de Leipzig, Beethoven... et la soprano Wilhelmine Schröder-Devrient, venue jouer *Fidelio*.

Wagner, dont les études classiques à la Kreuzschule de Dresde et aux collèges Nicolaï et Thomas de Leipzig ont été assez désordonnées, décide de devenir musicien. « Cancre » dont la riche personnalité, l'affectivité à fleur de peau, l'indépendance, se plient mal à la structure de l'enseignement officiel, il trouve en Theodor Weinlig, cantor à la Thomasschule, un maître selon son goût. Mais, pressé d'essayer sans plus attendre ses connaissances toutes neuves, Wagner ne prendra jamais le temps, comptant sur son intuition, de devenir « bon » technicien ou virtuose. Il veut produire les effets sonores qui habitent son inspiration — et sa technique, il la forgera lui-même, asservie péniblement à l'expression de son art, pétrie de maladresses, de traits de génie, de contradictions esthétiques qui ne se résolvent que dans l'unité de la démarche, celle d'un genre où, précisément, l'artiste complet est une gageure.

En 1833, il est nommé chef des chœurs au théâtre de Würzburg. C'est le début d'une longue période (elle durera jusqu'en 1864) de déboires divers : fuites face aux créanciers ou aux policiers, échecs affectifs ou professionnels, misère, dépressions, maladies.

Un génie qui se cherche. En 1834, Wagner est directeur musical de la troupe Bethmann et il y rencontre Minna Planner *(1809-1866)*, qu'il épouse en 1836. Le couple (deux instables à la poursuite de leurs rêves de célébrité, d'embourgeoisement) erre dès lors de Magdebourg à Königsberg, puis vers Riga (1837) avant d'échouer à Paris (1839). À cette époque, Wagner est l'auteur inconnu de quelques pièces pour orchestre ou piano sans grand intérêt, et de trois opéras dont il a écrit lui-même le livret, tout à fait révélateurs d'un génie qui se cherche après avoir assimilé les leçons apprises au contact du répertoire lyrique italien et français : *les Noces* (1832), laissées inachevées sur les conseils moqueurs de sa sœur Rosalie, *les Fées* (1834) et *la Défense d'aimer* (1836).

Mais, dans son périple, il emporte les projets de *Rienzi* (achevé en 1840) et du *Vaisseau fantôme*, qu'il termine à Paris en 1841. Toutefois, persuadé que Meyerbeer allait intervenir en sa faveur et obtenir que l'on joue *Rienzi* à l'Opéra de Paris, Wagner doit vite déchanter ; pour subsister, il est contraint d'écrire : des articles, publiés par *la Gazette musicale* et la *Neue Zeitschrift*

für Musik que dirige Schumann à Leipzig, mais aussi quantité de corrections, arrangements, réductions pour piano, voire même cornet à piston, des opéras alors en vogue. Pire : il vend le sujet du *Hollandais volant* aux librettistes Foucher et Révoil, sur le texte desquels Dietsch composera son *Vaisseau fantôme*. Alors, apprenant que Dresde accepte *Rienzi*, Wagner se sent envahi de nostalgie patriotique et s'empresse de quitter la France et les créanciers qui l'y talonnent.

Le succès de *Rienzi* lui permet d'être nommé maître de chapelle à la cour royale de Saxe (1843). Mais il s'embrouille dans les intrigues de palais, ne parvient à s'imposer comme auteur ni avec *le Vaisseau fantôme* (1843) ni avec *Tannhäuser* (1845). En revanche, il collectionne les succès publics par ses exécutions des symphonies de Beethoven. Pourtant, les propositions de réformes qu'il multiplie, concernant tant l'orchestre que le théâtre de Dresde, se heurtent à des refus de plus en plus catégoriques, d'autant qu'il emploie pour les présenter des arguments poli-

*Richard **Wagner**, par G. Tivoli. (Académie Rossini, Bologne.)*

Lauros-Giraudon

tiques marqués au coin de ses fréquentations : avec l'Association des patriotes, il exalte les soulèvements qui ont lieu un peu partout en Europe et contraignent les princes allemands à de nombreuses concessions.

Wagner, à cette époque, rédige plusieurs projets d'opéras mêlant l'histoire et la mythologie allemandes (*les Mines de Falun*, 1842 ; *les Maîtres chanteurs*, 1845 ; *Frédéric Barberousse*, 1846 ; *les Nibelungen*, 1847) à un christianisme étrange où le Messie est un révolutionnaire social nostalgique de la mort, décidant d'entrer dans le néant pour calmer l'agitation politique que ses discours provoquent (*Jésus de Nazareth*, 1849).

En même temps, le musicien noue avec Liszt des liens d'amitié qui se révéleront profitables et d'autres, plus dangereux, avec Bakounine : en effet, la répression des Princes entraîne l'entrée de troupes prussiennes en Saxe. Dresde se révolte (1849) : Wagner court parmi les insurgés. Il finit par fuir avec Bakounine et rejoint Liszt à Weimar. Le virtuose l'aide à passer la frontière suisse pour échapper au mandat d'arrêt lancé par la police saxonne.

Wagner s'installe à Zurich, repart bientôt pour la France, revient en Suisse, lit beaucoup, écrit des essais théoriques (*l'Art et la Révolution, l'Œuvre d'art de l'avenir*), accueille indifférent l'arrivée de Minna, et oublie émeutes autant qu'émeutiers en rédigeant le livret de *Wieland le Forgeron* et en surveillant de loin la création de son dernier opéra, *Lohengrin*, que Liszt dirige à Weimar (1850). Il noue une intrigue rocambolesque avec la femme d'un négociant bordelais, Jessie Laussot, écrit *le Judaïsme dans la musique* (1850) et *Opéra et Drame* (1851). À Zurich, il dirige assez régulièrement et forme Hans von Bülow au métier de chef d'orchestre avant de l'envoyer étudier auprès de Liszt, auquel, entre deux pressantes demandes d'argent, il

Giancarlo Costa

Les Maîtres chanteurs
de Nuremberg.
Aquarelle de von Echter.
(Théatermuséum, Munich.)

Les filles du Rhin.
Tableau
de Herman Hendrich.
(Richard Wagner
Muséum, Bayreuth.)

confie étouffer aux côtés de Minna. En même temps qu'il rédige *Une communication à mes amis,* il reprend son projet des *Nibelungen* et lui donne sa forme définitive : trois journées précédées d'un prologue (1851). Durant l'année 1852, il voyage beaucoup tout en achevant les poèmes de *l'Anneau du Nibelung :* soit, dans l'ordre de la représentation, *l'Or du Rhin, la Walkyrie, Siegfried* et *le Crépuscule des dieux.* En 1853, il donne des concerts, voyage encore (en Italie), tombe malade et rencontre Liszt plusieurs fois.

Il se rapproche progressivement de la femme de son nouveau mécène (et voisin) Otto Wesendonck : avec Mathilde, profitant des absences de Minna et d'Otto, il a de longues conversations émues au cours desquelles il expose son enthousiasme tout neuf pour Schopenhauer et parle de son nouveau projet, *Tristan et Isolde* (1854). Se constitue à Zurich, autour de Wagner et Wesendonck, un groupe d'intellectuels : Herwegh, l'architecte Semper, Gottfried Keller, sont les plus assidus. Le compositeur mène de front *l'Anneau, Tristan,* les esquisses des *Vainqueurs* (1856) et de *Parsifal* (1857), des tournées de concerts (certains avec Liszt) et des cures de santé.

La maturité créatrice. La composition de *Tristan* est une période fondamentale dans la vie de Wagner : l'œuvre marque en effet la prise de conscience violente, névrotique, des horizons ouverts au musicien par la révélation de son génie. Crise à multiples

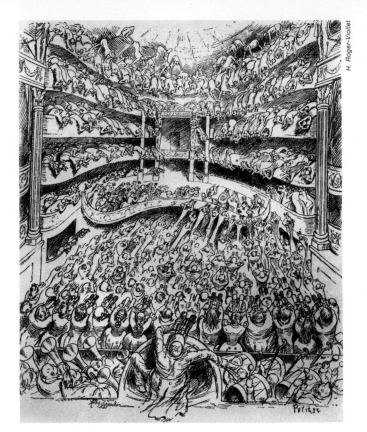

*Caricature d'une représentation d'un opéra de Richard **Wagner** en Allemagne.*

faces : matérielle, car Wagner vit pour une large part de la générosité d'amis ; affective, car son ménage se disloque, victime de l'inconstance foncière de Richard (quel que soit son talent pour travestir ses amours, où seul l'émeut le temps de la conquête, en tragédies « exemplaires ») ; philosophique, enfin, car, en étudiant Schopenhauer, Wagner relit ses propres ouvrages et leur découvre soudain des racines et des prolongements qu'il ne soupçonnait pas. Fasciné par la possibilité d'un sys-

tème, il réalise l'ampleur de sa tâche : découragé par les exigences nouvelles qu'il entrevoit pour *l'Anneau,* il délaisse progressivement ce dernier au profit d'une œuvre où il pourra déverser et maîtriser la fièvre qui le brûle en faisant l'expérience immédiate d'un langage nouveau ; l'étape est indispensable dans la réflexion entreprise par le compositeur sur la cohérence globale de sa production, mais elle l'est tout autant, sinon plus, dans l'immédiat, pour l'artiste cherchant désespérément une œuvre qui lui apporterait succès et finances.

Le 2 août 1857, il suspend la composition de *Siegfried* après avoir ébauché l'orchestration de l'acte II, et se consacre à *Tristan* et à sa passion pour Mathilde Wesendonck. Pour la nouvelle élue, il rédige cinq lieder pour piano et soprano (1857-58), les *Wesendonck Lieder*, alors que la jalousie de Minna provoque disputes et scandales. Wagner choisit de fuir à Venise, où il achève l'acte II de *Tristan* et entretient sa flamme en tenant un *Journal* destiné à Mathilde.

À Lucerne, il compose l'acte III (1859), semble guéri de son amour, mais sollicite encore les largesses d'Otto Wesendonck. Enfin, il part pour Paris où il séjourne presque sans interruption en 1860, préparant le public à une représentation de *Tannhäuser* par des concerts qui obtiennent un franc succès : quelques influents à la cour de Napoléon III, acquis à la cause du compositeur, ont en effet obtenu de l'empereur la promesse d'une création exceptionnelle de l'œuvre à l'Opéra de

Ingi-Paris

*Ci-dessous, caricature de **Wagner** saluant et ci-dessus, caricature de **Wagner** parue dans «L'Éclipse» du 3 septembre 1876 : «La France est un peuple de singe... Nous avons maintenant un Art allemand...»*

H. Roger-Viollet

Paris, ce dont Berlioz, qui attend en vain d'être reconnu par ses compatriotes, tirera quelque amertume. Mais, après un nombre inouï de répétitions et d'exigences satisfaites, dans une atmosphère survoltée, *Tannhäuser* tombe sous les coups conjugués de la cabale, de la presse, et des réactions violentes du public aux sentiments antifrançais de Wagner (13 mars 1861).

Paradoxalement, si de nombreux artistes parisiens (Baudelaire, Gounod, Reyer, Théophile Gautier, Catulle Mendes) ont reconnu le génie de Wagner, les villes allemandes s'ouvrent soudain «au compositeur que les Français ont sifflé». La situation matérielle de ce dernier ne s'améliore pas pour autant : ses ruses habituelles sont éventées, nul ne veut acheter les droits d'œuvres qui ne se jouent pas. Pour lui permettre d'achever *les Maîtres chanteurs,* Wesendonck vient une fois encore à son secours (1862). À ce moment, Wagner, qui mène déjà de front deux aventures avec Mathilde Maier et Frédérique Meyer, flirte doucement avec la fille de Liszt, Cosima, qui a épousé Hans von Bülow. Il bénéficie enfin d'une amnistie totale, dont il profite peu : au cours de l'année 1863, il s'épuise en une série de concerts russes, hongrois, viennois, tchèques, allemands enfin, emportant dans ses bagages le projet d'un « théâtre des Festivals » (Festspielhaus) destiné aux représentations de *l'Anneau*. Criblé de dettes, épuisé, il échoue à Stuttgart le 28 avril 1864. C'est là que le rejoint un émissaire du jeune roi Louis II de Bavière (monté sur le trône le 10 mars), lequel lui offre l'aide et l'affection sans limite de son maître... ainsi que la liquidation de ses dettes par le royaume.

À peine installé sur les bords du lac de Starnberg, Wagner prie Mathilde Maier de le rejoindre. Se heurtant à un refus, il invite alors la famille Bülow. Cosima précède Hans — et s'unit à Richard. « Sur ordre du roi », Wagner reprend *l'Anneau*. Louis II décide également d'édifier à Munich le théâtre dont rêve Wagner et en confie les plans à Semper. Mais Wagner est bientôt pris dans les rivalités de clans qui entourent le jeune roi. Pourtant, il a la double joie d'apprendre la naissance de sa première fille, Isolde *(1865-1919)*, fruit de sa liaison avec Cosima, et d'assister à la première de *Tristan* à Munich. En même temps, il commence à dicter à Cosima son autobiographie, *Ma vie*, et reprend *Parsifal*. Mais la cour se déchaîne contre lui, le rend responsable des égarements du roi, et il doit s'exiler en Suisse.

Près de Genève, il esquisse une *Mort de Roland*, poursuit la composition des *Maîtres* et décide, avec Cosima, de s'installer à Tribschen, au bord du lac des Quatre-Cantons. Bülow, attentif à éviter tout scandale, demeure en poste à Munich pendant que Cosima multiplie les séjours auprès de Richard. Mais le scandale éclate, touchant Louis II, juste avant la naissance du deuxième enfant adultérin de Wagner, Eva *(1867-1942)*. Cette même année, le compositeur achève les *Maîtres*, qui seront créés à Munich en 1868, alors que Cosima vient s'installer définitivement à Tribschen. Le couple y reçoit les visites assidues de Nietzsche, baptise son troisième enfant Siegfried *(1869-1930)* et voit les créations munichoises de *l'Or du Rhin* et de *la Walkyrie*, ordonnées par Louis II contre la volonté de l'auteur (1869 et 1870).

La guerre franco-prussienne et la défaite des armées de Napoléon III donnent à Wagner une occasion de vengeance mesquine : mais la publication en France de son pamphlet *Une capitulation* conduira ses admirateurs d'outre-Rhin, soupçonnés de sentiments peu patriotiques, à se faire discrets : l'adjectif « wagnérien », forgé à cette époque, sent la botte prussienne !

Le 25 août 1870, soit un peu plus d'un mois après la prononciation du divorce de Cosima et Hans von Bülow, Wagner épouse à Lucerne la fille de Liszt, ce que Louis II, blessé dans son amitié exclusive, et Liszt, choqué par l'égoïsme de son ami, pardonneront lentement. Quatre mois plus tard, pour l'anniversaire de son épouse, Wagner fait exécuter en aubade *Siegfried Idyll*, qu'il vient d'achever.

En 1871, Wagner décide d'établir son théâtre à Bayreuth, en pose la première pierre (1872) et s'installe dans la petite ville. Alors seulement il s'occupe de trouver l'argent nécessaire au financement de son entreprise, et fonde à cet effet les Sociétés Wagner (Wagnervereine). Mais celles-ci se révèlent si peu efficaces, et les démarches effectuées par ailleurs si infructueuses, qu'il faudra une nouvelle fois l'aide de Louis II, accordée sans compter, pour sauver le Festspielhaus. Pendant ce temps, Nietzsche prend de la distance, mais Wagner ne fait aucun effort pour reconnaître l'originalité de son disciple et persiste à attendre que la crise passe d'elle-même.

En 1874, *le Crépuscule des dieux*, dernier volet de *l'Anneau*, est achevé. Wagner prend possession de la villa Wahnfried, presque entièrement payée par Louis II, et organise les répétitions (1875). Le premier Festival de Bayreuth, consacré à *l'Anneau*, se déroule au cours de l'été 1876 ; mais le déficit est tel qu'il interdit tout nouveau festival l'année d'après... et les années suivantes. Dès lors, Wagner partage son temps entre Bayreuth et l'Italie, composant lentement *Parsifal* et divers essais (*Religion et Art*, 1880 ; *Héroïsme et Christianisme*, 1881). En même temps, il espère avoir le temps de produire *les Vainqueurs* et... neuf symphonies. Mais la maladie l'accable : il assiste à la création de *Parsifal* (Bayreuth, 1882) dans un état de fatigue extrême, et meurt quelques mois plus tard à Venise, d'une crise cardiaque.

Son état général le condamnait : à divers maux d'origine psychosomatique (érésipèle, dysenteries, refroidissements fréquents) s'ajoutaient d'importants troubles de la vue et du système nerveux ; les organes vitaux (cœur, foie, reins) étaient

*Richard **Wagner** à Bayreuth, avec Cosima Wagner et Franz Liszt.
Tableau de W. Beckman, 1880. (Richard Wagner Muséum, Tribschen, Lucerne.)*

tous atteints, et c'est un vieillard exténué que l'on enterra dans le jardin qui jouxte sa villa Wahnfried à Bayreuth.

Le théâtre lyrique, lieu d'initiation. On ne comprendrait rien au génie de Wagner si l'on ne voulait voir en lui qu'un compositeur d'opéras parmi les plus joués du répertoire. Obsédé toute sa vie par la fondation d'une école, Wagner considérait le théâtre lyrique comme le lieu d'une initiation. C'est en ce sens qu'il faut comprendre les termes «jeu scénique solennel» (Bühnenfestspiel) et «jeu scénique solennel sacré» (Bühnenweihfestspiel) attachés à *l'Anneau* et à *Parsifal*. La fusion entre les différents arts (poésie, musique, théâtre, danse) obéit par conséquent à un projet pour l'homme, dont Wagner a tenté de définir les lignes dans ses différents essais théoriques : il s'agit, pour commencer, de débarrasser l'Allemagne de ses aspirations troubles, d'évacuer les démons (juifs pour la plupart) importés d'Europe au temps de l'Aufklärung. On restaurera ainsi un nouveau berceau de civilisation, où pourront se régénérer et se reconnaître un peuple, une génération, une époque.

Alors que le rationalisme de l'Aufklärung ramenait l'art à une imitation de la Nature, le génie allemand dégagera une vérité au-delà des apparences. Une telle attitude, recherche constante de l'identité individuelle en relation avec l'appartenance au Tout, est, selon Wagner, l'expression la plus haute de la vraie foi ; elle définit une communauté nationale, dont il conviendra de traduire politiquement l'impérieuse nécessité.

La tragédie, alpha et oméga de tous les autres arts (tous viennent d'elle et tendent à y retourner), apparaît au compositeur le meilleur moyen d'aider les hommes à communier au spectacle de leur propre aventure : ils s'y reconnaîtront, prendront conscience d'une même détresse. Dès lors, ils n'auront de cesse de mettre un terme à leur errance souffrante en se regroupant derrière un chef capable de porter le poids de l'exigence spirituelle de ses sujets et de la traduire en actes.

L'artiste, au cas où le souverain oublierait ce devoir sacré, interviendra pour éclairer l'âme de ceux qui cherchent et les guider provisoirement. C'est ce rôle que Wagner estime jouer à son époque. Et si le compositeur ne formula clairement les principes du drame musical qu'au moment où il construisait *l'Anneau du Nibelung,* toutes ses œuvres antérieures, à compter du *Vaisseau fantôme,* conduisent à cette alchimie où le texte devient musique, la musique action et l'action théâtre.

Un langage personnel. Il n'est pas indifférent, bien au contraire, que Wagner ait

*Portrait-charge de Richard **Wagner**, fait à une répétition de la Société des amis de la musique, à Vienne en 1875.*

H. Roger-Viollet

été le premier compositeur à écrire lui-même ses livrets. L'unité de sa pensée créatrice demeurant assurée, les livrets furent naturellement rédigés, dans leur durée comme dans leur structure, en fonction de la partition à venir. Restant maître de son temps dramatique, Wagner renonça progressivement au découpage traditionnel des opéras en airs, récitatifs et ensembles. Plus exactement, il rejeta leur juxtaposition arbitraire pour les réintroduire dans la continuité du drame, dont le déroulement ne pouvait être rythmé par des numéros au rôle trop précis : celui, par exemple, d'assurer à chaque soliste, en quantité équivalente, des «moments de bravoure».

Rejetant de même la succession de mélodies autonomes, il crée la mélodie continue, tout entière issue du discours et le soutenant. Il est ainsi conduit à inscrire le mouvement musical dans de longs espaces de temps, qu'il baptise «actes» sans rechercher pour eux une terminologie nouvelle : comment, d'ailleurs, qualifier les quatre tableaux de *l'Or du Rhin,* exécutés sans interruption ? C'est l'alternance des rythmes qui structurera la partition du drame musical, reproduisant une sorte de respiration tout à la fois physique et intellectuelle.

De ce point de vue, le rythme de la phrase musicale est lié à celui de la phrase écrite. L'alternance des sonorités, des consonnes et voyelles, la sonorité propre de la phrase induisent son traitement musical, pléonastique, complémentaire ou contradictoire, faisant du texte lui-même une partition.

Au balancement régulier de la poésie classique allemande (Goethe, Schiller, etc.), qu'il imite au début, Wagner substitue bientôt un langage plus personnel. Retrouvant, peut-être inconsciemment, le Stabreim du Moyen Âge allemand, il est le premier à utiliser rationnellement les multiples possibilités de la langue allemande dans un but musical. Il remplace la rime par une succession d'allitérations qui rythment des phrases à la syntaxe très libre. Le procédé culminera dans *Tristan,* mais ne figurera plus dans les *Maîtres* (rimés) que de manière négligente ou narquoise. Quant au texte de *Parsifal,* il n'obéit plus à d'autre règle que celle d'une musicalité propre, sereine, comme parfaitement maîtrisée : la lente minutie avec laquelle Wagner composa la partition explique sans

*Richard **Wagner** par Renoir. (Musée de l'Opéra, Paris.)*

doute l'adéquation parfaite entre notes et mots. Il est enfin le premier à avoir utilisé la respiration ou le cri comme modèles pour un développement musical, le premier aussi à caractériser des personnages par l'emploi exclusif de certaines sonorités verbales.

La musique elle-même est action : les préludes et ouvertures ne sont plus de simples morceaux symphoniques plus ou moins bien accrochés à l'œuvre ; ils résument l'action passée ou à venir, introduisent en un lieu, préparent un climat, annoncent un personnage ou un événement, et ne se contentent plus d'exposer les thèmes des airs principaux. Certes, l'éthique de la philosophie allemande a toujours chargé la musique d'un sens qui dépasse le plaisir de l'oreille : venant après Weber et Beethoven, Wagner voyait sa route tracée. Il lui revient de l'avoir explorée complètement.

Le rôle ainsi dévolu à la partition est tout d'abord permis par l'emploi systématique du leitmotiv, ou motif conducteur. Chaque personnage, dans les différents aspects de son histoire ou de sa personnalité, chaque sentiment, objet, situation, se voient attacher un thème, parfois réduit à quelques notes, ou à un accord, voire à une tonalité ou une structure rythmique. Chaque motif est susceptible d'altérations, de renversements, d'autant de modifications qu'il sera nécessaire pour traduire musicalement l'évolution d'une pensée. Il ne s'agit pas d'une « carte de visite » ou d'un commentaire pléonastique, mais bien d'un langage parallèle.

Toutefois, Wagner ne comprit qu'avec l'Anneau tout le parti qu'il pouvait tirer du motif conducteur. L'ouverture du Vaisseau fantôme expose les thèmes du Hollandais, du Rachat par l'amour et du Chœur des matelots, mais ils reviendront dans la partition sous la même forme et dans la même orchestration, utilisés plus comme repères mnémotechniques que pour préciser la psychologie des héros. Tannhäuser et Lohengrin témoignent d'une lente évolution : l'augmentation du nombre des leitmotive permet déjà de diversifier leurs fonctions. Mais, de l'Or du Rhin à Parsifal, Wagner ne cessera de raffiner son système, en liaison avec les progrès de son langage orchestral. Car le rôle dévolu à l'orchestre est bien entendu fondamental, et pas seulement parce que l'orchestration, elle aussi, sert aux variations des motifs. Le drame musical exige en effet de l'orchestre une participation constante aux fluctuations de l'action.

À dire vrai, Wagner a peu innové en matière d'orchestre : il emploie celui de Beethoven (le Beethoven de la 9e Symphonie) en renforçant les pupitres de cuivres. Ses trouvailles en matière de coloris et d'alliages de timbres viennent plutôt de la révolution qu'il introduit dans l'harmonie. La cassure, cette fois encore, se situe au niveau de Tristan. Jusque-là, Wagner est fondamentalement tonal, modulant peu, même si l'écriture harmonique se complique au fur et à mesure qu'il acquiert du métier. Non que Tristan échappe réel-

lement aux lois de la tonalité, mais Wagner y rompt avec Beethoven (accords parfaits, tonalités précises, cadences stables, etc.) pour retrouver Bach et exacerber le chromatisme. L'écriture devient contrapuntique, chaque partie acquiert son autonomie, et les leitmotive circulent librement de l'une à l'autre, donnant à la trame musicale une animation constante.

Souvent, Wagner affleure la bitonalité : cette incertitude savamment calculée le conduit à utiliser de préférence appoggiatures, altérations, notes de passage, et surtout les accords de septième et de neuvième, soumis à un travail complexe et novateur quant à leur agencement. Tristan, en particulier dans l'acte III, donne donc l'exemple : il n'en faudrait pas croire pour autant que, dès ce moment, Wagner n'évoluera plus : les Maîtres apparaissent essentiellement diatoniques, tandis que Siegfried (pour l'acte III) et le Crépuscule des dieux, d'une part, Parsifal, d'autre part, seront soumis à des recherches assez différentes quant à la polyphonie, l'art de moduler, de structurer les cellules musicales, d'orchestrer enfin.

L'action musicale devient théâtre. Quelques exemples suffisent à le faire comprendre. La partition peut, tout d'abord, servir de « véhicule spatio-temporel » ; les interludes de l'Or du Rhin, le voyage de Siegfried sur le Rhin qui lie, dans le Crépuscule des dieux, le prologue à l'acte I, les interludes de Parsifal au cours desquels « le temps devient espace », ne sont pas des pièces symphoniques à programme : ils mêlent à la description des lieux traversés la transformation qui s'opère dans l'esprit des héros. Plus significative encore est la marche funèbre du Crépuscule : bâtie sur les motifs attachés à l'histoire de Siegfried, elle est l'occasion pour la foule (public compris) de réfléchir à la valeur de la mort du héros.

Plusieurs effets dramatiques, en second lieu, impliquent leur visualisation : au deuxième acte de Siegfried, le sang du dragon qui éclabousse la main du héros permet à ce dernier de comprendre le sens caché des paroles de Mime, le nain qui veut l'empoisonner ; si le public est mis dans la confidence, l'acteur qui tient le rôle du Nibelung doit jouer le contraire de ce qu'il chante. D'une manière générale, c'est d'ailleurs le rapport dialectique du texte et de la musique qu'il importe de visualiser par la mise en scène.

*Page autographe de Richard **Wagner** pour la conclusion du prélude
de Tristan et Isolde, exécuté à Paris le 15 décembre 1859.*

Enfin, l'outil qu'est devenu le théâtre de Bayreuth a permis à Wagner de penser différemment la musique : l'étagement des chœurs dans la coupole de Montsalvat, prévu par la mise en scène (*Parsifal*, acte I), est directement responsable du son que le compositeur a imaginé, en fonction de l'acoustique du Festspielhaus. « L'orchestre invisible » de Bayreuth autorisa d'ailleurs le gonflement des pupitres de cuivres, parce que la disposition des instrumentistes dans la fosse (cuivres et percussions au bas des gradins, seconds violons avec l'F tourné vers le devant de l'orchestre, premiers violons avec l'F vers l'arrière) réalisait un équilibre du son unique en son genre. Cet équilibre, que Wagner a voulu pour *l'Anneau*, en fonction duquel il a orchestré *Parsifal*, avantage naturellement les chanteurs.

En ce qui concerne ces derniers, il est utile, pour savoir ce que Wagner attendait d'eux, de rappeler l'adoration qu'il vouait à Wilhelmine Schröder-Devrient. Il reconnaissait ses limites (une voix usée, peu virtuose), mais restait confondu devant son tempérament de tragédienne. De même, parlant de Schnorr von Carosfeld, le créateur de Tristan, il louait « une voix pleine, sensible et brillante, instrument à la disposition d'une tâche intellectuelle parfaitement maîtrisée », et consacrait plus de temps à détailler l'interprétation dramatique du ténor que ses prouesses vocales. Les témoignages précis sont rares sur la manière dont dirigeait Wagner : de sa volonté, maintes fois affirmée, de libérer le tempo de la mesure, de son souci de préserver avant tout la clarté et l'intelligibilité du texte, du soin apporté à l'acoustique du Festspielhaus, on peut légitimement conclure qu'il refusait déclamation hachée, à bout de souffle, autant que boursouflures orchestrales.

La « tradition » instituée par Cosima, le faible intérêt porté longtemps aux textes et aux indications de Wagner, l'idée, trop répandue, que l'orchestre wagnérien doit sonner avec force, l'apparition de chanteurs aux moyens vocaux surdimensionnés, voire même les progrès des techniques d'enregistrement, ont fait oublier le vrai visage du chant wagnérien. Sans doute Wagner n'a-t-il pas vécu assez pour constituer une distribution idéale : mais Carosfeld, Marianne Brandt (créatrice de Kundry), Franz Betz (créateur de Sachs et Wotan), Karl Hill (créateur d'Alberich et Klingsor), Gustav Siehr (créateur de Hagen et Gurnemanz) ou Theodor Reichmann (créateur d'Amfortas) correspondaient vraisemblablement à ses désirs.

Il semble d'ailleurs que Wagner a su très tôt définir les types vocaux dont il avait besoin ; Senta, le Hollandais ont pratiquement servi de modèles à tous les développements ultérieurs du soprano et du baryton-basse wagnérien : une tessiture assez étendue mais n'exigeant aucune « pyrotechnie vocale », un grave sonore, un aigu éclatant, un médium richement coloré. Pour les ténors, en revanche, après l'imitation de Lortzing et Flotow (Erik du *Vaisseau*) ou de l'opéra italo-français (Tannhäuser), il opte pour une voix de tessiture peu large (l'ultime aigu est généralement un *la*, en dépit de l'*ut* inscrit au *Crépuscule des dieux*), mais tendue, nécessitant souplesse, sonorité et endurance ; c'est pourquoi Wagner enseigna surtout à ses interprètes l'art de la respiration naturelle du chant : il leur suffisait de suivre intelligemment le texte pour vaincre les difficultés de la partition.

Il savait vraisemblablement à quoi s'en tenir, lui qui avait écrit pêle-mêle texte, chant et mise en scène, guidant aussi (ce qui est capital) la baguette de ses chefs d'orchestre attitrés (Bülow, Richter, Levi, etc.). Mais ce précieux conseil fut vite oublié. Certes, Wagner dut compter avec l'horizon musical d'où venaient ses premiers interprètes (Tischatschek était un rossinien idéal, mais il défendit Rienzi et Tannhäuser ; Carosfeld étincelait dans *Robert le Diable* lorsqu'il aborda Tristan) ; mais c'est précisément cette richesse d'inflexions que le compositeur s'efforça d'in-

culquer à Niemann, Vogl, Unger, Gudehus, Winckelmann (qui, à Bayreuth, furent les ténors de *l'Anneau* et de *Parsifal*), qu'il fut heureux de rencontrer chez Marianne Brandt (laquelle chantait aussi Elvire de *Don Giovanni*), voire chez Lili Lehmann.

La polymorphie du discours. Il demeure que l'exégèse concernant les opéras de Wagner, le sens du message que les interprètes sont censés véhiculer n'a cessé de se compliquer, et ce dès l'époque du compositeur. Survivant aux remises en question les plus radicales comme aux récupérations idéologiques, elle a donné naissance à une abondante littérature, à l'édification de chapelles, attirant dans son orbite, avec plus ou moins de bonheur, tous les systèmes d'analyse possibles. Cette volonté de mettre en lumière les différentes sources de l'écriture wagnérienne et les différentes possibilités de sa lecture a paradoxalement souvent abouti à des schémas d'explication fort réducteurs dans leur désir de trouver l'unique clef ouvrant toutes les portes du wagnérisme. C'est dire à quel point la polymorphie du discours wagnérien pose problème, à quel point aussi il est capable de renvoyer à toutes les époques l'image de ses certitudes et de ses inquiétudes et, par là, d'échapper aux modes.

Il est difficile en tout cas de ne pas se demander dans quelle mesure, à la cohérence de la trame dramatique des opéras de Wagner, répond une cohérence de la pensée qu'ils mettent en scène. La rigueur de l'enchaînement des scènes et des actions, la fascination exercée par l'orchestre et le chant, peuvent masquer le fond du discours, soit en lui donnant une évidence émotionnelle qu'il ne possède pas rationnellement, soit en l'introduisant subrepticement alors que l'attention du public reste braquée sur des événements jusque-là présentés comme essentiels.

On s'aperçoit aisément en effet que le finale des opéras wagnériens contient une accélération brutale de la pensée, un déplacement soudain de la problématique, insidieusement masqués par l'agitation surabondante de l'action ou son apaisement. Comme si l'auteur, ayant mené jusque-là un discours souterrain parallèle, éprouvait quelque peine à affirmer clairement le choix effectué *in fine* entre les différents raisonnements, quelque hésitation à attirer l'attention sur ce qu'il considère désormais comme essentiel, enten-

Une représentation de Siegfried *de Richard* **Wagner** *au festival de Bayreuth.*
Mise en scène de Wieland Wagner.

dons sur le personnage soudainement parvenu au premier plan : celui qui tire la leçon des événements, ne se contente pas d'achever l'action mais fait en sorte qu'elle ne puisse plus jamais avoir lieu, celui qui écarte le danger du recommencement, celui qui sauve.

Wagner entrecroise donc, au cours d'une même action, plusieurs parcours. Celui, tout d'abord, de deux héros déstabilisés et déstabilisateurs. La réaction, en second lieu, d'une société qui, perturbée par la présence en son sein ou à ses frontières des deux hors-la-norme, tente de résister au vertige, se crispe ou s'abandonne, cherche à reconstituer son unité. L'intervention, enfin, d'une tierce personne qui, par son sacrifice, permet une certaine forme de réconciliation.

Les sociétés que présente Wagner sont généralement décadentes, au sens tout au moins où il entend le mot : elles ont oublié le sens profond des lois qui les gouvernent, elles ont perdu le secret de leur origine divine. Gangrenées par des apports étrangers impurs, elles sont victimes de ceux qui profitent des hésitations de la conscience collective pour détourner le pouvoir au profit de leurs ambitions propres. Les héros apparaissent dès lors comme les premières victimes de ce déracinement : images d'un monde coupé de son origine, oublieux de son sens (sa signification mais aussi son histoire), ils en vivent les contradictions de manière exacerbée. C'est à leur malheur que Wagner nous permet d'assister, ne négligeant aucun aspect de cette pathologie. C'est sur eux qu'il attire l'attention du public, sans jamais le détromper : car si les héros se révoltent et se présentent en dénonciateurs du monde organisé, si Wagner les accompagne scrupuleusement, l'auteur se garde bien jusqu'à la fin d'indiquer l'essentiel, à savoir que si leur aventure est exemplaire, ce n'est point tant parce qu'elle est digne d'être imitée, mais parce qu'elle est révélatrice d'un besoin. On assiste donc aux tentatives désespérées des héros pour échapper aux tortures du monde : cette attitude, loin d'être salvatrice, conduit à la pire angoisse. Elle sert peut-être le destin individuel des héros, mais en aucun cas celui de l'humanité.

L'intervention d'une tierce personne est donc nécessaire, afin d'organiser la violence issue de la crise et de donner un sens à la souffrance. Dans un premier temps, Wagner confie ce rôle à Dieu, réellement deus ex machina venant réconcilier l'apparemment inconciliable, récupérer la dénonciation du monde au profit de sa consolidation. Par la suite, Wagner introduira un troisième héros, évoluant de manière souterraine.

L'ambiguïté, déjà dénoncée par Nietzsche, vient de ce que Wagner s'avère incapable de présenter de manière positive une théorie du renoncement et de la béatitude : le bouddhisme qui devait inspirer *les Vainqueurs* a vite cédé devant les sortilèges hautement dramatiques qu'offrait la passion chrétienne. En conséquence de quoi, Wagner estime préférable d'exacerber l'angoisse et les douleurs nées du vouloir-vivre, imaginant que, par contrecoup, celui qui annoncera son renoncement en paraîtra plus grand et plus héroïque. Il n'empêche que le théâtre wagnérien se nourrit essentiellement de la souffrance, et que Wagner se montre fort discret quant à la philosophie et à l'organisation sociale qui jailliront du renoncement.

Car c'est bien de renoncement qu'il s'agit : hanté par la possibilité toujours offerte du péché (être coupé de Dieu), Wagner en vient à dénoncer l'instrument de ce péché : la femme, moteur de l'Histoire humaine, nécessaire pour précipiter l'homme dans le doute, nécessaire à sa prise de conscience, à son retour sur soi, mais soudainement inutile et dangereuse dès que le contact est renoué avec Dieu (avec les autres hommes), dès que l'Histoire prend fin et que se reconstitue l'âge d'or.

Au contraire de Nietzsche qui exaltait

l'éternel recommencement de tout, Wagner se crispe violemment sur un acquis : il dénonce les moteurs du désir, il dénonce le désir lui-même qui condamne l'individu à oublier son appartenance à un Être originel et le précipite dans une quête insensée du soi. Ce n'est pas au travers de la multiplicité des expériences que l'homme acquiert sa totalité mais, bien au contraire, par l'éradication brutale des apparences trompeuses nées de la création. Il faut désirer un état, celui de l'originelle totalité, dans lequel le désir, né de la multiplicité, n'existe plus. Car, pour Wagner, toute création est imparfaite, donc mauvaise, parce que Dieu n'a pu créer qu'en se mutilant. Il faut donc mettre fin aux individus.

Mais, condamné par les lois de son théâtre à mettre l'accent sur l'individu, Wagner a quelque honte à avouer qu'en réalité son théâtre aboutit à une négation farouche de l'individu. Or, mettre en scène pareille contradiction revient parodoxalement à justifier encore Bayreuth, qui se nourrit ainsi pour survivre de sa propre dénonciation. On ne peut avoir raison du phénomène wagnérien.

WALTHER *(Johann)*, compositeur allemand *(Kahla 1496-Torgau 1570)*. Tout en servant le prince-Électeur de Saxe, il se prit d'amitié pour Martin Luther, qui commençait à prêcher la Réforme, et compta parmi les premiers musiciens du mouvement. En 1524, Luther écrivit la préface de son ouvrage le *Geistlich Gesangbüchlein*. Parallèlement, Walther chantait la partie de basse dans la maîtrise du prince de Saxe, et, l'année suivante, prenait la direction de la même maîtrise à Torgau. Bien que le *Corpus musicum* du souverain ait été supprimé en 1530, le compositeur se fixa dans cette localité et y fonda la première société de chant allemande. Au rétablissement de la chapelle électorale à Dresde, en 1548, il en prit à nouveau la direction jusqu'en 1554, date à laquelle il se retira à Torgau, pensionné par le prince, sans cesser de composer dans la stricte continuité luthérienne.

Walther se situe dans le droit fil de la grande tradition franco-flamande, illustrée par Josquin Des Prés (le musicien préféré de Luther) et Isaak. Mais les particularismes de l'école allemande sont sensibles dans ses *lieder*, les uns homophones à quatre voix, les autres polyphoniques, à cinq et même six voix. Tout à la fin de sa vie, Walther, qui fut aussi le principal artisan de la *Messe allemande (Deutsche Messe)* voulue par Luther, composa les premiers motets de chorals affranchis de la règle du cantus firmus et les premiers psaumes allemands.

Son œuvre comprend de nombreux motets, un *Magnificat,* une *Passion selon saint Matthieu,* prototype de la passion-répons en Allemagne, et des mélodies de chorals (deux recueils seront imprimés en 1552 et 1561, avec le célèbre cantique sur le choral de Luther *Von Himmel hoch*). Il a également laissé un important poème-épitaphe sur la mort du réformateur, et son travail comme maître de chœurs à Torgau en fait le premier *cantor* de l'histoire de la musique luthérienne, un modèle qui se perpétuera jusqu'à l'époque de Jean-Sébastien Bach et au-delà. De ce point de vue, son influence a été grande, même hors des pays germaniques, et la musique protestante a trouvé, avec lui, un ton naturel et des harmonisations simples et chantantes dont Goudimel, en France, fera son profit.

WALTHER *(Johann Gottfried),* organiste, compositeur et lexicographe allemand *(Erfurt 1684 - Weimar 1748).* Élève de Johann Bernhard Bach, il a subi, par son intermédiaire, l'influence — déterminante dans l'Allemagne centrale — de Johann Pachelbel. Organiste à Saint-Thomas d'Erfurt de 1702 à 1707, il obtint en 1707 le poste important de maître de tribune à Saint-Pierre-et-Saint-Paul de Weimar. Durant les années que Jean-Sébastien Bach passa dans cette ville comme maître de chapelle (1708-1714), Johann Gottfried Walther appartint au petit cercle de ses familiers et amis.

Ses contemporains (notamment le célèbre Mattheson) semblent l'avoir tenu en grande estime, comme compositeur d'abord (pièces vocales, pièces pour orgue dont les *toccatas, préludes* et *fugues* qui jettent un pont entre Pachelbel et les organistes de l'école nord-allemande comme Buxtehude et Vincent Lübeck, etc.), comme musicographe ensuite — en effet, son *Musikalisches Lexikon,* publié en 1732, est le premier dictionnaire musical en allemand, et le premier aussi à donner des articles biographiques sur les compositeurs de l'époque.

*Sir William **Walton**.*

WALTON *(sir William),* compositeur anglais *(Oldham 1902 - Ischia 1983).* Il étudia à Oxford, et attira l'attention sur lui par un quatuor à cordes joué au Festival de la S. I. M. C. à Salzbourg en 1923 et immédiatement retiré par lui, et surtout par *Façade* pour récitant et six instruments sur un texte d'Edith Sitwell (1921-22, rév. 1923 et 1942), et par l'ouverture pour orchestre *Portsmouth Point* (1925). Il apparut alors comme une sorte de pendant anglais des membres du groupe des Six.

Suivirent notamment un *Concerto pour alto* (1928), créé par Hindemith, l'oratorio *Belshazzar's Feast* (1930-31), la *Symphonie n⁰ 1* en *si* bémol mineur (1934-35), et un *Concerto pour violon* (1938), commandé par Heifetz. Citons aussi la marche *Crown Imperial,* pour le couronnement de George VI, ainsi que plusieurs musiques de film dont celles pour *Henry V* (1943-44), *Hamlet* (1947) et *Richard III* (1955) de Laurence Olivier.

Après la guerre, il écrivit entre autres un *Quatuor à cordes* en *la* mineur (1945-1947), les opéras *Troilus and Cressida,* sur un livret de Christopher Hassall d'après Shakespeare (Londres, 1954), et *The Bear,* d'après Tchekhov (Aldeburgh, 1967), *Coro-*

nation Te Deum, pour le couronnement d'Élisabeth II (1952-53), un *Concerto pour violoncelle* destiné à Piatigorski (1956), une *Symphonie n⁰ 2* (1959-60), *Variations sur un thème de Hindemith* (1962-63), *Improvisations sur un Impromptu de Benjamin Britten* (1969) et *Prologo e Fantasia* (1981-82) pour orchestre. Il joua un rôle important dans l'Angleterre musicale du xxᵉ siècle.

WARD *(John),* compositeur anglais *(Canterbury 1571 - ? 1638).* Protégé par la famille Fanshawe, il a laissé un volume de madrigaux (publié en 1613 et comprenant 28 pièces de trois à six voix), de la musique pour ensemble de violes et des œuvres sacrées remarquables notamment par leur usage du chromatisme et de la dissonance.

WARLOCK *(Peter),* compositeur anglais *(Londres 1894 - id. 1930).* Sous son vrai nom de Philip Heseltine, il commença par écrire sur la musique, en particulier sur l'école anglaise des alentours de l'an 1600, et en 1910, se lia d'amitié avec Frederick Delius. Il utilisa pour la première fois son pseudonyme en 1919. Il écrivit quelques pages instrumentales, dont la plus célèbre est la *Capriol Suite* (1926), mais son importance réside essentiellement dans ses mélodies, au nombre de plus d'une centaine. *The Curlew,* pour ténor, flûte, cor anglais et quatuor à cordes, d'après Yeats (1921-22), est considéré comme son chef-d'œuvre.

WEBER *(Carl Maria von),* compositeur, pianiste et chef d'orchestre allemand *(Eutin, Holstein, 1786 - Londres 1826).* Son père, Franz Anton *(1734-1812),* était le frère cadet de celui de la femme de Mozart, Constance. Mozart et Weber étaient donc cousins germains par alliance. Franz Anton, entrepreneur théâtral, fit mener à ses enfants une vie itinérante. Carl Maria reçut ses premières leçons de son demi-frère Fridolin *(1761-1833),* qui avait lui-même étudié avec Haydn. Il travailla également avec Heuschkel à Hildburghausen, avec Michael Haydn à Salzbourg (1797), et avec Kalcher à Munich (1798-1800). Au cours d'un nouveau séjour à Salzbourg, il termina sous la direction de Michael Haydn son troisième opéra, *Peter Schmoll und seine Nachbarn* (1801, créé à Augsbourg en 1803). L'hiver 1803-1804 fut passé à Vienne, où Weber étudia non avec Joseph Haydn, comme il l'avait espéré, mais avec l'abbé Vogler. De cette époque datent, entre autres, les *Variations pour piano* op. 5 et op. 6 sur des thèmes de l'abbé Vogler (tirés respectivement de *Castor et Pollux* et de *Samori*).

Ayant accepté le poste de maître de chapelle à Breslau, Weber y arriva en juin 1804. Ses projets de réforme ayant rencontré une forte opposition, il démissionna bientôt. En 1806, il obtint à Carlsruhe (Haute-Silésie) un poste d'intendant du prince Eugène de Wurtemberg, pour l'orchestre duquel il écrivit alors ses deux symphonies, et en 1807, il devint à Stuttgart secrétaire du duc Ludwig, frère du prince, et professeur de musique de ses filles. Là, il se lia avec Franz Danzi. Malheureusement, divers incidents, dont un provoqué par son père Franz Anton, le firent expulser à perpétuité du territoire du Wurtemberg. À Stuttgart, il avait composé notamment son opéra *Silvana* (Francfort, 1810), une musique de scène pour *Turandot* de Schiller (1809), la *Grande Polonaise* op. 21 pour piano et plusieurs lieder.

Weber se rendit d'abord à Mannheim et à Heidelberg, puis à Darmstadt, où il reprit ses études auprès de l'abbé Vogler, avec entre autres condisciple Meyerbeer. Il termina alors son *Premier Concerto pour piano,* et commença son singspiel *Abu Hassan* (Munich, 1811). En outre, il se produisit de plus en plus comme pianiste. En février 1811, il quitta Darmstadt pour une tournée qui le mena à Bamberg, puis à Munich, où avec le clarinettiste Heinrich Bärmann il donna un concert avec au programme son *Concertino pour clarinette.* Cette œuvre eut un tel succès que le roi de Bavière lui commanda deux concertos pour clarinette. Pour l'orchestre, qui lui en avait demandé plusieurs pour divers instruments, il n'écrivit que celui pour basson.

Ayant refusé un poste de maître de chapelle à Wiesbaden, Weber entreprit de nouvelles tournées, d'abord en Suisse, puis (avec Bärmann) à Prague, Leipzig, Dresde, Gotha, Weimar, Francfort, Nuremberg, Bamberg et Berlin, où il arriva en février 1812, et composa notamment sa *Première Sonate pour piano (ut* majeur, op. 24). En décembre, il joua à Gotha son *Deuxième Concerto pour piano* et, en janvier 1813, il arriva à Prague.

Il s'y vit offrir le poste de directeur de l'Opéra, devenu vacant, et qu'il devait

*Portrait de Carl Maria von **Weber**,
par sir Thomas Lawrence en 1814. (Musée Bonnat, Bayonne.)*

occuper jusqu'en 1816. Il effectua dans l'établissement de profondes réformes, et réunit une troupe de chanteurs de premier plan, et dont fit partie, à dater de décembre 1813, la soprano Caroline Brandt, sa future femme. En trois ans, Weber fit représenter à Prague soixante-deux opéras de plus de trente compositeurs différents. Parmi ces derniers, beaucoup de Français ou de Français d'adoption (Dalayrac, Grétry, Catel, Méhul, Isouard, Boieldieu, Cherubini, Spontini), mais aussi Beethoven *(Fidelio).* À Prague, Weber composa entre autres son *Quintette pour clarinette* et sa cantate *Kampf und Sieg* (1815). Ayant

démissionné de son poste après divers incidents, il partit en juin 1816 pour Berlin, où il acheva son *Grand Duo concertant* pour clarinette et piano et ses sonates pour piano n° 2 (*la* bémol majeur, op. 39) et n° 3 (*ré* mineur, op. 49).

Le 25 décembre 1816, il fut nommé maître de chapelle de la cour de Saxe à Dresde : ce devait être son dernier poste officiel. Les traditions d'opéra de la ville étaient italiennes, et une des tâches confiées à Weber consistait à y développer l'opéra allemand (ce qui devait provoquer pour lui de nombreuses difficultés dans ses rapports avec Fr. Morlacchi, chargé de

WEBER

l'opéra italien). Le 30 janvier 1817, Weber fit ses débuts à Dresde en dirigeant *Joseph* de Méhul. Le 4 novembre, à Prague, il épousa Caroline Brandt. À Dresde, il poursuivit son habituelle politique de réformes, tout à fait comparable à celle à laquelle, à la fin du siècle, Gustav Mahler devait attacher son nom, et rencontra le poète Friedrich Kind, futur librettiste du *Freischütz*. Weber commença à travailler à cette œuvre peu après son mariage. Ses deux messes de maturité, en *mi* bémol et en *sol*, datent respectivement de 1817-18 et de 1818-19.

Un projet d'opéra avec Kind *(Alcindor)* ayant été abandonné, Weber, tout en poursuivant le *Freischütz*, se tourna vers la musique instrumentale : *Polacca brillante* op. 72 pour piano (1819), *Rondo brillante* op. 62 pour piano (1819), *Invitation à la valse* (1819), *Trio pour flûte, violoncelle et piano* (1819). Il composa également une musique de scène pour *Preciosa* de P. A. Wolff (1820, création à Berlin le 14 mars 1821). Et le 18 juin 1821, jour de la création à Berlin du *Freischütz*, il termina son *Konzertstück* en *fa* mineur pour piano et orchestre.

Le *Freischütz* connut un triomphe non seulement à Berlin mais dans toute l'Allemagne, et fut le premier opéra allemand à conquérir immédiatement l'Europe entière ou presque. Ce triomphe fut à l'origine de la commande, par le théâtre de la Porte-de-Carinthie à Vienne, d'un nouvel opéra « dans le style du *Freischütz* ». Le résultat devait être *Euryanthe* (Vienne, 25 octobre 1823). Entre-temps, le *Freischütz* avait été donné à Dresde (26 janvier 1822) et à Vienne (ce qui avait été l'occasion d'une rencontre avec Schubert), et Weber avait composé à Dresde en 1822 sa *4ᵉ Sonate pour piano* (*mi* mineur, op. 70). Parallèlement, il avait renoncé définitivement à un opéra entrepris en 1820 sur un livret de Theodor Hell, *les Trois Pintos* (terminé par Gustav Mahler en 1888).

Weber, qui souffrait de phtisie, vit alors sa santé se détériorer rapidement. Il dirigea *Euryanthe* à Dresde le 31 mars 1824, puis durant l'été *les Saisons* de Haydn et *le Messie* de Haendel pour les fêtes du centenaire de Klopstock à Quedlinburg. En août, il reçut de Covent Garden la commande d'un opéra. Il choisit le sujet d'*Obéron* (livret de James Robinson Planché). En décembre 1825, il dirigea *Euryanthe* à Berlin. Avec comme compagnon le flûtiste Kaspar Fürstenau, il quitta Dresde en février 1826, arrivant le 25 à Paris (où le jeune Berlioz courut après lui toute une journée sans réussir à le voir), et le 4 mars à Londres. Il y dirigea la première d'*Obéron* le 12 avril, et mourut dans la nuit du 4 au 5 juin chez sir George Smart, qui l'avait accueilli dès son arrivée. En 1844, ses restes furent transférés à Dresde à l'instigation de Wagner, qui occupait alors son ancien poste dans cette ville.

Né seize ans après Beethoven et onze ans avant Schubert, Weber mourut le premier des trois, un an avant Beethoven et deux ans avant Schubert. Tous trois furent donc largement contemporains. Une des meilleures façons d'aborder Weber, le premier grand musicien romantique allemand, est de réfléchir sur son attitude envers Beethoven. On connaît sa déclaration (1810) : « Je diffère trop de Beethoven dans mes vues pour que je puisse jamais me rencontrer avec lui. Le don brillant et incroyable d'invention qui l'anime est accompagné d'une telle confusion dans les idées, que ses premières compositions seules me plaisent, tandis que les dernières ne sont pour moi qu'un chaos, qu'un effort incompréhensible pour trouver de nouveaux effets, au-dessus desquels brillent quelques célestes étincelles de génie qui font voir combien il pourrait être grand s'il eût voulu maîtriser sa trop riche fantaisie. Ma nature ne me porte pas à goûter le génie de Beethoven. »

Du génie de Beethoven, Weber était évidemment persuadé comme tout un chacun. Significatif est le fait que de tous les grands compositeurs romantiques, il ait été avant Chopin le seul à ne pas se réclamer expressément de Beethoven. Loin de s'en indigner, il faut y voir de sa part un trait de lucidité, car Weber mit ainsi en accord ses déclarations officielles avec sa pratique. Il fut au XIXᵉ siècle le premier grand compositeur à ne plus se mouvoir dans l'orbite de Vienne. Certes, on peut tracer une lignée des *Saisons* de Haydn à son propre *Freischütz*. Certes, pour lui, Mozart était un dieu, et nul n'ignore que, comme lui, il magnifia la clarinette. Mais en Mozart, il admira le dramaturge plutôt que le symphoniste. Bref, sa rupture avec le classicisme viennois fut beaucoup plus radicale que celle de Schubert, natif de la capitale des Habsbourg et qui y passa toute sa vie, et il en fit bénéficier des genres bien

Obéron *de Carl Maria von* **Weber** *à l'Opéra de Munich.*
Gravure anonyme. (Musée du théâtre, Munich.)

précis : ni la symphonie (les deux qu'il écrivit en 1807 sont d'importance secondaire), ni le quatuor à cordes (il n'en composa aucun), mais l'opéra, le concerto, la variation brillante.

Il ne fut pas un maître de la forme sonate, et dans ses concertos, les premiers mouvements lui donnèrent toujours le plus de mal, au point qu'il les écrivit généralement en dernier, et que dans certains cas (*Concertino* pour cor, *Andante e Rondo ungarese* pour alto révisé plus tard pour basson), il alla jusqu'à s'en passer.

À la place du travail thématique rigoureux et de la variation organique surgirent avec lui l'élan, le geste conçu comme un mouvement chargé de signification (dramatique ou non) : Weber était virtuose ! Et on s'aperçoit que les tendances humanitaires et tendant vers l'universel des classiques viennois, échos des idéaux officiels de la Révolution française, firent place chez lui à une attitude velléitaire fondée largement sur l'irrationnel, avec comme toile de fond une catastrophe toujours possible, pas toujours évitée. La scène de la « Gorge aux loups » du *Freischütz* est typique, et s'oppose dans son fantastique à celle de la mort de Don Giovanni chez Mozart.

Adorno l'a noté : « (Cette scène) est composée d'images, elle est presque allusive comme dans un film, à chaque image correspond une situation ou une apparition de fantômes. C'est justement de cette réserve, du fait qu'elle ait su se limiter à la musique de scène et renoncer au vaste finale intégré du type deuxième acte de *Figaro* ou scène du cachot (de *Fidelio*), que la scène principale du *Freischütz* tire son originalité fondamentale. Sans crainte, elle se met à la merci de la fuite des images. Des prétentions d'ordre symphonique seraient ici déplacées, elles jureraient avec les couleurs de ces instants changeants, avec cette vision d'enfer en miniatures Biedermeier. Au moment précis où fut composé le *Freischütz*, on inventa le kaléidoscope : quelques-uns des besoins qui provoquèrent cette invention devinrent musique dans la *Gorge aux loups.* »

Le romantisme de Weber, son germanisme, ses couleurs orchestrales, son sens de la nature et du fantastique, découlent de telles prémisses. Avec le *Freischütz,* il fit passer dans la musique les grands espaces de la forêt allemande, le romantisme de la nature. Avec *Euryanthe* et *Obéron,* il y fit passer également, en contemporain de Walter Scott, un romantisme chevaleresque et historicisant, celui qu'on retrouve dans beaucoup d'opéras-comiques français du temps de Charles X, par exemple dans *la Dame blanche* de Boieldieu (que Weber ait préféré l'opéra français à l'opéra italien n'a rien que de très normal).

Entre la nature dans la *Pastorale* de Beethoven et dans le *Freischütz,* peu de points communs : dans un cas, on ressent, ou à la rigueur on contemple un tableau, dans l'autre on y est plongé. On y est même tellement plongé que cette nature est tout, sauf pittoresque, sauf innocent. C'est déjà celle, consolatrice et menaçante à la fois, de la *Symphonie n° 3* de Mahler. Elle dégage un parfum national sans verser dans le nationalisme : en tant que spécimens du germanisme en musique, le *Freischütz* et *les Maîtres chanteurs* ne se ressemblent pas.

Au niveau exceptionnel qui est le sien, et par-delà ses tenants et aboutissants, le *Freischütz* apparaît pour ainsi dire comme une œuvre exterritoriale, presque sans tradition. Un demi-siècle plus tôt, alors que le classicisme viennois prenait son essor, les opéras de Gluck s'étaient comportés

Weber dirigeant l'opéra Freischütz *à Covent Garden à Londres.*

de même. Or de Berlioz, ce pourfendeur de ce qui à son avis sentait l'école, qui furent les ancêtres vénérés ? Beethoven bien sûr, mais surtout Gluck et Weber.

Comme compositeur pour piano et comme virtuose du piano, Weber personnifia génialement ses aspirations plus que latentes chez Clementi, Dussek, Hummel et même le premier Beethoven. Bien que d'une taille au-dessous de la moyenne, il avait des doigts d'une longueur lui permettant de couvrir sans difficulté un intervalle de douzième. Son art du crescendo combla d'aise, à Weimar en 1812, le vieux Wieland. Il brilla surtout dans l'improvisation, et sortit vainqueur de nombreux tournois. Il passa la plus grande partie de sa brève existence comme chef d'orchestre d'opéra, mais après sa mort, un journaliste remarqua qu'il « jouait de l'orchestre comme un virtuose d'un instrument ».

Les pièces pour piano ne se groupent

pas en grands cycles solides comme les sonates de Beethoven ou de Mozart, mais s'éparpillent en variations, rondos, polonaises, valses, pièces de danse, pièces à quatre mains (même les quatre sonates sont rarement perçues comme formant un ensemble) : c'est une des raisons de leur peu de renommée. Elles méritent beaucoup mieux, malgré leurs tendances curieusement opposées, voire contradictoires. Le virtuose se rappelle à nous par la fréquence des intervalles très larges, comme dans le rondo du *Concerto n° 2* ou dans le menuet de la *Sonate n° 1*, des gammes rapides en tierces ou en glissandi d'octaves, des traits agiles, des accords brisés (pour en augmenter la difficulté, il arrivait à Weber de jouer en *ut* dièse le finale de la *Sonate n° 1* en *ut,* parfois publié isolément sous le nom de *Mouvement perpétuel*).

Mais parallèlement se manifestent un goût très prononcé pour la couleur orchestrale (Weber fut un des plus grands orchestrateurs de tous les temps) et des souvenirs d'opéra d'autant plus remarquables que l'écriture pour piano reste toujours impeccable. Sous cet angle, contrairement à Beethoven, et contrairement à ce qu'il fit lui-même ailleurs, Weber fut un très grand styliste.

Fidèle à une tendance du temps qui lui était particulièrement chère, il mit souvent son imagination au service d'une expression plus ou moins exotique : plusieurs pièces pour piano ont un parfum espagnol, hongrois, polonais, russe, bohémien. Or là aussi, on ne peut qu'admirer leur sûreté de main, leur goût parfait, avec, unifiant le tout, ces qualités si typiques de Weber au meilleur de lui-même : la bravoure, le panache. Ne parla-t-il pas, dans une de ses professions de foi, de l'indispensable « énergie de l'expression » ?

Il exerça aussi des activités de critique, et ses lettres et écrits divers, fort intéressants, ont fait l'objet de plusieurs éditions. Son fils Max Maria *(1822-1881)* fut son premier biographe *(Carl Maria von Weber : ein Lebensbild,* Leipzig, 1864-1866, rééd. abr. 1912, trad. angl. abr. 1865, réimpr. 1968). Son petit-fils Carl *(1849-1897)* communiqua à Mahler, pour qu'il l'achevât, le manuscrit des *Trois Pintos.*

WEBERN *(Anton),* compositeur autrichien *(Vienne 1883 - Mittersill, Autriche, 1945).* Il naît dans une famille de « von

Webern » (dont il abandonnera plus tard la particule), ancienne lignée de propriétaires terriens du sud du Tyrol. Ses premières années se passent à Vienne, Graz, et Klagenfurt. En 1902, il s'inscrit pour des études de philosophie et de musicologie à l'université de Vienne, où il est l'élève de Guido Adler. Sa thèse de doctorat, achevée en 1906, porte sur le *Choralis Constantinus* d'Isaac, et manifeste son intérêt pour la polyphonie ancienne et ses jeux d'écriture. En même temps, il commence à composer, probablement sous l'influence de Wagner, mettant en musique la ballade de Uhland *Siegfrieds Schwert* (1901-1902). En 1904, il fait la rencontre d'Arnold Schönberg, dont il devient le premier et le plus dévoué disciple. Leur association, à laquelle se joindra Alban Berg, sera à l'origine de la seconde école de Vienne.

Webern commence par gagner sa vie comme chef d'orchestre de théâtre et comme chef de chœurs. En 1911, il épouse une cousine, Minna, dont il aura trois filles (parmi lesquelles Christina, à laquelle est dédiée l'opus 21) et un fils, qui mourra sur le front russe. Mobilisé lors de la Première Guerre mondiale, il est réformé pour cause de mauvaise vue. Il est d'ailleurs sujet à des ennuis de santé, à des périodes de dépression et de troubles psychosomatiques qui contredisent l'image qu'on se fait souvent d'un Webern détaché et séraphique.

Après la guerre, il dirigera pendant dix ans un orchestre et un chœur populaires, le *Wiener Arbeitersymphoniekonzert,* et le chœur populaire du *Kunststelle* (1923-1933), formations destinées aux travailleurs et lui permettant de mettre en pratique ses idées socialistes.

Dans le répertoire qu'il défend au concert figure la musique viennoise, mais aussi Mahler dont il est un très grand admirateur (alors que la dimension de leurs œuvres semblerait les opposer, ce qui prouve que l'esthétique n'est pas une affaire de proportions extérieures). Comme chef d'orchestre, Webern est précis, transparent, méticuleux. En 1927, il dirige les programmes de la radio de Vienne, ce qui l'amène à être invité en Allemagne, en Suisse, en Angleterre. Ses compositions musicales sont distinguées deux fois, en 1924 et en 1932, par le prix de la ville de Vienne, et Universal l'édite à partir de 1925.

Webern s'est mêlé à la vie culturelle,

a connu le groupe du Blaue Reiter, rencontré Robert Musil (c'est de cette période que date son célèbre portrait par Kokoschka, peint en 1914), mais son cœur reste attaché à la montagne, aux fleurs, à la nature, qu'il aime passionnément. À partir de 1918, il vit à Mödling près de Vienne, où il compose et enseigne.

Mais la montée du nazisme, puis l'annexion de l'Autriche par le IIIe Reich, en 1938, bouleversent sa vie. Sa musique est rangée au nombre des productions d'«art dégénéré», Schönberg s'est exilé aux États-Unis, Alban Berg meurt en 1935. Webern reste donc seul du groupe, et ses fonctions lui sont peu à peu retirées. Il survit grâce à des travaux de lectures et de corrections d'épreuves pour Universal. Vienne étant bombardée, il se réfugie à la fin de la guerre à Mittersill, une petite ville au sud-ouest de Salzbourg. C'est là que le 15 septembre 1945, après la fin de la guerre, il meurt abattu par un soldat américain au cours d'une opération de perquisition chez son gendre, soupçonné de marché noir, alors que, semble-t-il, il était simplement sorti pour prendre l'air et fumer une cigarette malgré le couvre-feu imposé ce jour-là.

Après la guerre, l'œuvre de Webern fut redécouverte, remise à sa juste place, et érigée en modèle par la jeune génération sérielle formée par des hommes comme René Leibowitz. Cette génération vit en lui le plus rigoureux et le plus radical utilisateur de la méthode sérielle de Schönberg, qu'il avait adoptée à partir de son opus 17. Ce «moine obscur œuvrant dans le silence» (Pierre Boulez) fut alors salué pour sa soif d'absolu, sa nouveauté.

Toujours selon Boulez, un des jeunes compositeurs qui le prirent alors avec enthousiasme comme inspirateur, «tandis que Schönberg et Berg se rattachent à la décadence du grand courant romantique allemand et l'achèvent [...] par le style le plus luxueusement flamboyant, Webern, à travers Debussy, réagit violemment contre toute rhétorique d'héritage, en vue de réhabiliter le pouvoir du son. C'est bien, en effet, le seul Debussy qu'on puisse rapprocher de Webern dans une même tendance à détruire l'organisation formelle préexistante à l'œuvre, dans un même recours à la beauté du son pour lui-même, dans une même elliptique pulvérisation du langage» (1954).

Le même Boulez lui reconnaissait une

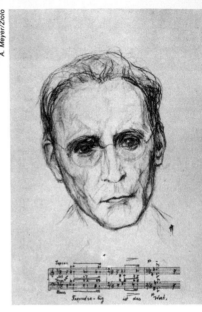

Anton **Webern,** par Hildegarde Jone, vers 1946. (Coll. A. Meyer/Ziolo.)

seule innovation d'importance dans le domaine du rythme : «Cette conception où le son est lié au silence en une précise organisation.» En résumé, «Webern est le seuil». Ces quatre mots résument toute une vision de Webern comme une sorte de Moïse modeste désignant la «Terre promise».

On sait que la musique sérielle d'inspiration «webernienne», ou (comme on dit parfois) «post-webernienne», n'a pas duré plus de vingt ans avant de tomber en désuétude, ou de glisser vers l'académisme. De plus en plus, on se met à réécouter Webern non comme un prophète ou un modèle, mais simplement comme un repère et un grand musicien. Seulement, on en parle toujours avec les mêmes mots qu'il y a trente ans (musique de rupture, d'ascétisme, point de non-retour), alors qu'on aperçoit aujourd'hui beaucoup mieux dans quelles continuités cette musique prétendument réinventée de fond en comble se situait, de l'aveu même de Webern.

Il reste évident que Webern, contrairement aux deux autres Viennois, a rompu avec un certain romantisme pour promouvoir une musique objective, pur jeu de valeurs et de proportions (nous préférons ce terme d'objectif à celui de cérébral, souvent employé, mais qui en l'occurrence ne veut rien dire). Une constante dans son évolution : l'amour de la discrétion sonore, la haine du bruit inutile, le culte des formes très concises. Sa production officielle complète — trente et un numéros d'opus — tient en moins de quatre heures, et certaines œuvres, invraisemblablement brèves, ne dépassent pas trois minutes. Ses œuvres sont courtes et denses, jamais chargées ni enchevêtrées.

Des trois Viennois, il est encore celui qui a consommé le plus radicalement la rupture avec la tonalité. On sait que Schönberg et Berg n'auront de cesse de réintégrer plus ou moins le tonal dans le sériel. Webern, au contraire, ne manifeste jamais une telle préoccupation. De la technique dodécaphonique sérielle, à partir de l'opus 17, Webern cherche à tirer les plus radicales conséquences, mais aussi à rendre son emploi le plus simple et le plus limpide possible. C'est ainsi qu'il aime employer des séries de douze sons dérivées de micro-séries de trois ou quatre sons, ce qui limite considérablement le nombre de leurs présentations possibles (vingt-quatre ou douze, au lieu de quarante-huit), et rend plus ou moins audible une certaine permanence des intervalles fondateurs de la série. Par exemple, la série sur laquelle est basé le *Concerto pour neuf instruments* op. 24 (v. KONZERT) se divise en trois ou quatre sections, qui sont elles-mêmes des présentations différentes de la même microsérie, ce qui réduit le nombre des combinaisons d'intervalles.

Plus Webern abolit la répétition et promeut une musique qui est variation permanente, plus il circonscrit et délimite cette variation dans des formes claires et brèves, ce que feront rarement ses disciples à titre posthume, qui préféreront une complexité plus ramifiée et développée.

Les postsériels de l'après-guerre faisaient gloire à Webern d'avoir aboli la contradiction entre les dimensions verticale et horizontale, et pensé sa musique dans une dimension « diagonale », « sorte de répartition des points, des blocs ou des figures non plus dans le plan, mais dans l'espace » (Boulez). Certes, mais il est évident que cet espace, bien que visible sur la partition, demeure un espace conceptuel, non temporel.

Schönberg a écrit de la musique de Webern : « Elle fait tenir un roman dans un soupir », et Webern s'était donné comme devise esthétique *Non multa sed multum* — pas beaucoup de choses (en nombre), mais quelque chose de conséquent.

Webern est aussi, dans l'école de Vienne, celui qui a poussé le plus loin, après les *Cinq Pièces pour orchestre* op. 16 de Schönberg, la recherche sur les « mélodies de timbre », la *Klangfarbenmelodie;* pas seulement dans sa célèbre orchestration du *Ricercare* de l'*Offrande musicale* de Bach, où le thème, toutes les deux ou trois notes, passe à un autre instrument, mais aussi dans ses créations personnelles, dans lesquelles, de plus en plus, il distribue chaque ligne contrapuntique entre des instruments solistes qui se relaient (début de la *Symphonie* op. 21).

Le choix des sonorités et leur emploi va dans le sens de la clarté. Il affectionne spécialement la clarinette, qu'il emploie fréquemment, dans le même esprit mystique que le Messiaen du *Quatuor pour la fin du temps;* il aime aussi les sonorités nettes, douces et lumineuses de la guitare, de la mandoline, du glockenspiel (employées chez lui discrètement, mais dont la musique postwebernienne abusera jusqu'à la nausée). Il fuit le pâteux, l'épais, le lourd, le chargé. Avec ses bois par quatre, l'orchestre du *Daphnis et Chloé* de Ravel lui semble « zu gross » (trop grand, trop gros). Cet amoureux de la haute montagne cherche peut-être à retrouver cette résonance particulière des sons en altitude, cette matité transparente du plein air où rien n'est confus ou caverneux.

Par ailleurs, Webern utilise de moins en moins chaque instrument pour un type particulier de traits, de formules, et, comme le dit Leibowitz, « tous les instruments sont traités de la même façon ». Ainsi, l'écriture des *Variations* op. 27, pour piano, n'a absolument rien de « pianistique ». Le timbre instrumental est comme une couleur pure mise individuellement sur chaque note, mais l'instrument ne détermine jamais a priori le discours et l'écriture.

On a donc beaucoup parlé de la « rupture » qu'auraient introduite cette esthétique webernienne et les œuvres qui l'ont illustrée, mais beaucoup moins des racines de cette esthétique, des influences qui l'ont aidée à se former. Parmi ces racines, il y a la polyphonie ancienne, sur laquelle Webern fit sa thèse, le vieux contrepoint, avec ses formes courtes et géométriques et sa façon de considérer l'instrument comme véhicule de la pensée, plutôt que sous l'optique d'une virtuosité ou d'une spécificité instrumentale.

Mais il y a aussi la musique postwagnérienne de son temps, et notamment celle de Gustav Mahler. Il est indiscutable, bien qu'on l'ait rarement dit, que le Webern des *Six Pièces pour orchestre* op. 6 et des *Cinq Pièces* op. 10 est préfiguré dans certains moments transparents et raréfiés des symphonies de Mahler, qui, d'une façon générale, par ses sonorités, apparaît plus proche de Webern que de son contemporain Richard Strauss. Webern a repris des procédés mahlériens dans une tout autre pensée, objective et « scholastique » — ce terme étant employé sans aucune connotation péjorative. Mais la filiation est évidente.

Il semble à ce propos qu'une des leçons de Webern ait été mal comprise : c'est celle de l'économie. On a complaisamment repris les procédés weberniens pour surenchérir sur la densité, la complexité, l'enchevêtrement des structures, perdant cette transparence à laquelle tenait beaucoup l'auteur des *Cinq Pièces*. S'il faisait court et raréfié, ce n'était pas seulement par souci pédagogique, c'était aussi par instinct d'équilibre et d'harmonie. Bien que basées sur des séries simplifiées aux combinaisons de base limitées, les structures des œuvres de Webern sont déjà bien complexes à saisir. Derrière cette complexité, Webern cherche pourtant les symétries cachées, les formes A-B-A (le chiffre 3 semble se retrouver dans beaucoup d'œuvres), une articulation des mouvements extrêmement claire.

Enfin, on a fait un peu systématiquement l'impasse sur l'inspiration religieuse et mystique d'une grande partie de l'œuvre de Webern, sur le fait également que sur trente et un numéros d'opus, dix-sept sont des œuvres vocales (de préférence pour voix de soprano) ; que ces œuvres ont donc un texte, et que ce texte porte un sens. Il s'agit fréquemment de textes de piété naïve et populaire, ou bien

d'amour mystique et panthéiste. Webern ne s'est-il pas passionné pour la poésie d'Hildegard Jones, poésie pleine de suavité dans laquelle Dieu, la personne aimée, et l'univers sont adorés dans un même élan de douce effusion, au point de mettre en musique un nombre important de ses textes (entre autres *Trois Lieder* op. 25, *Das Augenlicht* op. 26, et les *Cantates* op. 29 et op. 31) ?

Il y a chez Webern un côté « quiétiste » et angélique, souvent négligé et masqué, et que l'on peut redécouvrir, maintenant que sa musique n'est plus un porte-drapeau.

L'œuvre d'Anton Webern. On proposera ici un bref parcours de cette évolution sans grandes secousses, à l'intérieur d'une œuvre finalement très homogène malgré les changements techniques. Il est vrai que Webern a établi son catalogue à partir de la première œuvre qu'il ne reniait pas, laissant de côté une certaine production postromantique de ses premières années.

La *Passacaille* op. 1, pour orchestre, de 1908, est la seule œuvre que Webern ait conservée de sa production nettement tonale (elle est en *ré* mineur). Encore cette tonalité est-elle souvent allusive. D'emblée, avec elle, Webern place son œuvre de maturité sous le signe de la variation. Quant au bref chœur a capella sur un poème de Stefan George, *Entflieht auf leichten Kähnen*, op. 2 (1908), on y trouve déjà le procédé cher à Webern de l'écriture en canon, et une musique déjà entrée en apesanteur.

Les deux opus suivants, op. 3 et op. 4 sur des poèmes de Stefan George également, appartiennent à cette région injustement méconnue de l'œuvre de Webern, celle de ses lieder pour voix et piano, formule que ses disciples trouveront conservatrice et romantique. Il y a beaucoup de délicatesse et de beauté, pourtant, dans ces lieder très intimes où la voix n'est pas du tout maltraitée, mais sur lesquels glisse le plus souvent l'exégèse postwebernienne.

À partir de l'opus 5, les *Cinq Mouvements* pour quatuor à cordes (1909), commence l'œuvre officiellement reconnue et fêtée de Webern. Ces mouvements sont encore assez romantiques, et on peut trouver de même un charme expressionniste à l'opus 6, les *Six Pièces* pour orchestre de 1909 (révisées en 1928), qui sont sa seule œuvre pour très grande formation, encore

*Anton **Webern**, par Dolbin.
(Coll. A. Meyer/Ziolo.)*

A. Meyer/Ziolo

que celle-ci y soit rarement employée dans sa masse et sa puissance.

Avec les *Quatre Pièces* op. 7 (1910) pour violon et piano, et les *Deux Lieder* op. 8 (1910) pour voix moyenne et instruments, s'ouvre la période des œuvres ultracourtes, qui culmine dans les *Six Bagatelles* pour quatuor op. 9 (1913), les *Cinq Pièces* pour orchestre op. 10 (1913), les *Trois Petites Pièces* pour violoncelle et piano op. 11 (1914). On peut parler ici d'un impressionnisme de la concision.

Les *Cinq Pièces* pour orchestre op. 10, qui durent au total environ six minutes, sont un sommet du Webern présériel. Leur effectif n'est pas traditionnel, car à côté des vents, de percussions assez abondantes (mais plutôt discrètes), et d'instruments spéciaux tels que harmonium,

célesta, mandoline, guitare et harpe, le quatuor à cordes y figure sous sa forme soliste (un violon, un alto, un violoncelle, une contrebasse) et non sous sa forme collective et orchestrale. Il s'agit donc, en fait, d'une formation de solistes employés par petites touches très éparpillées dans un vide cristallin. Mais cette musique n'a rien de déshumanisé : la moindre phrase de quatre notes déborde d'accents expressifs (la mention *espressivo* figure en de nombreux endroits).

La troisième pièce, centre de cet édifice, est tout à fait à part dans l'œuvre de Webern, puisque fondée non sur une articulation de notes, mais sur un « bruit », un bruissement changeant et continu, formé par des superpositions de trilles et de notes répétées, sorte de peinture musicale d'une sonorité naturelle, avec des cloches très discrètes, des résonances lointaines, des grondements de tambour. Sur ce fond mouvant, qui n'est déjà plus de la musique de notes au sens traditionnel, quelques instruments solistes, le violon, le cor, le trombone, tous avec sourdines, égréneront de courts motifs expressifs. C'est la page la plus impressionniste, la moins systématique et la plus « ouverte » de Webern, qui revient ensuite dans la quatrième pièce à une musique « de notes », basée sur des valeurs de hauteur et de durée, et non plus sur ces textures continues qu'après lui recréeront les musiques électroacoustiques.

Suit une vaste série, mal connue, de lieder et de chants sacrés, qui va de l'opus 13 à l'opus 16. À partir de l'opus 14, Webern renonce à l'accompagnement pianistique pour employer soit un petit ensemble de solistes, soit la clarinette solo, sorte de seconde voix sublimée par rapport à la voix humaine proprement dite, celle d'une soprano. L'écriture vocale, pure et précise, n'est jamais dramatisée par un Sprechgesang, même fugitif. La voix est employée dans une optique purement instrumentale, comme chez Bach, mais en revanche l'instrument qui l'accompagne acquiert la ductilité et la spiritualité d'une voix humaine.

L'opus 17 de 1924, *Trois Hymnes traditionnels* pour soprano, clarinette, clarinette basse, violon et alto, marque la première utilisation du système sériel, sans rupture absolue de style : il y a longtemps que l'écriture de Webern s'est préparée à entrer en sérialisme, par son atomisation méticuleuse, et par l'emploi de formes d'école, comme le canon en mouvement contraire, qui se retrouve dans les procédés sériels de récurrence.

Il faut noter que dans son écriture sérielle, Webern s'autorise à répéter un son, une hauteur, pourvu que ce soit immédiatement après, par le même instrument (comme si c'était la même note énoncée en deux, trois fois au lieu de l'être en une) ; ce qui donne un style « morse » très caractéristique.

C'est à partir de la *Symphonie* op. 21 que débute la grande période classique. Cette symphonie emploie dans son premier mouvement une forme sonate adaptée (exposition, développement, réexposition, coda) et elle débute par un double canon rigoureux. Son plan général en deux mouvements (lent ou modéré/plus vif) est devenu par la suite typiquement webernien. Le très diaphane *Concerto* op. 24 pour neuf instruments est célèbre pour sa série « à transpositions limitées ».

Quant aux dernières œuvres, elles vont, sur ce terrain conquis, essayer de retrouver une certaine ampleur, une certaine épaisseur, une certaine durée : les premières œuvres de Boulez ou d'autres seront assez proches de cette musique plus touffue du dernier Webern, celui des *Cantates*, où il recrée des complexes sonores constituant un matériau de base plus global, moins dénudé, sorte de « brique », ou de bloc sans fonction harmonique, où certains voudront voir une sorte de prémonition de l'« objet sonore » de la musique concrète.

On remarquera que Webern n'a laissé qu'une œuvre pour un instrument soliste, comme s'il craignait de laisser l'instrument seul avec lui-même : il s'agit des *Variations* pour piano op. 27, aussi peu virtuoses que possible. Webern n'a jamais favorisé qu'un instrument : la voix. Ailleurs, même dans le *Concerto* op. 24, toute hiérarchie est supprimée entre les différents postes instrumentaux.

Webern fut un musicien passionné et exclusif, qui, à l'exception de Willi Reich, ne compta pratiquement pas de disciples directs. Il faut rendre grâce à ceux qui l'ont sorti de l'ombre où sa discrétion l'avait placé, mais aussi réapprendre à l'entendre, et peut-être à le jouer, sans en faire à tout prix une musique de rupture absolue. Nous comprenons aujourd'hui que cette rupture ne fut que relative, et qu'elle ne prétendit jamais au caractère total qu'on lui a attribué. Webern fut un

moment particulier de la musique. Il poursuivit une aventure très personnelle, sur laquelle tout n'a pas été dit, et dont l'interprétation et la compréhension ne sont pas closes une fois pour toutes.

WEELKES *(Thomas)*, compositeur anglais *(Elsted, Sussex, v. 1576 - Londres 1623)*. On sait très peu de chose de son existence, sinon qu'il est organiste à la cathédrale de Winchester de 1598 à 1601, puis organiste et directeur de la maîtrise de la cathédrale de Chichester de 1601 à 1617. Il est renvoyé de ce poste en raison de sa mauvaise conduite. En 1602, il reçoit le titre de Bachelor of Music de l'université d'Oxford, et se marie en 1603.

Avec son contemporain John Wilbye, Thomas Weelkes compte parmi les plus grands maîtres du madrigal anglais. Si son œuvre n'est pas toujours l'égale de celle du premier, elle est nettement plus abondante ou, en tout cas, mieux conservée. Quatre livres de madrigaux, de *Balletts,* d'*Ayeres or Phantasticke Spirites for Three Voices,* ont paru en 1597, 1598, 1600 et 1608 à Londres. Sa musique religieuse (services, antiennes, *Magnificat, Nunc Dimitis, Te Deum)* est restée manuscrite à l'exception de deux pièces incluses dans les *Teares and Lamentations of a Sorrowful Soul* de Leighton (1614). Quelques œuvres instrumentales, pour clavier ou pour un ensemble de violes (*In nomine,* pavanes), complètent cette liste.

Fasciné par la cosmographie, par le fantastique, Weelkes emploie un chromatisme parfois excessif. En revanche, cette étrangeté trouve sa pleine expression dans un madrigal extraordinaire : *Thule, the Period of Cosmography* (1600). Gai, extraverti, parfois maladroit, son talent s'exerce également dans les pièces du genre brillant ou populaire. Si *The Cries of London* n'atteignent pas la perfection de forme, de contrastes et d'invention des *Cris de Paris* de Clément Janequin, la simplicité de la scène évoquée est peut-être plus réaliste. Pour Th. Morley, l'ami qui lui a sans doute inspiré ses *Balletts* (de l'italien *balletto*), Weelkes compose la déploration à six voix intitulée *Death hath deprived me of my dearest friend* (1608).

WEIGL *(Joseph)*, compositeur et chef d'orchestre autrichien *(Eisenstadt 1766 - Vienne 1846)*. Il étudia à Vienne avec Salieri, qui l'introduisit dans les milieux du théâtre (il fit répéter et dirigea *les Noces de Figaro* et *Don Giovanni* de Mozart, puis participa aux répétitions de *Cosi fan tutte*). Maître de chapelle et compositeur des théâtres de la cour en 1792, il obtint son premier succès en 1794 avec *La Principessa d'Amalfi.* Suivirent de nombreux opéras italiens et de nombreux singspiels, parmi lesquels surtout *Das Waisenhaus* (1808) et *Die Schweizerfamilie (Robinson suisse,* 1809). De 1827 à 1838, il fut vice-maître de chapelle impérial. Il écrivit aussi de la musique sacrée, ainsi que deux autobiographies demeurées manuscrites.

WEILL *(Kurt),* compositeur américain d'origine allemande *(Dessau 1900 - New York 1950).* Encouragé très tôt à la musique par son père, il étudie auprès de A. Ding et entre en 1918 dans la classe de E. Humperdinck et celle de R. Krasselt à l'École supérieure de musique de Berlin. Pour gagner sa vie, il se produit comme pianiste de cabaret et fait des arrangements de musiques scéniques. En 1919, il assure les fonctions de corépétiteur au théâtre de Dessau et en 1929 de directeur musical au théâtre de Lüdenscheidt, et se trouve ainsi directement en contact avec les milieux de la scène.

En 1921, il entre dans la classe de Busoni en présentant sa *Première Symphonie* en un mouvement, et compose des musiques d'inspirations diverses, assez influencées par Mahler et par Schönberg (*Die Zaubernacht,* 1922; *Der Frauentanz,* 1924; *Quatuor* op. 8, 1923). Il prend part au même moment aux activités de groupements idéologiques comme le *Novembergruppe.* Il obtient un premier succès en 1924 avec son *Concerto pour violon et instruments à vent,* d'écriture concise et directe, mais qui n'est pas sans présenter un certain côté expressionniste dont il ne se départira jamais.

Cette période européenne est ensuite marquée par trois rencontres décisives, tout d'abord celle avec Fritz Busch, en 1922, qui devient un de ses plus fidèles interprètes et le présente à Georg Kaiser, écrivain dramatique expressionniste à tendances sociales, avec qui il collabore à plusieurs reprises. Il lui fournit le livret du *Protagoniste* (1924-25), court drame comicotragique pour lequel Weill fait s'opposer deux orchestres et introduit dans sa musique des éléments de jazz et de danses modernes. La seconde rencontre berli-

noise est celle de Yvan Goll, écrivain-poète expressionniste gagné à l'esthétique de l'absurde, qui lui procure le texte du *Nouvel Orphée* (cantate scénique, 1925), et de *Royal Palace* (1927), «Zeitoper» (opéra d'actualité) inspiré de l'opérette et du cabaret et qui ne renonce à aucun des gadgets modernes, des hélices d'avion aux projections de diapositives.

Il écrit la même année une «comédie à la manière ancienne» sur un texte de Kaiser, *Le tsar se fait photographier,* dans laquelle il allie chœur de vieillards à l'antique et airs de tango diffusés par un électrophone. Mais il s'adonne en même temps à un style plus sombre, celui de la ballade *Vom Tod im Walde* (1927) et du *Berliner Requiem* (1928), chœur composé à la mémoire de l'assassinat de Rosa Luxembourg.

La rencontre capitale est celle de Brecht, en 1927. Le dramaturge essaie à ce moment-là d'imposer sa conception «épique» du théâtre, libérée des boursouflures du drame. Dans ses pièces, il relate froidement les faits, démonte pour les caricaturer les processus de l'âme humaine, et confie à la musique le devoir de véhiculer les idées principales.

C'est Weill qui, alors à la recherche d'un public nouveau et plus vaste, trouve l'impact nécessaire à cela dans ses *songs,* sorte de ballades modernes apparentées au *moritat* et à la chanson de cabaret. Martelées de façon prosodique à l'esprit de l'auditeur, à la manière des chants d'*agit-proptruppen* (groupes d'agitation-propagande), et soutenues par les accents syncopés d'un orchestre repris au jazz, leurs harmonies rudes d'accords parfaits superposés, leurs ruptures tonales brusques, leurs «fausses basses» viennent tour à tour appuyer, contredire ou parodier le contenu des paroles et obliger le spectateur à une «distanciation» critique vis-à-vis du spectacle.

Les plus belles réussites dans le genre sont *l'Opéra de quat'sous* (*Drei Groschen Oper,* 1928) est les deux versions de *Grandeur et Décadence de la ville de Mahagonny (Aufstieg und Fall der Stadt Mahagonny,* singspiel : 1927 ; opéra : 1929), dans lesquels se produit sa jeune femme Lotte Lenya. Puis, après *Happy End* (D. Lane, 1929), célèbre pour le *Surabaya Song* et le *Bilbao Song,* Weill s'essaie avec Brecht au genre du *Lehrstück,* cantate scénique didactique ; il compose en 1929 le *Lind-*

berghflug, en collaboration avec Hinde-mith, et, en 1930, *Der Jasager*.

Mais leurs personnalités respectives les obligent à se séparer en 1930, et c'est à K. Neher que Weill demande le livret de *Die Bürgschaft* («la Caution», 1931), œuvre d'envergure qui émousse malheureuse-ment par ses dimensions l'efficacité du song, puis à Kaiser celui de *Der Silbersee* (1932), qui attaque le nazisme naissant. En 1933, il doit se réfugier à Paris, puis à Londres, et écrit pour Balanchine un ballet mêlé de songs et de monologues, *les Sept Péchés capitaux* (*Die sieben Totsünde*, 1933), ultime œuvre sur un livret de Brecht.

En 1935, répondant à un appel de Max Reinhardt, il s'installe définitivement aux États-Unis (il est naturalisé en 1943), où il partage sa vie entre New York et Holly-wood. Le changement est total. Possédant à fond son métier d'homme de théâtre et de musicien, Weill s'adapte immédiatement aux courants américains et aux lois du show-business, et se met à composer en grand nombre des opéras à succès influen-cés par l'opérette et le show en vogue à Broadway. Son langage, parfois très con-ventionnel, comme dans *One touch of Venus* (1943), fait volontiers parler de *cotton-candy-music*. Toutefois, il ne se départit pas d'une certaine orientation idéologique, dans *The Eternal Road* par exemple (F. Werfel, 1935, drame biblique sur la question juive), dans les œuvres sur textes de M. Anderson (*Knickerbocker Holiday*, 1938; *Lost in the Stars*, 1949), dans *Johnny Johnson* (1936) ou *Down in the Valley* (1948, opéra didactique). Il s'ou-vre en même temps aux courants de la psychanalyse, en particulier dans *Lady in the Dark* (1940), succès qui consacre défi-nitivement sa rupture avec l'Europe.

Ainsi, Weill n'est pas à considérer du seul point de vue de sa période créatrice des années 20, mais bien en fonction de son adaptation constante aux courants de son époque, en fonction d'une personna-lité aux facettes multiples, qui lui a donné de préserver son indépendance vis-à-vis de tout mouvement particulier, et qui explique son influence sur toute une génération de compositeurs allemands, parmi lesquels Eisler et Dessau.

WEISS *(Sylvius-Leopold)*, luthiste alle-mand *(Breslau 1684 - Dresde 1750)*. Il fut le plus remarquable luthiste de la dernière période du luth en Allemagne. Il fut proba-blement en rapport avec J.-S. Bach à Dresde, où il occupa un poste de musicien à la cour de 1717 à sa mort, et sans doute son talent joua-t-il un rôle dans l'intérêt que le Cantor porta au luth, pour lequel il écrivit plusieurs pièces dont deux suites. C'est également cette forme que Weiss adopte la plupart du temps. Toutes ses œuvres portent la marque d'un grand inter-prète, mais aussi d'un maître du contre-point. Exploitant au maximum les possibi-lités polyphoniques du luth, il en aborde en même temps les limites et constitue sans doute l'aboutissement d'une évolu-tion auquel l'instrument ne survivra d'ail-leurs pas.

WELLESZ *(Egon Joseph)*, compositeur, pédagogue et musicologue autrichien *(Vienne 1885 - Oxford 1974)*. Il commença des études de droit qu'il abandonna bien-tôt, et prit des leçons privées de piano et d'harmonie (Carl Frühling) en même temps que de musicologie (Guido Adler). Les représentations dirigées par Mahler à l'Opéra de Vienne confirmèrent sa voca-tion. En 1904, il rencontra Schönberg, qui lui enseigna le contrepoint pendant deux ans. Il passa son doctorat de musicologie avec deux thèses brillantes sur Giuseppe Bonno (1908) et Francesco Cavalli (1913). Après avoir enseigné l'histoire de la musique au Nouveau Conservatoire de Vienne (1911-1915), il se spécialisa dans l'étude des musiques de l'Orient chrétien. Devenu professeur à l'université de Vienne (1929-1938), il se consacra avec succès au déchiffrement de l'écriture musicale byzan-tine, fondant en 1932 l'Institut de musique byzantine de la Bibliothèque nationale de Vienne. À Londres, où il émigra en 1938, il donna des cours au Royal College of Music, puis à l'université de Cambridge, avant d'être nommé, l'année suivante, con-férencier sur la musique byzantine et pro-fesseur à Oxford, postes qu'il devait occu-per jusqu'en 1956. Invité à plusieurs repri-ses à donner des cours aux États-Unis (Princeton et Dumbarton Oaks), il écrivit de nombreuses études sur la musique byzantine et devint le rédacteur en chef de deux volumes de la *New Oxford History of Music* (1953).

Comme compositeur, il a été fortement influencé par Mahler, et plus encore par Schönberg, dont il fut le premier biographe (Vienne, 1921; trad. angl. 1924; réimpr. 1969), mais sa connaissance approfondie des musiques religieuses proche-orientales a laissé également des traces évidentes dans sa musique. Son œuvre très abondante (plus de cent numéros d'opus) aborde tous les genres. Membre très actif du comité directeur de la S.I.M.C., il a énergiquement contribué à sa renaissance après 1945.

On lui doit notamment le ballet *Das Wunder der Diana* (1924), les opéras *Die Prinzessin Girnara* (1921, rév. 1928), *Alkestis* (1924) et *Incognita* (1951), des œuvres vocales, de la musique de chambre dont neuf quatuors à cordes (1911-12 à 1966), et de la musique d'orchestre dont neuf symphonies (1945 à 1971).

WERNER *(Gregor Joseph),* compositeur autrichien *(Ybbs-sur-le-Danube 1693-Eisenstadt 1766).* Il fut organiste à Melk de 1715 à 1716 (ou 1721), puis vécut à Vienne, et en 1728, fut engagé comme maître de chapelle des Esterházy à Eisenstadt, poste qu'il devait occuper jusqu'à sa mort avec comme vice-maître de chapelle, à partir de 1761, Joseph Haydn. Durant ses cinq dernières années, Werner n'eut plus en charge que la musique religieuse, Haydn ayant autorité sur tout le reste (musique instrumentale, musique vocale profane, relations avec l'orchestre). Werner se sentit quelque peu dépassé par les événements, et en octobre 1765, dans une pétition au prince, alla jusqu'à se plaindre de ce que par la faute de Haydn, le désordre régnait un peu partout.

Jusqu'à son dernier jour, il écrivit beaucoup de musique religieuse (a cappella ou dans le style concertant), et de 1729 à 1762, il dirigea tous les vendredis saints un de ses oratorios à Eisenstadt. On lui doit aussi des œuvres instrumentales, parmi lesquelles un curieux *Musicalischer Instrumental-Calender* (1748). En 1804, Haydn transcrivit pour quatuor à cordes et fit paraître chez Artaria six de ses préludes d'oratorios.

WIDOR *(Charles Marie),* organiste et compositeur français *(Lyon 1845-Paris 1937).* Son père, d'ascendance hongroise, était organiste à Lyon, et fut son premier professeur. Entré au conservatoire de Bruxelles, il y fut l'élève de Lemmens (orgue) et de Fétis (composition). À l'âge de vingt ans, il commença à effectuer des tournées d'organiste; en 1869 il devint organiste de l'église Saint-Sulpice à Paris, poste

*Charles Marie **Widor** d'après une silhouette en bois découpé. (Bibl. de l'Opéra, Paris.)*

qu'il devait conserver soixante-cinq ans, jusqu'en 1934. Entre 1876 et 1900, il écrivit ses dix symphonies pour orgue, qui rénovent totalement la technique et l'esthétique de l'orgue français. Bien plus qu'un instrument liturgique, l'orgue devient pour lui un instrument de concert, dont il utilisa avec habileté tous les contrastes.

En dehors de l'orgue, son œuvre instrumentale comprend des sonates et des pièces diverses pour piano, des concertos (piano, violoncelle), de la musique de chambre (notamment deux quintettes) et quatre symphonies. Il a également écrit pour le théâtre les ballets *la Korrigane* (1880), et *Jeanne d'Arc* (1890) et trois opéras dont le plus marquant est *les Pêcheurs de la Saint-Jean* (1905). Mais c'est surtout à l'orgue que son nom est resté lié.

En 1890, Widor succéda à Franck à la classe d'orgue du Conservatoire de Paris, puis à Théodore Dubois à la classe de composition. Il devint membre de l'Académie des beaux-arts en 1910 et son secrétaire perpétuel en 1914. Il collabora avec

Larousse

Albert Schweitzer pour l'édition des grandes œuvres d'orgue de Bach. De 1920 à 1934, il dirigea le Conservatoire américain de Fontainebleau. Enfin, il créa à Madrid la villa Velázquez, qui exista jusqu'en 1936 et fit pendant à la villa Médicis.

Héritier des principes de Franck, qu'il développa, Widor précéda dans le monde de l'orgue les grands artistes qui devaient s'y révéler et dont beaucoup furent ses élèves : Tournemire, Vierne, Dupré. Ce dernier fut son successeur en 1934 à la tribune de Saint-Sulpice.

WIÉNER *(Jean),* pianiste et compositeur français *(Paris 1896* - id. *1982).* Après avoir été encouragé par Gabriel Fauré, il fut au Conservatoire (jusqu'en 1914) l'élève d'André Gédalge. Par l'intermédiaire du pianiste Yves Nat, il eut son premier contact avec la musique négro-américaine, qu'il s'attacha à divulguer après la Première Guerre mondiale. Le 28 avril 1920, il donna son premier récital, Salle Érard, avec la cantatrice Jane Bathori. À la même époque, il attirait l'attention avec une *Sonatine syncopée,* suivie d'une *Suite pour piano et violon,* où se mêlaient formules classiques et rythmes américains. Cette « salade », chère à Jean Wiéner, fut aussi mise en pratique dans les programmes des concerts qu'il organisa de 1921 à 1925 : des musiques de jazz y côtoient des créations d'ouvrages contemporains classiques comme *Pierrot lunaire* de Schönberg, donné pour la première fois en France sous la direction de Darius Milhaud (1921).

En 1933, Wiéner composa sa première musique de film *(l'Âne de Buridan).* Il devait en signer près de trois cents, dont la plus populaire demeure sans doute celle de *Touchez pas au grisbi !* (1954). En 1938, il participa à l'un des spectacles du Front populaire et devint critique musical à *Ce soir.* On lui doit encore de très nombreuses musiques de scène, un *Concerto franco-américain* (1923), un *Concerto pour accordéon* (1964), un *Concerto à deux guitares* destiné à Ida Presti et Alexandre Lagoya et une *Sonate pour violoncelle* (1968) demandée par Rostropovitch. Il a publié ses mémoires en 1978 sous le titre *Allegro appassionato.*

WIENIAWSKI, famille de musiciens polonais. — **1. Henryk,** violoniste et compositeur *(Lublin 1835 - Moscou 1880).* Il étudia à Lublin avec J. Hornziel et S. Serwaczýnski,

*Henryk et Josef **Wieniawski**.*

et en 1843, entra dans la classe de Clavel au Conservatoire de Paris, puis dans celle de Massart avec lequel il travailla jusqu'en 1848. Après ses premiers triomphes à Paris et à Saint-Pétersbourg, il fit une grande tournée de concerts dans toute l'Europe en compagnie de son frère Josef, pianiste. De 1860 à 1871, il fut violoniste à la cour de Saint-Pétersbourg. De 1872 à 1874, il effectua une tournée aux États-Unis (dont une série de concerts avec A. Rubinstein). De 1874 à 1876, succédant à Vieuxtemps, il fut professeur de violon au conservatoire de Bruxelles. Virtuose exceptionnel, il se jouait des difficultés techniques les plus ardues : dixièmes, pizzicati de la main gauche, sons harmoniques, doubles, staccato volant, etc. Il a composé des œuvres (dont deux concertos) destinées à son propre usage, pour mettre en valeur son étonnante technique.

— **2. Josef,** pianiste et compositeur, frère du précédent *(Lublin 1837 - Bruxelles 1912).* Élève de Liszt à Weimar (1855-56), il fut professeur de piano au conservatoire de Bruxelles de 1878 à sa mort.

WILBYE *(John)*, compositeur anglais *(Diss, Norfolk, 1574-Colchester, Essex, 1638)*. Fils d'un tanneur, Mathew Wilbye, John est baptisé le 7 mars 1574. Puis on perd sa trace jusqu'au moment de la publication de son premier livre de madrigaux en 1598. À cette époque, il est déjà entré au service de la famille de sir Thomas Kytson, près de Bury St. Edmond's (Suffolk). Il reste trente ans à ce poste, jusqu'à la mort de lady Kytson en 1628, et passe les dix dernières années de sa vie chez une amie de longue date, lady Rivers, à Colchester. En 1609, il publie le *Second Set of Madrigals to 3, 4, 5 and 6 Parts Apt for Both Voyals and Voyces*. Un autre madrigal se trouve dans le recueil *The Triumphs of Oriana* (1601) et deux autres pièces dans *The Teares and Lamentations of Sorrowful Soul* (1614) de sir W. Leighton. Quelques pièces isolées, généralement incomplètes, sont conservées en manuscrit. On ne connaît de lui aucune œuvre religieuse.

Les deux recueils renferment un total de soixante-quatre madrigaux. C'est peu. Mais par la qualité uniformément élevée de cette musique, Wilbye s'affirme comme le plus grand de tous les madrigalistes anglais. Il possède le métier sérieux et la maîtrise du contrepoint de W. Byrd, le don mélodique et la gracieuse légèreté dans le style canzonette cher à Th. Morley *(Fly not so swift)*, ainsi que la science du madrigal italien (Ferrabosco). C'est un musicien plus raffiné et plus égal que Th. Weelkes ; le chromatisme de Wilbye demeure toujours discret et au service de l'expression. En cela il se rapproche de Luca Marenzio. Quant aux textes littéraires, il les traite en connaisseur : chaque image miroite dans sa musique qui développe une intensité incomparable.

Un titre encore, le superbe madrigal *Draw on, sweet night* à six voix qui, avec ses alternances de majeur/mineur, décrit la douceur de la nuit et, ensuite, l'homme harassé qui vient y chercher un apaisement.

WILDBERGER *(Jacques)*, compositeur suisse *(Bâle 1922)*. Entré en 1940 au conservatoire de sa ville natale, il devint en 1940 l'élève de Vladimir Vogel, qui l'initia aux techniques sérielles. Depuis 1966, il enseigne la théorie et la composition à l'Académie de musique de Bâle. Après avoir écrit en 1952 un quatuor pour flûte,

clarinette, violon et violoncelle s'inspirant formellement des *Variations pour orchestre* de Schönberg, il s'imposa en 1953 à Donaueschingen avec *Tre mutazioni* pour orchestre de chambre, où se manifeste l'influence de Webern. *Intensio-Centrum-Remissio* pour orchestre fut créé sous la direction de Pierre Boulez à Aix-en-Provence en 1958. Avec *Musique pour 20 cordes solistes* (1960), Wildberger étendit le sérialisme aux durées.

Citons encore *Contratempi* pour flûte, flûte alto, flûte basse et quatre groupes d'orchestre (1970), et des œuvres vocales comme *Épitaphe pour Évariste Galois* pour récitants, soprano, baryton, chœur parlé, orchestre et bande (1962), *La Notte* pour cinq instruments et bande, d'après des textes de Michel-Ange et de Hans Magnus Enzensberger (1967), et *Die Stimme, die alte schwächer werdende Stimme* pour soprano, violoncelle, orchestre et bande (1974).

WILLAERT *(Adriaan)*, compositeur flamand *(Bruges ? v. 1490-Venise 1562)*. Il reçut à Paris l'enseignement de J. Mouton après avoir, semble-t-il, abandonné des études juridiques. Le milieu musical parisien le marqua d'ailleurs profondément (choix des textes, stylistique). Mais c'est en Italie qu'il devait faire carrière : à la cour de Ferrare (1522) et à Milan (1525-1527) comme chantre, puis à Venise (1527), où, pendant trente ans, il occupa le poste de maître de chapelle à Saint-Marc. Il fut le véritable fondateur de l'école de Venise par sa personnalité et ses œuvres, par son enseignement et par la qualité de ses disciples : Cyprien de Rore, son successeur à Saint-Marc, A. Gabrieli, Mosulo, Porta, les théoriciens Zarlino et Vicentino.

Ces deux derniers ont fort bien mis en relief son apport en écrivant sous son influence, le premier les *Istitutioni harmoniche* (1558), l'une des bases de l'enseignement du contrepoint pendant plus d'un siècle, et le second *L'Antica Musica* (1555), où sont soulignées les possibilités de l'expression et du chromatisme.

L'originalité de Willaert et de l'école vénitienne à sa suite est, en effet, d'avoir su faire fusionner l'héritage de la polyphonie nordique et les ressources de l'expression, de la couleur. Dans ses motets (350), Willaert utilise très tard la technique du cantus firmus et les procédés du canon, mais dès le motet à six voix *Verbum*

WILLAERT

bonum et suave (1519), il sait trouver des phrases courtes et une sobriété pleine de vigueur, et par-delà sa science des enchaînements de période, fait preuve d'un certain sens de l'harmonie. Les messes soulignent bien que son dessein fut de dépasser les maîtres franco-flamands par la clarté et par la recherche d'un « certain plaisir à surprendre l'oreille », ce qui se traduit notamment par l'usage de retards. Ce n'est pas sans raison que l'Arétin, qui exigeait de la musique une « volupté immédiate », le surnomma le « père de la musique ».

Dans un esprit de rénovation et de diversification, il introduisit également des procédés français : d'où un souci des mots et de leur sonorité. Il n'inventa pas le double chœur, mais sut admirablement en tirer parti (cf. *Salmi spezzati*, 8 v., 1550).

Willaert est avec Festa, Arcadelt, Verdelot, l'un des créateurs du madrigal. Ses premiers madrigaux sont encore très proches de la frottola. Mais son art devint, plus tard, extrêmement savant et raffiné sur le plan sonore et expressif, sans renoncer pour autant au contrepoint.

Certains ont pu lui reprocher un manque de véritable émotion, mais ses contemporains ont su reconnaître la justesse de sa déclamation autant que la clarté et l'audace de son harmonie. La fusion qu'il opéra des styles des pays du Nord et de l'art italien représente un tournant important dans toute l'histoire de la musique.

WILLIAMSON *(Malcolm),* compositeur australien *(Sydney 1931).* Il a étudié au conservatoire de sa ville natale avec Eugene Goosens, puis à Londres avec Élisabeth Lutyens (1950). Fixé dans la capitale britannique depuis 1953, il est devenu Master of the Queen's Music en 1975, succédant à ce poste à sir Arthur Bliss. Il a écrit notamment des opéras, parmi lesquels *Our Man in Havana,* d'après Graham Greene (1963), *English Eccentrics,* d'après Edith Sitwell (1964), *Julius Caesar Jones,* opéra pour enfants (1966), *Dunstan and the Devil* (1967), *The Growing Castle,* d'après Strindberg (1968), *Lucky Peter's Journey,* d'après Strindberg (1969), et *The Red Sea* (1972), *Mass of Christ the King* (1977, dont *Agnus Dei* à la mémoire de B. Britten), *les Olympiques* pour mezzo-soprano et cordes, d'après Montherlant (1977), et cinq symphonies (de 1957 à 1980).

WITT *(Friedrich),* violoncelliste et compositeur allemand *(Niederstetten, Wurtemberg, 1770 - Würzburg 1836).* De 1789 à 1796 environ, il fut membre de l'orchestre du prince d'Oettingen-Wallerstein. Il se mit ensuite à voyager et, de 1802 à sa mort, vécut à Würzburg comme maître de chapelle du prince-évêque puis (1814) du théâtre de la ville. Il est le véritable auteur de la symphonie en *ut* découverte à Iéna en 1909 par Fritz Stein et alors attribuée par celui-ci à Beethoven (dont le nom se trouvait sur deux des parties du manuscrit).

Cette œuvre fait apparaître Witt comme un habile imitateur de Haydn : son premier mouvement évoque d'assez près celui de la symphonie n° 97, et son deuxième mouvement est un véritable plagiat de celui de la symphonie n° 81 de Haydn. Une autre symphonie de Witt, en *la* majeur, possède un mouvement lent et un menuet calqués respectivement sur deux autres pages de Haydn : le mouvement lent de la symphonie n° 82 *(l'Ours)* et le menuet du quatuor op. 33 n° 2 *(la Plaisanterie).* De cette même symphonie en *la,* le finale est basé sur le célèbre *Ah, ça ira.*

WOLF *(Hugo),* compositeur autrichien *(Windischgrätz, auj. Slovenj Gradec, Yougoslavie, 1860 - Vienne 1903).* Il est l'un des deux principaux émules d'Anton Bruckner, avec Gustav Mahler, son contemporain exact. Son père, d'ascendance allemande, dut reprendre l'entreprise paternelle de tannerie, mais conservera sa vie durant la nostalgie d'une vocation artistique (il aurait souhaité être architecte). Sa mère, née Katharina Nussbaumer (germanisation de l'original slovène Orchovnik), de souche paysanne, avait aussi du sang italien. Tout le tempérament artistique du futur compositeur est déjà déterminé par la fusion de ces atavismes, fusion éminemment caractéristique du creuset viennois où Wolf va faire toute sa carrière.

Après des études secondaires « cahotantes », il découvre les grands classiques viennois, qui nourrissent sa passion exclusive pour la musique. Les premiers essais de composition, dès la quatorzième année, sont destinés au piano ; le lied fait bientôt son apparition ; si bien qu'en arrivant à Vienne pour s'inscrire au conservatoire à la rentrée de 1875, le jeune homme peut entrer d'emblée en seconde année.

La maturité précoce : du « Quatuor » à « Penthésilée ». À côté d'études qu'il

Hugo Wolf.

Coll. Sirot/Angel

pera que pendant quelques mois, fin 1881, l'emploi de chef de chœur au théâtre de Salzbourg, sous la direction de Karl Muck. C'est un échec qui portera plus tard ses fruits, car non seulement il détermine l'ambition de Wolf de s'imposer un jour au théâtre, mais il contribue à lui montrer sa voie, celle du style comique, et à l'éloigner du drame wagnérien.

De sa passion orageuse pour la jeune Valentine (Wally) Franck, nièce d'un professeur au Collège de France, à qui il a d'abord donné quelques leçons de piano, émergent six *Chœurs sacrés* d'après Eichendorff (1881). L'écho s'en fait entendre aussi dans l'œuvre majeure de ces années de maturité précoce, le vaste *Quatuor à cordes en «ré» mineur*, qui portera en suscription ces mots tirés du *Faust* de Goethe : *Entbehren sollst du, sollst entbehren* — ce ne sera là que le premier de multiples renoncements ! De dimension beethovénienne (mais le souffle lyrique doit autant à Schubert qu'à Wagner), ce *Quatuor*, entrepris dès 1878, mais terminé seulement en 1884, sera reconnu dès sa création en février 1903, à la veille de la mort du compositeur, comme une partition prophétique qui influencera notamment deux des principaux admirateurs de Wolf : Reger et Schönberg.

Mais le jeune maître allait encore audevant d'une déconvenue avec l'œuvre unique qu'il allait laisser pour l'orchestre, et qui est aussi le legs fondamental de cette première partie de sa vie créatrice : le poème symphonique *Penthésilée*, entrepris à l'instigation de Liszt en 1883 et terminé deux ans plus tard. Présentée en 1886 à la lecture des nouveautés par la Philharmonie, l'œuvre devait y être tournée en dérision par Hans Richter, furieux de voir le critique Wolf déchirer à belles dents la musique de «maître Brahms». Il est temps aujourd'hui de reconnaître enfin combien *Penthésilée* non seulement surclasse ses modèles lisztiens, mais se situe au-delà de toutes les futures productions similaires d'un Strauss : et cela grâce à la seule connaissance que Wolf pouvait avoir déjà de la symphonie brucknérienne par les deux ouvrages de son grand aîné *(Symphonies nᵒˢ 3 et 4)* qu'il avait entendus.

Si le propos dramatique (ici le schéma fourni par Kleist) est traduit avec un surprenant réalisme, l'œuvre de Wolf répond en effet, de surcroît, à une structure symphonique dont l'unité interne, cimentée

écourtera volontairement dès 1877 (il n'aura pas moins obtenu plusieurs récompenses), les premières années viennoises sont surtout marquées par la découverte émerveillée du monde musical contemporain «avancé», et d'abord de Wagner, que Wolf approche personnellement dès décembre 1875. C'est l'opéra qui cristallise à cette époque toutes ses émotions — il en entreprend d'ailleurs un lui-même, *König Alboin,* dont quelques esquisses ont été conservées. Mais l'œuvre la plus originale des années de conservatoire est de très loin la symphonie dont seuls les deux mouvements terminaux nous sont parvenus (ils ont été publiés sous le titre *Scherzo und Finale für grosses Orchester*), mais qui fut à l'époque menée à bien sous deux formes différentes. Le scherzo notamment contient déjà des trouvailles très remarquables (le modèle privilégié de Wolf était alors Berlioz).

Menant déjà une vie déréglée, il se satisfait de modestes leçons, et n'occupar l'intervalle de seconde mineure qui gouverne tous les thèmes, n'est pas moins parfaite que celle qu'on rencontre chez Bruckner à la même époque. Il s'agit, en fait, du trait d'union historique entre les poèmes symphoniques de Liszt et le *Pelléas et Mélisande* de Schönberg !

Le lied : une production volcanique. L'échec de *Penthésilée*, conséquence directe des prises de position de son auteur en faveur des « musiciens de l'avenir » contre le formalisme qui règne en maître à Vienne sous la férule de Brahms et de Hanslick, a donc sonné le glas de l'ambition de symphoniste de Hugo Wolf — qui d'ailleurs abandonnera dès l'année suivante (1887) sa chronique au *Wiener Salonblatt*. Après être retourné momentanément à la musique de chambre avec l'*Intermezzo* en *mi* bémol (1886) puis surtout la célèbre *Sérénade italienne* (mai 1887, instrumentée en 1892), Wolf a la joie de voir paraître ses premiers cahiers de lieder imprimés, qui rencontrent un succès immédiat (1887). Ceci explique la véritable explosion à laquelle on assiste dès l'année 1888, où voient le jour près d'une centaine de lieder géniaux, répartis en trois grands recueils sur des vers respectivement de Mörike (53), d'Eichendorff (13), de Goethe (25). Et les deux années suivantes voient la poursuite du même effort, selon un rythme il est vrai moins soutenu, avec un second ensemble de vingt-six poèmes de Goethe, puis, entre octobre 1889 et avril 1890, le *Spanisches Liederbuch* (en deux volets également). Celui-ci sera lui-même suivi du premier des deux recueils de l'*Italienisches Liederbuch,* créé en deux étapes, à un an de distance, fin 1890 et fin 1891.

Les intervalles représentent autant de silences douloureux, de crises d'impuissance dont la correspondance du musicien porte l'empreinte tragique. Au contraire, il est porté par sa propre création à des enthousiasmes parfois délirants, mais où l'émotion rejoint la terreur, ce qui donne la mesure du désordre qui s'installe dès cette époque en lui, et dont on sait aujourd'hui l'origine syphilitique (la contamination remonterait à 1877 déjà).

Des pages chorales ou scéniques de commande complètent la moisson de ces années décisives : *Christnacht*, petit oratorio de Noël d'après Platen (déc. 1886-mai 1889) ; *Das Fest auf Solhaug*, musique pour le drame d'Ibsen (fin 1890-1891), créé

au Burgtheater le 12 novembre 1891 et repris en concert quelques mois plus tard (et en édition posthume).

La réputation de Wolf s'est donc établie, déjà de son vivant, essentiellement par les grands cycles de lieder dont la composition est ramassée sur une brève période de quatre années — il s'y ajoutera, en 1896, le second recueil de l'*Italienisches Liederbuch* et des poèmes d'auteurs divers dominés par les trois admirables *Michelangelo Lieder*, son chant du cygne.

Romain Rolland, et à sa suite la plupart des biographes du compositeur, en ont conclu un peu hâtivement que toute la création de Wolf se circonscrivait à ces quelques années centrales. C'est là une vue totalement erronée, dont ce qui a été dit plus haut fait déjà justice. Mais il est commode de qualifier Wolf de « Wagner du lied » comme on a qualifié Bruckner de « Wagner de la symphonie » ; et il reste vrai que cette forme a connu en lui son plus grand représentant après Schubert.

Il n'est pas moins vrai que le compositeur lui-même fut irrité de se voir confiné à ce qu'il qualifiait de « petite forme », et ne cessa, durant les deux grandes décennies de sa vie créatrice, d'ambitionner des réussites de premier plan dans les genres « nobles ». Nous en avons déjà vu deux exemples avec le *Quatuor* et *Penthésilée* ; c'est encore le cas de l'œuvre clé, et guère moins malchanceuse, qu'est *le Corregidor*.

Le sommet de l'opéra-comique allemand. Tiré par Rosa von Mayreder du roman de Pedro de Alarcón *le Tricorne* (v. M. de FALLA), *le Corregidor* — littéralement « le Magistrat » — est entrepris fiévreusement au printemps de 1895, terminé dans l'année même et créé avec un indéniable succès le 7 juin 1896 à Mannheim. Il tombe cependant très vite, mais sera encore repris une fois du vivant de Wolf, à Strasbourg. Après sa mort, il ne fera que des apparitions sporadiques sur les scènes germaniques, et trouvera cependant en Bruno Walter — qui le comprit vraiment dans son essence — un défenseur enthousiaste (Salzbourg, 1936).

L'insuccès du *Corregidor* a couramment été mis au compte de la prétendue absence de sens scénique du compositeur : l'œuvre tiendrait davantage du recueil de lieder orchestraux — au demeurant admirables — que de l'ouvrage de théâtre. Or, il s'agit de tout autre chose. En fait, l'aspect négatif de la pièce tient uniquement à la définition du caractère du héros, personnage grotesque — l'exact contraire de Carmen — que très peu d'interprètes savent « faire passer ». Reste qu'au terme d'une histoire longue et riche (v. notamment Lortzing, Cornelius, Goetz), *le Corregidor* pourrait bien représenter la véritable apogée de l'opéra-comique allemand, c'est-à-dire de pièces vraiment comiques mais dont la signification dépasse le simple comique. Si Wolf a retenu la leçon de Wagner, il l'a, selon P. Balascheff, transposée en caractérisant chaque personnage par un *rythme* propre. Bref, loin des mauvais « mélos » du style de *La Tosca*, c'est bien plutôt vers un chef-d'œuvre comme *Falstaff* qu'il faut se tourner pour établir un parallèle.

Les derniers projets et la fin. L'année de la création de l'opéra fut aussi, on l'a dit, celle des derniers grands lieder. Parmi les expressions ultimes de l'art de Wolf, une place à part doit être réservée, outre aux *Michelangelo,* au *Morgengesang* de Reinick, dont il donnera un an plus tard, alors qu'il se trouvera déjà à l'hospice du Dr Svetlin, une admirable adaptation chorale sous le titre de *Morgenhymnus* (décembre 1897). Mais le grand projet de cette année tragique demeure celui du second opéra, *Manuel Venegas,* tiré d'une autre pièce d'Alarcón, *El Niño de la bola.* La musique du premier acte est esquissée au cours de l'été de 1897, dans un enthousiasme semblable à celui qui vit naître l'œuvre précédente. Mais celle-ci sera brutalement interrompue par une crise précipitée par l'emploi d'alcool comme stimulant, et occasionnée le 20 septembre 1897 par une visite à Mahler.

Ce dernier ayant promis à son ancien condisciple de monter *le Corregidor,* Wolf est en effet ulcéré par ses atermoiements, et entre tout à coup dans une grande excitation qui dégénère rapidement et justifie son internement. Après deux mois passés dans un isolement complet, il peut reprendre une certaine activité, tente de développer sa *Sérénade italienne* et d'en entreprendre une autre, qui demeurera embryonnaire. Il quitte l'hospice fin janvier 1898, et passera une année calme, menant une vie végétative, voyageant avec des amis, en particulier en Italie. Un matin d'octobre, il tentera de se noyer dans le Traunsee, et devra être à nouveau et définitivement interné à Vienne, où il survivra encore près de cinq années. Une pneumo-

nie le délivrera enfin le 22 février 1903, et il sera inhumé auprès de Beethoven et de Schubert.

Hugo Wolf et le lied. Dans la majorité de ses lieder, Schubert — qui sera suivi en cela par Brahms et par Richard Strauss — s'inspirait d'un certain état d'âme ou d'un climat régnant dans le texte choisi, et ne se souciait pas forcément de suivre dans le détail l'expression verbale que le poète avait donnée à ses sentiments. Cela lui permettait de traiter avec un égal bonheur des textes de grands auteurs ou de poètes de second ordre : il cherchait une réalité spirituelle ou affective *derrière* les paroles. Cependant, certaines de ses œuvres tardives ouvraient aussi une autre voie : celle qui consiste à suivre méticuleusement la diction du poète, en négligeant, s'il le faut, les contraintes de construction régnant dans la musique instrumentale. Les exemples les mieux connus sont les six lieder sur des textes de Heine qui font partie du *Schwanengesang.* Là il cherche la réalité *à travers* les paroles. Cette méthode mène à Hugo Wolf et au Sprechgesang de Schönberg, tandis que chez Schumann on peut constater une manière d'équilibre entre les deux conceptions.

Hugo Wolf s'inscrit donc résolument dans cette seconde filière, et ce, dès le début. Déjà le premier recueil (*Liederstrauss,* 1878, textes de Heine) porte le titre « Gedichte » (poèmes) et non pas celui de « Lieder », indiquant ainsi que l'essentiel pour lui est la parole. Et, sur les soixante-dix lieder posthumes publiés ou réédités par l'Internationale Hugo-Wolf-Gesellschaft, qui représentent des œuvres de jeunesse non jugées dignes de publication par le compositeur, il ne se trouve que quatre textes de poètes inconnus et quatorze de poètes mineurs. Nous connaissons aussi la méthode de travail de Wolf : il lisait plusieurs fois à haute voix le poème choisi, puis se couchait et composait le lied en se réveillant.

On sait qu'une caractéristique de la musique post-beethovénienne est le rétrécissement de la cellule génératrice accompagné d'un élargissement de la forme (v. les articles Schubert et Bruckner, ou ci-dessus ce qui est dit de *Penthésilée*). Ce double phénomène s'observe dans la production mélodique de Wolf. Si l'on compare, par exemple, sa version du lied de Mignon *Nur wer die Sehnsucht kennt* avec celle de Schubert (D. 877/4), on constate que Wolf établit le climat psychologique par un motif de quatre notes, tandis que, dans l'ensemble, sa partition (57 mesures) est plus étendue que celle de Schubert (46 mesures). Cette technique libère la voix chantée de tout souci de la phrase musicale, et lui permet de reproduire la moindre inflexion de la voix parlée. Ceci ne veut pas dire que Wolf reste l'esclave de ses poètes : il se permet des entorses à la prosodie (syllabes faibles sur une note élevée), mais elles sont rares et toujours dictées par un souci d'expressivité.

Du rythme il fait le même usage que ses devanciers, notamment pour constituer un décor sonore comme le galop d'un cheval. Mais le chromatisme hérité de Wagner lui permet un jeu harmonique infiniment plus varié que chez les anciens. La tonalité est rarement établie d'emblée ; et si un accord parfait ouvre le discours, il est aussitôt quitté pour ne revenir qu'à bon escient : ainsi par exemple dans le prélude de *Gebet* (Mörike n° 28) où, intervenant après des chromatismes troubles (l'inquiétude de l'âme avant la prière), il fait l'effet d'un rayon de soleil pénétrant dans une cathédrale du haut de la coupole.

Les grands cycles allemands. La grande époque du lied, on l'a dit, débute chez Hugo Wolf par sa découverte de Mörike. Cet engouement ne laisse pas de surprendre à première vue. Mörike *(1804-1875),* pasteur paisible d'une petite ville provinciale de la Souabe, est considéré comme le poète du repos de l'âme, du sage contentement, de l'humour quelque peu désabusé. Le bouillonnant Wolf, qui dans d'autres circonstances préférait un auteur aussi explosif que Kleist, que venait-il faire dans cette galère ? Soupçonnait-il la lave qui couvait sous la surface de calme apparence et qui se devine à travers quelques poèmes tels que *Peregrina ?* Fut-il attiré par l'étonnante diversité de ces poésies ? Toujours est-il que, dans Mörike, Wolf a donné le meilleur de lui-même ; et si l'on jouait au jeu de l'île déserte, c'est le volume Mörike qu'il faudrait choisir. Non pas que les autres compositions soient de qualité inférieure, loin de là. Mais le volume Mörike est le plus complet.

Tout s'y trouve. Du sentiment religieux le plus intériorisé *(Gebet ; Schlafendes Jesuskind ; Auf eine Christblume)* jusqu'à l'humour le plus débridé (*Zur Warnung ; Abschied,* où l'on notera, dans le postlude, l'emploi original d'une valse viennoise qui

accompagne la chute du critique dans l'escalier), rien d'humain n'est absent de ces poèmes. Le charme goguenard *(Elfenlied)* côtoie le drame halluciné *(Der Feuerreiter,* dont Wolf donnera aussi, en 1892, une version pour chœur et orchestre).

Eichendorff *(1788-1857)* est surtout populaire comme chantre de la fameuse « Wanderlust » — protestation, écologiste avant la lettre, de l'âme allemande contre la vie réglementée de l'industrialisation récente. Il semble que ce soit ce côté contestataire qui ait surtout attiré Hugo Wolf. Les chants nostalgiques, les rêves d'un passé à jamais disparu, qui ont tant séduit Schumann, sont chez Wolf en minorité *(Nachtzauber ; Heimweh).* La plupart de ses lieder chantent, sur un ton fort rythmé et quelque peu désinvolte, le défi aux valeurs courantes de la société. Ce sont les marginaux, soldats, marins, aventuriers, musiciens ou poètes indifférents à l'argent, aux honneurs, au succès, qui ont ici droit à la parole. Un défilé de « hippies », dirait-on. Comme une fleur isolée dans un jardin sauvage, s'élève le seul vrai chant d'amour du recueil, le merveilleux *Verschwiegene Liebe.*

Des différentes phases que parcourut Goethe au cours de sa longue vie *(1749-1832),* la première, de style galant, « anacréontique », n'intéressait pas Wolf. De la seconde, celle du bouillonnant poète du « Sturm und Drang », révolution littéraire et contestation sociale des années 1770, le musicien n'a retenu que trois hymnes : *Prometheus, Ganymed* et *Grenzen der Menschheit,* où, en doublant Schubert, il s'y oppose. Les lieder de Wolf font donc presque tous appel à la grande maturité du poète. On y respire un air de sagesse ironique, de détachement, d'une existence en dehors de la mêlée. Les tons tragiques ne sont certes pas absents : les chants de *Mignon* et du *Harfenspieler* (« Harpiste ») sont ce que Goethe a écrit de plus désespéré. Mais ces paroles ont attiré d'autres compositeurs également (Schubert, Schumann).

L'originalité de Wolf réside plutôt dans la recherche délibérée de l'humour, trait pourtant peu caractéristique de Goethe *(Der Rattenfänger ; Ritter Kurts Brautfahrt ; Gutmann und Gutweib ; Epiphanias).*

Quant au second volume, il est presque entièrement consacré aux poèmes du *West-östliche Divan,* recueil de textes que

Hugo Wolf.

Les chants profanes, quant à eux, se caractérisent par un délicieux climat entre larmes et sourire, tout à fait particulier à ce recueil, et qui ne se trouve guère exprimé ailleurs avec pareil bonheur. C'est mi-amusés, mi-attendris que nous assistons aux déboires de tel amoureux trop timide *(Wer sein holdes Lieb verloren)*, ou de tel autre auquel les œillades de la belle promettent le bonheur, tandis que le geste de son doigt lui ôte tout espoir *(Seltsam ist Juanas Weise ; Auf dem grünen Balkon mein Mädchen)*.

Dans l'*Italienisches Liederbuch* («Chants italiens», 1890-91 et 1896), un des thèmes auxquels Wolf est particulièrement attentif est la dispute entre amoureux. Deux merveilleux lieder chantent la réconciliation : *Wir haben beide lange Zeit geschwiegen* et *Nun lass uns Frieden schliessen ;* d'autres nous mènent au milieu de la bataille, dont le ton taquin laisse cependant prévoir un dénouement heureux *(Du sagst mir... ; Nein, junger Herr ; Wer rief dich denn ?).* Deux seulement sont d'une teneur vraiment dramatique : *Hoffärtig seid ihr, schönes Kind* (où l'amant malheureux claque la porte avec un accord dissonant), et *Was soll der Zorn mein Schatz.*

Les lieder non compris dans ces recueils mais publiés par Wolf de son vivant sont réunis sous le titre *Lieder nach verschiedenen Dichtern* (d'après différents poètes). En dehors du ravissant *Mausfallen-Sprüchlein* (encore Mörike !) et des six poèmes d'après Gottfried Keller, les mieux connus sont les trois lieder d'après Michel-Ange, lourds de tristesse et de mélancolie.

Goethe, sexagénaire, écrivit sous la double impulsion d'un nouvel amour et de la poésie persane qu'il venait de découvrir. Mais Wolf écarte les poèmes passionnés et se concentre sur des chants en éloge à la boisson, ou sur d'autres où Goethe joue avec l'amour plutôt qu'il n'aime vraiment. À sept ans de son effondrement, Wolf se comporte ici en homme rangé et sage. On notera qu'il évite cette fois les textes déjà illustrés par d'autres.

Les recueils « méditerranéens ». Les deux recueils suivants sont consacrés à des poèmes étrangers, traduits par deux poètes de seconde zone, Heyse et Geibel. Le *Spanisches Liederbuch* («Chants espagnols», 1889-90) comporte une partie de chants sacrés et une partie de chants profanes. Les chants sacrés commencent en hymne à Marie, à laquelle sont consacrés les trois premiers ; puis nous assistons à la naissance de Jésus, saluons l'enfant merveilleux, qui nous conduit doucement vers le Sauveur martyrisé. Le ton est simple, les harmonies sont moins chromatiques que dans la plupart des autres compositions ; la profonde religiosité de Wolf revient à la surface.

WOLFF *(Christian)*, compositeur américain *(Nice, France, 1934).* Menant une carrière de professeur de littérature et de musique (Mills College d'Oakland, Californie ; Dartmouth College de Hanover, New Hampshire), il travailla un temps avec David Tudor et Morton Feldman. Sa musique, d'esprit minimal, donne une grande place à l'indétermination, au silence, aux interruptions, à une interréaction plus ou moins aléatoire et imprévisible entre les exécutants, de façon à déconcerter le jeu des syntaxes conventionnelles.

Son projet est de laisser le son vivre comme entité libre. D'où la réalisation de partitions graphiques ou verbales, qui peuvent éviter toute relation obligatoire de temporalité ou de causalité.

La particularité de ses nombreuses œuvres, qui, sont souvent plutôt des « propositions », est de faire appel à des instruments traditionnels (à choisir souvent ad libitum) et d'être, techniquement, à la portée de tout le monde. Parmi celles-ci, on peut citer plusieurs musiques de ballets pour Merce Cunningham (*Chance*, 1959 ; *Rune*, 1959 ; *Reads*, 1970), et des pièces comme *Duo for Pianists I* et *II* (1957-58) ; *Summer* (1961), pour quatuor à cordes ; *Septet* (1964), pour instruments ad libitum ; *Edge* (1968), pour n'importe quel instrument ; *Prose Collection* (1968-1971), pour différentes combinaisons instrumentales avec, selon le cas, n'importe quel instrument ou objet sonore ; *Toss* (1968), pour huit musiciens ou plus ; *Snowdrop* (1970), pour clavecin ou autre clavier ; *Lignes* (1972), pour quatuor à cordes ou autres cordes ; *Exercices* (1973-74), pour n'importe quel nombre d'instruments ; *Wobbly Music* (1975-76), pour chœur mixte et instrument, etc.

WOLF FERRARI *(Ermanno)*, compositeur italien *(Venise 1876* - id. *1948)*. Fils d'un peintre bavarois, il étudia les beaux-arts à Rome, puis à Munich, où il décida de sa nouvelle orientation, complétant sa formation musicale à Venise et Milan. Un opéra, *Irene* (Venise, 1895), dont il avait écrit le livret, une audition de ses œuvres en 1897 et *Cendrillon* (Milan, 1900) ne lui apportèrent que déboires ; mais, en 1903, ses *Donne curiose,* d'après Goldoni, triomphaient à Munich en lui révélant sa véritable vocation : en pleine époque naturaliste, cette œuvre en totale contradiction avec le langage de *Tosca, Louise, Pelléas, Salomé, Butterfly* ou *Resurrection* semblait renouer avec l'esprit de Mozart et Da Ponte.

Un succès croissant salua *I Quattro Rusteghi* (1906) — avec ses dialogues en vénitien —, *le Secret de Suzanne* (1909) et *les Joyaux de la Madone* (1911), ces trois œuvres n'ayant jamais quitté le répertoire international. *L'Amour médecin,* d'après Molière, puis *Sly*, une tentative plus dramatique, connurent moins de succès, mais avec *La Vedova scaltra* (1931) et *Il Campiello* (1935), Wolf Ferrari renouait heureusement avec Goldoni, bien que le genre fût désormais épuisé.

Wolf Ferrari demeure un isolé dans l'évolution du théâtre lyrique italien, avec son lyrisme riche mais sans complaisance,

son harmonie dont la science se cache sous l'apparente facilité, et avec un sens du « parlé » et un tempo intérieur rapide rarissime en son temps. Il n'en a pas moins, avec Respighi, préparé le terrain à la « génération des années quatre-vingts », et dans sa musique instrumentale (notamment son célèbre *Concerto pour hautbois*), s'inscrit parfaitement dans le courant du néoclassicisme européen de son époque.

WOLKENSTEIN *(Oswald von)*, poète et musicien autrichien *(château de Schöneck, Tyrol, v. 1377 - Merano 1445)*. Après des années de formation à travers l'Europe, il participa en 1401-1402 aux campagnes italiennes de Robert du Palatinat. En 1407, il obtint par héritage l'évêché de Bressanone et prit une part active aux affaires politiques locales. En 1409, il quitta l'Europe pour un pèlerinage d'un an à Jérusalem. Le concile de Constance (1415), au cours duquel il apprit probablement à connaître la chanson polyphonique française, marqua son entrée au service du futur empereur Sigismond. Une ambassade au Portugal le conduisit probablement jusqu'au Maroc la même année. De graves différends avec le duc Frédéric IV conduiront au démantèlement de son château de Greifenstein et à son incarcération dans les geôles du duc en 1422 et 1427. Après leur réconciliation, il participa encore à la diète de Nuremberg en 1431, puis, après un séjour en Italie, à Piacenza, il fit le voyage de Bâle en 1432, à l'occasion du concile.

L'essentiel de son œuvre fut achevé dès 1425. Elle comprend cent vingt-six chansons de genre et de facture très divers qui puisent leurs thèmes dans la narration autobiographique, l'amour courtois, la ferveur chrétienne ou l'univers plus grivois des bains et des tavernes. L'invention mélodique de ses chansons monodiques se situe dans le prolongement de l'art des minnesänger, tandis que ses quarante compositions polyphoniques traduisent, par-delà certains traits parfois frustes, l'influence de la musique savante de l'Ars nova ou du Trecento et ouvrent la voie au *Tenorlied*.

WYSCHNEGRADSKI *(Ivan Alexandrovitch)*, compositeur russe *(Saint-Pétersbourg 1893 - Paris 1979)*. Fils d'un financier qui était aussi compositeur amateur, il commença des études de droit avant de travailler la musique au conservatoire de Saint-Pétersbourg avec N. Sokolov. En même temps, il découvrit la musique de Scriabine, qui l'enthousiasma autant que la personnalité et l'idéologie du compositeur. Cette découverte, ainsi qu'une expérience mystique qu'il affirmait avoir vécue, furent à l'origine de la grande œuvre qu'il composa en 1916-17, *la Journée de l'Existence,* pour récitant, chœur et orchestre (remaniée ensuite par deux fois, en 1927 et en 1940), inspirée de la philosophie hindoue, et décrivant l'apparition et l'évolution d'une « conscience cosmique ».

Cette œuvre, qu'il considéra toujours comme sa plus importante, fut à la fois un aboutissement et une ouverture vers une technique nouvelle. Ne pouvant plus se satisfaire du système chromatique traditionnel, il éprouva le besoin d'introduire dans la musique des micro-intervalles (quarts de tons, sixièmes de tons), visant à la création d'un « continuum sonore ». Désormais, la plupart de ses œuvres allaient être écrites dans ce style ultrachromatique, qui fut également pratiqué par le Mexicain Jullán Carrillo et le Tchèque Alois Hába.

En 1920, Wyschnegradski émigra et s'installa en France. Un séjour en Allemagne en 1922-23 lui fit rencontrer Hába, et ils travaillèrent ensemble à l'élaboration d'un piano à quarts de tons, qui fut réalisé par la firme Foerster. Nombre d'œuvres de Wyschnegradski nécessitent cependant l'emploi de plusieurs pianos accordés spécialement à différentes échelles.

Bien que Wyschnegradski eût intéressé certains musicologues et compositeurs (Messiaen notamment), il eut des difficultés à s'imposer. Des concerts de ses œuvres eurent lieu en 1937 et 1945, révélant notamment sa symphonie pour quatre pianos *Ainsi parlait Zarathoustra* (Nietzsche était, avec Dostoïevski, l'une des principales références littéraires du compositeur). Toutefois, il ne fut réellement reconnu que dans les dernières années de sa vie et put alors entendre des œuvres qu'il avait composées plus d'un demi-siècle auparavant, dont *la Journée de l'Existence,* créée en janvier 1978 à Radio-France, et son *Premier Quatuor* (1924), exécuté dans le cadre de l'exposition Paris-Moscou qui s'est tenue en 1979.

En dehors de l'ultrachromatisme, il explora les possibilités des « espaces non octaviants » dont il donna l'application dans une pièce originale pour piano, *Étude sur le carré magique sonore* (1956). Il laissa un certain nombre d'écrits expliquant ses théories, dont un *Manuel d'harmonie à quarts de tons* (1932). Si nombre de compositeurs du xxe siècle ont utilisé occasionnellement l'écriture ultrachromatique (Messiaen, Boulez, Ligeti, Xenakis), le système de Wyschnegradski fut tout particulièrement suivi par Bruce Mather, Alain Bancquart et surtout Claude Ballif.

XYZ

XENAKIS *(Iannis),* compositeur français d'origine grecque *(Brăila, Roumanie, 1922).* Son père était agent d'import-export en Roumanie, et sa mère, qui aimait jouer du piano, mourut quand il avait cinq ans. Il s'inscrit à l'École polytechnique d'Athènes pour devenir ingénieur, tout en commençant des études musicales avec Aristote Kondourov. Quand les pays de l'Axe envahissent la Grèce, il entre dans la résistance communiste à laquelle il prend une part active et héroïque. En décembre 1944, au cours de combats, il est gravement blessé par un éclat d'obus de mortier : il en gardera une partie du visage endommagée, et un œil gauche aveugle. Il a parfois évoqué le rôle que cet accident a joué dans sa sensibilité : « Comme mes sens sont réduits de moitié, c'est comme si je me trouvais dans un puits, et qu'il me fallait appréhender l'extérieur à travers un trou (...) J'ai été obligé de réfléchir plus que de sentir. Donc je suis arrivé à des notions beaucoup plus abstraites. »

Mais son courage s'exerce encore une fois quand il reprend ses études et ses activités de résistance. Il entre dans la clandestinité, et, condamné à mort par contumace, s'enfuit de Grèce en 1947 avec une fausse carte (il n'y retournera que vingt-cinq ans plus tard environ, quand aura été mis en échec le régime fasciste).

Arrivant à Paris, il y trouve du travail comme ingénieur au cabinet de l'architecte Le Corbusier, avec lequel il travaillera, d'abord comme exécutant, puis en prenant une part de plus en plus active à ses travaux, jusqu'en 1959. Il n'obtiendra la nationalité française qu'en 1965. Et c'est en 1952 qu'il épouse une ancienne héroïne de la résistance française, la future romancière Françoise Xenakis.

Toujours désireux de composer, mais encore dans l'attente et dans la recherche de son style particulier, il suit divers enseignements musicaux : auprès d'Arthur Honegger (à l'École normale) et de Darius Milhaud. Mais c'est avec Olivier Messiaen, qui le prend en 1951 dans sa classe du Conservatoire de Paris, qu'il trouve un milieu d'enseignement accueillant, et une grande ouverture à sa propre pensée : l'auteur des *Petites Liturgies* l'encourage en effet à suivre sa voie et sa « naïveté ». Les premières œuvres de Xenakis sont déjà basées sur des spéculations abstraites, la recherche de proportions cosmiques, le projet de trouver une « expression mathématique de la musique ».

En même temps, il se met à collaborer de plus près aux projets architecturaux de Le Corbusier, concevant les plans du couvent de la Tourette et cherchant une voie d'unification entre l'architecture et la musique (cet esprit « unificateur » est un des traits qui le définissent le mieux, esthétiquement).

Mais l'œuvre qui devait le rendre célèbre, et où pour la première fois il livre au grand public sa recherche d'un nouveau type de discours musical, massique et statistique, c'est *Metastasis* pour 61 instruments jouant 61 parties différentes (1953-54). Cette œuvre est fondée sur les mêmes calculs et les mêmes configurations que ceux qui lui ont servi pour une de ses réalisations architecturales. C'est en quelque sorte un graphique, un ensemble de courbes au dessin très net, que le compositeur a projeté dans l'espace des sons, avec un sens très efficace de la durée : beaucoup d'œuvres de Xenakis sont ainsi comme un dépliement dans le temps d'une conception globale que l'on peut apprécier d'un coup d'œil, comme totalité, par sa représentation visuelle.

Lipnitzki

*Iannis **Xenakis**, à la salle Gaveau
en mai 1965.*

Metastasis est créé en 1955 au Festival de Donaueschingen, sans suite immédiate pour le compositeur ; et ce n'est que plus tard que son caractère révolutionnaire, par rapport au pointillisme sériel alors en pleine vogue, deviendra évident. Peu à peu sa théorie musicale se développe sous le nom de musique stochastique. Il prend contact avec des musiciens : d'abord avec le chef d'orchestre Hermann Scherchen, grand « découvreur » de nouveaux talents, animateur d'un studio de musique électroacoustique en Suisse, et qui publiera Xenakis dans sa revue et le soutiendra généreusement ; ensuite avec Pierre Schaeffer, qui, bien que ne partageant pas ses conceptions, l'accueille également très libéralement, en 1957, au Groupe de musique concrète, qui va devenir le Groupe de recherches musicales de la R.T.F.

Dans un article publié en 1955, *la Crise de la musique sérielle*, Xenakis précise sa découverte d'un principe de composition des sons comme masse, par moyennes statistiques, et s'opposant ainsi à la musique dodécaphonique. Comme le dit très bien Nouritza Matossian, dans son ouvrage sur Xenakis, « ces moyennes militaient contre les valeurs chères à la plupart des musiciens (...). Xenakis recherchait une vue panoramique afin de se distancier de la perspective étriquée du gros plan imposé par le sérialisme ». *Pithoprakta* pour quarante-six cordes, deux trombones, xylophone et wook-block (1955-56), en est une première application, complètement dégagée de l'emprise sérielle et pointilliste encore sensible dans quelques passages de *Metastasis.*

Vers 1957, Xenakis entre en conflit avec Le Corbusier dans la revendication de la paternité du pavillon Philips de l'exposition de Bruxelles 1958. Le grand architecte se l'attribuait, mais finit par concéder que Xenakis en était le coauteur. Le spectacle lumineux donné à l'intérieur du pavillon (*Poème électronique,* avec la musique de Varèse, et une sorte d'interlude de musique concrète de Xenakis, *Concret PH,* 1958) est une première occasion pour lui de roder la conception de ses futurs spectacles de musique et de lumière.

Quant aux autres œuvres de musique concrète qu'il réalise au Groupe de recherches musicales (*Diamorphoses,* 1957 ; *Orient-Occident,* 1960), leur style très personnel est dû non seulement à son grand sens de la sonorité (qui, curieusement, sera moins efficace dans la plupart de ses œuvres électroacoustiques ultérieures), mais aussi à ce qu'elles sont pensées selon les mêmes modèles esthétiques que ses œuvres instrumentales.

Mais c'est l'époque où, dans le domaine instrumental, sa conception abstraite se durcit et s'affirme avec des œuvres comme *Achorripsis,* pour vingt et un instruments (1956-57), *Duel* pour deux orchestres (1959, œuvre de « musique stratégique », utilisant la théorie des jeux), *Syrmos* pour orchestre à cordes (1959), *Analogiques A* et *B* pour neuf cordes et bande magnétique, *Herma* pour piano (1960-61), *ST/4* (1956), *ST/10* (1956) et *ST/48* (1956-1962), respectivement pour quatuor à cordes, dix instruments, et grand orchestre. Ces pièces sont relativement arides par rapport à sa production plus « expressionniste » de la fin des années 60. Xenakis fut aussi, à travers certaines de ces pièces, un des premiers à s'intéresser à l'utilisation de l'ordinateur dans la composition.

La fin des années 50 voit le début d'un certain succès et d'une certaine reconnaissance par le public. L'ouvrage *Musiques formelles*, paru en 1963, marque une date en regroupant certains de ses articles théoriques et en divulguant ses hypothèses. Il est invité pour donner des cours aux États-Unis, à Tanglewood, puis à Berlin-Ouest. C'est alors qu'il compose, avec *Polla tha Dina* pour chœurs d'enfants et orchestre (1962), et *Eonta* (1963-64), des œuvres dont la simple et lumineuse robustesse, par rapport à l'esprit plus « corpusculaire » des œuvres qui précèdent, contribuera à intéresser à sa musique un public plus large. Cette musique apparaît de plus en plus comme une alternative, une autre voie plus excitante, dans une musique contemporaine jusqu'alors assez confinée, à quelques exceptions près.

Sa réputation grandit avec sa première expérience de musique orchestrale « spatialisée », faisant entrer l'auditeur au milieu des musiciens, comme si « chacun individuellement se trouvait perché au sommet d'une montagne au milieu d'un orage (...) soit dans une barque frêle que ballotte la pleine mer, soit encore au sein d'un univers parsemé de petites étoiles sonores » : c'est *Terretektorh*, pour 88 musiciens éparpillés dans le public (1965-66). Là, l'auteur manifeste son lyrisme cosmique, mais aussi son sens de l'efficacité et de l'essentiel, construisant une œuvre à la fois fidèle à sa conception mathématique, et produisant un « effet » puissant sur le public, qui reçoit l'œuvre (dirigée en 1966 par Hermann Scherchen au Festival de Royan) avec enthousiasme.

Désormais Xenakis a atteint la place de premier plan qu'il occupe toujours : des œuvres comme *Nuits* pour douze voix solistes (1968), *Nomos Gamma* pour 98 musiciens répartis dans le public (1969, prolongement de l'expérience de *Terretektorh*), *Anaktoria* pour octuor (1969), *Syhaphai* pour piano et orchestre (1970), *Persephassa* pour six percussionnistes répartis autour du public (1969), confirment cette popularité par leur vitalité, leur chaleur, et leur solidité de conception. Leur succès coïncide avec l'ouverture d'un plus large public, en France, à la musique contemporaine. Xenakis devient alors un des compositeurs les plus sollicités par de nombreuses commandes, dont il s'acquitte avec la même continuité de style et la même vigueur, témoignant d'une belle stabilité alors même que d'autres compositeurs sont en crise et passent de l'abstraction sérielle au néoromantisme.

Ce succès lui permet de se voir confier des moyens plus importants pour réaliser ses projets de « spectacle total », compositions abstraites de sons et de formes visuelles (flashes, rayons lasers) dont il conçoit simultanément la « partition ». Les spectacles *Hibiki-Hanama* (1969-70) où, pour la seule fois, la « partition visuelle » n'est pas de lui, mais d'un artiste japonais, *Persepolis* (1971), *Polytope de Cluny* (1972), *Diatope* (1977), représentent différentes étapes de sa progression dans cette recherche d'une « musique audiovisuelle ». On peut malgré tout estimer qu'il n'a pas autant marqué ce domaine que le domaine proprement musical, le jeu avec le visuel restant chez lui assez théorique, et un peu pâle.

Il y reste cependant fidèle à lui-même, c'est-à-dire proche des phénomènes naturels élémentaires, dont ses œuvres réalisent la transposition de la sublimation abstraite, par l'intermédiaire de formulations mathématiques : une fois pour toutes, sa technique de composition, lentement mûrie et méditée, lui a permis de dépasser cette antinomie que beaucoup d'autres compositeurs instaurent entre l'abstrait et le concret. C'est l'emploi de modèles mathématiques et physiques qui lui permet de réaliser de véritables « tableaux vivants » de phénomènes naturels, orages, manifestations, bruits nocturnes, tout en restant dans le champ de l'abstraction et de la pensée pure.

En même temps, il poursuit ses recherches fondamentales eu sein d'un groupe qu'il a rassemblé autour de lui, le C. E. M. A. M. U., et dont l'objectif est de réaliser la jonction art-science-technologie. L'existence et les réalisations de ce groupe ne seront connues du grand public que vers 1980, avec la mise au point de cet outil de réalisation pédagogique et musical qu'est la « machine à composer » appelée l'U. P. I. C. Parallèlement, sa production reste abondante et homogène, avec *Aroura* pour douze instruments (1971), *Antikhton* pour orchestre (1971), *Linaia-Agon* pour trois cuivres (1972), *Eridanos* pour six cuivres et cordes (1973), *Evryali* pour piano (1973), *Cendrées* pour chœur mixte et orchestre (1973), *Erikhton* pour piano et orchestre (1974), *Gmeeorh* pour orgue (1974), *Noomena* pour orchestre (1974),

Iannis Xenakis.

(1986), *Tracées* (1987) et *Ata* (1988) pour orchestre. Certaines de ces œuvres évoluent vers un lyrisme plus humain.

Reconnu plus tard que d'autres compositeurs, ayant mis plus de temps à se trouver, Xenakis s'est acquis en même temps une position plus forte, plus solide, qu'il maintient sans dévier, et sans se laisser porter par les courants divers qui agitent la musique contemporaine autour de lui. On ne développera pas ici sa théorie de la composition (v. STOCHASTIQUE), mais on évoquera sa musique telle qu'elle se donne à ses auditeurs. Indiscutablement méditerranéenne, vigoureuse, ignorant jusqu'à une date récente le clair-obscur et les états d'âme, elle a une manière bien à elle de sonner : les instruments y sont parfois poussés à leurs limites, mais toujours pour donner au son de la vie, de l'éclat. Dans son écriture, le hautbois, la flûte, le violon, la percussion, retrouvent la verdeur de son des instruments populaires dont ils sont les lointains cousins. Xenakis fuit les mélanges de sonorités à la Debussy ou à la Dutilleux, et il hait aussi le vibrato, préférant le son droit, un peu dur et acide.

Naturellement, ses procédés orchestraux tels que l'emploi de réseaux de glissandi entrecroisés aux cordes, ou bien les « nuages », c'est-à-dire les pluies de petites particules sonores, et les glissements en tiers de ton ont été souvent imités et reproduits dans une esthétique impressionniste et moins abstraite, moins structurée que la sienne. Mais surtout, Xenakis possède un don bien rare dans la musique d'aujourd'hui : il a le *sens de l'essentiel* et de la franchise, il sait ne pas charger le détail, simplifier sans appauvrir, au service de son propos, et affirmer la forme globale dans ses grands contours, sans se perdre dans les maniérismes ou l'enchevêtrement. Il n'est pas étonnant non plus qu'avec son indiscutable sens dramatique, ses diverses musiques de scène — *Hiketides, les Suppliantes* (1964), *Oresteia* (1965-66), *Médée* (1967), *Hélène* (1977) — soient bien conçues pour leur fonction.

Il y a évidemment chez Xenakis, au-delà du musicien, un architecte, et surtout un utopiste, d'esprit platonicien, rêvant de bâtir des villes cosmiques et de gagner l'auditeur à une nouvelle conscience du monde et de l'espace-temps. Les côtés un peu dogmatiques, inaccessibles au doute et messianiques de ce programme, tel

Empreintes pour orchestre (1975), *Phlegra* pour onze instrumentistes (1975), *Psappha* pour un percussionniste (1975), *Khoaï* pour clavecin (1976), *Windungen* pour douze violoncelles (1976), *Akanthos* pour flûte, clarinette, soprano, deux violons, alto, violoncelle, contrebasse et piano (1977), *la Légende d'Er*, bande magnétique pour le *Diatope* (1977), *Jonchaies* pour très grand orchestre (1977), *Ikhoor* pour trio à cordes (1978), *Mycenae A* pour bande magnétique (1978), *Pléiades* pour six percussions (1978), *Palimpsest* pour cinq instruments (1979), *Anemoessa* pour orchestre et chœur (1979), *Mists* pour piano (1980), *Aïs* pour baryton, percussion et orchestre (1980), *Embellie* pour alto (1980), *Nekuïa* pour chœurs et orchestre (1980), *Tetras* pour quatuor à cordes (1983), le concerto pour piano *Keqrops*

André Bilet-Rapho

Oreste, *musique de **Xenakis**, chorégraphie de Norbert Schmucki,
création à l'Opéra de Marseille en 1971.*

que Xenakis lui-même le présente, seraient plutôt gênants si ce dernier n'était pas l'homme qu'il est : une personnalité dont l'indépendance, la responsabilité et l'esprit de suite — qualités que l'on retrouve dans la facture de sa musique — forcent le respect.

YOUNG *(La Monte),* compositeur américain *(Bern, Idaho, 1935).* Après des études musicales à Los Angeles, à l'université de Berkeley et à New York (musique électronique avec Richard Maxfield), il commence à composer dans un style dodécapho-

nique dont il se détournera vite. Il travaille un moment avec Terry Riley pour la direction musicale de la troupe de danse d'Ann Halpern. En 1962, il fonde son propre atelier, *The Theatre of Eternal Music,* où il commence à réaliser ses projets de musique minimale à base de notes tenues sur des durées infinies. Avec le peintre et artiste cinétique Marian Zazeela, qu'il a épousée en 1963, il conçoit des spectacles de sons et de lumières se déroulant sur des heures ou des journées dans une «dream house» (maison du rêve). Il a l'occasion de fortifier ses conceptions en faveur d'une musique méditative en étudiant le style vocal Kirana auprès d'un musicien indien, le pandit Pran Nath, qu'il accompagne dans des tournées comme joueur de tampura.

Son projet se catalyse dans une œuvre globale et infinie, conçue en 1964, *The Tortoise, his Dreams and Journeys* (« la Tortue, ses rêves et ses voyages »), comprenant un grand nombre de sections durant chacune jusqu'à une semaine, utilisant des sons électroniques immobiles, des interventions vocales et instrumentales (cordes), et des effets lumineux — et devant se jouer, dans l'idéal, éternellement. Un grand nombre de ses pièces des années 70 s'inscrivent dans le cadre de ce projet global. Enfin, à la fin des années 70, il reprend une œuvre de 1964, fondée sur le principe d'un accord « juste », non tempéré, du piano, *The Well Tuned Piano* (« le Piano bien accordé »).

L'expérience de La Monte Young est basée sur l'idée d'un retour aux sources élémentaires des pouvoirs du son, et elle renoue, avec ses moyens propres, avec une conception ancienne de l'ethos, de l'effet des intervalles et des résonances sur le psychisme, à travers de longues étendues de temps. Mais il s'agit d'une musique dont la sensualité de timbre est sublimée, réduite à la nudité la plus grande, à la hauteur presque pure. La démarche de La Monte Young fut une des premières démarches minimales dans l'école newyorkaise, et sans doute la plus radicale.

Yun *(Isang),* compositeur coréen *(Tongyong 1917).* Il étudia les techniques européennes de composition en Corée et au Japon de 1939 à 1943, et enseigna dans sa ville natale à partir de 1946, puis de 1954 à 1956 à Séoul. Il compléta sa formation à Paris et surtout à Berlin (1956-1959), notamment avec Boris Blacher et Josef Rufer. Installé à Berlin à partir de 1964, il y fut enlevé en 1968 par les services secrets de son pays, sous l'accusation d'espionnage, et incarcéré à Séoul. Deux fois condamné à mort, il fut libéré en 1969, et regagna Berlin. Il a enseigné à l'École supérieure de musique de Hanovre en 1969-70, et a obtenu une classe de composition à l'École supérieure de musique et des arts figuratifs de Berlin en 1970. Depuis 1973, il est professeur à l'Académie des arts de Berlin.

Personnalité dominante de la vie musicale contemporaine, il a poursuivi une synthèse des traditions musicales de l'Orient (plus précisément de la Corée) et de l'Occident, s'efforçant notamment de traduire en termes de technique occidentale avancée les pratiques d'exécution et la poétique asiatiques. Il ne reconnaît plus ses œuvres antérieures à son arrivée en Europe.

On lui doit notamment *Musique pour sept instruments* (1959), un *3e Quatuor à cordes* (1959), *Scène symphonique* pour orchestre (1960), *Loyang* pour orchestre de chambre (1962), *Garak* pour flûte et piano (1963), *Fluktuationen* (1964) et *Reak* (1966) pour orchestre, *Tuyaux sonores* pour orgue (1967), *Glissées* pour violoncelle (1970), *Konzertante Figuren* pour orchestre de chambre (1972), *Harmonia* pour vents, harpe (ou piano) et percussion (1974), un *Concerto pour violoncelle* (1976), un *Concerto pour flûte et orchestre de chambre* (1977), un *Double Concerto pour hautbois, harpe et orchestre de chambre* (1977), *Namo* pour trois sopranos et orchestre (1978), un *Concerto pour clarinette* (1981) et deux *pour violon* (1982 et 1986), cinq *Symphonies,* une *Symphonie de chambre no 1* (1988), et les opéras *Der Traum des Liu-Tung* (1965 ; Nuremberg, 1969), *Die Witwe des Schmetterlings* (1968 ; Nuremberg, 1969), *Geisterliebe* (1969-70 ; Kiel, 1971) et *Sim Tjong* (1971-72 ; Munich, 1972).

ZACHOW *(Friedrich Wilhelm),* compositeur et organiste allemand *(Leipzig 1663-Halle 1712).* Formé à la musique par son père Heinrich, « musicien de ville » à Leipzig, il fut nommé en 1684 titulaire de l'orgue de l'église Sainte-Marie de Halle (Liebfrauenkirche), poste qu'il devait occuper pendant toute sa carrière. Musicien consciencieux, formé aux disciplines fondamentales que l'on était en droit d'attendre de l'organiste de la première église de Halle, Zachow est surtout connu pour avoir été, de 1694 à 1702, le maître de Georg Friedrich Haendel. Une culture musicale fort étendue, une connaissance des développements de la musique italienne aussi bien qu'allemande ont contribué à former son célèbre élève.

Sa production propre est loin d'être négligeable. Elle comporte des pièces d'orgue et une trentaine de cantates (plus de quarante ont disparu) montrant à quel point était enracinée dès la fin du xviie siècle une tradition que Bach devait porter à sa perfection. Les compositions de Zachow ont été éditées par Max Seiffert dès 1905. Pour les éléments de biographie, nous dépendons principalement de la littérature consacrée à Haendel et aux légendes controuvées qui s'y sont greffées.

ZANDONAI *(Riccardo)*, compositeur italien *(Sacco di Rovereto 1883 - Pesaro 1944)*. Élève de Mascagni au Lycée musical de Pesaro (dont il sera le directeur en 1940), il adhéra aux buts esthétiques de la jeune école lyrique italienne, mais sut ajouter à son idéal d'efficacité et de sensibilité parfois morbide un langage harmonique nouveau et un sens de l'orchestration hérité de Debussy et de Ravel. Encouragé par Boito et par l'éditeur Ricordi, Zandonai connut le succès avec *le Grillon du foyer*, d'après Dickens (1908), et surtout avec *Conchita* d'après Pierre Louÿs (1911). C'est néanmoins grâce à D'Annunzio qu'il réussit son chef-d'œuvre, *Francesca da Rimini* (1914), y dressant des portraits d'une sensibilité frémissante, d'une étonnante vérité et d'une force dramatique nouvelle, sans aucune concession à la facilité, mêlant un langage vocal tour à tour violent et tendre à une orchestration raffinée.

Enfermé dans la gloire de ce chef-d'œuvre, il ne se renouvela qu'imparfaitement dans ses huit opéras suivants, parmi lesquels *Giulietta e Romeo* (1922) et surtout *I Cavalieri di Ekebu* (1925), où le fantastique de la saga lui fournit l'occasion de renouveler son inspiration. On lui doit encore des œuvres concertantes avec orchestre, de la musique de chambre, des partitions de films, des ballets, un *Requiem* et un *Te Deum*.

ZELENKA *(Jan Dismas)*, compositeur tchèque *(Lounovice, Bohême, 1679-Dresde 1745)*. Il étudia probablement au collège des jésuites à Prague, et en 1709-1710, fut dans cette ville au service du comte Hartig. En 1710, il devint contrebassiste dans l'orchestre royal de Dresde. Envoyé en Italie avec d'autres musiciens (1715), il s'arrêta à Vienne pour y étudier avec Johann Joseph Fux, et à Venise, travailla avec Lotti. Sur le chemin du retour, il s'arrêta de nouveau à Vienne (1717-1719), puis regagna Dresde pour y rester jusqu'à sa mort, exception faite d'un séjour à Prague lors du couronnement de Charles VI comme roi de Bohême : fut alors donné

son « Melodrama de Sancto Wenceslao » *Sub olea pacis et palma virtutis conspicua Orbi regia Bohemia corona*. À Dresde, il assuma peu à peu les charges du maître de chapelle David Heinichen.

À la mort de ce dernier (1729), il brigua sa succession, mais se vit finalement préférer Johann Adolf Hasse, tenant du goût italien, et passa ses dernières années dans un relatif isolement.

Admiré par Bach et par Telemann, il témoigne dans ses œuvres d'une grande maîtrise contrapuntique, ce qui ne l'empêcha pas de se livrer en même temps à d'audacieuses recherches harmoniques. Rythme, contrepoint et harmonie retiennent chez lui également l'intérêt, et il attacha aussi une importance particulière aux indications d'intensité. Il fut longtemps considéré essentiellement comme un compositeur de musique religieuse, mais depuis un quart de siècle environ, on reconnaît également la grande valeur de sa production instrumentale. Cette dernière comprend notamment six sonates pour deux hautbois, basson et basse continue, et neuf œuvres avec orchestre : cinq *Capriccios*, *Concerto a 8*, *Hipocondrie a 7* (1723), *Sinfonia a 8* (1723), *Ouverture en « fa »*. Dans le domaine religieux, on lui doit entre autres trois oratorios (*Il Serpente di bronzo*, 1730 ; *Gesù al Calvario*, 1735 ; *I Penitenti al sepolcro del Redentore*, 1736), des messes dont six *Missae ultimae* parmi lesquelles la *Missa Dei Patris* (1740), un *Magnificat* en *ré* (1725), un *Requiem* (1730), des motets, trois cantates pour le collège des jésuites de Prague (1709, 1712, 1716), et les *Six Lamentations pour les veillées de la semaine sainte* (*Lamentations de Jérémie*, 1722).

ZEMLINSKY *(Alexander von)*, compositeur et chef d'orchestre autrichien d'origine polonaise *(Vienne 1871 - Larchmont, New York, 1942)*. Il étudia au conservatoire de Vienne (1884-1890) avec Anton Door (piano), Franz Krenn et Robert Fuchs (contrepoint) et Johann Nepomuk Fuchs (composition). Son *Quintette à cordes*, créé en 1893 par le Quatuor Hellmesberger, retint l'attention de Brahms. Il dirigea en 1894 l'orchestre d'amateurs Polyhymnia, dans lequel le jeune Arnold Schönberg, alors employé de banque, tenait un pupitre de violoncelle. Leur amitié devait durer vingt ans et être renforcée par le mariage de Schönberg avec Mathilde, sœur de Zemlinski. Ce dernier dirigea en 1896 la première audition publique d'une composition de Schönberg, qui, à son tour, travailla à la réduction pour piano du premier opéra de Zemlinski, *Sarema* (couronné en 1897 par le prix Leopold, de Munich). En 1900, le deuxième, *Es war einmal,* fut accepté par l'Opéra de Vienne et créé sous la direction de Gustav Mahler. La même année, Zemlinski obtint le poste de chef d'orchestre du Carl-Theater, puis du Theater an der Wien, qu'il devait quitter quatre ans plus tard pour la Volksoper (1904).

La même année, il fonda avec Schönberg l'éphémère Vereinigung der Schaffender Künstler (Société des artistes-compositeurs), avec comme le président d'honneur Mahler. Celui-ci engagea bientôt Zemlinski à l'Opéra de Vienne (1907), quelques mois avant de le quitter lui-même. Mais Zemlinski retourna au bout d'un an à la Volksoper, à la suite d'un conflit avec le nouveau directeur, Felix Weingartner. En 1911, il fut nommé directeur de l'Opéra de Prague, charge qu'il devait conserver jusqu'en 1927 et qui lui permit de donner sa pleine mesure de musicien-dramaturge, chef d'orchestre et administrateur. Il y dirigea deux de ses opéras, *Eine florentinische Tragödie* (d'après Oscar Wilde) et la version définitive de *Kleider machen Leute* (d'après Gottfried Keller), et y créa sa *Symphonie lyrique* ainsi que *Erwartung* et *Die glückliche Hand* de Schönberg. Parallèlement, il enseigna la composition à la Deutsche Musikakademie.

À la Kroloper de Berlin, où il fut engagé ensuite par Otto Klemperer, il dirigea de nombreux ouvrages contemporains tout en occupant une chaire à l'Akademische Hochschule für Musik. En 1931, après la fermeture de la Krolloper, il retourna à Vienne, d'où il entreprit quelques tournées comme chef invité.

En 1938, au moment de l'Anschluss, il partit pour les États-Unis, espérant sans doute un engagement au Metropolitan Opera, dont son ami Artur Bodanzki était le principal chef d'orchestre. C'est à l'instigation de Bodanzki qu'il mit en chantier son dernier opéra, *Circe*, resté inachevé. Après quatre années de difficultés matérielles, il mourut d'une crise cardiaque sans avoir été reconnu, ni même connu, du public américain.

Chef d'orchestre magistral et pédagogue éminent (Erich-Wolfgang Korngold lui devait l'essentiel de sa formation et

Arnold Schönberg déclarait avoir reçu de lui le seul enseignement digne de ce nom), Zemlinski ne s'est jamais imposé de son vivant d'une manière durable comme compositeur, malgré le vif succès remporté par certains de ses opéras. Sa musique fut appréciée pour son intensité expressive et son originalité harmonique, mais elle resta longtemps à peu près inconnue. Depuis quelques années, une réhabilitation méritée semble se dessiner, avec notamment trois enregistrements discographiques de la *Symphonie lyrique* et en 1974, un symposium lui a été consacré à l'Automne styrien de Graz.

Les influences conjuguées de Mahler et de Strauss ont laissé des traces indiscutables sur son style. Il prit un chemin moins radical que celui de Schönberg, se contentant d'assouplir les contraintes de l'harmonie traditionnelle.

ZENDER *(Hans),* compositeur et chef d'orchestre allemand *(Wiesbaden 1936).* Il a étudié à l'École supérieure de musique de Francfort (1956-1959), puis avec Wolfgang Fortner à Fribourg-en-Brisgau. Il fut premier chef au théâtre de Bonn (1964-1968) et directeur de la musique à Kiel (1969-1971) avant de devenir chef d'orchestre de la radio de Sarrebruck, puis de Hambourg. À ce poste, il s'est beaucoup consacré à la musique contemporaine. Comme compositeur, il a écrit notamment *Trois Pièces pour orchestre* (1955), *Schachspiel* pour deux groupes instrumentaux (1970), *Canto I* pour soprano et orchestre de chambre (1965), *II* pour soprano, chœur et orchestre (1967), *III (Der Mann von La Mancha)* pour soprano, ténor, baryton, instruments et synthétiseur (1969), *IV (4 Aspekte)* pour chœur et seize instruments (1971) et *V (Continuum und Fragmente)* pour voix (1973), *Litanei* pour trois violoncelles (1976), *Happy End,* quatre études pour orchestre (1976).

ZIMMERMANN *(Bernd Aloïs),* compositeur allemand *(Bliesheim, près de Cologne, 1918-Königsdorf, près de Cologne, 1970).* Zimmermann passa sa vie entière en Rhénanie. Élève jusqu'à l'âge de dix-sept ans au couvent des salvatoriens de Steinfeld, influencé profondément par cette vie de retraite, il est attiré par la littérature, la peinture, la philologie romaine. Son amour de l'orgue, qu'il pratique souvent au couvent, le décide à se diriger définitivement vers la musique. En 1939, il entre à l'Académie de musique de Cologne, puis se perfectionne aux cours d'été de Darmstadt (où il se convertit à l'écriture dodécaphonique sous l'influence de Fortner et de Leibowitz). À partir de 1950, il est maître de conférence à l'Institut de musicologie de l'université de Cologne, puis professeur de composition à l'École supérieure de musique de cette ville, où il dirige également un séminaire de composition pour la musique de scène et de film.

Ses vingt-deux années d'activité créatrice produisent quarante œuvres, qu'Harry Halbreich divise en trois phases essentielles : expressionniste, pluraliste, statique. Entre elles, il n'existe aucune cassure, mais une progression continue vers l'accomplissement d'un idéal esthétique et philosophique. Zimmermann lui-même exprime la dualité existant dans son œuvre (et à l'intérieur même de chacune de ses œuvres) en se décrivant comme « un mélange typiquement rhénan de moine » (le mystique, l'ascète, l'introverti) et « de Dyonisos » (le passionné, l'explosif, l'apocalyptique).

Sa période expressionniste débute avec le ballet *Alagona* (1940-1950), suite de cinq caprices brésiliens à la manière du Milhaud de *Saudades do Brasil*, contenant déjà certains éléments de son style (premiers collages, attirance pour le ballet). Le très dramatique *Concerto pour violon* (1950), expressif et lyrique, influencé par Hindemith et les rythmes stravinskiens, révèle l'impact du jazz et le thème cyclique de la mort et de la vie, qui sera son obsession majeure. Le point culminant de la période expressionniste de Zimmermann est atteint avec la *Symphonie en un mouvement* (1947-1953), qui, selon ses propres mots, fait alterner la « menace apocalyptique » et le « calme mystique ». Il utilise largement le jazz dans le *Concerto pour trompette* (1954), se réfère à Berg dans la *Sonate pour alto solo* (1955), dont l'écriture, très difficile pour l'instrument, n'a plus rien à voir avec celle de l'auteur de *Lulu*. Les *Perspektiven* pour deux pianos (1954-1956) absorbent complètement la pensée sérielle du Webern de la dernière manière, présentent une structure polyrythmique complexe et contiennent les tous premiers clusters (grappes de notes ou de sons).

Le violoncelle est l'instrument de prédilection de Zimmermann ; il en a enrichi le répertoire d'œuvres très importantes parmi lesquelles son premier concerto, *Canto di speranza* (1957), strictement sériel, intime, lumineux et serein, dédié à sa femme. Des passages des Écritures saintes fournissent la base du texte de sa cantate pour soprano et dix-sept instruments *Omnia Tempus habent* (1957).

À cette époque, Zimmermann en est arrivé à unir la force expressive et la richesse sonore au sein d'une organisation formelle très stricte. Aucune musique contemporaine n'ayant pu pénétrer en Allemagne, isolée du monde jusqu'en 1945, il avait dû assimiler d'un coup l'école de Vienne, Hindemith, Bartók, Stravinski, que les jeunes générations apprenaient au cours de leurs études régulières. Il dut ainsi faire face au problème majeur d'avoir eu vingt ans au début de la Deuxième Guerre mondiale sans se trouver pour autant plus avancé que Henze ou Stockhausen, ce qu'il résuma lui-même dans cette formule : « Je suis le plus vieux des jeunes compositeurs. »

En 1957, Zimmermann redécouvre le chef-d'œuvre négligé de Jakob Lenz, *Die Soldaten,* dont il décide tout de suite de faire un opéra. En effet, la structure pluraliste de la pièce de Lenz (au niveau de l'action) est en parfaite correspondance avec le thème de la « sphéricité du temps », essentiel chez Zimmermann : le temps est conçu comme une unité du passé, du présent et de l'avenir, une sphère qui se manifeste dans une perpétuelle simultanéité de tous les phénomènes. Ce pluralisme le conduit à juxtaposer des couches sonores différentes souvent opposées par le style et la chronologie (techniques de la citation et du collage, influencées par la poésie moderne et la peinture surréaliste), et, au point de vue scénique, à l'initiative révolutionnaire des actions simultanées (jusqu'à douze).

Zimmermann a vécu dans un état de tension nerveuse jusqu'au 15 février 1965, date de la création de ses *Soldats,* qui laissa une profonde impression. En effet, s'étant retrouvé dans la même situation que le Bruckner de la *Huitième Symphonie,* il avait été obligé de réécrire sa partition, rejetée comme injouable par l'Opéra de Cologne, pour en réaliser une version exécutable, ce qui lui fit perdre beaucoup de sa plasticité spatio-temporelle. Il souhaitait en effet la faire représenter dans une salle circulaire, équipée de fauteuils tournants et munie de douze scènes, chacune ayant son propre orchestre (avec son chef), l'ensemble interprétant simultanément des passages variés de l'œuvre.

La fantastique « intégration » de tous les moyens sonores, visuels et expressifs existant à ce jour, opérée par Zimmermann dans sa deuxième rédaction, n'en voit pas moins sa puissance décuplée par l'engagement humaniste qui illumine l'opéra et va droit au cœur du public, bien que le laissant en état de « choc ». Sommet de son écriture sérielle et première manifestation majeure de la phase pluraliste, *les Soldats,* l'une des partitions capitales de ce siècle, demeurent toujours « avant-gardistes » : presque aucune salle d'opéra ne possède l'infrastructure technique permettant de réaliser pleinement les exigences de son auteur.

Dans la *Sonate pour violoncelle* (1960), véritable guide des techniques de jeu moderne pour cet instrument, Zimmermann utilise, pour la première fois, des micro-intervalles (quarts de ton), et de nouveaux types de pizzicati. *Présence* (1961), « ballet blanc » en cinq scènes, pour violon, symbolise Don Quichotte par le violon, Molly Bloom (de Joyce) par le violoncelle, et Ubu-roi, par le piano, et comprend de nombreux collages. *Antiphonen* (1962), pour alto et vingt-cinq instrumentistes, est une importante étape vers le « lingual » du *Requiem,* car les exécutants doivent lire simultanément, et dans leurs langues respectives, des extraits du *Livre de Job,* des *Frères Karamazov* et d'*Ulysse.*

Le *Concerto pour violoncelle et orchestre en forme de pas de trois* (1965-66), dédié à Siegfried Palm, violent et tendre, virtuose à l'extrême et lyrique tout à la fois, synthétise plusieurs obsessions de Zimmermann : le ballet imaginaire, le concerto instrumental, les harmonies sérielles raffinées et d'une grande délicatesse (émanant notamment des mandoline, guitare électrique, harpe, piano, clavecin), de furieuses explosions de jazz.

Avec l'œuvre purement électronique *Tratto I* et avec *Intercomunicazione* pour violoncelle et piano (1967), s'ouvre l'ultime phase de l'expansion temporelle, ou « statisme musical » : le violoncelle effectue de longues tenues, avec des variations infinitésimales, des modifications micro tonales, des doubles cordes et des quarts de ton. Les structures de sons statiques et épars prédominent aussi dans la musique

de scène *Die Befristeten (Ode à la liberté sous forme de danse de mort)* [1967], que son amour du jazz a conduit Zimmermann à composer pour un quintette de jazz. En effet, l'auteur des *Soldats* est, avec M. Tippett, le musicien contemporain à avoir le plus approché l'essence du jazz, expression des opprimés, qui ne pouvait qu'être chère à l'humaniste !

Le prélude pour grand orchestre *Photoptosis* (1968-69), grand monolithe de sons, constitue une des rares — et la dernière — œuvres de paix avant la plongée finale dans le désespoir cosmique du *Requiem pour un jeune poète* (1967-1969), à la première duquel la maladie l'empêche d'assister, bien qu'il explique que « tout » dépend pour lui de cette exécution. Son idée de la sphéricité du temps atteint ici son apothéose : c'est une fresque synthétique de cinquante années d'histoire du monde, qui donne tout son sens à ses paroles : « Le compositeur est un reporter, pas au sens journalistique du terme (les journaux recherchent le "sensationnel") ; l'action de l'authentique sensation, qui n'est pas "à sensation", procède du spirituel et atteint le niveau le plus profond de l'âme. » Une telle partition, aux implications philosophiques écrasantes pour un être humain aussi hypersensible que Zimmermann, l'a profondément ébranlé et peut l'avoir tué. Elle s'achève par l'affirmation suivante : « Y a-t-il des raisons d'espérer ? Il n'y a rien d'autre à espérer que la mort. » *Les Soldats* se terminaient par l'interrogation : « Doivent-ils tous trembler, ceux qui souffrent de l'injustice et se réjouir, seuls, ceux qui la commettent ? »

Le 10 août 1970, Zimmermann met fin à ses jours, à l'âge de cinquante-deux ans. Si la détérioration régulière de sa santé, l'indifférence injuste dont il souffrit, le fait d'être consumé par sa propre création ont partiellement causé son suicide, la raison essentielle en fut le conflit de base qu'il ne put jamais surmonter, résumé dans le titre de sa dernière partition, terminée cinq jours avant sa mort : *Je me détournai et considérai toute l'oppression qui se fait sous le soleil,* « action ecclésiastique » pour deux récitants, basse soliste, orchestre et trois trombones disséminés dans le public, sur un texte rédigé par lui-même, inspiré de la parabole célèbre du « Grand Inquisiteur » (*Frères Karamazov* de Dostoïevski), et comprenant de larges citations de l'*Ecclésiaste* et de la *Bible* de Luther.

Le Grand Inquisiteur (second récitant) blâme amèrement le Christ (premier récitant) d'avoir surestimé l'humanité, d'avoir trop demandé à l'homme, de l'avoir cru capable d'un sacrifice aussi grand que le sien... Le lamento de la basse soliste semble la voix de Zimmermann lui-même : « Malheur à celui qui est seul ! » Les longues étendues de sons statiques alternent avec de terrifiantes explosions tonales, des martèlements de leurs estrades par les coups de pied des récitants, des sons nouveaux (déchirements de papier, etc.), et des passages aléatoires (improvisations des percussionnistes sur des rythmes de blues). L'œuvre se termine brutalement par la citation « fortissimo » aux trombones du choral de Bach *Es ist genug* (« C'est assez ! »), déjà utilisé par Berg dans son *Concerto pour violon*. Son dépouillement et sa terrible violence expressive se retrouvent, en écho, dans l'avant-dernière partition de Zimmermann, les *Quatre Études brèves* pour violoncelle, écrite à l'instigation de Siegfried Palm.

Musicien fraternel, hypersensible, Zimmermann fut un humaniste chrétien engagé (mais non politiquement), que l'on peut rapprocher, toutes considérations d'écriture mises à part, du Britten du *War Requiem*, du Chostakovitch de la *14ᵉ Symphonie*, et de Tippett (avec ce dernier, il a en commun la réflexion sur le temps, l'amour du jazz, le rejet de toute idéologie), une figure « bergmanienne », qui ne put réconcilier l'idée de Dieu avec l'image d'un monde déchiré par les guerres, les tortures et les totalitarismes.

ZINGARELLI *(Nicola Antonio),* compositeur italien *(Naples 1752 - Torre del Greco 1837).* Élève de Fenaroli, Anfossi et Sacchini, condisciple de Cimarosa, il se fit connaître rapidement, mais ne se distingua véritablement qu'en 1781 avec *Montezuma,* où il révélait plus de science que d'inspiration profonde. Dès 1785 il fut régulièrement joué sur toutes les scènes italiennes et même à l'étranger (*Antigone,* d'après Marmontel ; Paris, 1790). On retiendra notamment *Gerusalemme distrutta,* action sacrée (1794), et son chef-d'œuvre *Giulietta e Romeo* (Scala de Milan, 1796), écrit pour le castrat Crescentini, qui, dit-on, était l'auteur vériable de l'aria *Ombra adorata,* admirée de Stendhal. En 1811, le succès de Rossini, qu'il haïssait, le contraignit à abandonner la scène.

Maître de chapelle à la cathédrale de Milan en 1792 à Naples, puis à Saint-Pierre de Rome (1804), il laissa un nombre impressionnant d'œuvres sacrées, de la musique de chambre, des pièces pour clavecin, orgue, etc. Son nom demeure aujourd'hui lié à son activité de pédagogue, comme directeur du Collège royal de Naples où furent formés Bellini, Mercadante, Costa, etc. Fidèle aux principes de la vieille école de l'opera seria napolitain, il s'opposa farouchement aux idées novatrices de Rossini, qu'il jugeait perverti par l'influence allemande.

ZIPOLI *(Domenico),* organiste et compositeur italien *(Prato 1688 - Córdoba, Argentine, 1726).* En 1696, il se fixe à Rome où il est l'élève de A. Scarlatti, puis de B. Pasquini. En 1715, on le trouve comme organiste de l'église de Gesù à Rome. En 1716, il entre dans l'ordre jésuite et commence son noviciat à Séville. Le 5 avril 1717, il s'embarque comme missionnaire de Cadix pour le Paraguay. De 1717 à sa mort, il est organiste de l'église jésuite de Córdoba. Il a écrit deux oratorios, *Sant'Antonio di Padova* et *Santa Caterina, vergine e martire,* exécutés à Rome respectivement en 1712 et 1714 ; seuls les livrets sont conservés. Il n'a publié qu'un seul recueil d'ouvrages pour clavier : *Sonate d'intavolatura per organo e cimbalo...* (Rome, 1716 ; rééd. à Londres en deux volumes par Walsh).

ZUMSTEEG *(Johann Rudolf),* compositeur et chef d'orchestre allemand *(Sachsenflur, près de Mergentheim, 1760 - Stuttgart 1802).* Il étudia à la Karlsschule de Stuttgart, et s'y lia d'amitié avec Friedrich Schiller (il composa plusieurs chants, parus anonymement en 1782, pour sa pièce *Die Räuber).* Entré en 1781 comme violoncelliste dans l'orchestre de la cour du Wurtemberg, il devint maître de chapelle en 1793. On lui doit quelques cantates spirituelles, des opéras et singspiels, de la musique instrumentale et des musiques de scène (en particulier pour *Hamlet* et *Macbeth* de Shakespeare), mais il acquit surtout la célébrité comme compositeur de ballades. Ces dernières, sur des textes de Goethe (*Colma,* 1793) et de Bürger (*Lénore,* 1798) notamment, exercèrent en leur temps une grande influence. En ce domaine, ainsi que dans celui du lied, Zumsteeg apparaît comme un des plus importants prédécesseurs de Schubert.

LISTE D'ŒUVRES... DE QUI EST-CE ?

TITRE	GENRE OU EFFECTIFS	COMPOSITEUR	TITRE	GENRE OU EFFECTIFS	COMPOSITEUR
Actus Tragicus	Cantate (n° 106)	J. S. BACH	Capriccio	Opéra	R. STRAUSS
Adieux (les)	Symphonie (n° 45)	HAYDN	Capriccio espagnol	Orchestre	RIMSKI-KORSAKOV
Africaine (l')	Opéra	MEYERBEER	Capriccio italien	Orchestre	TCHAÏKOVSKI
Agon	Ballet	STRAVINSKI	Carmen	Opéra-comique	BIZET
Aïda	Opéra	VERDI	Carmina Burana	Cantate	ORFF
Ainsi parla Zarathoustra	Poème symphonique	R. STRAUSS	Carnaval	Pièces pour piano	SCHUMANN
A la bien-aimée lointaine	Cycle de mélodies	BEETHOVEN	Carnaval des animaux (le)	Fantaisie zoologique	SAINT-SAENS
A la mémoire d'un ange	Concerto pour violon	BERG	Carnaval romain (le)	Ouverture	BERLIOZ
			Casse-Noisette	Ballet	TCHAÏKOVSKI
Alceste	Opéra	GLUCK, LULLY	Castor et Pollux	Tragédie lyrique	RAMEAU
Alcina	Opéra	HAENDEL	Cavalleria rusticana	Opéra	MASCAGNI
Alexandre Nevski	Cantate	PROKOFIEV	Cendrillon	Ballet	PROKOFIEV
Alouette (l')	Quatuor à cordes	HAYDN	Cendrillon	Opéra	ROSSINI
Amériques	Orchestre	VARÈSE	Cetra (la)	Concertos	VIVALDI
Amour des trois oranges (l')	Opéra	PROKOFIEV	Chant de la terre (le)	Symphonie avec voix	MAHLER
Amour et la vie d'une femme (l')	Cycle de mélodies	SCHUMANN	Chant des adolescents	Œuvre électroacoustique	STOCKHAUSEN
Amours du poète	Cycle de mélodies	SCHUMANN	Chant du cygne (le)	Mélodies	SCHUBERT
Amour Sorcier (l')	Ballet	FALLA	Chant du destin (le)	Œuvre avec chœur	BRAHMS
Ange de feu (l')	Opéra	PROKOFIEV	Chant du rossignol (le)	Opéra et Poème symphonique	STRAVINSKI
Anneau du Nibelung	Festival scénique	WAGNER			
Années du pèlerinage	Cycle pour piano	LISZT	Chants d'un compagnon errant	Cycle de mélodies	MAHLER
Apothéoses (de Corelli, de Lully)	Œuvres de chambre en trio	COUPERIN F.	Chants et danses de la mort	Cycle de mélodies	MOUSSORGSKI
Apothicaire (l')	Opéra	HAYDN	Chants pour des enfants morts	Cycle de mélodies	MAHLER
Appasionata	Sonate (n° 23)	BEETHOVEN	Chasse (la)	Quatuor à cordes	MOZART
Apprenti Sorcier (l')	Poème symphonique	DUKAS	Chasse (la)	Symphonie (n° 73)	HAYDN
Arabella	Opéra	R. STRAUSS	Chasseur maudit	Poème symphonique	FRANCK
Arcana	Orchestre	VARÈSE	Château de Barbe-Bleue (le)	Opéra	BARTÓK
Archiduc (l')	Trio avec piano	BEETHOVEN			
Ariane à Naxos	Opéra	R. STRAUSS	Chauve-Souris (la)	Opéra-comique	J. STRAUSS fils
Arlésienne (l')	Musique de scène	BIZET	Chevalier à la rose	Opéra	R. STRAUSS
Armide	Tragédie lyrique	GLUCK, LULLY	Children's Corner	Pièces pour piano	DEBUSSY
Art de la fugue (l')	Recueil inachevé	J. S. BACH	Christ au Mont des Oliviers (le)	Oratorio	BEETHOVEN
Atmosphères	Orchestre	LIGETI	Chronochromie	Orchestre	MESSIAEN
Bacchus et Ariane	Ballet	ROUSSEL	Cimento dell'Armonia e dell'Invenzione (le)	Recueil de 12 concertos	VIVALDI
Barbier de Séville (le)	Opéra	PAISIELLO, ROSSINI			
Baron tzigane (le)	Opérette	J. STRAUSS fils	Clair de lune	Sonate (n° 14)	BEETHOVEN
Bastien et Bastienne	Singspiel	MOZART	Clavier bien tempéré (le)	Recueil pour clavier	J. S. BACH
Béatrice et Bénédict	Opéra-comique	BERLIOZ	Clémence de Titus	Opéra	MOZART
Belle au bois dormant (la)	Ballet	TCHAÏKOVSKI	Combat de Tancrède et Clorinde	Cantate dramatique	MONTEVERDI
Belle Hélène (la)	Opéra bouffe	OFFENBACH	Concerto italien	Œuvre pour clavier	J. S. BACH
Belle Meunière (la)	Cycle de mélodies	SCHUBERT	Concerto pour la main gauche	Concerto pour piano	RAVEL
Benvenuto Cellini	Opéra	BERLIOZ			
Bœuf sur le toit (le)	Ballet	MILHAUD	Concerto pour la Nuit de Noël	Concerto grosso	CORELLI
Bohème (la)	Opéra	PUCCINI			
Boléro	Orchestre	RAVEL	Concerto pour orchestre	Œuvre pour orchestre	BARTÓK, CARTER, GERHARD, KODÁLY, TIPPETT
Boréades (les)	Tragédie lyrique	RAMEAU			
Boris Godounov	Opéra	MOUSSORGSKI			
Bourgeois Gentilhomme (le)	Musique de scène	LULLY			
Bourgeois Gentilhomme (le)	Suite d'orchestre	R. STRAUSS	Concerts brandebourgeois	Ensemble de 6 concerts	J. S. BACH
Cantate profane	Cantate	BARTÓK	Concerts royaux	Recueil de chambre	COUPERIN
Canticum Sacrum	Cantate	STRAVINSKI	Contes d'Hoffmann	Opéra	OFFENBACH

LISTE D'ŒUVRES... DE QUI EST-CE?

TITRE	GENRE OU EFFECTIFS	COMPOSITEUR	TITRE	GENRE OU EFFECTIFS	COMPOSITEUR
Coppelia	Ballet	**DELIBES**	*Enfance du Christ*	Oratorio	**BERLIOZ**
Coq d'or (le)	Opéra	**RIMSKI-KORSAKOV**	*Enfant et les sorti- lèges (l')*	Fantaisie lyrique	**RAVEL**
Coriolan	Ouverture	**BEETHOVEN**			
Corsaire (le)	Ouverture	**BERLIOZ**	*Enfantines (les)*	Cycle de mélodies	**MOUSSORGSKI**
Cosi Fan Tutte	Opéra	**MOZART**	*Enlèvement au sérail (l')*	Opéra	**MOZART**
Couronnement (du)	Concerto pour piano et messe	**MOZART**			
			En Saga	Poème symphonique	**SIBELIUS**
Couronnement de Poppée (le)	Opéra	**MONTEVERDI**	*Erwartung*	Monodrame	**SCHOENBERG**
			España	Orchestre	**CHABRIER**
Création (la)	Oratorio	**HAYDN**	*Estampes*	Pièces pour piano	**DEBUSSY**
Création du Monde	Ballet	**MILHAUD**	*Estro armonico (l')*	Concertos	**VIVALDI**
Créatures de Pro- méthée (les)	Ballet	**BEETHOVEN**	*Étoile (l')*	Opéra bouffe	**CHABRIER**
			Études d'exécution transcendante	Cycle pour piano	**LISZT**
Crépuscule des Dieux (le)	Opéra	**WAGNER**			
			Études symphoni- ques	Œuvre pour piano	**SCHUMANN**
Cygne (le)	Violoncelle et piano	**SAINT-SAENS**			
Cygne de Tuonela	Poème symphonique	**SIBELIUS**	*Eugène Onéguine*	Opéra	**TCHAÏKOVSKI**
Dame blanche (la)	Opéra-comique	**BOIELDIEU**	*Euryanthe*	Opéra	**WEBER**
Dame de pique (la)	Opéra	**TCHAÏKOVSKI**	*Falstaff*	Opéra	**VERDI**
Damnation de Faust	Légende dramatique	**BERLIOZ**	*Falstaff*	Étude symphonique	**ELGAR**
Danse macabre	Piano et orchestre	**LISZT**	*Faust*	Opéra	**GOUNOD**
Danse macabre	Poème symphonique	**SAINT-SAENS**	*Faust Ouverture*	Pièce symphonique	**WAGNER**
Danses espagnoles	Suite pour piano	**GRANADOS**	*Faust Symphonie*	Orchestre	**LISZT**
Danses hongroises	Piano à 4 mains	**BRAHMS**	*Fedelta premiata (la)*	Opéra	**HAYDN**
Danses norvé- giennes	Cycle pour piano à 4 mains	**GRIEG**	*Femme sans ombre*	Opéra	**R. STRAUSS**
			Festin de l'araignée	Ballet	**ROUSSEL**
Danses polovtsiennes	Extrait du Prince Igor	**BORODINE**	*Fiancée vendue (la)*	Opéra	**SMETANA**
			Fidelio	Opéra	**BEETHOVEN**
Danses slaves	Piano à 4 mains	**DVOŘÁK**	*Fille de Pohjola (la)*	Poème symphonique	**SIBELIUS**
Dans les steppes de l'Asie centrale	Poème symphonique	**BORODINE**	*Fille du Far West*	Opéra	**PUCCINI**
			Fille du régiment (la)	Opéra-comique	**DONIZETTI**
Daphnis et Chloé	Ballet	**RAVEL**	*Fille du tambour- major (la)*	Opéra-comique	**OFFENBACH**
Dardanus	Tragédie lyrique	**RAMEAU**			
David et Jonathas	Opéra sacré	**M. A. CHARPEN- TIER**	*Fils prodigue (le)*	Ballet	**PROKOFIEV**
			Finlandia	Poème symphonique	**SIBELIUS**
Density 21.5	Flûte seule	**VARÈSE**	*Finta giardiniera (la)*	Opéra	**MOZART**
Déserts	Orchestre et bande	**VARÈSE**	*Finta semplice (la)*	Opéra	**MOZART**
Deux grenadiers	Lied	**SCHUMANN**	*Flûte enchantée (la)*	Opéra	**MOZART**
Devin du village (le)	Opéra-comique	**ROUSSEAU**	*Force du destin (la)*	Opéra	**VERDI**
Dialogue des Carmélites	Opéra	**POULENC**	*Francs-Juges (les)*	Ouverture	**BERLIOZ**
			Freischütz (le)	Opéra	**WEBER**
Didon et Enée	Opéra	**PURCELL**	*Funèbre*	Symphonie (n° 44)	**HAYDN**
Dissonances (les)	Quatuor à cordes (K. 465)	**MOZART**	*Gaspard de la Nuit*	Cycle pour piano	**RAVEL**
			Gianni Schicchi	Opéra	**PUCCINI**
Distrait (le)	Symphonie (n° 60)	**HAYDN**	*Gioconda (la)*	Opéra	**PONCHIELLI**
Don Carlos	Opéra	**VERDI**	*Giselle*	Ballet	**ADAM**
Don Giovanni	Opéra	**MOZART**	*Goyescas*	Opéra et pièces pour piano	**GRANADOS**
Don Juan	Poème symphonique	**R. STRAUSS**			
Don Juan	Ballet	**GLUCK**	*Grand Macabre (le)*	Opéra	**LIGETI**
Don Pasquale	Opéra bouffe	**DONIZETTI**	*Grande fugue*	Page pour quatuor	**BEETHOVEN**
Don Quichotte	Opéra	**MASSENET**	*Grande Pâque russe (la)*	Tableau symphoni- que	**RIMSKI-KORSAKOV**
Don Quichotte	Poème symphonique	**R. STRAUSS**			
Don Quichotte à Dulcinée	Cycle de mélodies	**RAVEL**	*Gruppen*	3 orchestres	**STOCKHAUSEN**
			Guerre et Paix	Opéra	**PROKOFIEV**
Écossaise	Symphonie (n° 3)	**MENDELSSOHN**	*Guillaume Tell*	Opéra	**ROSSINI**
Egmont	Musique de scène	**BEETHOVEN**	*Gurre-Lieder*	Cantate	**SCHOENBERG**
Elektra	Opéra	**R. STRAUSS**	*Gwendoline*	Opéra	**CHABRIER**
Elias	Oratorio	**MENDELSSOHN**	*Gymnopédies*	Pièces pour piano	**SATIE**
Elixir d'amour (l')	Opéra	**DONIZETTI**	*Haffner*	Sérénade et sym- phonie	**MOZART**
Empereur (l')	Concerto pour piano	**BEETHOVEN**			
			Hamlet	Ouverture-fantaisie	**TCHAÏKOVSKI**
Empereur (l')	Quatuor à cordes	**HAYDN**	*Hamlet*	Poème symphonique	**LISZT**

LISTE D'ŒUVRES... DE QUI EST-CE ?

TITRE	GENRE OU EFFECTIFS	COMPOSITEUR	TITRE	GENRE OU EFFECTIFS	COMPOSITEUR
Hamlet	Opéra	THOMAS	Lettres intimes	Quatuor à cordes	JANÁČEK
Hammerklavier	Sonate (opus 106)	BEETHOVEN	Lieutenant Kijé	Musique de film	PROKOFIEV
Harold en Italie	Symphonie avec alto solo	BERLIOZ	Lohengrin	Opéra	WAGNER
			Londoniennes	Symphonies	HAYDN
Hary Janos	Fable lyrique	KODÁLY	Londres	Symphonie (nº 104)	HAYDN
Hébrides (les)	Ouverture	MENDELSSOHN	Louise	Opéra	G. CHARPENTIER
Héroïque	Symphonie (nº 3)	BEETHOVEN	Lucia di Lamermoor	Opéra	DONIZETTI
Heure espagnole (l')	Opéra	RAVEL	Lucio Silla	Opéra	J. C. BACH, MOZART
Hippolyte et Aricie	Tragédie lyrique	RAMEAU	Lulu	Opéra	BERG
Histoire du soldat	Spectacle lu, joué et dansé	STRAVINSKI	Luonnotar	Cantate	SIBELIUS
Homme et son désir	Ballet	MILHAUD	Macbeth	Opéra	VERDI
Horloge (l')	Symphonie (nº 101)	HAYDN	Macbeth	Poème symphonique	R. STRAUSS
Huguenots (les)	Opéra	MEYERBEER	Madame Butterfly	Opéra	PUCCINI
Hymnen	Œuvre électroacoustique	STOCKHAUSEN	Maître de chapelle	Scène bouffe	CIMAROSA
			Maître d'école (le)	Symphonie (nº 55)	HAYDN
Hyperprism	Instruments	VARÈSE	Maîtres Chanteurs de Nuremberg	Opéra	WAGNER
Iberia	Recueil pour piano	ALBENIZ	Ma mère l'Oye	Piano à 4 mains	RAVEL
Iberia	Orchestre	DEBUSSY	Mandarin merveilleux (le)	Ballet	BARTÓK
Idoménée	Opéra	MOZART			
Île des morts (l')	Poème symphonique	RACHMANINOV	Manfred	Mélodrame	SCHUMANN
			Manfred	Symphonie	TCHAÏKOVSKI
Images	Cycles pour piano et pour orchestre	DEBUSSY	Manon	Opéra-comique	MASSENET
			Manon Lescaut	Opéra	PUCCINI
Incontro improvviso	Opéra	HAYDN	Ma patrie	Cycle de poèmes symphoniques	SMETANA
Indes galantes (les)	Opéra-ballet	RAMEAU			
Infedeltà delusa (l')	Opéra	HAYDN	Marguerite au rouet	Lied	SCHUBERT
Invitation à la valse	Œuvre pour piano	WEBER	Mariage secret (le)	Opéra	CIMAROSA
Ionisation	Percussions	VARÈSE	Marie Thérèse	Symphonie (nº 48)	HAYDN
Iphigénie en Aulide	Opéra	GLUCK	Marteau sans maître (le)	Voix d'alto et petit ensemble	BOULEZ
Iphigénie en Tauride	Opéra	GLUCK			
Isle joyeuse (l')	Pièce pour piano	DEBUSSY	Martyre de saint Sébastien (le)	Musique de scène	DEBUSSY
Isola disabitata (l')	Opéra	HAYDN			
Italienne	Symphonie (nº 4)	MENDELSSOHN	Mathis le Peintre	Opéra et symphonie	HINDEMITH
Italienne à Alger (l')	Opéra	ROSSINI	Matin (lo)	Symphonie (nº 6)	HAYDN
Ivan le Terrible	Musique de film	PROKOFIEV	Mazeppa	Poème symphonique	LISZT
Jeanne au bûcher	Oratorio	HONEGGER	Médée	Opéra	M. A. CHARPENTIER, CHERUBINI
Jenufa	Opéra	JANÁČEK			
Jeune fille et la mort (la)	Lied et quatuor à cordes	SCHUBERT			
Jeux	Ballet	DEBUSSY	Mer (la)	Orchestre	DEBUSSY
Jeux d'eau	Pièce pour piano	RAVEL	Messie (le)	Oratorio	HAENDEL
Jeux d'eau à la villa d'Este (les)	Pièce pour piano	LISZT	Métamorphoses	23 cordes solistes	R. STRAUSS
			Metastasis	Orchestre	XENAKIS
Joyeuses commères de Windsor (les)	Opéra	NICOLAI	Midi (le)	Symphonie (nº 7)	HAYDN
			Mignon	Opéra-comique	THOMAS
Judas Maccabeus	Oratorio	HAENDEL	Mikrokosmos	Cycle pédagogique	BARTÓK
Jupiter	Symphonie (nº 41)	MOZART	Militaire	Symphonie (nº 100)	HAYDN
Karelia	Suite pour orchestre	SIBELIUS	Mille (des)	Symphonie (nº 8)	MAHLER
Katia Kabanova	Opéra	JANÁČEK	Mireille	Opéra	GOUNOD
Katerina Ismailova	Opéra	CHOSTAKOVITCH	Miroirs	Cycle pour piano	RAVEL
Khovanstchina (la)	Opéra	MOUSSORGSKI	Mitridate	Opéra	MOZART
Klagende Lied (das)	Cantate	MAHLER	Moïse	Opéra	ROSSINI
Kontakte	Piano, percussion et bande	STOCKHAUSEN	Moïse et Aaron	Opéra	SCHOENBERG
			Moldau (la)	Poème symphonique	SMETANA
Kontra-Punkte	10 instruments	STOCKHAUSEN	Momente	Soprano, chœurs et instruments	STOCKHAUSEN
Kreisleriana	Cycle pour piano	SCHUMANN			
Kreuzspiel	6 musiciens	STOCKHAUSEN	Mondo della luna (il)	Opéra	HAYDN
Lac des cygnes (le)	Ballet	TCHAÏKOVSKI	Mort de Cléopâtre	Scène lyrique	BERLIOZ
Lakmé	Opéra-comique	DELIBES	Mort et transfiguration	Poème symphonique	R. STRAUSS
Lélio	Monodrame lyrique	BERLIOZ			
Leonore	Ouvertures	BEETHOVEN			

LISTE D'ŒUVRES... DE QUI EST-CE ?

TITRE	GENRE OU EFFECTIFS	COMPOSITEUR
Musique pour cordes, percussion et célesta	Œuvre en quatre parties	BARTÓK
Nabucco	Opéra	VERDI
Nations (les)	Œuvres de chambre	COUPERIN
Nez (le)	Opéra	CHOSTAKOVITCH
Noces (les)	Scènes chorégraphiques	STRAVINSKI
Noces de Figaro	Opéra	MOZART
Nocturnes	Orchestre	DEBUSSY
Norma	Opéra	BELLINI
Nouveau Monde	Symphonie (nº 9)	DVOŘÁK
Nuits	Œuvre pour 12 voix	XENAKIS
Nuits dans les jardins d'Espagne	Œuvre pour piano et orchestre	FALLA
Nuits d'été	Cycle de mélodies	BERLIOZ
Nuit transfigurée (la)	Sextuor à cordes	SCHOENBERG
Obéron	Opéra	WEBER
Océanides (les)	Poème symphonique	SIBELIUS
Octandre	Instruments	VARÈSE
Ode à Napoléon	Quatuor à cordes, piano et récitant	SCHOENBERG
Œdipe	Opéra	ENESCO
Œdipus-Rex	Opéra-oratorio	STRAVINSKI
Offrande musicale	Ensemble de pièces	J. S. BACH
Offrandes	Soprano et instruments	VARÈSE
Oiseau de feu (l')	Ballet	STRAVINSKI
Oiseaux exotiques	Instruments	MESSIAEN
Opéra de quat'sous	Opéra	WEILL
Oratorio de Noël	Cantates	J. S. BACH
Or du Rhin (l')	Opéra	WAGNER
Orfeo	Drame musical	MONTEVERDI
Orfeo ed Euridice	Opéra	GLUCK, HAYDN
Orlando	Opéra	HAENDEL
Orlando Furioso	Opéra	VIVALDI
Orlando Paladino	Opéra	HAYDN
Orphée	Poème symphonique	LISZT
Orphée	Cantate	RAMEAU
Orphée	Ballet	STRAVINSKI
Orphée aux enfers	Opéra-féerie	OFFENBACH
Otello	Opéra	ROSSINI, VERDI
Ours (l')	Symphonie (nº 82)	HAYDN
Ouverture académique	Orchestre	BRAHMS
Ouverture tragique	Orchestre	BRAHMS
Oxford	Symphonie (nº 92)	HAYDN
Pacific 231	Orchestre	HONEGGER
Paillasse	Opéra	LEONCAVALLO
Papillons	Œuvre pour piano	SCHUMANN
Parade	Ballet	SATIE
Paris	Symphonie (nº 31)	MOZART
Parisiennes	Symphonies	HAYDN
Parsifal	Opéra	WAGNER
Passion (la)	Symphonie (nº 49)	HAYDN
Pastorale	Sonate (nº 15) et symphonie (nº 6)	BEETHOVEN
Pathétique	Sonate (nº 13)	BEETHOVEN
Pathétique	Symphonie (nº 6)	TCHAÏKOVSKI
Paulus	Oratorio	MENDELSSOHN
Pavane pour une infante défunte	Pièce pour piano	RAVEL
Pêcheurs de perles	Opéra	BIZET
Peer Gynt	Musique de scène	GRIEG
Pelléas et Mélisande	Opéra	DEBUSSY
Pelléas et Mélisande	Musique de scène	FAURE, SIBELIUS
Pelléas et Mélisande	Poème symphonique	SCHOENBERG
Pénélope	Drame lyrique	FAURE
Péri (la)	Poème dansé	DUKAS
Peter Grimes	Opéra	BRITTEN
Petite musique de nuit	Sérénade	MOZART
Petite renarde rusée	Opéra	JANÁČEK
Petrouchka	Ballet	STRAVINSKI
Philosophe (le)	Symphonie (nº 22)	HAYDN
Pierre et le loup	Œuvre didactique	PROKOFIEV
Pierrot lunaire	Mélodrames	SCHOENBERG
Plaisanterie (la)	Quatuor à cordes	HAYDN
Planètes (les)	Suite pour orchestre	HOLST
Platée	Comédie lyrique	RAMEAU
Pli selon pli	Soprano et orchestre	BOULEZ
Poème de l'amour et de la mer	Cycle de mélodies	CHAUSSON
Poème de l'extase	Orchestre	SCRIABINE
Poème divin	Symphonie (nº 3)	SCRIABINE
Poème électronique	Œuvre électronique	VARÈSE
Porgy and Bess	Opéra	GERSHWIN
Poule (la)	Pièce pour clavecin	RAMEAU
Poule (la)	Symphonie (nº 83)	HAYDN
Pour Elise	Pièce pour piano	BEETHOVEN
Prague	Symphonie (nº 38)	MOZART
Prélude à l'après-midi d'un faune	Œuvre pour orchestre	DEBUSSY
Préludes (les)	Poème symphonique	LISZT
Prince de bois (le)	Ballet	BARTÓK
Prince Igor (le)	Opéra	BORODINE
Printemps	Suite symphonique	DEBUSSY
Printemps (le)	Symphonie (nº 1)	SCHUMANN
Printemps (le)	Sonate piano-violon	BEETHOVEN
Printemps (le)	Chansons	LE JEUNE
Psalmus Hungaricus	Ténor, chœurs et orchestre	KODÁLY
Pulcinella	Ballet	STRAVINSKI
Punkte	Orchestre	STOCKHAUSEN
Puritains (les)	Opéra	BELLINI
Quatre chants sérieux	Ensemble de mélodies	BRAHMS
Quatre dernier lieder	Ensemble de mélodies	R. STRAUSS
Quatre pièces sacrées	Cycle religieux	VERDI
Quatre saisons (les)	Concertos	VIVALDI
Quintes (les)	Quatuor à cordes	HAYDN
Ragtime	14 instruments	STRAVINSKI
Rake's Progress	Opéra	STRAVINSKI
Réformation	Symphonie (nº 5)	MENDELSSOHN
Reine de France (la)	Symphonie (nº 85)	HAYDN
Reine des fées (la)	Semi-opéra	PURCELL
Reine indienne (la)	Musique de scène	PURCELL

LISTE D'ŒUVRES... DE QUI EST-CE?

TITRE	GENRE OU EFFECTIFS	COMPOSITEUR
Renard	Histoire chantée et jouée	STRAVINSKI
Répons	Solistes, ensemble et électro-acoustique	BOULEZ
Résurrection	Symphonie (n° 2)	MAHLER
Retour de Tobie (le)	Oratorio	HAYDN
Retour d'Ulysse (le)	Opéra	MONTEVERDI
Rhapsodie espagnole	Œuvre pour orchestre	RAVEL
Rhapsodie pour alto	Cantate	BRAHMS
Rhapsodie Paganini	Piano et orchestre	RACHMANINOV
Rhapsody in Blue	Piano et orchestre	GERSHWIN
Rhénane	Symphonie (n° 3)	SCHUMANN
Rigoletto	Opéra	VERDI
Roi Arthur (le)	Semi-opéra	PURCELL
Roi Arthus (le)	Opéra	CHAUSSON
Roi David (le)	Oratorio	HONEGGER
Roi des Aulnes (le)	Lied	SCHUBERT
Roi d'Ys (le)	Opéra	LALO
Roi Etienne (le)	Musique de scène	BEETHOVEN
Roi Lear (le)	Ouverture	BERLIOZ
Roi malgré lui (le)	Opéra	CHABRIER
Roi Pasteur (le)	Opéra	MOZART
Roi Roger (le)	Opéra	SZYMANOWSKI
Romances sans paroles	Recueils pour piano	MENDELSSOHN
Roméo et Juliette	Symphonie	BERLIOZ
Roméo et Juliette	Opéra	GOUNOD
Roméo et Juliette	Ballet	PROKOFIEV
Roméo et Juliette	Ouverture-fantaisie	TCHAÏKOVSKI
Rosamonde	Musique de scène et quatuor	SCHUBERT
Rossignol (le)	Opéra	STRAVINSKI
Roulement de timbales	Symphonie (n° 103)	HAYDN
Rouslan et Ludmilla	Opéra	GLINKA
Ruines d'Athènes	Musique de scène	BEETHOVEN
Ruy Blas	Ouverture	MENDELSSOHN
Sacre du printemps	Ballet	STRAVINSKI
Saisons (les)	Oratorio	HAYDN
Salomé	Opéra	R. STRAUSS
Samson	Oratorio	HAENDEL
Samson et Dalila	Opéra	SAINT-SAENS
Saül	Oratorio	HAENDEL
Scaramouche	Suite pour 2 pianos	MILHAUD
Scènes de Faust	Oratorio profane	SCHUMANN
Scènes de la forêt	Recueil pour piano	SCHUMANN
Scènes d'enfants	Recueil pour piano	SCHUMANN
Sept dernières paroles du Christ en Croix (les)	Orchestre, puis oratorio	HAYDN
Sept Haïkai	Petit orchestre	MESSIAEN
Sept paroles du Christ en Croix	Oratorio	SCHUTZ
Sept péchés capitaux (les)	Ballet avec chant	WEILL
Servante maîtresse	Intermezzo bouffe	PERGOLESE
Shéhérazade	Voix et orchestre	RAVEL
Shéhérazade	Suite symphonique	RIMSKI-KORSAKOV
Siegfried	Opéra	WAGNER
Siegfried-Idyll	Petit orchestre	WAGNER

TITRE	GENRE OU EFFECTIFS	COMPOSITEUR
Simon Boccanegra	Opéra	VERDI
Sinfonia	8 voix et orchestre	BERIO
Sinfonietta	Orchestre	JANÁČEK
Sœur Angélica	Opéra	PUCCINI
Soir (le)	Symphonie (n° 8)	HAYDN
Soldats (les)	Opéra	ZIMMERMANN
Soleil des eaux (le)	Voix et orchestre	BOULEZ
Somnanbule (la)	Opéra	BELLINI
Sonate à Kreutzer	Quatuor à cordes	JANÁČEK
Sonate pour 2 pianos et percussion	Œuvre en trois mouvements	BARTÓK
Songe d'une nuit d'été (le)	Musique de scène	MENDELSSOHN
Staatstheater	Œuvre scénique	KAGEL
Stimmung	6 vocalistes	STOCKHAUSEN
Structures	2 pianos	BOULEZ
Suite bergamasque	Suite pour piano	DEBUSSY
Suite de danses	Orchestre	BARTÓK
Suite lyrique	Quatuor à cordes	BERG
Suites anglaises	Suites pour clavier	J. S. BACH
Suites françaises	Suites pour clavier	J. S. BACH
Surprise (la)	Symphonie (n° 94)	HAYDN
Sylvia	Ballet	DELIBES
Symphonie cévenole	Piano et orchestre	D'INDY
Symphonie classique	Symphonie (n° 1)	PROKOFIEV
Symphonie de psaumes	Chœur et orchestre	STRAVINSKI
Symphonie des Alpes	Œuvre pour orchestre	R. STRAUSS
Symphonie des jouets	Œuvre avec jouets	L. MOZART
Symphonie espagnole	Violon et orchestre	LALO
Symphonie fantastique	Œuvre pour orchestre	BERLIOZ
Symphonie funèbre et triomphale	Orchestre à vents et chœurs et cordes ad libitum	BERLIOZ
Symphonie liturgique	Symphonie (n° 3)	HONEGGER
Symphonie lyrique	Soprano, baryton et orchestre	ZEMLINSKI
Symphonie pour cordes	Symphonie (n° 2)	HONEGGER
Symphonies d'instruments à vent	Œuvre pour vents	STRAVINSKI
Syrinx	Flûte seule	DEBUSSY
Tableaux d'une exposition	Cycle pour piano	MOUSSORGSKI
Tannhäuser	Opéra	WAGNER
Tapiola	Poème symphonique	SIBELIUS
Tarass Boûlba	Poème symphonique	JANÁČEK
Téléphone (le)	Opéra	MENOTTI
Tempête (la)	Semi-opéra	PURCELL
Tempête (la)	Musique de scène	SIBELIUS
Tempête (la)	Orchestre	TCHAÏKOVSKI
Thaïs	Comédie lyrique	MASSENET
Threni	Soli, chœurs et orchestre	STRAVINSKI

LISTE D'ŒUVRES... DE QUI EST-CE ?

TITRE	GENRE OU EFFECTIFS	COMPOSITEUR	TITRE	GENRE OU EFFECTIFS	COMPOSITEUR
Till Eulenspiegel	Poème symphonique	R. STRAUSS	Vaisseau fantôme	Opéra	WAGNER
Titan	Symphonie (n° 1)	MAHLER	Valse (la)	Orchestre	RAVEL
Tosca	Opéra	PUCCINI	Valse triste	Extrait de Kuolema	SIBELIUS
Traviata (la)	Opéra	VERDI	Valses nobles et sentimentales	Recueil pour piano	RAVEL
Tréteaux de Maître Pierre (les)	Opéra pour marionnettes	FALLA	Variations Abegg	Œuvre pour piano	SCHUMANN
Tricorne (le)	Ballet	FALLA	Variations canoniques	Œuvre pour orgue	J. S. BACH
Trille du diable (le)	Sonate	TARTINI			
Tristan et Isolde	Opéra	WAGNER	Variations Diabelli	Œuvre pour piano	BEETHOVEN
Trois petites liturgies de la présence divine	Chœur de femmes piano et instruments	MESSIAEN	Variations Enigma	Orchestre	ELGAR
			Variations Haendel	Œuvre pour piano	BRAHMS
Trouvère (le)	Opéra	VERDI	Variations Goldberg	Œuvre pour clavier	J. S. BACH
Troyens (les)	Opéra	BERLIOZ	Variations Haydn	2 pianos, puis orchestre	BRAHMS
Truite (la)	Lied et quintette avec piano	SCHUBERT			
			Variations Paganini	Œuvre pour piano	BRAHMS
Turandot	Opéra	BUSONI, PUCCINI	Variations symphoniques	Œuvre pour orchestre	DVÓRAK
Turangalila-Symphonie	Œuvre pour orchestre	MESSIAEN			
			Variations symphoniques	Piano et orchestre	FRANCK
Tzigane	Œuvre pour violon et piano (puis orchestre)	RAVEL	Vêpres siciliennes	Opéra	VERDI
			Vera costanza (la)	Opéra	HAYDN
Un américain à Paris	Poème symphonique	GERSHWIN	Veuve joyeuse (la)	Opérette	LEHAR
			Vie brève (la)	Opéra	FALLA
Un bal masqué	Opéra	VERDI	Vie parisienne (la)	Opéra bouffe	OFFENBACH
Une cantate de Noël	Cantate	HONEGGER	Vie pour le tsar (la)	Opéra	GLINKA
			Vin (le)	Air de concert	BERG
Une nuit sur le Mont Chauve	Poème symphonique	MOUSSORGSKI	Voix humaine (la)	Tragédie lyrique	POULENC
			Voyage d'hiver (le)	Cycle de lieder	SCHUBERT
Une vie de héros	Poème symphonique	R. STRAUSS	Waldstein	Sonate (n° 21)	BEETHOVEN
Un requiem allemand	Soli, chœur et orchestre	BRAHMS	Walkyrie (la)	Opéra	WAGNER
			Wanderer-Phantasie	Œuvre pour piano	SCHUBERT
Un survivant de Varsovie	Récitant, chœur d'hommes et orchestre	SCHOENBERG	Water Music	Suites	HAENDEL
			Werther	Drame lyrique	MASSENET